ACERCA DEL AUTOR

Carlos Montemayor —Parral, Chihuahua 1947—, ha cultivado la poesía, la narrativa, el ensayo y la traducción literaria. En 1971 apareció su primer volumen de cuentos: Las llaves de Urgell (publicado ahora en Diana Literaria), por el cual recibió el premio Xavier Villaurrutia. A partir de entonces, Montemayor ha hecho gala de una diversidad literaria sin límites, realizando prólogos para más de quince autores, desde Píndaro hasta Alfonso Reyes y Gabriela Mistral; ensayos críticos sobre la poesía de Virgilio, Quevedo, Pound y Huidobro, y un brillante trabajo sobre la relación entre sociedad y literatura a partir de los clásicos y contemporáneos. Como traductor, destaca con la primera edición completa en lengua española de la poesía de Safo, con la selección y estudio crítico de los Carmina Burana (que publicará en breve Editorial Diana), y con numerosas traducciones de poetas contemporáneos griegos, portugueses y brasileños. En el extranjero es conocido por la traducción de sus obras, y por su colaboración en revistas internacionales.

Montemayor es miembro de número de la Academia Mexicana de la Lengua y Correspondiente de la Real Española desde 1985. Ha recibido múltiples reconocimientos, entre ellos, el citado Xavier Villaurrutia (1971), el Premio de Letras Tomás Valles Vivar, del estado de Chihuahua (1985); el Premio Alfonso Décimo de traducción literaria (1989) y el Premio Nacional de Literatura José Fuentes Mares (1990) por Abril y otras estaciones, que reúne su producción poética desde 1977 hasta 1989.

Guerra en el paraíso es su más reciente novela, donde, entre sugestivas exploraciones verbales, Carlos Montemayor cristaliza su constante labor literaria.

GUERRA EN
EL PARAÍSO

GUERRA EN EL PARAÍSO

Carlos Montemayor

DIANA*bcdefghijk***LITERARIA**

1a. Edición, Abril de 1991
3a. Impresión, Diciembre de 1991

ISBN 968-13-2120-0
Ilustración de portada: Hermilo Gómez

Impreso en México — Printed in Mexico

Elaboración de originales y fotomecánica:
SISTEMAS EDITORIALES TÉCNICOS, S.A. DE C.V.

Contenido

Contenido

I

Noviembre de 1971 a febrero de 1972

Al amanecer, la camioneta verde olivo salió del campo militar, escoltada por dos vehículos. Descendió por el Anillo Periférico, en ese momento, oscurecido por la neblina. Avanzó con rapidez en la autopista desierta, hacia el sur, hacia el entronque con el Viaducto de la Piedad. En el interior miraban a través de los vidrios escarchados la imagen neblinosa de la ciudad.

—Sí, dígame usted —contestó el subsecretario de Gobernación.

—Ha confirmado ya el gobierno de Cuba que recibirá mañana mismo a los reos excarcelados —explicó la voz por teléfono—. Viajará con ellos un diplomático de la Embajada Cubana, don Fernando.

—Estamos informados, sí.

—El señor presidente quiere confirmar si se dieron ya las órdenes de excarcelamiento para todos los reos.

—Hace unos minutos salieron hacia acá, por carretera, los que se excarcelaron en Chilpancingo. Se les conducirá al campo militar número uno. Por lo que toca a los recluidos aquí, en la ciudad de México, se desistieron ya de sus acciones penales el procurador del Distrito Federal y el procurador de la República; en cuestión de horas se expedirán administrativamente las órdenes de excarcelamiento.

—¿Saldrán mañana a La Habana?

—Por supuesto, a primera hora.

—El señor presidente quiere conocer la relación de este secuestro con los que hemos tenido este año, don Fernando. Especialmente con el del director general de Aeropuertos en septiembre pasado, y con el de Mexicana de Aviación en Monterrey.

9

—Son grupos distintos, sin conexión entre sí, licenciado. Al menos por ahora. Este secuestro sólo es una acción aislada del grupo de Genaro Vásquez. Por los reos que piden como rescate, vemos que se trata de una protección exclusiva de sus cuadros activistas en Guerrero pero nada más. Los que acaban de liberar en Chilpancingo fueron aprehendidos en ocasión del secuestro al banquero Donaciano Luna Radilla y no hay más datos por ese lado. Respecto a la mujer, se trata de la cuñada de Genaro Vásquez y fue aprehendida en un asalto común. En el caso de Onofre Valdovinos, participó en los comandos terroristas que detonaron explosivos en 1969 en varios edificios públicos ¿recuerda?, aquí, en la Secretaría de Gobernación, en Televisa y en la Procuraduría del Distrito. Por supuesto que las acciones de Genaro Vásquez se extendían a otros sitios distantes de Guerrero, pero a partir de sus propios seguidores y no en coordinación con otros núcleos. El único reo especial es el periodista Mario Menéndez. No creemos que se trate de un miembro orgánico de la guerrilla, aunque sí de un simpatizante de Genaro y posiblemente de un agente especial con amplios contactos en Cuba y en el contrabando de armas. Ésta es una respuesta solidaria de Genaro Vásquez con él. Pero no creemos que sea bien visto por otros grupos terroristas. Le temen, incluso.

La profesora sintió el frío intenso al atravesar por el amplio patio de la Cárcel de Mujeres de Santa Martha Acatitla. Aún no amanecía. La neblina hacía más densa la oscuridad y más apagado el rumor de los vehículos que pasaban por la carretera, a lo lejos. Eran las cinco de la mañana. Un olor salado, a basura, llegaba de los baldíos que rodeaban la cárcel. Junto a la caseta de guardia estaban dos automóviles con los motores encendidos. La hicieron subir en uno de ellos, en el asiento trasero, escoltada por policías. El vehículo echó a andar. Por las ventanillas escarchadas alcanzó a ver las siluetas de los cerros, las débiles luces de los barrios miserables, la quietud de la noche.

—Pero apenas en septiembre secuestraron al licenciado Hirschfeld Almada y hace veinte días secuestraron la aeronave en Monterrey. ¿No ve usted mucha coincidencia?

—Se trata de agrupaciones que están proliferando en varias partes, pero que no actúan coordinadamente ni representan un peligro organizado. Son de filiación radical, sobre todo exmilitantes de las juventudes comunistas con un mismo sistema de acciones: asaltos bancarios, asaltos a comercios, secuestros. Pero este secuestro sólo proviene de Genaro Vásquez, licenciado, dada la notoriedad del doctor Castrejón Díaz como Rector de la Universidad de Guerrero y como hombre acaudalado de la comarca.

—El señor presidente se interesa especialmente en que no haya contratiempos para la seguridad del doctor.

—El único contratiempo es que no aparecen nueve de los campesinos incomunicados en cuarteles militares. De los que piden los secuestradores sólo hemos localizado a seis.

—¿Cómo dice?

—Se trata de arrestos por orden militar porque formaban parte de la guerrilla de Genaro Vásquez Rojas. Y las órdenes militares se cumplen siempre. Cuando una rectificación no llega a tiempo, es imposible ya repararla, licenciado.

—Pero esto puede traer problemas graves, ¿no cree?

—Les estamos dando garantías para el traslado de los excarcelados a La Habana y el dinero del rescate. Esperemos que no.

—Insistiremos entonces a la Secretaría de la Defensa, al general Cuenca Díaz, para que localicen a los campesinos.

—Sólo podemos entregar a los que han sido localizados, licenciado.

A las cinco de la mañana se abrieron las puertas del penal de Lecumberri y dos camionetas patrullas atravesaron entre los periodistas y fotógrafos que habían aguardando durante la noche. Gritaron periodistas y familiares de los reos que excarcelaban en esos momentos, pero nadie respondió de los vehículos. Las camionetas se alejaron por la avenida. La neblina parecía desdibujar las luces, hacer más solitario el ulular de las sirenas.

—¿Y de Chilpancingo? ¿Del procurador Román no hay más informaciones?

—Hemos eliminado toda intervención policiaca para asegurar la liberación del rector, pero ciertamente hay inquietud. El procurador del estado, Francisco Román, nos ha entregado la relación de secuestros y de asaltos cometidos en este mismo año de 1971. Permítame, voy a tomar los papeles.

Se retiró del teléfono un momento; luego voivió a hablar.

—¿Licenciado?

—Sí, lo escucho, don Fernando.

—A grupos armados de Lucio Cabañas se atribuye el secuestro de Juan Gallardo Vega, cuyo rescate fue de cien mil pesos y el del doctor Telésforo Andalón Salgado, a quien liberaron aparentemente sin rescate y quizás por haber fallado en otra acción que debía coordinarse con ésta; secuestraron también a Lourdes Becerra, hija del doctor José Becerra, a quien ultimaron en su propio domicilio por haber opuesto resistencia. Se atribuyen a Genaro Vásquez, además de asaltos a diversos centros bancarios y comerciales, los secuestros de Donaciano Luna Radilla, Agustín Cabrera Bautista y ahora

11

el del doctor Jaime Castrejón. Es una situación especial la que vive ya esa región. Problemas políticos que vienen de muy atrás, licenciado, y que quizás pudieron haberse resuelto también políticamente.

En el aeropuerto se extendieron grupos de policía militar y federal bloqueando las bardas y las rejas de acceso. Las camionetas panel fueron llegando a la plataforma y se estacionaron junto a la escalerilla del avión de la Fuerza Aérea. Comenzaba a amanecer. Lentamente se aclaraban el aeropuerto, los hangares quietos, los aviones detenidos a lo largo de las pistas. Periodistas y fotógrafos trataban de romper el acordonamiento policiaco y acercarse a los vehículos detenidos junto al DC-6.

—¿Cree usted entonces que es un caso aparte lo que ocurre en Guerrero?

—Por supuesto, aunque por el momento nos resulta difícil calcular la dimensión real de sus recursos y de su número. Pero aun así, Genaro Vásquez Rojas no tiene vínculos efectivos con los comandos terroristas que actúan en otras partes del país. Son cuadros diferentes. Y le confirmo que en el caso de los secuestradores del licenciado Hirschfeld Almada, es cuestión de días la aprehensión de todo el grupo. Y con ellos sí podemos establecer paralelos. La forma de autonombrarse no refleja nada de fondo. Se llaman Frente Unido Zapatista o FUZ, y se parecen al Movimiento de Acción Revolucionaria o MAR, que capturamos en marzo de este año y que contaban con entrenamiento en Corea, pero con documentación de estudiantes de la Universidad Lumumba. También se asemejan a la Liga Armada Comunista, que secuestró hace tres semanas la aeronave de Mexicana de Aviación en Monterrey. Hay paralelos, digo, incluso quizás alguna relación personal entre activistas de estos grupos radicales, pero no hay señal de que actúen coordinadamente, licenciado. Por lo menos ahora, claro.

Poco antes de las siete de la mañana descendieron las escoltas y los reos excarcelados de las camionetas panel y subieron rápidamente por la escalerilla del DC-6. Saludaron a lo lejos, levantando los brazos. Luego el avión quedó detenido unos minutos sobre la pista, antes de retirarse lentamente de la plataforma para despegar.

—Don Fernando, le repito que el señor presidente le pide a usted que llegue con don Miguel Nazar una hora antes a su oficina de Los Pinos.

—¿A las siete y media de la noche?

—Así es, por favor.

———————————

—¿Guerrillero? —preguntó sonriente el general Cuenca Díaz, en el Colegio Militar, mientras los asistentes a una ceremonia de

12

clausura de conferencias conversaban en el vestíbulo—. ¿Genaro Vásquez Rojas guerrillero? No, hombre. No pasa de ser un delincuente.

—Pero el ejército está en una campaña militar formal contra el grupo de Genaro Vásquez Rojas, ¿no es así? —preguntó alguien más.

El general se ajustó los gruesos lentes con la mano derecha y endureció su rostro.

—El ejército en Guerrero sólo desempeña actividades sociales. Lleva alimentos, medicinas, agua, a los lugares más remotos de la sierra. Ésa es nuestra labor. Porque en Guerrero nadie apoya a Vásquez Rojas. Él conoce bien la sierra y se mueve de un sitio a otro, como bandido.

Los periodistas acercaban grabadoras portátiles al militar. Un asistente pidió que abrieran paso para que otros oficiales abandonaran el recinto. El general Cuenca Díaz volvió a caminar. Sobresalía en el grupo de periodistas. Alto, con los gruesos lentes que brillaban con las luces.

—Hemos comprobado que el pueblo de Guerrero no está con Genaro —volvió a decir cuando se detuvo a responder a otro periodista—. Lo que sucede es que en algunas regiones le temen y por ello le prestan ayuda. Pero ningún gatillero como él puede ser popular. Además, se le están cortando todos los caminos de huida. Se arrestó a la mayoría de sus cómplices y ha perdido ya los medios por los que obtenía dinero.

Con un movimiento de la mano derecha se ajustó nuevamente los anteojos y siguió avanzando.

———

—Mire, amigo, nadie puede pensar igual en estos asuntos y en ningún otro. Pero de ahí a que yo disienta de las opiniones que expresó ayer el general Cuenca Díaz, hay mucha distancia —contestó al periodista el senador Rubén Figueroa en el salón de sesiones del Senado de la República, en la Ciudad de México—. Lo que yo puedo decir es que si en Guerrero hubiera habido una política de conciliación, posiblemente no estaríamos lamentándonos ahora de la guerrilla de Genaro, que está dentro de eso que llamamos izquierda delirante. Muchas ideas son utópicas, pero sus programas son subversivos, incitan a la rebelión. Así que tiene que vérsele como delincuente, como enemigo del orden. Aunque lo obligaron a asumir esa postura violenta políticos incapaces. Primero, por la falta de apertura del gobernador Raúl Caballero Aburto, que fue destituido por la lucha cívica de Genaro; después por el rechazo constante del siguiente gobernador, Raimundo Abarca Alarcón, y por los caprichos de Miranda Fonseca, que era secretario de la presidencia y que impuso

13

como gobernador a Abarca Alarcón. Por ellos Genaro Vásquez se lanzó a la lucha. Ellos son los causantes.

Figueroa levantaba las manos, rudo, enérgico, para explicar lo que decía. Sonrió, de pronto, como si una burla ligera apareciera en sus labios.

—¿Pero usted cree que en la sierra de Guerrero apoyan a Genaro?

El senador mantuvo su mirada fija en el periodista por un momento. Cuando se disponía a contestar llegó un asistente del senado y habló en voz baja con él. Asintió con un movimiento ligero de cabeza.

—Debemos darnos prisa, señores, porque el líder de la cámara desea hablar conmigo de algunos asuntos del senado. Pero en cuanto a la pregunta que me hizo aquí el señor debo reconocer que sí, que Genaro tiene simpatizadores en algunas zonas pequeñas. Pero si tuviera fuerza, si tuviera gente, ya habría hecho un movimiento mayor, ¿no creen ustedes? Porque yo insistí con Abarca Alarcón cuando yo era diputado federal. Le llevé a Genaro Vásquez y le dije "ponlo de este lado del mostrador para que vea las cosas de otra forma". Pero no quiso hacerlo. "Es un subversivo" me dijo, "y voy a acabar con él". Falta de imaginación política, de conocimiento del valor que tiene el diálogo, el acercamiento. Genaro quería ser inspector escolar, pero no le hicieron caso. Así pasa con todo, la mula no era arisca, sino que la hicieron.

Luego sonrió con los periodistas y se inclinó hacia adelante.

—A mi juicio —volvió a decir—, los más graves problemas de Guerrero son tres: carencia de vías de comunicación, analfabetismo y falta de fuentes de trabajo. Si construyéramos cada día un kilómetro de caminos, en un sexenio la situación de Guerrero cambiaría, y con el respeto que me merecen, saldrían sobrando las fuerzas militares en el estado.

Se puso de pie y el asistente trató de caminar por el pasillo de la sala de sesiones para que se retiraran de ahí. El grupo de periodistas se abrió para dejarlos pasar. Cuando se despedía de ellos, otro le preguntó, al fondo.

—¿El grupo de Vásquez Rojas es el único grupo guerrillero que hay en la sierra de Guerrero?

El senador, ya de pie en el pasillo, levantó los hombros en señal de indiferencia.

—Creo que hubo otro. El de Lucio Cabañas. Pero tengo la impresión de que ése más bien ya desapareció hace tiempo.

Echó a caminar otra vez.

18 de mayo de 1967

Lucio los vio entrar en la escuela y acercarse a la ventana. Lo saludaron.

—*¿Qué ha pasado?* —*les preguntó a través de las pequeñas ventanas abiertas del salón de clases. Los hombres sintieron el vaho del calor sofocante del salón; el calor de mayo en Atoyac, del gran calor de la mañana.*

—*No vendrá el orador que tenía que hablar hoy, profesor. Entonces los padres de familia hemos acordado pedirle a usted que nos ayude y que sea el orador para esta mañana.*

Lucio miraba a los hombres afuera, quietos en el patio, bajo el sol pesante de la mañana. Algunos se habían quedado en la sombra del árbol de tamarindo. Por la entrada de la escuela pasaban caminando tres mujeres y atravesaba un viejo vehículo Chevrolet.

—*Puedo ayudarles en la hora del recreo* —*contestó Lucio*—. *Faltan pocos minutos. A las diez y media.*

—*Gracias, profesor, aquí lo esperamos* —*intervino otra vez el mismo hombre*—. *Están ahora instalando el equipo de sonido, así que tenemos tiempo.*

Lucio asintió. Sonrió a Regino Rosales.

—*¿Cómo estás, Regino?*

—*Bien, Lucio.*

—*Espérenme, pues.*

Lo vieron retirarse de la ventana y contener los gritos de los niños en el pequeño salón de clases.

El hombre, en camiseta, seguía ordenando los cables de un micrófono. Se inclinó sobre los controles de sonido y empezó a probarlos. Se irguió después, buscando a alguien entre los grupos que se acercaban. Luego volvió a inclinarse. Escuchó que hablaban a su espalda.

—*¿Qué estás haciendo? ¿No oyes?*

—*Coloco los micrófonos para el mitin* —*contestó, incorporándose.*

Eran dos hombres.

—*¿Dónde está el responsable o el encargado de esto?*

—*Es una profesora. La estoy esperando.*

Uno se volvió a mirar hacia la plaza, hacia los grupos que aguardaban el mitin.

—Mira, tengo órdenes del gobernador de impedir aquí cualquier alboroto. Así que se lo vas diciendo a todos los que tengan que saberlo. No voy a permitir que sigan haciendo lo que se les antoje en Atoyac. ¿Está claro?

Lucio reinstaló el cargador de su pistola escuadra y cortó cartucho; luego bajó suavemente el martillete para dejar alojada la bala y metió el arma en su cintura, debajo de la camisa suelta de algodón. Salió al patio. El sol caía pleno, abrillantando todo, los árboles, el ruido de los pájaros y de niños. De todos los salones salían los alumnos como si se volcaran grandes recipientes en el recreo. A lo lejos se veía el cerro del Suspiro, con su mole oscura deslizándose hacia las Trincheras, hacia Ixtla, Alcholoa. Más allá se veía la sierra alta, azul, blanquecina, y un cielo despejado con un sol que calentaba el aire, la tierra. Todos los niños corrían, gritaban bajo los almendros, se trepaban en ellos, caían como los pájaros en la sombra del árbol de zapote. Vio a dos maestras del lado opuesto del patio; las saludó agitando la mano. El conserje atravesó el patio.

—¿Cómo estás, Imeldo? —le dijo, sonriente.

Una pelota cayó cerca de ellos.

—Así es, no vamos a contar con soldados. El capitán dice que él necesita órdenes de Defensa Nacional.

—¿Qué decide entonces, comandante?

—Que estén muy protegidos nuestros agentes. Revisa los lugares en que deben colocarse. En parejas siempre, nadie solo.

—Ya todos están distribuidos, mi comandante. Mandé incluso a dos elementos a la Modesto Alarcón para seguir al profesor.

—Hay que cortar por lo sano. En cuanto empiece a hablar por el micrófono, todos sobre él, que no escape.

—Usted ordena, mi comandante

—Pero para obedecer se te está haciendo tarde.

—Todo está arreglado, comandante, se lo aseguro.

—Pues lo quiero más arreglado todavía.

—Como usted diga, comandante.

Tomó el micrófono. Tenía la boca seca. Eran cerca de las once de la mañana.

—Padres de familia de la escuela Juan Álvarez —comenzó a decir con voz firme, por el micrófono—. A todos los padres de familia de la escuela primaria Juan Álvarez —volvió a repetir la profesora. Un fuerte eco vició el sonido del micrófono y después de ajustarlo

volvió a repetir—. A todos los padres de familia de la escuela Juan Álvarez se pide que se acerquen, por favor. El mitin va a dar comienzo dentro de breves instantes, en cuanto recibamos al compañero Lucio Cabañas Barrientos, que tomará la palabra en nombre de los padres de familia. Hacemos un llamado a todos los ciudadanos de Atoyac. Éste es un mitin para denunciar los perjuicios que sufren los niños de esta escuela. Reúnanse todos alrededor del micrófono, por favor
La gente se concentraba, despacio, en la pequeña plaza, rodeando los aparatos de sonido.

Desde la sombra del árbol avanzó el grupo a su encuentro. Lo saludaron todos de mano. Salieron de la escuela y caminaron por la polvorienta calle. La mañana era agobiante, el peso del sol atravesaba la ropa. Una vieja camioneta con refrescos embotellados se estacionó en la esquina. Tomaron la calle Silvestre Castro y luego la Aquiles Serdán. Mujeres y hombres salían de las tiendas, de los merenderos. Pasaban automóviles, hombres en bicicletas, camiones de carga. Lucio se volvió a mirar hacia atrás: comercios, autos, gente caminando, perros, pero ningún policía. Luego escucharon el rumor de la plaza, el ruido viciado de un equipo de sonido, la voz de una mujer invitando al mitin de padres de familia de la escuela Juan Álvarez. Atravesaron el puente del arroyo Cuitero; en su lecho cenagoso había dos pequeños cerdos negros comiendo basura; un perro les ladraba desde el puente. Aceleraron el paso cuando empezaron a subir por la cuesta de la plaza Juan Álvarez.

El hombre flaco, en camiseta, se acercó a la profesora, que lo llamaba.
—Mira, aquellos en la azotea —preguntó ella—, ¿son agentes también?
—No, no son agentes. Son los amigos de don Juan García y del ingeniero Fierro.
—Pero están armados, ¿no?
—Sí, profesora. Así parece —volvió a contestar el hombre, sudoroso.

Lucio entró en la plaza. Los padres de familia que lo acompañaban lo rodearon. Comenzaron a escucharse aplausos mientras atravesaba la multitud para llegar al micrófono. Entre la gente, un muchacho lo alcanzó.

17

—*Profesor, dice Manuel García que se cuide, porque muchos judiciales sólo esperan que empiece a hablar usted para perjudicarlo, que se cuide.*

Lucio no había dejado de avanzar y llegaba al micrófono. Sintió en su mano huesuda el metal caliente. El calor era intenso; el sol caía pesadamente sobre la plaza. Eran las once de la mañana.

—*Compañeros padres de familia de la escuela Juan Álvarez* —comenzó a decir.

El murmullo de la multitud disminuyó para escuchar su voz.

—*¡Compañeros alumnos, pueblo de Atoyac!* —gritó nuevamente—. *¡Otra vez venimos aquí para que el pueblo conozca nuestra lucha, para que los maestros corruptos y dinereros conozcan de una vez por todas que no nos gusta la injusticia, que no nos gusta el trato despótico y explotador que quieren hacer sobre nuestro pueblo campesino!*

Por el lado poniente de la plaza dos judiciales armados con M-1 se abrieron paso entre la gente, pero luego se detuvieron, por lo cerrado de la multitud.

—*¡Hazte a un lado!* —oyeron que gritó uno de ellos, empujando a un viejo, pero la multitud estaba apretada, no podían atravesar.

—*¡A un lado, hijos de la chingada!* —gritó el otro, al tiempo que golpeaba con la culata de su M-1. Fueron abriéndose paso así con rapidez, golpeando a todos, derribando muchachos.

—*¡Más cuidado, cabrones!* —gritó un hombre moreno, robusto, enfrentando a los judiciales. Volvió a gritar cuando lo vieron recibir el primer golpe en una pierna, luego el otro en el hombro. Intentaron apartarse los que estaban mirando, pero fue imposible. La multitud se contraía, se agitaba como un oleaje, sin salir, sin derramarse. El hombre cayó al suelo, con la camisa rota y ensangrentada. Uno de los agentes intentó pasar por encima de él, pero el hombre tenía ya elevado su brazo, detenido en lo alto, como si se aferrara al cinturón del agente. Resbaló sangre por el brazo, por el suelo. Vieron una masa de sangre y excremento en la ropa del agente que empezó a convulsionarse, a caer, a querer detener con sus manos el dolor, gritando, mirándose el vientre donde en vano quería meterse la sangre, guardársela, detenerla.

Logró la multitud hacer un espacio alrededor del cuerpo. El hombre trataba de levantarse del suelo sujetando aún la navaja. El otro agente se volvió a descargar su M-1 sobre él. Los impactos hicieron saltar pedazos de tierra, de ropa; se abrió el tórax bajo la ráfaga cerrada, borboteando sangre; sobre los despojos desmenuzados siguió cayendo la descarga completa. El hombre era ya irreconocible, un montón de trapo, huesos, sangre todavía brotando, dientes destrozados que no perdían su blancura.

—¡Cuidado, profesor! —alcanzó a oír Lucio en medio de la ondulante multitud que gritaba desordenada bajo el ruido de las descargas de pistolas y ametralladoras. Lucio sintió que los que estaban junto a él lo arrastraban, lo volvían a encerrar en medio de un nutrido grupo, alejándolo del agente que le había arrebatado ya el micrófono. Un hombre moreno, de baja estatura pero muy corpulento, abrazó al agente por la espalda, inmovilizándole los brazos. El agente trató de librarse del hombre que jadeaba a su espalda, despidiendo un tufo agrio, picante, de sudor. Cayeron al suelo, a los pies de los que trataban de huir, de no estar cerca. El agente quedó boca abajo, inmovilizado por el peso del hombre que lo seguía sujetando. Otro agente logró llegar y le asestó un culatazo con el M-1. El hombre levantó sus brazos como si quisiera librarse de una llamarada profunda que le quemaba la espalda, los huesos.

La pequeña mujer, embarazada, empujada por la multitud, vio que el hombre quiso volverse cuando recibió un segundo culatazo en la quijada, que le hizo brotar la sangre. Recibió un tercer culatazo en la espalda, que lo derribó al suelo; otro culatazo cayó seco, directo, produciendo un ruido sordo en la cabeza del campesino bañada en sangre. Un culatazo más cayó sobre la masa encefálica. Volvió a elevarse el arma para descargar otro golpe sobre la masa amorfa cuando la mujer pequeña se abrazó a la espalda del agente gritando desesperada, oyendo sólo su propio grito, llorando, enloquecida.
—¡A mi esposo no! ¡A él no!
Y con su vientre de embarazada, pequeña, pegada a esa espalda que olía a salado, a sudor, hundía un pequeño picahielo una vez y otra. No vio que el otro agente se incorporaba del suelo. No vio que desfundaba. Sólo sintió que algo caliente, muy rápido, la surcaba por dentro y le impedía gritar. Inclinó ligeramente la cabeza, se tomó el vientre con las manos oscuras sintiendo por dentro la criatura que se movía y fue cayendo suavemente, como si pensara en algo propio, íntimo, y fuera a sentarse para mirar algo simple, bueno. La sangre le fue manchando la ropa con prisa, a borbotones, saliendo de su cuerpo, de su boca, junto al cuerpo amorfo que fue su marido, sin oír las detonaciones del arma que la había derribado, que la había dejado así, quieta, silenciosa, mirando con los ojos vacíos el oleaje de la multitud que trataba de huir.

Ocupado en disparar a la mujer, no escuchó los insultos. Escuchó disparos, pero creyó primero que eran los de su arma y no comprendió por qué le ardía un fuego en la espalda, en el costado, por qué iba avanzando ese ardor sobre su grito y lo inundaba de una inmensa agua densa que no lograba escupir, que se le confundía con su grito mismo, y se llevó las manos a la boca para escupir el calor que lo quemaba, y alcanzó a mirar la sangre, pero ya no se asustó, siguió mirando con sorpresa de dónde procedían los diparos que no eran de su arma caída ya en el suelo, y miró los ojos negros de un costeño sudoroso, de camisa abierta, que con furia, con desprecio, seguía disparando sobre él; quiso encontrar con sus manos el dolor que le quemaba el cuerpo, pero tan sólo alcanzó a mirar los pantalones oscuros del hombre cuando quiso desprender del suelo la oscuridad, el dolor de su boca, el dolor que le impedía escuchar los gritos de dos agentes más que llegaron hasta el campesino que seguía disparando. Uno de ellos soltó la ráfaga de su Browning.

—¡Hijo de puta! —gritó—. ¡Hijo de puta! —volvió a gritar disparando sobre el campesino descamisado, sobre la cabeza, sobre el pecho, sobre la sangre que manchaba el cuerpo convulso.

—¡Los judiciales están atacando! ¡Disparan sobre la gente, don Manuel! —gritó uno de los policías viejos.

Manuel Cabañas estaba nervioso. Escuchaba los disparos, los gritos en la plaza. Hubiera querido asomarse, pero siguió sentado.

—¡Ustedes están acuartelados! —repuso—. ¡Toda la policía municipal de Atoyac está acuartelada! No tenemos autorización para intervenir —insistió.

—¡Pero están disparando sobre la gente! ¡No podemos quedarnos con los brazos cruzados!

—¡Y qué carajos quieren que haga yo! Vino el procurador del estado en persona y me advirtió que ahora la seguridad quedaba por cuenta de ellos, que yo como presidente municipal no interviniera y ustedes tampoco.

—Nada más intervenimos para calmarlos, don Manuel, para que se les quite lo nervioso a esos hijos de la chingada.

Oían las descargas de M-1 y de pistolas automáticas. Dos policías preventivos estaban asomados tras la ventana, conteniéndose de salir, de intervenir.

—¡Están matando también a mujeres, don Manuel! —gritó otro policía indignado.

Manuel Cabañas bajó la cabeza, tenso, sobre su escritorio; hizo un esfuerzo por cerrar los labios, por no decidir, por no escuchar, por no sentir a los policías preventivos en su oficina.

—No podemos hacer nada. Son órdenes del gobernador. Ustedes están acuartelados. Esto es asunto sólo de la judicial del estado, No pueden intervenir.

—¡Claro que podemos intervenir, si están matando a mansalva! —reclamó el policía más viejo, un costeño de cuarenta años, alto, robusto, de guayabera verde, agitando las anchas manos morenas.

Manuel Cabañas movía nerviosamente entre las manos un lapicero. Levantó la vista hacia el policía, con firmeza.

—No tengo autorización —repitió con angustia, con impaciencia—. El procurador lo dijo muy claro.

—¡No tenemos huevos! —espetó el policía de guayabera verde—. ¡Eso es lo que pasa! Están matando a todo mundo y nosotros estamos escondidos aquí, como putas.

—¡No estamos escondidos! ¡Estamos obedeciendo órdenes! —replicó Manuel Cabañas.

—¡Obedeciendo órdenes de su chingada madre! —gritó el policía.

Lucio caminaba con dificultad, arrastrado por un grupo de mujeres y de hombres que lo ocultaban entre la multitud. Oyó al bajar de la plaza que un compañero tropezaba y caía tras él; intentó detenerse, ayudarlo, pero sintió que alguien lo sujetaba de un brazo. Empezó a oírse en ese momento, en medio de los disparos de metralletas y de pistolas, en medio de los gritos de la multitud espantada, el repique de campanas de la iglesia. Era un ruido ensordecedor, las campanas tañían a revuelo, insistentes, vigorosas, como si provocaran a todo el pueblo, a toda la fuerza, a toda la vida. Lucio dudó, pero el agente empezaba a desenfundar. Lucio empuñó su pistola debajo de la camisa; estaba el metal sudado, caliente, casi resbaloso por tanto sudor. Luego el agente se fue doblando de dolor, manchado de sangre, queriendo respirar, queriendo gritar, Muchos se interpusieron y otra vez sintió que lo arrastraban fuera. Las campanas seguían doblando a revuelo, sobre los gritos y los disparos. Cerca de la iglesia Lucio echó a correr, en medio de las mujeres y de los hombres que lo cubrían. Cuando rodearon la iglesia, Lucio sintió que las calles estaban vacías, que parecía no haber ocurrido nada en ellas, que ninguna sombra parecía comprender el sudor y la sangre con que venía manchado, el calor con que corría, la furia y la prisa con que veía las piedras de las calles como recibiéndolo, como advirtiéndole que ése era el suelo seguro, libre. Recordó repentinamente el salón de clases, a sus alumnos. Sintió prisa, que no habría espacio en los días para rehacer la confianza, para no luchar otra vez así, para no asomarse otra vez a la muerte, a la lucha contra la muerte.

En lo alto del campanario echaba a revuelo las campanas, lo ensordecía el tañer inmenso de los bronces. Calvo, robusto, sudoroso, miraba el jardín desecho donde corrían judiciales, donde quedaban cuerpos ensangrentados bajo la multitud, olvidados por la huida, por los gritos. Echaba a repique las campanas con furia y gritaba con voz inmensa que se confundía con el ronco tañer de las campanas; sentía al gritar la boca llena de fuego.

—¡Vengan por su padre, cabrones! —gritaba hasta desgarrarse la garganta—. ¡Vengan por su padre, cabrones!

———————

Se levantó de la carretera, con vidrios incrustados en la mano. Miró de soslayo el puente en que se había estrellado. La noche era presa de un ruido muy fuerte, de un viento ronco que agitaba los árboles. Una de las mujeres lloraba. Ahora le parecía no entender. Le parecía no haber dormido nunca mientras conducía. No recordar el instante del impacto.

—¡Rápido! —volvieron a gritarle.

Se había introducido otra vez en el automóvil. Lo vio inconsciente. Le tomó el pulso y acercó su oído al pecho. Lo sujetó después de la nuca con la mano derecha y le dio respiración de boca a boca.

—Rápido —le gritaron otra vez, afuera.

Se detuvo, jadeante.

—¿Está muerto? —le preguntaron.

—No sé —replicó—. No sé.

Una de las mujeres gemía por el dolor.

—No tardarán en venir de los caseríos cercanos —dijo el otro, mirando hacia la carretera.

El viento era frío. Intentaron sujetar el cuerpo de varias maneras, pero no pudieron.

—¿No está muerto?

Vieron a lo lejos, cruzando la carretera silenciosa, varios bultos blancos. Corrían en dirección del puente, hacia ellos. El monte estaba oscuro, inundado de noche.

—Ya están llegando.

—¿Y él?

—Creo que ha muerto. No podríamos andar con él por el monte.

Las figuras aumentaban a lo lejos. Otras, atrás, parecían flotar sobre la orilla de la carretera.

Corrieron hacia la oscuridad. Cuando lograron abrirse paso, ya entre los matorrales y los árboles, alcanzaron a escuchar las voces de los campesinos en el puente.

———————

—Ya revisamos todo, mi teniente. Los agentes judiciales también están de acuerdo con nosotros; son todos los papeles. Ninguno importante.

—¿Y las mujeres?

—Dicen llamarse Arcelia y María Aguilar Martínez. Sin identificación.

—Podrían ser putas, ¿no?

—Aquí los judiciales dicen que no. Que deben ser guerrilleras.

—Eran sus queridas, señores. Y todas las queridas son putas. ¿Ya interrogaron a los campesinos?

—Los tenemos todavía detenidos, teniente. Están algo asustados, pero no saben más. Confirmamos que dos huyeron a la sierra, a pie.

—Uno de ellos debe ser Bracho, estamos seguros —terció uno de los agentes judiciales.

El teniente miró de nuevo hacia el monte. No tardaría en amanecer. Aspiró profundamente el olor húmedo y azucarado de la sierra, de la tierra caliente. Le gustaban las madrugadas así, húmedas, con el ruido de la tierra oscurecida, de los insectos, las voces de los soldados. El cielo era magnífico, estrellado. Todo formaba parte del mundo de una manera completa, como si él hubiera estado antes ahí, en Atopanco, y hubiera vivido esto. Nadie podría permanecer en esa sierra. Cualquiera tendría que buscar la carretera, tarde o temprano. Tendría que buscar comida. Tendría que acercarse a un poblado, a alguna casa, a algún merendero. Bracho y quien lo acompañara. Era el fin de la guerrilla en esta amplia madrugada que lo cubría de calma, de comprensión de las cosas. Le sorprendía su propia serenidad. Sentía a los soldados que fumaban tranquilos, dejando escapar alguno de ellos una clara risa que se elevaba desde la carretera hacia la noche, hacia los árboles. Todos eran jóvenes, fuertes. Indios como él en su color, en sus rostros de amplia nariz, de oscuros ojos rasgados, de fuertes manos. Le gustaba oler el humo de los cigarrillos que fumaban, oír el pausado roce de las botas sobre el pavimento de la carretera. Pero estaba ahí. Podía permanecer ahí, como si ésa fuera su casa, como si estuviera a la orilla de la casa de su infancia, como si pudiera detenerse el mundo.

Se dirigió hacia el camión. Los soldados se hicieron a un lado para dejarlo pasar. Sin prisa, como si todo estuviera muy lejos, se asomó a mirar a los campesinos detenidos en el camión. Tenían los sombreros en las manos. Los ojos brillantes y legañosos reflejaban miedo, desconcierto; sus cabellos estaban revueltos. El más joven bajó la vista. Era alto, con manos grandes.

—¿Se han acordado de algo más? —les preguntó.

—No, señor —contestaron a la vez dos de ellos.

—Dije todo lo que pude, lo que vi, pues —repitió el más viejo. El campesino joven había vuelto a levantar la vista. En sus ojos se veía inteligencia y fuerza.

—¿Quién vio más de cerca a los dos hombres que se metieron al monte?

Uno de ellos levantó su mano oscura y la dejó así, en el aire, suspendida como si no tuviera fuerza, como si se apoyara en la oscuridad.

—Quiero saber si iban heridos, si tenían sangre, si cojeaban. Piensa bien, antes de contestar, para que ya nos vayamos todos.

—Iban sanos y rápidos, señor. Hasta corrían.

Se alejó unos pasos, hacia el monte. La presencia de los árboles, de la sierra, se imponía ahí, ante él. La sierra parecía mirarlo. Pisó con firmeza la tierra, como si así se comunicara con ella o le fuera posible avisarle, advertirle algo. Regresó a la carretera, hacia el puente. Ante el automóvil destrozado le resultaba difícil aceptar que dos hombres hubieran salido ilesos del accidente. Y en especial que se tratara de los que venían en el asiento delantero. Pudieron haberse salido del puente y haber perecido todos. Pero sólo había quedado uno. Con ése bastaba. Genaro Vásquez. Y Bracho no tardaría en caer, no. Ahí, en alguna parte de esa oscuridad de la sierra, estaba apresado, acorralado. No tendría escapatoria. Tendría que pisar en algún momento esta carretera. Habría que esperar, solamente.

—Sargento —dijo cuando se acercó al automóvil destrozado, todavía adherido al muro del puente del arroyo Charo—. Deme el parte para llamar por radio al general Solano Chagoya. ¿Ha terminado con todo?

—Sí, mi teniente. Las mujeres han declarado también.

—Las putas, sargento.

—Perdón, mi teniente. Iban a Morelia, pues. Hemos encontrado dinero, así que los dos que salieron ilesos del accidente no deben llevar mucho ahora. Si usted lo ordena, podemos retirar el automóvil de aquí y abrir el paso nuevamente por la carretera.

—Pero vigile la carretera cada dos kilómetros, hasta que aparezcan Bracho y su acompañante. La judicial va a colaborar también, ¿verdad, oficial?

—Sí, mi teniente, tenemos ya instrucciones para hacerlo.

—Por cierto, ¿qué opina de esos dos que escaparon, sargento?

—Que no pueden escapar, porque tendrán que bajar a algún caserío y nos será fácil saberlo.

—No me refiero a eso. ¿Por qué no se lo llevaron con ellos? ¿Por qué dejaron a su jefe tirado en la carretera?

—Creo que lo dieron por muerto, teniente.

—Sabemos que no estaban heridos, porque corrían los dos. Y si lo creían muerto, con más razón debieron haber retirado el cuerpo, en lugar de dejarlo aquí tirado, como basura.

—Quizá se dieron cuenta que los campesinos estaban saliendo a ver el carro accidentado. O tuvieron miedo, nada más.

—O no tuvieron madre, sargento. Esta bola de bandidos son capaces de dejar tirada a su chingada madre en la carretera.

—Pero fue mejor que lo dejaran, teniente. Ahora sabemos que está muerto. Si se lo hubieran llevado, no lo hubiéramos sabido.

—No se haga pendejo, sargento. Su ordenanza le partió la madre de un culatazo. Es un pendejo, porque lo necesitábamos vivo.

—Dice que no le hizo nada, mi teniente.

—No le hizo nada a su puta madre. El médico me acaba de confirmar que murió entre nosotros, no en el accidente. Pero si en la autopsia se confirma que el cabo lo remató con la culata, el general Solano Chagoya le hará un juicio militar, estoy seguro. Así que procure saber cuál es su gente, sargento.

—Sí, teniente.

Tocó la carrocería destruida. El metal estaba frío, húmedo por el sereno de la madrugada. Se asomó a la parte delantera; sintió el olor de los asientos, el olor a gasolina, a aceite, a humo de cigarrillos. Vio el cadáver a sus pies; los labios gruesos y ennegrecidos se abrían ligeramente, mostrando dientes muy blancos. A pesar de la noche el rostro se veía pálido.

Los pómulos se hacían más prominentes, más pétreos. Pero ahora se veía más pequeño de lo que había sido. Como si por alguna razón se hubiera empequeñecido durante la noche. No se le veía pesar en el rostro: estaba tranquilo. La muerte no parecía importarle a ese cuerpo. No parecía tampoco haber luchado en Iguala, en Acapulco, en Atoyac. Era como todos los costeños. Era uno más. Y ahí estaba la guerrilla, en el suelo. Dejado ahí, como carne para los perros, para los buitres. El oficial de los judiciales que se hallaba a su lado encendió otro cigarrillo.

—Regresaré al cuartel de la Zona —dijo al sargento—. Debo presentarme ya con el general Solano Chagoya. Que lleven a las mujeres en la ambulancia —agregó—. Lo veré a usted en el cuartel. Y abran ya la carretera, para que continúe el tránsito.

Llegó hasta su vehículo. Su ordenanza le había abierto ya la puerta. Se detuvo a mirar el cielo, la amplísima noche que lentamente se aclaraba, la oscura y ondulante masa de la sierra.

—Denme un cigarro —dijo—. Cualquiera, cualquiera, no importa. Sí.

Un agente de la judicial le extendió un paquete de cigarrillos y luego la flama de un encendedor Ronson. Mientras encendía el cigarrillo, el teniente vio la pesada esclava de oro que llevaba el agente en su mano derecha. Cuando el chofer encendió el motor, vio a lo lejos el movimiento de varios soldados que conversaban en los linderos de la sierra. Escuchó, distante, una risa, franca, alegre: la alegría, la seguridad de la vida, de la que él también, en ese momento, en esa madrugada perfecta, participaba.

—Sargento, también suelte a esos campesinos. Dígales que se vayan —agregó desde el interior del automóvil verde olivo, antes de cerrar la puerta.

———————————

—Venga, coronel —dijo el general Solano Chagoya en la plazuela de San Luis Acatlán, sonriente—, explique a estos señores de la Ciudad de México el clima social que vive Guerrero.

El coronel sonrió también, y carraspeó.

—Los reportes que tenemos en la veintisieteava Zona Militar son en su totalidad de calma, de sosiego. Como ustedes han visto aquí, como lo ven ahora mismo, un ambiente tranquilo.

—Son gente de trabajo, señores —repitió el general Solano Chagoya a los periodistas que lo rodeaban—. Éste es un pueblo trabajador. Y el trabajo es fundamental en la paz social.

El pequeño grupo que conversaba con militares en el jardín del pueblo se hallaba cuidadosamente rodeado por escoltas. Los millares de personas que habían formado la procesión en el entierro de Genaro Vásquez comenzaban a dispersarse. En los jardines, en las calles, en las esquinas, los grupos de soldados se veían más seguros, con menos tensión. Parecían más temibles, más dueños del día, de la calles.

—General Solano Chagoya —preguntó un periodista de la Ciudad de México—, ¿cree usted que con la muerte de Genaro Vásquez ha terminado la guerrilla en el estado?

—No sé que quiera usted decir con eso de "guerrilla" —contestó de inmediato el general—, porque yo nunca he considerado guerrilleros a delincuentes comunes que se dedican a robar, a secuestrar a personas pacíficas, a alterar la paz social. Para mí, nunca hubo guerrillas en el estado.

—Entonces, ¿para usted Genaro Vásquez no contó nunca con seguidores?

El general negó con la cabeza, lentamente. Luego sonrió con franqueza, jovial, y se apoyó en el hombro de otro periodista que se hallaba cerca de él.

—Genaro no tuvo correligionarios en ningún lado —explicó tranquilamente, con tono afable, como si dijera algo de por sí muy simple—. No tiene seguidores aquí, en San Luis Acatlán, ni en ningún sitio de Atoyac, ni en ninguna otra parte del estado. Es más, no tuvo seguidores ni entre sus propios compañeros, que lo dejaron abandonado a media carretera. Yo respeto el pasado del profesor Genaro Vásquez, como lo pueden atestiguar mis compañeros militares aquí presentes —dijo señalando a los oficiales que lo acompañaban—. Porque el profesor Vásquez Rojas luchó civilmente contra injusticias, y entonces lo siguieron estudiantes y profesores y profesionistas y gente del pueblo. Pero en cuanto se burló de la ley y se hizo delincuente, el mismo pueblo se alejó de él porque supo reconocer de qué lado estaba el derecho y la razón. Por eso les digo que guerrilla nunca hubo, y que el estado de Guerrero vive en un ambiente de paz y de trabajo. Sus propios compañeros lo abandonaron en el último momento. Y les aseguro que en sólo cuestión de horas ellos mismos se entregarán. ¿No es así, coronel?

—Así es, mi general. Uno de ellos fue aprehendido ya, como los señores saben. El mismo pueblo los entrega.

—Pero este despliegue militar en San Luis Acatlán, señor general —intervino el periodista de Acapulco—, ¿no se contradice con el ambiente de paz social que dice usted que vive el estado?

El general, que había comenzado a caminar, se detuvo, sereno, sin inmutarse. Sus párpados temblaron un momento, pero de inmediato su mirada volvió a ser franca, amistosa.

—Qué bueno que me pregunta esto, Enrique —contestó al periodista de *El Trópico*, en tono cordial—. Vea usted a nuestros soldados. Véanlos ustedes, señores. Todos son muchachos sanos. De lo más profundo de nuestro pueblo. Son hijos de campesinos, de pescadores, de trabajadores. Nuestro ejército es un ejército del pueblo. Esos jóvenes soldados ayudan en las inundaciones, en los desbordamientos de ríos, en las catástrofes, en campañas de salud, en la construcción de caminos. Trabajan siempre, hombro con hombro, con la gente del pueblo. Por eso nuestro compromiso es con el pueblo, señores. Y lo más importante es que la gente viva en paz, para que se entregue a su trabajo. Estamos aquí no por el riesgo de la violencia, sino para fortalecer la paz, para demostrar que Guerrero quiere la paz, y que en este ambiente de tranquilidad social vivimos. Esto es todo, señores.

Se volvió a hablar con el coronel y con otro militar, a media voz. Luego se dirigió nuevamente al resto del grupo.

—Mis responsabilidades me reclaman en Acapulco —dijo extendiendo los brazos—. Me ha dado mucho gusto conversar con ustedes. Les deseo mucha suerte, señores.

Después de saludar de mano a todos los periodistas, acompañado de su ordenanza y de un grupo de militares se alejó caminando por la plazuela. Se detuvo después de unos momentos, para hablar

27

con uno de ellos; luego continuó caminando. Al poco tiempo se escucharon los motores del helicóptero; el ruido atravesó las calles del pueblo rebotando en los muros de las casas, agitando los árboles. La gente salió a escuchar ese ruido en San Luis Acatlán. Por primera vez un helicóptero sobrevolaba los jardines, las casas, bajo el sol brillantísimo que se reflejaba en sus vidrios, en su figura metálica penetrando en el cielo.

Al salir de la casa, un rumor de vestidos se había elevado desde el polvo. A lo largo de la calle, hasta la esquina, soldados apostados sostenían las armas como remos ante la oleada de mujeres que se movía como muchas aguas en la costa, negras olas, sonoras, cayendo sobre un polvo seco y caliente. El sol era ya poderoso, aunque no eran las nueve de la mañana. Ancianas, mujeres morenas y robustas cargando niños, avanzaban por la pequeña calle con flores, con un inmenso rumor de voces y de pasos, entre soldados tensos y sudorosos. Habían permanecido durante horas afuera, desde el amanecer, esperando la salida de las viejas para caminar, para mover sus inmensas aguas de mar, oscuras, enlutadas sus carnes, rostros, brazos. No había calle en San Luis Acatlán que no estuviera llena de esa multitud; mujeres abrían la marcha, se iban uniendo en una larga caminata como pequeños riachuelos que se precipitaban a las aguas del mar, y ahí se sumaban a un rumor de voces y de pasos que hacía temblar el suelo como un cuerpo vivo, como un pecho desnudo de mujer viviente, interminable. Centenares se unían en cada esquina, iban nutriendo esas aguas oscuras cuya espuma de flores, de blusas blancas, de blancos dientes inundaba todo. Y los soldados continuaban acordonados, interminables, a lo largo de calles, de esquinas, armados, sin quitar los oscuros ojos aindiados de las mujeres incontables que atravesaban con su rumor de vestidos, de pasos, de aves, de voces.

Varias calles atrás de la casa donde las ancianas habían iniciado la marcha, salían ahora seis hombres cargando el féretro gris, como una pequeña nave clara que evadiera las rocas de la costa en las aguas de la multitud que la rodeaba. Lentamente se movía hacia las mujeres, hacia el rumor de las calles que habían inundado y que ahora sonaba con más libertad, como en mar abierto, lejos del gutural graznido de las gaviotas, de su seco aleteo. Avanzaban ahora hombres, ancianos, niños, muchachos que gritaban.

—¡Genaro! ¡Aquí estamos contigo!

—¡Genaro, compañero! ¡Estamos contigo!

—¡Genaro, compañero! ¡Compañero!

Los centenares de hombres seguían fluyendo detrás del féretro gris que iba pasando de hombro en hombro, que iba retrocediendo, y avanzando, como barca libre en el mar, en el oleaje inabarcable de rostros y manos morenas.

Y con ese rumor se mezclaban los gritos de sargentos y cabos, los firmes golpes de las botas militares en la mañana caliente, bajo el sol quemante. La multitud siguió como un inmenso río al llegar a un delta, al extenderse como un cuerpo abriendo los brazos sobre la tierra, inundando suavemente el templo de San Luis Rey. Fue penetrando el féretro, en el templo, como buscando un lugar donde detenerse en medio del mar. La multitud rodeaba el atrio, los muros. Y a la multitud la rodeaba el ejército también, como una franja verde y oscura deslizándose, extendiéndose permanente sobre ese mar que rodeaba al templo, que se aquietaba en su movimiento atado a su rumor sobre el que caía la luz del sol como un vaho ardiente, inclemente, inmenso.

Se conmovió de nuevo la multitud, el rumor, el polvo. Escoltas militares corrieron por el pueblo, se distribuyeron por nuevas calles, junto a los innumerables cuerpos que levantaban nubes de polvo en San Luis Acatlán. Los soldados parecían el mismo; uno a uno repetía en sus manos y en su cara el mismo color moreno, la misma piel sudorosa, los mismos ojos oscuros y rasgados, la misma ancha nariz que aspiraba el polvo y el olor de la multitud sin alterarse, el mismo color verde olivo, el mismo impecable fulgor de las armas, de los cascos que parecían indestructibles, de las poderosas botas en que parecían apoyarse los M-1 y M-2, los ojos que iban registrando las voces, los pasos, los rostros, la multitud que se volvía a mirarlos. Ahí estaba el ejército, contundentemente real, como un oleaje más poderoso y concreto, sin mentira, sin ilusión, férreo.

Cuando la multitud empezó a penetrar en el cementerio, a buscar acomodo, el ejército lo había acordonado. El féretro empezó a avanzar con suaves ondulaciones entre los hombres, como un ave que se deja mecer por los vientos, sin agitar las alas, o como las copas de los enormes amates en la sierra que ligeramente se mecen con el viento. Así avanzaba el féretro gris sobre los hombres. Y fue bajando, hundiéndose en medio de la multitud, como un ave que fuera posándose suavemente sobre la hierba. Luego hablaron dos hombres, llorando. Después, lenta, pesadamente, las paladas de tierra cubrieron el féretro. Media hora después la multitud seguía dispersándose, desordenadamente, como inmensas aguas que fugazmente desbordadas fueron secándose en la caliente tierra, en las casas del pueblo, bajo el inmenso sol de mediodía. Más soldados que deudos quedaban en el cementerio, mirando de lejos la tierra que había aquietado a un hombre que no conocieron, que no comprendieron. Tierra quieta, otra vez quieta.

———————

—¿Pero están seguros que era él? —volvió a preguntar el policía más viejo.

—Era él, me lo confió un pariente mío, de El Paraíso. Lucio venía del Ticuí, así como se los digo. Hasta me dijeron que andaba el Güero Cedeño con él, que lo había alcanzado después, por el lado del río.

—Nos conviene que vaya Margarito solo, comandante.

El comandante no replicó.

—Yo voy solo —dijo otro costeño flaco.

El grupo se volvió hacia la ventana.

—Ahí vienen tres judiciales. Están mirando hacia acá —dijo el policía apostado en la ventana.

—Que se acerquen —dijo con desprecio el comandante—. Déjalos que se acerquen. Al fin que estamos acuartelados, ¿no? Eso dijo el procurador del estado, ¿no es así?

—¡Pero si nos quieren desacuartelar, que vengan por nosotros! ¡Porque son judiciales creen que nada más ellos mandan, cómo no! —dijo otro policía fornido, viejo, que tenía la guayabera desabotonada.

Quedaron en silencio. Algunos buscaron cigarrillos. El comandante sacó un mondadientes del bolsillo de su camisa y se lo dejó en la boca. Miró después su reloj.

—Andrés —dijo—. Vete ya. Localiza a la gente del Güero y diles que te lleven con Lucio, que estamos a las órdenes suyas. Que ahora mismo, si él quiere. No regreses hasta que lo veas.

—Sí, mi comandante —contestó el costeño ajustándose el sombrero de palma y apagando con el pie un cigarrillo en el suelo.

—Dile al profesor que estamos a sus órdenes. Que nos diga a qué hora y nos vamos con él a echar balazos sobre esa punta de cabrones. Que todos nosotros, completitos, que toda la policía preventiva está lista para echar de aquí a los judiciales.

—Sí, mi comandante, así lo haré —contestó poniéndose de pie y saludando de mano a todos. Al último llegó con el compañero que se hallaba apostado en la ventana. Se asomó con él y vio en la plaza, junto a la fuente, a un grupo de judiciales.

—Y no te vayas por la plaza. No quiero que tengas líos antes de tiempo con ellos. ¿Me oyes? —insistió el comandante cuando el otro salía de la oficina.

———————

—Mire usted, con la muerte de Genaro Vásquez ya no hay nada que temer —afirmó Wilfrido Castro Contreras, jefe de la policía judicial de Acapulco; sus ojeras oscuras, violáceas, acentuaban lo amistoso de su mirada—. El día de ayer aprehendimos a José Bracho, su lugarteniente, y ayer mismo se le envió a la Ciudad de México. Toda la sierra de Guerrero está en calma, créame. Porque guerrilla nunca ha habido. Unos cuantos actuaban fuera de la ley y a ésos no los podemos considerar guerrilleros. Delincuentes, nada más. Así que ya no más violencia ni secuestradores en toda la sierra.

—Los partes militares fueron muy escuetos. Se redujeron a aludir un encuentro a tiros con Bracho y a su rendición. Pero hay rumores de que el ejército y la policía judicial siguen haciendo investigaciones en la sierra, y hay denuncias de ejidos por aprehensiones y desaparecidos.

—No, por supuesto que no —exclamó Wilfrido Castro, riéndose abiertamente—. No se trata de hacer una cacería de brujas. Nosotros no estamos buscando aprehender a nadie. Si alguien actúa fuera de la ley, entonces tenemos el deber de intervenir. Pero mire usted, los rumores no sirven ni para la policía ni para el periodista. Son sólo eso, rumores. No podemos basarnos en ellos, porque deformaríamos los hechos. Las denuncias contra mi corporación puede hacerlas cualquier ciudadano por las vías legales, y lo mismo podría decir del ejército. Si alguien mata, o roba, o secuestra, o destruye los bienes públicos, debemos intervenir, pues para eso estamos; ése es nuestro compromiso con la sociedad de nuestro país. Es un trabajo natural, además de necesario, aquí, en Acapulco, y en Iguala, y en Taxco, y en Altamirano. La sierra de Atoyac no tiene por qué ser una excepción, ¿entienden? No estamos buscando campamentos de guerrilleros, porque no los hay. No podemos buscar cosas que no existen, porque estaríamos locos, sería perder el tiempo en locuras.

—Pero la policía judicial y el ejército siguen trabajando de común acuerdo en la zona, ¿no es así, comandante?

—Mire usted, nuestras corporaciones son distintas y cada una tiene sus jerarquías y objetivos propios. Pero las fuerzas del orden no pueden estar en desacuerdo, sería un contrasentido ¿no? Debemos actuar de común acuerdo porque nos interesa lo mismo. Y en ocasiones nos apoyamos por eso. Pero le aseguro que no hay campamento alguno en Atoyac, ni en ninguna otra parte de la sierra, ni grupos que se hayan organizado para seguir la táctica de Genaro Vásquez. De eso pueden estar seguros y decirlo así, informarlo en sus diarios para que todos los ciudadanos estén tranquilos. Nuestro trabajo ahora es rutinario. Ayer precisamente me habló un periodista de Monterrey, por teléfono, y yo le dije que si Genaro hubiera sido verdaderamente un guerrillero, estaría ahora en la sierra, o en algún campamento de la sierra, y no hubiera andado en las ciudades acompañado de mujeres. Cuando un león abandona su guarida y baja hasta una carretera, puede darse por muerto. Y lo mismo les digo a ustedes. No hubo guerrillas, hubo asaltantes comunes en la sierra de Atoyac. Y ahora no hay guerrilleros en ninguna parte, más que en los libros o en la imaginación de la gente o en las películas. Aquí en Guerrero, les doy mi palabra, se acabó esa historia de las guerrillas.

Robusto, sudoroso, con una guayabera blanquísima, se acentuaban los rasgos negroides de su boca y de sus pómulos, grandes los ojos oscuros.

———

—Estaba lleno el pueblo, profesor. Yo creo que eran más de tres mil.

—Había mucho ejército también —dijo otro campesino—. Todas las calles estaban llenas de soldados. Y en la mañana llegó un helicóptero.

Sentado en la tierra, Lucio escuchaba, imaginando lo que él hubiera hecho. Ramón estaba de pie, recargado en un árbol de cacahuananche.

—Los soldados son muy buenos con los muertos —dijo Ramón, sonriente—. Con ellos sí pelan los dientes y andan presumiendo las armas.

—Hasta se han de haber bañado los guachos, para ir muy bonitos —dijo Gorgonio.

Las manos de Lucio caían quietas sobre sus piernas; sus brazos también, blandamente. La camisa de manta parecía moverse con la respiración acompasada. Escuchaba, pero pensando en otras cosas. La muerte no era cualquier cosa, finalmente. Había que ponerse de acuerdo en esto. Ella no espera a que uno acabe de hacer. Hay que adelantarse a ella, no morir así nada más. No olvidarlo. No debía dejarse morir.

Se incorporó. Fue como si lo sacudiera una súbita prisa por seguir, por no dejar pasar el tiempo. Como si hubiera perdido muchas horas, muchos meses, en darse cuenta de esta prisa. Era una vieja advertencia que sentía hacía muchos años en Cayaco, desde el río inmenso de Cayaco, cuando salía con su abuela. Una prisa de hacer algo que no entendía bien, que lo despertaba en las noches de calor, en las calurosas e inmensas noches de lluvia en el verano, cuando se levantaba a mirar por la puerta el suelo mojado, inundado de charcos brillantísimos, recibiendo en la cara el vaho caliente de la tierra. Una prisa que conoció desde niño, que siempre le había servido para dominar sus pensamientos, para no dejarse arrastrar por ellos, obsesionarse. Esa prisa lo ayudaba. Debía quedarse quieto para mirarla ir y venir dentro de él, para mirar todo lo que esa prisa tocaba, llamaba, escondía. Algo siempre llegaba con ella, que él debía mirar. Era como una llamada de atención para que él pudiera alcanzar todo lo que la prisa encubría. Era una luz roja. Una señal para que él se quedase de lado, como si una inmensa bestia fuera a embestirlo y él la eludiera. No obsesionarse con la prisa, no dejarse arrastrar por ella, eso había aprendido desde que caminaba con su abuela, desde que hablaba con Serafín, el esposo de su madre, desde que en Ayotzinapa comenzó a entender lo que ahora sabía.

—En el panteón su hermano Erasmo dijo que ahí estaban quienes lo habían conocido de niño, aquellos que corrían con él por las calles, que lo recordaban preparándose para ser útil, tal como había sido. Y siguió llorando ahí, hasta que le dijo a Genaro: "Hermano, nos veremos en la eternidad".

Lucio caminó unos pasos. La prisa seguía profunda. Cuanto más intensa era, más tranquilos y reposados se hacían sus movimientos, sus pasos, su mirada. Sus brazos caían a lo largo de sus costados sin esfuerzo, sin tensión alguna. Toda la serenidad, la lentitud de su cuerpo era como una respuesta a su prisa, como un dique inmenso a la profunda fuerza de su prisa. No quería juzgar ahora a Genaro. No quería juzgar a Arturo Gámiz. Quería verlos como parte de él. Quería sentirlos, en ese momento, como partes suyas, como advertencias para él. Arturo había muerto lejos, desgraciadamente lejos, desesperadamente más lejos de lo que él mismo hubiera querido. No debía haber accidentes. No debía haber errores. Cualquier accidente, cualquier imprevisión sería un error de lucha. Era su prisa una urgencia por evitar todo error. El error es muerte. El error es no luchar, lo sentía muy profundamente, se lo decía, se lo advertía muy profundamente.

—Gracias por venir —dijo a los campesinos extendiendo su mano larga y tranquila. Luego caminó despacio. Escuchó a sus espaldas las voces del grupo mientras ascendía por el monte. Los primaveros y los cacahuananches floreaban; rojas y amarillas las flores se precipitaban como cosas vivas entre los cafetales, entre las hierbas. Los pericos volaban ágiles, cruzando ruidosamente el aire apacible y fresco de la sierra. En la cima se detuvo. La inmensidad verde de la sierra, la luminosidad de los montes verdes y grises, profundos e incontables, se sucedían hacia la costa. A lo lejos el cielo era más azul. Una parte de ese azul nuboso y brillante debía brotar del mar. Ahí parecía no haber prisa. Pero la tierra, en lo más secreto de su entrañas, en lo más profundo de esos montes, de esas verdes profundidades, en El Porvenir, en El Paraíso, en Río Santiago, sentía la misma prisa, se daba cuenta.

Y él sabía que era la suya, que era la misma. Que ahí estaba él, donde debía estar. Que ahí estaba la tierra, para que él estuviera ahí. Que no debía haber errores. Que no debía tener prisa.

23 de mayo de 1967

El agente vio a los soldados que rodearon las camionetas. Eran de rasgos aindiados, posiblemente de Oaxaca. A doscientos metros de ahí, en la colina que remataba la brecha del ejido de La Higareda, el camión militar estaba estacionado con otros soldados que también portaban metralletas M-1 y M-2. Los vio quietos, vigilando la pendiente.

—¿Así que traen ustedes licencia para entrar en La Higareda? —oyó que decía con tono de burla el teniente que estaba al frente de la tropa. El sol era intenso, pero un viento fresco se sentía bajo la sombra de los encinos que rodeaban los cafetales. Los soldados seguían sin moverse, aunque el olor de sus ropas, de sus botas, de sus armas incluso, parecía llegar en el aire limpísimo de la sierra.

—Usted no entiende que somos judiciales, teniente. Estamos destacados aquí por orden de la procuraduría. Estamos en servicio aquí, entienda.

Vio que el militar asentía a las palabras del comandante, revisando los documentos de identificación que él acababa de darle.

—Lo que no veo es la orden para venir hasta La Higareda —comentó con naturalidad, con cierta indiferencia incluso—. Es más, no veo el permiso para que suban hasta la sierra, hasta aquí, pues.

El comandante alzó los brazos y los dejó caer contra su cuerpo, exasperado.

—Pero es que todos somos judiciales. ¡Debe entender esto!

El teniente se molestó.

—¡Lo que a usted le falta entender es que todos los que estamos aquí somos militares! —repuso con brusquedad, elevando la voz—. ¡Y no vamos a recibir órdenes de cualquiera que se nos aparezca en el camino! ¡Sólo órdenes militares recibo yo! Y mientras no reciba órdenes militares superiores a las mías, entonces sólo las mías cuentan aquí, ¿entiende?

El militar había gritado con arrogancia, con una tensa mueca de burla en los labios. El agente sintió que lo miraron los ojos diminutos, negros, del militar. Eran brillantes, profundos, como de animal. Luego los volvió hacia el comandante. Los soldados habían asumido también una posición más tensa: habían afirmado sus armas contra los vehículos y sus ocupantes. Varios pájaros atravesa-

34

ban volando con rapidez, graznando ruidosamente, hacia la selva cafetalera. El comandante permaneció callado. El teniente habló.

—*A menos que quieran pasar ustedes a la fuerza...*

La voz sonaba con humildad fingida. Otros pájaros, o tal vez los mismos, cruzaron velozmente, graznando con más fuerza.

—*...A la mejor nos toca dejarlos aquí ya bien dormiditos...*

Dos soldados se acercaron a ellos. El agente observó que en la colina, del camión militar descendían más soldados armados. Súbitamente se dio cuenta de que tenía la boca seca, de que había estado sintiendo un vacío en la boca del estómago desde hacía varios momentos, que el leve ruido que había escuchado con el movimiento del teniente fue el de los documentos de identificación que cayeron al suelo.

El teniente ahora también lo apuntaba a él con su M-1. Siguió sintiendo un sudor frío en la espalda, en las piernas.

—*Espere —oyó que dijo a su lado otra vez el comandante—. Creo que se trata de un error. Yo no quiero confundir esto. El ejército, quiero decir, que no he querido ofenderlo a usted, ni al ejército. Me he explicado mal. Estamos de servicio. Nos mandaron a Atoyac, porque hay problemas...*

—*Atoyac está muy lejos de aquí —contestó secamente el militar.*

—*Por eso, la procuraduría del estado nos mandó a Atoyac por eso. Y venimos acá por los que escaparon. Están acá, si ustedes nos ayudan...*

—*Yo no estoy aquí para que me ordenes como a los pendejos que vienen contigo —espetó el militar.*

—*Pero los perseguimos nosotros. Lo juro...*

—*Aquí no es la plaza de Atoyac para que vengan a matar cuando se les antoje. De aquí se me van a la chingada todos o los dejamos como carne de perros. Escoge.*

El comandante se restregó suavemente una mano sobre el pantalón. Miró a los pies del militar los documentos caídos. Vio que una de las botas empujaba sobre la tierra los documentos, al tiempo que la voz seca, cortante, exigía:

—*¡Tómalos!*

El agente vio al comandante inclinarse sobre el polvo del camino y levantar los documentos.

—*Si quieren estar seguros, quédense en Atoyac y no salgan de ahí. O mejor regrésense a Acapulco, o a Chilpancingo, de donde sean. Aquí no van a venir a rematar a nadie.*

Un soldado avanzó caminando desde la orilla de la brecha.

—*¡Sargento! —gritó el militar sin desviar la mirada—. ¡Recoja todas las armas que porten! ¡Está prohibido que aquí los señores porten armas!*

Se escuchó el ruido de las botas militares. Se escuchó un ruido mayor, un murmullo más numeroso, que partía de los cafetales que se hallaban al lado del camino. Otros soldados aparecieron, atentos al movimiento de los que recogían las armas. El agente vio que se acercó a él un soldado joven, fuerte; después de registrarlo le quitó el arma que llevaba. Luego lo vio hacer lo mismo con el comandante.

—Sus armas podrán recogerlas en el cuartel de Atoyac. Pero las tendremos aquí unos días, por si se atreven a regresar por ellas.

—Todo en orden, mi teniente —dijo después el sargento que coordinó el retiro de armas.

El teniente miró su reloj. El agente calculó que serían como las cuatro de la tarde. Un viento más fresco comenzó a soplar en el camino. Los pájaros volaban en parvadas, en medio de un ruidoso atardecer de gorjeos, graznidos, gritos lejanos.

—Si se van en este momento llegarán a Atoyac antes de que anochezca —agregó el militar.

En medio de la multitud de soldados, en el Fuerte de San Diego, volvía a bailar el ballet folclórico del Instituto Mexicano del Seguro Social. El sol de Acapulco seguía cayendo a plomo sobre la gran explanada de festejos.

—El licenciado espera que efectivamente la sierra de Atoyac quede ya controlada —repitió el gobernador al oído del general, reanudando la conversación.

—No creo que tengamos ningún levantamiento de campesinos después de Genaro Vásquez —contestó Solano Chagoya, sentado a su lado en la tribuna oficial de festejos del Día del Ejército—. Los poblados lo ayudaban por temor y en algunos casos por simpatía, pero militarmente no representaba ningún riesgo.

El maestro de ceremonias anunció en ese momento el sorteo de regalos que varios comerciantes de Acapulco habían donado para la fiesta. Radios, licuadoras, ropa, relojes, se levantaban en alto para regocijo de los soldados. El gobernador y su esposa se pusieron de pie para agradecer los aplausos por el televisor y el refrigerador que a título personal habían obsequiado para el sorteo. Luego volvieron a sentarse, sonrientes.

—Necesitamos medios de movilización más efectivos —comentó Solano Chagoya al oído del gobernador Nogueda Otero cuando comenzaron los sorteos—. Necesitamos ser más ágiles, y al mismo tiempo dar más protección a los soldados. No pueden andar a salto de mata, como bandidos, señor gobernador.

—Eso va muy avanzado en México, general. Personalmente hablé con los secretarios Moya Palencia y Torres Manzo y me aseguraron que ya definieron las redes de caminos y de teléfonos. Pero quieren saber los técnicos si contarán con protección suficiente.

—El general Cuenca Díaz sabe muy bien que esto es un plan preventivo, señor gobernador. Sin Genaro Vásquez Rojas ahí, los rumores sobre la guerrilla y sobre levantamientos irán disminuyendo, y todos podrán trabajar con más calma. Lo que no se escucha no existe.

—No estamos hablando de operaciones suicidas, por supuesto, general. Pero la Secretaría de Gobernación tiene especial atención en Guerrero. Y le insisto en que el presupuesto extraordinario lo ordenó el mismo presidente de la República.

—Yo también le digo que no se trata de que la Secretaría de la Defensa se imponga, no, claro que no. Pero sólo nosotros podemos solucionar el problema.

—Yo lo entiendo, general. Pero tenemos inquietud en las ciudades, aquí, en Acapulco mismo, y en Chilpancingo. Los secuestros se cometen aquí, no en la sierra.

Había comenzado a bailar el ballet folclórico de una escuela de Acapulco. La ceremonia se acercaba a su fin.

—Espero que se quede esta noche con nosotros, señor gobernador —dijo el general—, en nuestro baile de oficiales. La ANDA preparó un espectáculo magnífico y la cena la ofrece la Asociación de Hoteles y Moteles de Acapulco.

—Ya veo que usted tiene estrategia para todo —repuso Israel Nogueda, mientras aplaudía al grupo de danza que terminaba de actuar.

Solano Chagoya también aplaudía, echándose a reír.

II

Junio de 1972

Comenzaba a amanecer. Por las lluvias de los días anteriores la mañana era más fresca. Una quieta neblina ascendía de la tierra, parecía prendida como un sutil algodón sobre los árboles, sobre los cafetales, sobre los montes. El terreno mojado estaba cubierto de lodo en muchos sitios. Resbalaban por las pequeñas veredas abiertas entre la hierba. La ropa de todos estaba húmeda como la frescura del aire, como la fría mañana. Numerosas torcazas y pericos aleteaban con estrépito. Un rumor subterráneo parecía brotar de la tierra y hacer vibrar el aire, los troncos de los árboles. Empezaba a despejarse la neblina, suavemente, y a despuntar la mañana cuando llegaron a la brecha. Algunos atravesaron y sobre el monte opuesto ascendieron entre las altas matas para alcanzar un paredón cubierto de lianas y matorrales. En lo alto comenzaba el verdor de los cafetales. La mañana se abría ya con fuerza. Otros seguían caminando a distancia de la brecha.

Ramón acabó de distribuirlos por señas y silbidos. Fue recorriendo después los sitios y se demoró con Héctor, que no estaba cubierto aún. Todos se tendieron sobre la hierba. Todos sentían la hierba mojada bajo la ropa empapada y sucia. De la frescura de la mañana empezó a crecer, a desprenderse un vapor caliente. Pareció de pronto despertar algo en lo más profundo de la tierra. El calor del sol empezó a atravesar la hierba, los árboles, el ruido de los loros, el ladrido de varios perros en el ejido cercano, el zumbido de los moscos que rondaban las matas donde estaban tendidos. Nadie hacía ruido alguno, pero Tecuapa dijo después en voz baja que hubiera preferido haber desayunado algo. Se oyeron dos risas un poco más lejos, del otro lado de la brecha, contestando. Ramón se irguió y pidió silencio. Luego volvió a ocultarse entre las altas matas que pendían de la parte superior del paredón.

Se escuchó el motor. A lo lejos, en la sierra, sonaba como perdido en el eco del monte, rebotando por el aire, buscando también abrirse paso entre la hierba para proseguir su camino. De pronto se perdió el rumor del motor y un silencio mayor, que no alteraban los cuervos ni los loros, cayó sobre la brecha, sobre los cuerpos ocultos aferrados a la sombra de los árboles, a la tierra. Al poco rato volvió a oírse el ruido del motor, más cerca. Disminuyó después; luego creció, dejando escuchar súbitamente el ruido pesado de los tumbos del vehículo. Eran las nueve y media de la mañana. El ruido extendía sobre el monte una oleada de fuerza que movía con el eco la hierba y espantaba a los pájaros.

Apareció en la curva el camión verde olivo. Los soldados estaban ahí, precisos, nítidos, como una colmena que se desplazaba sobre la mañana húmeda. Varios se reían; uno de ellos hablaba a los demás, sonriendo también. El camión militar avanzó despacio por el centro de la curva y siguió escuchándose el ruido del motor con las voces. Entonces otro de los soldados se volvió a mirar hacia el monte, arriba del paredón, como si buscara algo más que el vuelo de los pericos, veloz, hacia los cafetales. Era un soldado muy joven, casi un niño, muy moreno. El camión comenzó a desplazarse por el centro de la curva, hacia un trecho más llano.

Se oyeron las descargas cerradas. Parecía que los soldados intentaban saltar, pero sólo se sacudían los cuerpos por el impacto de los proyectiles. Comenzó a retroceder el camión, varias ráfagas de M-2 destrozaron el parabrisas; el soldado que manejaba quiso salir del vehículo, pero un disparo de M-1 le cercenó la garganta y la sangre cayó sobre el volante, sobre los vidrios rotos. El camión sin control golpeó en reversa sobre la alta muralla de tierra húmeda. Al impacto del vehículo contra el paredón varios soldados muertos cayeron sobre el lodo, como pesados fardos que alguien estuviera arrojando al camino. Nadie se movió ya; salvo los cuerpos que cayeron y que seguían recibiendo los impactos de nuevas descargas. La sangre parecía fluir con más silencio que el vacío que se produjo cuando cesaron las ráfagas.

Isaías, Samuel y Eusebio salieron de sus puestos y corrieron por la brecha hacia el camión militar. Ramón gritó.

—¡Deténganse! ¡No están protegidos!

El Doc y Eusebio apuntaron entonces las armas hacia el vehículo en que nada se movía. Se replegaron hacia el muro del alto paredón. El silencio del camión verde era inmenso, profundo.

Pero en el aire de la mañana que se había tornado repentinamente caliente, sofocante, se expandió otro solitario ruido de motor; un ruido débil, suave, que ascendía del lado contrario de la brecha. Sorprendidos, permanecieron de pie, con las armas otra vez dispuestas. Óscar, Ramiro, Tecuapa y Samuel seguían ocultos en sus puestos, del lado de donde provenía el ruido. Pronto apareció a lo lejos, por la orilla, la vieja camioneta de Atoyac que transportaba campesinos y cargas de café. Lo detuvieron de inmediato. El Doc avanzó hacia la camioneta y el conductor, asustado, gritaba que no importaba, que él se iba, que no quería molestar. Cuando la camioneta reemprendió su camino, al rebasar la curva algo empezó a correr detrás; una ráfaga de M-1 abatió a un soldado ensangrentado y convulso.

Oyó risas, luego pasos que se acercaban. El soldado intentó hablar, pero seguía con la boca apretada, sin voz. Sentía cuerpos con olor a sangre, a excremento, a lona. Apoyó una mano sobre el frío metal del camión.

—Yo estoy rendido, estoy rendido —logró exclamar con voz sofocada—. No me vayan a matar.

—¡Apártate del carro! —oyó que le gritaba un hombre al que llamaban Samuel—. Anda, compa, retírate más —le siguió diciendo el hombre, apuntándolo con un M-2.

—¿Aquí? ¿Aquí está bien? —preguntó nervioso, caminando con dificultad frente a ellos.

—Ahí estás bien —le dijo cuando llegaba a la mitad de la brecha—. Ahora tira tu bayoneta y quítate toda tu fornitura. Pero rápido.

El soldado obedeció. Sus dedos morenos parecían actuar con inseguridad, sin rapidez. Por un momento sintió que estaba viendo algo ajeno. Luego escuchó un movimiento en el camión. Los otros hombres también apuntaron hacia el lugar donde surgía la voz espantosa, llorona.

—¡Yo también me rindo! ¡Pero no me vayan a matar, papacitos, yo también me rindo, no me maten! —escuchó que otro exclamaba detrás del camión.

41

Cuando lo vio incorporarse pensó que era el jarocho, que se apoyaba con dificultad en el camión verde. Lo vio arrastrando una masa sanguinolenta en la pierna izquierda, donde una ráfaga le había alcanzado el pie. Levantaba un brazo, rindiéndose, y con el otro se apoyaba en el vehículo donde seguían otros cuerpos inertes, aún desangrándose.

—¡Ayúdalo! —ordenó el hombre llamado Samuel.

El soldado se aproximó. Pasó un brazo sobre su hombro y lo fue llevando hasta la mitad del camino. Ahí lo ayudó a sentarse en la tierra. El herido respiraba con dificultad; la saliva reseca se amontonaba en las comisuras de sus labios. Su cara estaba desfigurada; tenía roto el pómulo izquierdo y vaciado el ojo.

—¿Quién más falta? —oyó que otro hombre preguntaba—. ¡Que salgan, que se rindan como ustedes!

—Pero si ya son puros muertos —dijo el jarocho—. Ya no queda nadie más. Ya chingaron a todos.

El soldado y los hombres armados se volvieron a mirar el carro verde olivo. Estaba quieto, con su cargamento de silencio, invadiendo con un leve olor a sangre el aire de la mañana.

—¡Recojan las armas y el parque, de prisa! —oyó que gritaban.

El soldado vio que se aproximaba a ellos otro hombre, al que llamaban Doc. Era alto y tranquilo. Se inclinó a revisar la herida del pie del jarocho, que seguía quejándose en voz baja. Otros hombres habían subido al camión y retiraban de los cuerpos las armas, las fornituras, los M-1, las pistolas, los cargadores. Movían los cuerpos sangrantes, pesados, sacando cuchillos, relojes, cinturones. Otros más, en el lodo del camino, movían los cuerpos ensangrentados como si estuvieran haciendo rodar troncos, ramas de árboles, y los fueran deshojando, los fueran limpiando de su viejo e inútil follaje, hasta dejarlos más livianos, más quietos.

Mucho después el soldado los vio salir de la brecha tomando la dirección hacia La Unión. Iban hundiéndose entre las matas, entre la sombra de los árboles, hacia la incontable exhalación de cafetales. Vio que uno de ellos se detuvo un instante y se volvió a mirar hacia la brecha.

———————————————

Ramiro vio a los soldados sobrevivientes a lo lejos, quietos en medio del camino, junto al carro militar. Parecían dos piedritas cubiertas por el musgo. Su silencio parecía ajeno al rumor del viento, al ruido de los pájaros, al zumbar de los insectos. Sintió lástima de verlos a lo lejos, abrazados. Continuó avanzando con los demás y los perdieron de vista. Luego cambiaron de dirección para regresar al campamento. Faltaban Lucio y Marcos.

———————————————

El general Solano Chagoya volvió a revisar el parte militar. Buscó de nuevo los nombres y repitió el de Cabañas.

—¿Y Cabañas con un puñado de indios muertosdehambre nos mató a un contingente de soldados y ya? ¿Y usted, coronel, quiere que yo le explique al general Cuenca Díaz que ellos nos pueden matar a cuantos soldados nuestros quieran y ya? ¿Y que como viejas chismosas fueron a ver si se enteraban de quién ayudó a Cabañas en los ejidos y que nadie les supo decir nada?

—No fue en los pueblos, general, fue en una brecha que está por Río Santiago. Ahí no hay poblado. Y recorrimos la zona. La sobrevolamos también. No hay manera de rastrearlos, ya no están ahí. En cambio, como le estoy explicando, la judicial podría ayudarnos para que en la población civil se identifique a los comprometidos con Cabañas. Y debemos partir también de que Cabañas no representa ningún resurgimiento de Vásquez Rojas. Éste es un grupo distinto, con entrenamiento militar.

—Mire, coronel, no confundamos las cosas. Estamos aquí, primero, para dar cuenta de nuestros propios soldados. Segundo, para tener un control total de la zona y tener toda la información de esa punta de cabrones. No pueden desplazarse convoyes militares sin haber resguardo en la zona, sin haberla sobrevolado, sin estar prevenidos, sin estar coordinados. Y debemos saber nombres, contar con la información absoluta de los que están alzados con Cabañas; fotografías, familiares de todos, pueblos a los que pertenecen, para localizar exactamente a todos los que lo apoyan.

—Eso mismo estoy explicando, mi general —repitió el coronel.

—Esto mismo —lo interrumpió Solano Chagoya— debo explicarle al general Cuenca Díaz, ¿se da cuenta? Debo explicarle que no estamos haciendo lo que sabemos explicar muy bien. Porque para emboscar a este convoy tuvieron necesidad de muchos días, de localizar el sitio, de saber movimientos nuestros, de preparar su retirada, y esto implica haberse topado muchas veces con gente del lugar, con campesinos que los vieron, que les dieron de comer, que se hicieron pendejos esperando que nos partieran la madre. Esa gente que apoya a Cabañas, que lo solapa, que lo viste, que le da comida, es la que debemos tener ya controlada, fichada, para que yo pueda presentar a Defensa un plan concreto, una estrategia concreta, no informes de buena voluntad, ¿me entiende? —Volvió a mirar los papeles. Luego los lanzó sobre su escritorio. El coronel respiró profundamente, como si con la abundancia del aire pudiera resolver todo.

—¿Me entiende, coronel? —volvió a decir Solano Chagoya, poniéndose de pie y caminando por la oficina.

—Sí, mi general —dijo el coronel, recogiendo sus papeles.

———————————

El soldado que manejaba miró un instante por el espejo lateral mientras frenaba el camión militar. Salía de las calles de Atoyac, a la carretera. Miró hacia ambos lados y luego volvió a arrancar. El día era claro, despejado, pero muy caliente. El cabo que venía cabeceando a su lado despertó cuando el camión empezó a descender por el terraplén. Vieron árboles y las palmeras que parecían abundantes, que parecían sombrear de frescura el cuartel militar. Los guardias de turno abrieron. El camión penetró lentamente en el cuartel y se hundió hacia el fondo, seguido por los perros que corrían ladrando detrás. Al detenerse frente al pabellón médico, el cabo descendió del camión y pasó a la oficina. El soldado que manejaba se quedó sentado un momento en el asiento, apoyado sobre el volante. Sentía el fuerte olor del cuartel; una mezcla de humedad, aceite, limón, basura. Vio por el espejo lateral que se acercaban dos soldados, conversando. Abrió la portezuela y bajó del camión. Se saludaron de mano. Los tres eran de Oaxaca, de La Chinantla. Sonrieron con fuertes dientes blanquísimos y hablaron en su lengua. Al poco rato se asomó el cabo.

—¡A trabajar, cabrones! —gritó desde la oficina—. Bajen la carga para enfermería.

El que había estado manejando se dirigió con los otros soldados a la parte trasera del camión y descorrió la lona. La luz del día penetró en el camión militar. Quietos, inofensivos, pero como si supieran que estaban siendo observados, se alineaban en cuatro hileras doce féretros grises. Uno de los soldados trepó al camión y empezó a bajar esa carga quieta, hueca, que al recibir la luz del sol parecía algo vivo.

Sonó el teléfono. Tenía la camisa abierta por el calor insoportable. Pasaban ya de las ocho de la noche. Un viejo ventilador eléctrico arrojaba sobre su escritorio oleadas de viento caliente.

—Vanguardia —contestó.

Oyó, lejana, la voz de un hombre de pueblo, delgada, incorrecta.

—De la Brigada Campesina del Partido de los Pobres. Ayer domingo, en Río Santiago, emboscamos por la mañana un convoy militar y murieron todos los soldados. Pero dejamos dos heridos.

La voz comenzó a hablar con alguien más, pero no pudo distinguir lo que decía, y luego colgaron. Valente sostuvo aún el auricular, oyendo el repiquetear de la línea interrumpida. Miraba solamente, sin ver, el movimiento del ventilador eléctrico ante él, como si el aparato estuviera esperando un comentario suyo, una explicación. Después volvió a sentir calor. Y a oír el ruido del ventilador. A sentir el sudor que lo empapaba, pero ahora frío, como si una sutil frescura lo comenzara a cubrir. A lo lejos oía el ruido de Ismael trabajando en el linotipo. El frío seguía ascendiendo por él. Llegaba incluso a su cara, inundaba su estómago, su espalda. Colgó el auricular, pero dejó su mano sobre el teléfono, desconcertado. El miedo continuaba ascendiendo por todo su cuerpo, desde las piernas a su estómago, desde sus brazos a su cara. Respiró con la boca abierta, con dificultad.

Se echó para atrás en el sillón reclinable, puso los brazos sobre la madera gastada y rota de los descansabrazos y respiró profundamente. El miedo se transformaba. Otra vez la frescura ascendió desde la boca del estómago, con fuerza, hasta su lengua; un frío amargo, muy fino, con el sabor del miedo, con el sabor del miedo a todo. Se levantó del escritorio y se asomó a la calle a través de los vidrios rotos de la ventana. En la esquina tres hombres hablaban en voz alta y dos taxistas conversaban bajo la luz de un poste, recargados en uno de sus automóviles. Del otro lado de la calle varios jóvenes rodeaban al vendedor de taquitos de vísceras, comiendo de pie bajo un gran foco que iluminaba el puesto ambulante.

———

—¿Cuánto tiempo te falta? —preguntó en el taller al linotipista, un viejo gordo y moreno vestido sólo con un calzón de baño rojo y unas sandalias de hule—. ¿Seguro que dos horas?

Miraba caer el plomo en los receptores del linotipo, pero sin verlos, sin dejar de pensar en esa voz lejana, campesina, que había escuchado por el teléfono.

—¿Hay cambios? —preguntó el viejo linotipista, mirándolo de soslayo, sin interrumpir el trabajo.

———

Se asomó de nuevo a la ventana. Otros hombres se habían acercado al puesto ambulante y comían de pie, en la calle. Sintió hambre, sintió deseos de salir con ellos, de hablar con ellos, de beber un refresco de mandarina y comer dos tacos. Pero era la prisa, una novedosa, una obsesiva idea que tomaba forma, que lo arrastraba. Fue otra vez al escritorio. Tomó el teléfono y marcó.

—¿Luis? Habla Valente. ¿Me escuchas? —dijo despacio, serenamente.

—No me digas que andas de putas otra vez, negro —oyó al otro lado de la línea telefónica—. ¿O pasa algo? Mientras no sea dinero, cuenta conmigo. Dime qué necesitas.

—Hermano, te lo aseguro, quiero saber si aparte de ti algún otro muertero vende ataúdes en la sierra de Atoyac.

—El único que vende ataúdes en la región soy yo. Los otros venden cajones con clavos, no te confundas.

—¿Te compró ataúdes el ejército ayer?

Se hizo un silencio. El eco metálico de la línea telefónica se extendió como una puerta al abismo. Ecos, ruidos, un sordo rumor de alambre.

—¿Qué te pasa, negro? ¿Qué buscas? —respondió al fin, del otro lado del silencio, de la noche.

—Busco varios soldados muertos en Atoyac —replicó suavemente, tratando de reír, pero consiguiendo sólo una sonrisa que apenas habría distinguido quien se hallara frente a él. Hubo otro largo silencio. Al poco rato, volvieron a hablar.

—¿Para qué buscas muertos, Valente, habiendo tantos vivos? —le contestaron también despacio, con un tono forzadamente amistoso.

—De verdad necesito que me ayudes. ¿Mandaste ataúdes a la Zona Militar, sí o no, hermano?

Oyó otra vez silencio en el auricular. Un silencio de cuerpo, de materia. Tangible, doloroso, inmenso. Por vez primera notó que sudaba de las manos, que el auricular estaba mojado de sudor, que se le resbalaba. Lo cambió de mano. Se restregó la otra en los pantalones de mezclilla.

—¿Por qué no molestas a tu chingada madre a esta hora, cabrón negro? —volvió a escuchar la voz del otro lado del silencio, con inquietud—. He vendido ya varias remesas en las últimas semanas. La última fue ayer.

—¿Cuántos?

—Doce, hermano.

—Necesito ver una factura. O tener una copia.

—Aquí la tienes.

—Voy por ella.

—Ahora mismo, hermano.

Dentro del taxi se dio cuenta que seguía con la camisa abierta. Se la abotonó. Por la ventanilla entraba una ráfaga de viento fresco. La ciudad se vaciaba suavemente; a veces alguien pasaba caminando. Algunos camiones se deslizaban ruidosamente por las calles vacías. El centro de Acapulco empezaba a estar desierto. Al entrar en las oficinas de la funeraria sintió calma, serenidad.

—Les están dando muchas sorpresas en la sierra, hermano —le dijo mostrándole las facturaciones de ataúdes a cargo de la Zona Militar—. Son clientes estupendos, ¿no te parece?

—¿Cuál copia me llevo?

—Ésa, la amarilla.

Dobló cuidadosamente la copia de la factura.

—Pero yo voy a negar todo. Si la toman conmigo negaré haberte dado nada. Diré que lo robaste, o que cometiste abuso de confianza, te lo advierto, cabrón negro.

46

19 de mayo de 1967

—*¿Pero qué haremos con toda la gente que está dispuesta en este momento a echar a los judiciales de Atoyac? Están esperando, profesor.*

—*No es que hagamos un levantamiento y le entremos a acabar con los judiciales que están ahora aquí, en Atoyac —volvió a decir Lucio—. Porque los acabamos y vendrán después a cobrarnos el levantamiento. O vendrá el ejército por nosotros ¿y cuántos seguirán peleando contra todos los que vengan? Necesitamos hacer otra guerra, donde no puedan encontrarnos pero donde nosotros sí podamos ver a todos, ¿entienden?*

—*Pero se bajan de los pueblos —dijo otro campesino que se encontraba de pie, junto a la puerta— y podemos juntar mucha gente ahora. Están dispuestos a venir, profesor.*

Lucio se levantó de su asiento. Se quedó de pie y apoyó sus manos en el respaldo de la silla. Miró a la veintena de campesinos que lo escuchaban reunidos en la pequeña casa de bajareque y adobe.

—*Primero, nosotros debemos entender esto —volvió a explicar—: Que no estamos así porque apenas en este momento nos vengan las ganas de luchar, porque ya hemos pensado que tendríamos tarde o temprano que pelear con armas. Y por eso mismo, fíjese bien, debemos aclarar que no queremos hacer una revolución en Atoyac, con la gente y la policía preventiva de Atoyac, sino en todo el estado de Guerrero, y en todo el país, ¿ven? Y por eso debemos prepararnos para una lucha que esté en todos los lugares. Organizar a los pueblos en todas las partes, no nada más aquí en Atoyac. Que estén dispuestos a luchar no solamente en este momento y ya, sino organizar por mucho tiempo la vida de esta guerra. Tenemos que juntar armas. Y juntar a los pueblos para una guerra larga y que nos ayuden, que se preparen para ella.*

—*¿Pero qué haremos con toda la gente dispuesta en este momento? —volvió a preguntar el mismo campesino.*

—*Bueno, supongamos que acabamos con los judiciales. ¿Creen que después cada uno irá a su casa y ya se acabó todo? A ver, tú, Camilo. ¿Dejarías tu casa para irte al monte y para pelear ahí varios años, sin bajar a tu casa? A ver, dinos tú.*

Camilo se removió en su asiento y miró a todos. Luego se frotó las manos y se ajustó el sombrero de palma.

—*Bueno, es difícil dejar mi casa por mucho tiempo —contestó—. Pero si es cosa de todos, entonces está bien el tiempo que sea.*

47

Lucio siguió de pie, mirando los rostros de los campesinos que apenas iluminaba el foco encendido en el techo de la habitación. Era noche ya, sentía cansancio.

—Pero no es una lucha que se resuelva nada más en Atoyac —insistió Lucio después de un momento—. Que se resuelva por echar bala ahora contra los judiciales. No podemos enfrentarnos contra toda la judicial ni contra todo el ejército, porque si lo hiciéramos así, perderíamos. Debemos pelear de una manera en que no nos acaben, en que no nos encuentren fácilmente. Y mientras, buscar partidarios en todos los pueblos, en todos los ejidos. Necesitamos una guerra distinta, no como la de Zapata o la del general Vidales, sino distinta. O sea, seguir organizándonos como hasta ahora, en los ejidos, pero ya no para hacer protestas ante oficinas ni en plazas, sino para la guerra. Organizarnos ahora para que los pueblos apoyen una guerra y no nos sigan matando, no nos persigan como delincuentes, como culpables, no. Ahora debemos demostrar quién es el culpable en Atoyac, y en Guerrero, y en todos los lugares, para que podamos hacer justicia de una vez por todas, ¿entienden?

El helicóptero quedó suspendido momentáneamente sobre el cerro que se elevaba desde el camino, lleno de maleza y árboles. Del lado opuesto descendía una hondonada profunda, marcada por arroyos. El general Solano Chagoya señaló con la mano hacia un monte.

—Aquellos son los ejidos cafetaleros de Río Santiago —dijo al general Cuenca Díaz, alzando la voz.

El helicóptero comenzó a desplazarse más allá del camino. Cuando traspusieron el monte distinguieron la bodega y el terreno de secadero para los granos de café. El teniente que piloteaba giró hacia el poblado que divisaron a lo lejos y se volvió en su asiento para hablar en voz alta.

—Hacia allá —dijo señalando el caserío mientras el helicóptero giraba hacia la zona de hondonadas y avanzaba con más velocidad— está San Vicente de Benítez. Aquella es la ruta hacia Santiago de la Unión. Son direcciones opuestas.

La mañana estaba muy despejada. Las montañas iban descendiendo, oscurecidas, inmensas, ajenas a la distancia que las envolvía, a las nubes que más allá, abundantes, parecían confundirse con la luz que el mar reflejaba en sus costas. La sierra de Atoyac seguía deslizándose oscura en su verdor y en sus montañas azuladas.

—¿Son éstas las zonas que han rastreado, general? —preguntó Cuenca Díaz.

—Especialmente ésta que estamos sobrevolando —respondió Solano Chagoya—. Hacia allá, hacia Los Corales, se abre la sierra de Tecpan, y es improbable que Lucio tenga apoyo en esa zona.

Era difícil distinguir desde el helicóptero las brechas y los caminos de los caseríos que surgían súbitamente entre la selva, entre la vegetación alta y fría, entre platanales, cafetales, pinos. Ríos y arroyos, pequeñas pozas oscuras, pájaros que huían espantados con el ruido y el viento de las hélices del helicóptero, iban apareciendo y desapareciendo, brotando súbitamente y luego sumergiéndose en la tierra verde, en los árboles, en las montañas feraces.

—Desde aquí empieza la zona que nosotros debemos controlar, general —volvió a explicar Solano Chagoya—. Este pueblo se llama El Porvenir. De aquí a El Paraíso, a San Vicente, a El Quemado, a Las Trincheras, a La Remonta y a otros pueblos en la costa como Alcholoa y Cacalutla, se tienden los movimientos de Lucio Cabañas, siempre por los mismos poblados. Es la parte que requerimos comunicar por carretera y por teléfono.

Varias columnas de humo azulado ascendían de algunas casas de los poblados. El general Cuenca Díaz vio sobre la selva la sombra móvil que el helicóptero proyectaba al desplazarse por los montes. El general Solano Chagoya se inclinó de nuevo hacia él para explicarle.

—Lucio Cabañas no sale de esta sierra de Atoyac, general. Un poco más adelante de Cacalutla, en el camino hacia El Quemado, secuestró al hijo de Carmelo García Galeana y tuvieron al muchacho más de dos meses en esta zona. No salieron de ella. No llegaron a Tecpan ni a Acapulco. Estoy seguro al delimitar sus zonas de merodeo, general. Pero no podemos tener penetración rápida. Mire usted —dijo señalando con la mano una parte de la sierra—. El territorio es accidentado. Faltan caminos para vehículos pesados y brechas que permitan el traslado seguro de destacamentos de infantería.

—¿Identificó ya los pueblos que lo solapan? —preguntó Cuenca Díaz.

—Son varios. Pero necesitamos un control mayor. No es posible exponer destacamentos en esta zona sin una estrategia de control efectivo de todas las áreas posibles de apoyo.

—¿Y qué espera? —repuso el general Cuenca Díaz.

—Autorización, mi general. Desde luego.

—¿Más autorización, de quién?

—Suya, mi general.

—La mía no es una autorización, es una orden.

—Pero necesitamos medidas enérgicas en estos poblados, general.

—Necesitamos cuidar al ejército. Que no vuelva a morir un solo soldado más a causa de estos bandoleros, general Solano Chagoya. Pero mantenga esto con absoluta discreción. Yo mismo lo comunicaré al señor presidente.

El helicóptero había ascendido de nuevo. Ahora subía hacia Cerro Prieto y cruzaba un arroyo profundo y pedregoso. El terreno cambió súbitamente. Montes erosionados, secos, comenzaron a surgir bajo el helicóptero hasta el pueblo de El Quemado.

—Aquí y en El Ticuí debemos comenzar con la localización de los campamentos y de los contactos. He pensado mucho en eso, mi general —volvió a exponer Solano Chagoya en voz alta, acercándose al general Cuenca Díaz—. Pero no sabemos realmente cuántos elementos participan con Lucio Cabañas. Es la primera vez que sorprende a un destacamento. Sus acciones no habían sido importantes.

Sobrevolaban ahora los poblados de Costa Grande, Zacualpan, Cacalutla. Entraban en el ancho cauce del río Coyuca. El teniente se volvió a preguntar al general Solano Chagoya.

—Sí, regresemos ya —interrumpió el general Cuenca Díaz.

Por la ventanilla del helicóptero miró el mar. El cielo inundado de nubes inmensas, blanquísimas. La costa inundada de luz, de brillantez. Luego tosió, sin desviar la vista.

—Volvamos a Acapulco, teniente, sí —volvió a decir Cuenca Díaz, asintiendo.

———————————

El capitán se acercó al patio de la casa.

—¡Traigan al campesino! —gritó—. ¡Al viejo, sí!

Aguardó un momento a que los soldados que se hallaban al fondo del patio mostraran a uno de los hombres.

—Sí, ése. ¡Tráiganlo!

En el poblado se hallaban estacionados tres camiones militares. La tropa llenaba la calle desordenadamente. Los soldados conversaban a la sombra de los árboles, apoyados contra los muros de las casas, contra las bardas. El capitán se retiró de la barda de piedra de la casa.

—Toda la zona la revisamos, mi capitán —dijo uno de los oficiales que lo rodeaban—. Por aquí no anduvieron. No hay señales.

—Aquí nadie sabe nada —respondió el capitán—. Nadie quiere saber nada. Pero todos conocen los movimientos de Lucio. Hasta los perros.

Los dos soldados llegaron escoltando al campesino.

—¿Ya recordaste lo que viste hace tres días? —le preguntó el capitán.

El campesino estaba sin sombrero. Un suéter gris, roto de las mangas, cubría apenas su cuerpo flaco.

—Hemos recorrido toda esta zona y no hemos encontrado ni una sola huella de Lucio Cabañas y de los asesinos que lo siguen —comenzó a decir el capitán, mirando de frente al campesino—. Éstos son los delincuentes que nos interesa encontrar. No tenemos nada contra los pueblos, ¿entiendes? No quiero molestar a ningún campesino, a ninguna familia. Sólo me interesa encontrar a Lucio Cabañas. Pero no quiero cómplices de Lucio en la sierra. Ni aquí en El Porvenir. Ni en El Paraíso. Ni en La Remonta. Ni en Santiago de la Unión. Ni en San Vicente de Benítez. Ni en ningún otro lugar, ¿me entiendes?

El campesino frotó una mano en los pantalones sucios y desgastados.

—Hemos puesto emboscadas en todas las veredas y brechas de esta zona —siguió explicando el capitán— y nadie ha pasado por ellas. No hemos encontrado un solo sitio donde hubieran acampado Lucio y su gente. Así que ya no estoy dispuesto a la buena voluntad, ¿me oyes?

—Pero él no entra al pueblo —empezó a decir el campesino—. Sólo sabemos que pasó o que anduvo cerca. Pero nada más.

—¿Sí? ¿Y cómo saben?

—Pues así dicen. "Dizque llegó el profesor Lucio y que se fue al poco rato." Quizá lo dice la gente por mentir.

—¿Y cuándo se reúne con ustedes? Porque hace reuniones con los campesinos ¿no?

—Bueno, a veces. Por eso fui una vez. Pero no lo hace en los pueblos, sino afuera. Llama primero a alguno y luego va otro y así nada más. Pero él es el único que habla. Por eso después la gente inventa que sigue pasando.

—Y la comida que tú le mandas, ¿también la inventas?

—Eso es mentira, señor. Mi hijo nunca le ha llevado ni una tortilla. Se lo han dicho para traerme algún mal, solamente. Yo no me meto en esas cosas. Yo no sé.

El capitán caminó unos pasos. Miró la calle del poblado, llena con la tropa y los camiones militares.

—Sabemos que aquí ha estado acampado muchas veces —dijo después de un largo rato—. Y que gentes de aquí, y de El Quemado y de Río Santiago y de El Paraíso lo están encubriendo. Y vamos a regresar aquí. Y como ya cambiaron las leyes desde hace dos meses, pues ya nadie puede tener armas de fuego. Vamos a desaparecer las armas en todos los pueblos. Y vamos a desaparecer el peligro de esos delincuentes en toda la sierra. Así que ahora iremos paso a paso a recorrer toda la zona hacia El Cacao y hacia Las Mochas.

—Yo ya estoy viejo para andar con ustedes en el monte.

—Sí, tú ya estás viejo. Pero tu hijo no. Tu hijo se viene con nosotros.

El campesino tenía los ojos legañosos y enrojecidos. Trató de levantar una mano suavemente, para explicarse.

—Mi hijo puede andar con ustedes, sí. A donde ustedes quieran.

—¿Y la ruta que debemos trazar a El Quemado, capitán? —preguntó uno de los oficiales.

—Por cierto, ahora que me lo recuerda el sargento. Tú tienes familiares en El Quemado, ¿verdad? Porque vamos a necesitar que tu hijo también nos acompañe allá, con tu familia. No quiero dejar esta zona sin recorrer, ¿entiendes?

—Allá le pueden ayudar también —respondió el campesino.

—También aquí, y muy pronto. Porque parte de la tropa se irá con tu hijo a El Cacao y otra parte hacia Las Mochas, con otro campesino. Y otra parte se quedará aquí, porque también hay destacamentos que están en El Paraíso y en San Vicente de Benítez.

El campesino lo oyó sin moverse. Lo miraba con temor, como si no entendiera bien lo que decían.

—¡Llévenselo! —ordenó a los soldados que lo escoltaban—. ¡Y traigan al hijo, al muchacho! ¡Quiero que salgan ahora mismo!

24 de mayo de 1967

—*Profesor* —*dijo uno de los hombres más jóvenes*—. *Los campesinos de aquí, de San Mateo, hemos acordado ayudarlo. O a ustedes, pues.*

Lucio escuchaba atento. Un pequeño perro atravesaba entre las sillas de la reunión, seguido por un muchacho.

—*Bueno, lo que quiere decir aquí el señor* —*repitió Lucio*— *es que no vayan a pensar que nos proponemos escondernos y ya. Sino que vamos a luchar. Y por eso decidimos que necesitamos ayuda de ustedes, porque será para defendernos en nuestros pueblos de las explotaciones, de las injusticias, de la pobreza, pues, en que nos hacen vivir. Y no nada más para defendernos de estos judiciales que quieren acabar con nosotros porque creen que si nos matan ya solucionaron el descontento de todos los pueblos de la sierra.*

—*Así es, profesor* —*dijo otra vez el campesino*—. *Precisamente nosotros queremos colaborar en todo lo que digan. Y les queremos entregar esto, para que se defiendan, pues.*

Uno de los jóvenes campesinos atravesó entre las sillas y le entregó un viejo rifle a Lucio, un 22, Winchester, de varilla. Lucio revisó el fusil, con atención. Sentía la madera vieja, lisa, del arma.

Pensó que lo llamaban para algo urgente, por otro motivo. Su mujer aún estaba sentada en el borde de la cama, esperando. La miró a los ojos: en ella no había ansiedad, sólo quietud, inconsciencia, sueño quizás, o bondad.

—¿Sí? ¿General Solano Chagoya? Muy buenos días.

Eran las siete de la mañana, y tardó en entender la voz que llamaba desde el otro extremo del teléfono, tardó en escuchar, en comprender las claras palabras que llegaban de pronto muy lentas, como dichas desde una inmensa distancia, como si el tiempo no transcurriera, no avanzara. Volvió a mirar los ojos de su mujer, sentada en la cama, en bata. Quiso preguntar, oír una respuesta de esos ojos, de esa boca, de esa calma.

—¿Cómo? —alcanzó a expeler con una voz ronca, lastimosa—. Perdone, general —balbuceó—. No entiendo a qué se refiere. No lo entiendo.

"A la calumnia de la primera plana. No tiene pruebas. Lo demandaré por delitos federales", tronó con ira el general, alzando la voz en el otro extremo del teléfono.

—No entiendo. Debe tratarse de un error —dijo.

"¿Usted autorizó ese encabezado?" oyó que le preguntaban.

—Yo dejo instrucciones muy amplias cada día, general, pero Valente Mendoza cabecea las notas y decide la información. Es el redactor. Ahora tocamos el alcantarillado de la ciudad de Acapulco y el servicio de limpieza, pero esto nada tiene que ver con ustedes.

"¡Al carajo el alcantarillado! ¡Vea de una vez su periódico y mande de inmediato al redactor a mi oficina! Pero de inmediato, ¿entiende? ¡No lo quiero desayunado ni bañado, sino ahora!"

Sujetando el auricular mucho tiempo después de que la comunicación se había interrumpido, mirando que su esposa abría la puerta de la recámara con la bata desteñida y una taza de café en la mano, sintió náuseas, un deseo de vomitar, de llorar, de regresar las horas y de haber leído todas las notas desde el día anterior. De haber leído todo, de haber entendido el peligro. Se levantó de la cama y caminó descalzo por la casa. Tomó de la cómoda el diario de esa mañana y como oscuros cuerpos de animales vio los titulares gigantescos. EMBOSCADA DE LUCIO CABAÑAS AL EJÉRCITO. DOS SOBREVIVIENTES. Leyó de pie, empezando a sudar lentamente, a oler su cuerpo sudoroso, su viejo cuerpo gordo, su picante olor de viejo. La saliva era amarga, espesa, como si hubiera estado masticándo pasto, papel, o hubiera ya vomitado. Como si estuviera convaleciendo de una larguísima dolencia. La ira contra Valente ascendía por todo su cuerpo, desde sus pies descalzos, desde sus manos temblorosas que sostenían el periódico. Oyó un ruido a su lado; se volvió. Su esposa lo había seguido y continuaba de pie, con su bata rosa desteñida, sosteniendo en las manos la taza de café negro.

—¿Pasa algo? —preguntó.

***

"Los matarían", te decías, mirando que no entendían que les negaras su decisión, que tú les cerraras el camino al valor, a la lucha en ese mismo instante. "Los matarían", te decías mientras asomaba en ellos la duda, mientras los veías como niños indefensos, ciegos de la muerte que los cubría, que los engañaba. Y sentías dolor por ese desconcierto de no aceptarlos en ese mismo momento, en esa misma noche de reclamo. Estaban aún en Atoyac los asesinos, los muertos velándose, la sangre en la plaza. Y estaban ellos ante ti, dolidos, desconcertados, queriendo salir, reparar, invadir con su fuerza las calles y encontrarlos, destrozarlos, triunfar en esa misma noche. "Los matarían", te repetías viendo a los hombres. Y la muerte era la única que ahí te entendía, la única sombra, la única presencia que se desplegaba ante ti y que te hacía madurar la prisa, el cuidado, la idea concreta de los que en esa noche querían llamar a la muerte. Una prisa que te hacía sudar las manos, que te obligaba a repasar esos rostros de campesinos hacía mucho tiempo. Y recordabas las muertes que siguen paso a paso a ellos, a ti. La muerte que acecha siempre tras la prisa, tras la confianza que provoca la prisa. La muerte de Gámiz, de Óscar, de Jaramillo. Y esa noche gritaba dentro de ti, en lo más hondo de tu silencio, gritaba un potente dolor que cuidaras la vida, que comenzaras protegiendo las vidas, que comenzaras ante la muerte posible, cuidando la vida en todos los hombres que ante ti, en ese momento, se descorazonaban. "Los matarían", te volviste a decir. Ya las escuelas, los mítines, las asociaciones, parecían ramas secas, hojas, tierra seca. Parecían un recuerdo borroso, sin raíz, sin vida, una frontera distante, un nombre que esta prisa te impedía recordar.

***

—Le pido disculpas, general. Soy Solano Chagoya. Le hablo desde Acapulco.

"¿Qué pasa?", contesta la otra voz.

—Hoy aparecieron titulares en tres periódicos de aquí sobre la emboscada al convoy militar, general.

Un rumor de vacío, de alambres, llena el teléfono. Apoyado en su escritorio, Solano Chagoya juega en la mano derecha con un lápiz amarillo, sin goma en el extremo.

"¿Qué va a hacer?" finalmente le preguntan.

—Fueron los redactores de los periódicos. Especialmente uno de ellos. Negué los hechos y podemos demandar a los tres periodistas por delitos federales. El agente del Ministerio Público Federal asegura que procede la demanda en los tres casos. Le llamo para saber si usted lo aprueba.

Solano Chagoya espera. Otra vez crece el rumor metálico del teléfono. Deja el lápiz amarillo sobre un cenicero de madera.

"¿No piensa que eso atraería más la atención? ¿De qué nos sirve proceder así?", pregunta Cuenca Díaz.

—Se trata de tres muchachos que decidieron a espaldas de los directores, sin consultar con nadie. Procediendo contra ellos estoy seguro de resolver el problema. Cuento incluso con el apoyo de otros diarios.

"Los periodistas cambian siempre de parecer. Hace mal en confiar en ellos. Mientras más lejos los tenga, mejor."

—Me han dado su palabra, general —contesta echando el cuerpo hacia atrás, sobre el respaldo del sillón giratorio.

"No quiero que el problema se haga mayor. Si nos complicara lo que usted ha decidido, deje que las cosas tomen el curso que sea", contestó lentamente, con voz tranquila.

—Creo que si actuamos en este momento, no tomarán confianza para publicar los movimientos de Cabañas.

"Escúcheme bien, general Solano" —replica Cuenca Díaz—. "No quiero que esos periodistas, que ahora están..." —vuelve a interrumpirse. Solano Chagoya advierte que en el otro extremo cubren la bocina con una mano—. "Espere un momento, general", agrega la voz. Solano Chagoya mira su reloj. Son las ocho de la mañana. Siente deseos de tomar un café caliente. Oprime el botón del escritorio para llamar al ordenanza. "¿General?", escucha otra vez la voz de Cuenca Díaz; el ordenanza ha entrado y recoge la taza, "le decía que yo no quiero que todos los periódicos hagan famoso a Lucio Cabañas. Pero hasta ahora ha sido un problema sólo nuestro, del ejército, y el gobierno se rehúsa a apoyar la única estrategia que permitiría acabar con todos esos dizque guerrilleros. Con la prensa, el problema será también del gobernador del estado, de la Secretaría de Gobernación y del gobierno de la República, ¿entiende? Y no está mal que dejen ya de esconder el bulto al problema. Así nuestros movimientos podrían ser también más abiertos y, sobre todo, más efectivos. ¿Me entiende, general Solano?"

—Estoy de acuerdo con usted.

"Tenemos que responder como usted lo ha pensado. No podemos hacernos los desentendidos. Proceda contra ellos. Pero no tema que se hagan públicas las cosas si empezaran a tomar un mal rumbo."

El general Solano Chagoya llevaba los diarios de Acapulco. A su lado, en la Costera, miró pasar por la ventana del automóvil un carro descubierto conducido por una mujer rubia. Vio las piernas levemente doradas de la extranjera. Había mucha gente en las calles. Turistas, costeños, automóviles, vendedores ambulantes. Dejó que su mirada recorriera libremente la avenida. La bahía parecía más iluminada aún: azul, quieta, como si estuviera en paz, como si todo gozara de la quietud. El clima artificial de su automóvil producía un ligero ruido, un rumor que formaba parte del ruido de Acapulco, de la vida de la ciudad.

—Tenga, capitán —dijo a su acompañante en el asiento trasero del automóvil—, guarde usted estos diarios. Llévelos junto con las demandas.

—Sí, mi general —contestó el capitán.

—Quiero que se lleven a los periodistas inmediatamente a México, que no se queden un día más aquí. Vea usted lo que sea necesario, sin equivocaciones. Que no haya duda de ninguna especie, capitán.

—Tenemos todo listo, general. Revisé ya los puntos de las demandas y di todas las instrucciones al agente del Ministerio Público Federal. Está al tanto de nuestro planteamiento y él ha avanzado ya en la documentación. Será una sesión muy rápida. Me leyó el texto de la sentencia que dictará y modificamos sólo algunos detalles. Está enterado de la importancia del caso.

—No quiero problemas jurídicos, capitán. Pero quiero que salgan esos periodistas de Acapulco ya, hoy mismo, presos, culpables y mudos.

—Así se hará, general.

El automóvil se detuvo ante las oficinas del Ministerio Público Federal. El conductor abrió la puerta del general Solano Chagoya. Al salir del vehículo sintió de golpe el calor de la mañana y la luz brillante. El capitán caminó a su lado. Al subir las escaleras de la entrada, el general se volvió a mirar la calle. Vio a un vendedor de frutas cortando jícamas con un viejo cuchillo. Varias mujeres estaban recargadas cerca de un carro patrulla. Dos perros empezaban a husmear entre la basura de las frutas.

—Calumniar al ejército mexicano con noticias como las que ustedes han propalado por decisión propia, unilateral, sin consultar con sus respectivos directores, pone en un grave aprieto a la sociedad misma. Ustedes son causantes de un daño social mayor que el que podría causar un grupo armado que realmente hubiera atacado así al ejército mexicano. Es un ataque a la institución del ejército, una llamada al desconcierto social. Es una conducta dolosa. Son unos provocadores sociales, señor agente del Ministerio Público, y por eso, en mi calidad de jefe de la Zona Militar 27 pido se les aplique todo el rigor de la ley.

Valente intentaba hablar. Había preparado mentalmente ya su respuesta, pero no podía intervenir, el agente del Ministerio Público sólo consignaba las acusaciones del general Solano Chagoya. Sentía cansancio por haber estado de pie ya varios minutos. Seguía sudando abundantemente. Le quemaba ya por el calor su camisa blanca de algodón que se mojaba de la espalda y en los sobacos. Sentía sed, también. Cuando abrió la puerta entendió de pronto el rumor que había estado oyendo desde hacía varios minutos. Entraron de golpe en la oficina varias decenas de periodistas. Adelante de ellos, además de Enrique Clavel, venía Remberto Valdés, levantando su enorme brazo, gordo, blanquísimo.

El agente gritó que desalojaran su oficina, que podía exigir el desalojo violento con la policía judicial.

—¡Pues nos tendrá que meter a la cárcel a todos los periodistas de Guerrero! —gritó Remberto Valdés de nuevo, en respuesta, en voz más alta cada vez, en medio del tumulto que seguía aumentando—, ¡a estos cincuenta periodistas de todo el estado que desde la cárcel declararemos en nuestros periódicos la represión brutal que se ejerce sobre nosotros! Y tendrá que explicar también por qué meterá a la cárcel a los camarógrafos de la televisión de México, de *24 Horas*, que están con nosotros. Así que aquí estamos para que cargue con todos, señor licenciado.

El agente se mantuvo de pie, ante los periodistas que se agolpaban en la oficina, en los muros, tras los escritorios, inundando la atmósfera de gritos, de calor. Se volvió a mirar al general Solano Chagoya, que había mantenido una actitud serena, reposada.

—Señores —dijo el general, en tono amistoso—. Están ustedes equivocados. Aquí no hay ni la menor posibilidad de un atropello. No estamos actuando a espaldas de la ley, sino a cubierto de ella. Es más, puedo asegurarles que estamos defendiendo la ley, que estamos defendiendo lo justo, la seguridad de ustedes mismos, pues yo he respetado siempre la actividad de ustedes. Y la he apoyado numerosas veces, les consta. Y soy amigo de ustedes y me honro en serlo. Pero hay cosas que en mi calidad de ciudadano y de militar no puedo pasar por alto. Tengo que protestar por la mentira y la calumnia que se lanza en los periódicos contra el ejército mexicano, sin previa consulta con nosotros, y sin cuidar que la información que manejen esté comprobada. Una información tendenciosa daña nuestra sociedad. Y si va dirigida contra una institución como la que yo represento, mi deber es protestar y actuar en conformidad de la ley. Y así lo estoy haciendo. Nada ilegal está ocurriendo aquí, señores. He venido a presentar una queja en la instancia que amparan nuestras leyes, y nada más. Los señores tienen el derecho de explicar sus razones y de dar sus pruebas. Y de antemano les aclaro que no es una actitud irracional ni represiva contra los periodistas. No hay nada en contra de ustedes, sino en contra de tres individuos que se dicen periodistas pero que dañan a la sociedad publicando una información de la que no tienen seguridad que sea cierta.

Valente sintió, por vez primera en el día, confianza. Los gritos de todos los que invadían las oficinas exigían que él hablara. Remberto Valdés continuaba levantando la voz por sobre todos.

—¡Nadie puede demandar a un periodista sólo porque los hechos de que se informa perjudiquen a una parte! —gritaba en medio de la multitud—. Toda la sociedad debe saber lo que está ocurriendo, general, y usted y nosotros sabemos muy bien que la sierra de Atoyac no está en estos momentos como campo vacacional. Estos muchachos que usted quiere perjudicar sólo cumplieron con su deber de informar a la sociedad. Merecen el apoyo de todos nosotros y de ustedes mismos, general, porque son valientes y son responsables.

—¿Llama usted responsabilidad a confiar en llamadas telefónicas anónimas? —replicó el general Solano Chagoya.

—Pero no se trata de una llamada por teléfono —gritó Valente en medio del tumulto—. Comprobamos que en la Zona Militar hubo hace días doce soldados muertos porque compraron doce ataúdes precisamente el día de ayer. Y eso me parece ya mucha coincidencia.

—¿Que compramos ataúdes nosotros? ¿Qué está usted diciendo, joven? —preguntó ofuscado Solano Chagoya.

—Que según esta factura —y Valente levantaba el brazo derecho mostrando un papel amarillo—, según esta factura, el día de ayer recogieron para la Zona Militar doce ataúdes. Y a menos de que usted nos explique por qué mueren pacíficamente tantos soldados en el cuartel de Atoyac desde hace varios meses, nosotros seguiremos pensando que se debe a los enfrentamientos con los grupos de Lucio Cabañas.

—¡Silencio, señores! ¡Silencio, por favor! —gritó irritado el agente del Ministerio Público Federal—. No se trata aquí de perjudicar a nadie. El Ministerio Público Federal es una institución que protege a la sociedad, y no se cometen atropellos. Si estos tres periodistas se encuentran aquí, se debe a una medida totalmente fundamentada del jefe de la Zona Militar 27. A petición de parte he procedido yo a tener conocimiento de los hechos. Pregunto si la Zona Militar desea continuar con su queja, para proseguir con el caso, a pesar de la poca colaboración que estos señores muestran invadiendo oficinas públicas que merecen una consideración mayor.

El calor había aumentado. Los gritos no disminuían.

—Mire usted, señor agente del Ministerio Público Federal —comenzó a decir el general, pausadamente, y mirando a los periodistas que inundaban la sala—. Yo he venido ante usted a presentar mi inconformidad por las acciones tomadas por estos periodistas que sigo considerando como lesivas para la sociedad mexicana y para el ejército que yo represento. Pero no quiero continuar con una petición que no se entiende como respuesta natural y jurídicamente limpia de nuestra parte, sino como represión. Quiero demostrar que nosotros no somos represivos; muy por el contrario, que nosotros estamos para asegurar el ejercicio de libertad de nuestra sociedad. Así que, a pesar de que sigo creyendo que así no ayudamos al estado de Guerrero a vivir mejor, sino a aumentar los riesgos de peligro social, para dar ejemplo, repito, de nuestro apoyo a la libertad de expresión y de nuestro respeto a los amigos, le ruego a usted, señor licenciado, que tome nota que desde este mismo momento desisto de la acción iniciada contra estos jóvenes periodistas.

Entre numerosos gritos que invadieron la sala comenzaron a abrazar a Valente y a los otros periodistas acusados. Remberto seguía gritando en medio del clamor que colmaba las oficinas. El agente del Ministerio Público comenzó a romper, ante la vista de todos, la documentación del caso.

III

Julio a noviembre de 1972

*Los dos vehículos se aproximaron. Eran las nueve de la maña-
na. Desde el poblado de El Rincón se escuchaban algunos ladridos de
perros, gritos ocasionales de niños. El silencio de la sierra brotaba
de pronto, como un paréntesis en el ruido de insectos, de pájaros
volando sobre los cafetales. Los autos se detuvieron. Del que venía adelante se bajaron dos hombres a mover las piedras que obstaculizaban
el camino. Del otro vehículo también comenzaron a descender.*

*—¿Qué les pasa? —gritó uno de ellos, sin despegarse de la porte-
zuela abierta.*

*—¡Hay muchas piedras aquí! —contestaron desde el primer
vehículo—. ¡Quizás hubo un deslave!*

*Los agentes judiciales empezaron a caminar hacia los otros, mien-
tras en el vehículo trasero permanecía sólo el conductor. Uno de ellos
se volvió de pronto hacia el lado opuesto del camino, mirando los
matorrales. Alcanzó a ver la llamarada sobre una peña. Luego sintió
el estallido en su cuerpo, una súbita oscuridad que lo arrojaba contra
el suelo. Las ráfagas de un M-2 alcanzaron a dos de ellos. Descargas
de pistola automática tronaron contra los que habían corrido sobre
las piedras. El conductor del segundo vehículo intentó echarse en reversa. Otra descarga destruyó vidrios, cabeza, volante.*

*—¡No sigan! ¡No sigan, les digo! —gritó Lucio desde lo alto del
paredón—. ¡Viene gente! ¡Cuidado!*

*Lucio vio los cuerpos de los agentes judiciales sobre las piedras
del camino. Dos de ellos parecían estar sólo heridos. Al pie de la cuesta vio que se asomaba un niño con una mujer.*

—¡No recojan nada! —gritó otra vez, con apremio—. ¡Vámonos ya! Ahora. ¡Vámonos! —volvió a gritar—. ¡No recojan armas! ¡Vámonos!

—Por aquí —le dijeron.

El Doc entró en el corredor amplio, largo, de muros muy altos. Parecía una casa vieja, una amplia casona señorial. Pero el olor era salado, de basura, de sudor. Muchos caminaban por la penitenciaría de Chilpancingo; tres policías estaban recargados en los muros, conversando. Sus dos acompañantes avanzaron con agilidad, seguros. Llegaron a una gran sala. El Doc vio a la izquierda un patio, iluminado y brillante por la luz intensa del mediodía. A la derecha se extendían los pasillos apenumbrados de las crujías. Tras las rejas sólidas y largas muchos reclusos conversaban con visitas. Lo llevaron hacia la izquierda. De pie, al lado de dos presos, estaba un hombre solo; el Doc vio que tenía la cabeza deformada. Uno de los acompañantes del Doc se aproximó.

—Compañero, ésta es la persona que lo quería saludar —dijo.

El Doc se acercó a la reja y habló con voz suave.

—Traigo saludos para usted —explicó el Doc—. Queremos apoyarlo en lo que necesite.

Dos policías cuidaban la puerta de la crujía. El Doc miró a José Bracho. Una enorme depresión en el cráneo deformaba su cara. El párpado izquierdo estaba inflamado y totalmente cerrado. Una cicatriz atravesaba su mejilla. De pronto se dio cuenta que había un cambio en ese conjunto deformado por la tortura; el rostro sonreía.

—Estamos bien, gracias —respondió.

El Doc siguió mirando el rostro. La herida había cicatrizado, había sido cuidadosamente vigilada. El hombre pareció inclinarse hacia un lado. No parecía preocuparle el lugar. Su voz era clara.

—Muchos compañeros, como estos que lo han traído a usted —comentó Bracho, levantando con suavidad su mano derecha—, son muy solidarios con nosotros, nos atienden. Usted sabe que lo que se necesita aquí son pocas cosas. Cobijas, comida, a veces libros.

—Le queremos ayudar —respondió el Doc—. Díganos lo que usted necesite. Medicinas —sugirió—. Incluso dinero.

Bracho pareció mover ligeramente la cabeza, asintiendo.

—Estos compañeros nos visitan con frecuencia —repitió—. Podrían apoyarlos a ellos, porque siempre traen lo que vamos necesitando.

—¿Su herida está bien, compañero Bracho? ¿No necesita alguna atención adicional?

62

El Doc vio que otra vez el rostro deforme se movía, adquiría una expresión distinta. Volvió a sorprenderse de que se tratara de una sonrisa.

—No, compañero, gracias. Creo que la trataron bien, sí. En el campo militar son expertos en abrir heridas y en el Hospital Militar expertos en cerrarlas.

El Doc trató de sonreír también. Los policías que conversaban al lado de Bracho estaban fumando. El Doc volvió la vista hacia la izquierda, hacia la puerta del patio. La luz era brillante, parecía reverberar en el aire, quemando el viento que llegaba ligeramente hasta la puerta de la crujía, hasta el olor a basura, a sudor.

—¿Cómo te llamas?

—Matías Hernández.

—¿Qué edad tienes?

—Veintiséis años.

—¿Naciste aquí en El Ticuí, o en otro lugar?

—Nací aquí en El Ticuí.

—El otro apellido también. ¿Qué otro apellido tienes?

—Miguel. Matías Hernández Miguel.

—¿Miguel es tu segundo apellido?

—Sí, mi segundo apellido.

—¿Sabes leer?

—No.

—¿Tienes hijos?

—Sí.

—¿Cuántos?

—Seis.

—¿Y sigues viviendo con tu mujer?

—Sí

—Tus papás, dime. ¿Viven aquí contigo?

—Sí.

—¿Cuántas veces te has casado?

—Una.

—¿Vive alguien más en tu casa?

—Nada más nosotros.

—¿No viene alguien más de visita?

—No.

—¿Tienes hermanos?

El campesino movió la cabeza, asintiendo.

—Cuántos. Dime cuántos.

—Seis. Pero cuatro son mujeres.

—¿Viven aquí?

—Sólo tres.

—¿Quiénes? Dime quiénes.

—Dos hermanos y una hermana.

—¿Quiénes?

—Serafín y Santiago. Y también Elvira.

Sentado en una silla plegable, el médico se quedó mirando al campesino. Junto al camión militar se extendía una lona donde otro médico auscultaba a un anciano. Varios soldados caminaban cerca, conversando. Otro, joven, con una franja blanca en un brazo, revisaba medicinas en el interior del camión militar.

—Abre la boca —dijo aproximándose al campesino y extrayendo del bolsillo superior de su bata una palita de madera.

El campesino obedeció. El médico observó la dentadura blanquísima. Después miró los oídos sucios del campesino. Luego se recostó en la silla.

—De ese dolor en la cabeza, a ver, dime —dijo buscando sus hojas de apuntes.

—Sí, me duele.

—¿Cómo te duele? ¿Aquí, sobre los ojos?, o en la nuca ¿dónde?

—Aquí —dijo el campesino señalando su pelo crespo.

—¿Se te nubla la vista con el dolor o nada más es una punzada?

—Se me nubla la vista. No puedo hacer nada con el dolor, es muy fuerte.

—¿Te pones nervioso después de esos dolores? ¿Te dan miedos?

—¿Miedo? ¿Que si tengo otro dolor?

—No. Por ejemplo, para que entiendas, ¿si ves gente desconocida te pones nervioso?

—No sé.

—Si te encuentras en el monte armas o alimentos escondidos, ¿qué haces? ¿Te pones nervioso o los tomas?

—Bueno, es que aquí dejamos el maíz secándose, no es que lo escondamos.

—No me refiero a lo que es de ustedes. Hablo de pertenencias de otros, de los que anden por el monte y no sean de aquí. ¿Has visto gente armada?

—Pues creo que no.

—Piensa bien. No tiene que haber sido este año. Quizás el año pasado. O antes. Dime.

El campesino se quedó callado. El médico vio las gruesas manos oscuras del campesino, las uñas largas.

—Te estoy preguntando esto por tu salud, porque esos dolores no sólo vienen por la carne mala de puerco, sino también por nerviosismos.

—Pues sí.

64

—A ver, dime, ¿te han espantado los del monte?

—No, doctor.

—¿Tienen armas algunos conocidos tuyos a los que les tengas miedo?

—Pues sí, yo creo que algunos tienen. Sí, eso sí.

—¿Como quiénes?

—Pues no me consta.

—¿Y del estómago? ¿No te enfermas seguido del estómago?

—Sí, doctor.

—A ver, te vamos a dar medicina para todo lo que te pasa.

Ante el campesino, el médico habló con el soldado que tenía una cinta blanca en la manga y después recibió dos paquetes de medicinas.

—Mira, cuando tengas los dolores de la cabeza —dijo el médico, sentado otra vez en la silla plegable—, tómate estas pastillas. Sólo toma dos cada día, no más. Y cuando estés suelto del estómago o sientas mucho dolor, tómate dos cucharadas de este jarabe cada ocho horas, hasta que se te quiten las molestias.

—Gracias.

—Tómalas.

—Gracias, doctor.

—Pero tómalas. No tienes que pagar.

—Gracias.

—Por cierto, se me olvidaba preguntarte si nunca han robado en este pueblo esos hombres armados. Porque luego roban vacas, o comida, o hasta golpean a la gente.

—No, nunca han hecho nada.

—¿Nunca?

—Bueno, es que todos conocemos el monte. Yo no quiero hacer daño a nadie.

—No hablo de ti.

—No entiendo.

—¿Nunca ha tenido problemas el pueblo en el monte?

—Sí.

—¿Cuándo?

—A veces.

—Habla claro.

—Bueno, algunos dicen.

—Dime bien.

—Dizque con gobierno.

—¿Problemas?

—Yo no entro en esas cosas. No hago caso, pues.

—Yo vengo a ayudarte. Fíjate que te regalo esas medicinas. Así que no te hagas pendejo y si los vuelves a ver, nos avisas.

65

—Gracias, doctor.

—Ya vete, pues.

—Gracias.

—Ya vete. Que venga otro.

———————✦———————

—Pero los demás tienen contactos también, ¿no es así? —preguntó Lucio.

El Doc negó lentamente con la cabeza.

—Es una parte —intervino Ramón—. Porque ahora sólo están permitidas pistolas semiautomáticas no superiores a 9 milímetros y revólveres no superiores al 38 especial. Así que el cateo en busca de armas y de parque en todos los pueblos de la sierra es una forma de acusar a los campesinos que nos apoyan.

—Controlan todo el comercio de armas y de parque —explicó el Doc—. Algunos armeros han sido aprehendidos y nadie quiere ya arriesgarse.

El Doc se volvió hacia uno de los visitantes para invitarlo a hablar.

—Sí, yo estuve buscando a nuestro contacto, porque la armería está cerrada —dijo el de Los Guajiros—. Otros armeros, también en el centro de la Ciudad de México, me confirmaron que habían detenido al viejo y a su hijo. La armería fue clausurada. Es por la nueva ley de armas y explosivos.

Uno de los campesinos que hacían guardia en el campamento se acercó al grupo. Lucio se levantó con él. Caminaron unos pasos hacia las hamacas recogidas en un fuerte tronco de amate y conversaron en voz baja. Después Lucio señaló con la mano un sitio al fondo, rumbo al arroyo, y el campesino asintió. Lucio regresó a sentarse junto al Doc, entre el grupo que formaban Ramón, Gorgonio y los tres miembros de Los Guajiros que visitaban el campamento cercano a Las Trincheras.

—No importa —comentó Lucio—. Éste es sólo un aspecto del problema.

—Pero sí importa en otro sentido —repuso otro de Los Guajiros—. Porque algunos armeros conocían a contactos de nuestros grupos y esto exige más organización de nuevos cuadros.

—En general necesitamos reforzar esta preparación —comentó Lucio—. Justamente eso nos debemos proponer: necesidades en común y apoyos que pudiéramos ofrecer.

—Lo ideológico afecta a muchos —afirmó el Doc.

—Lo ideológico, sí —secundó el de Los Guajiros—. Pero también la estrategia, la idea de lucha. Hay núcleos muy militaristas, que pueden complicar la reunión.

—Por eso ustedes deben conocer nuestra organización, nuestro trabajo en los pueblos —intervino Lucio—. También ayudarnos en el estudio. Porque aquí la gente es campesina y a muchos hay que enseñarles a leer y a escribir, y no sólo a discutir por los libros que no se han leído. Nosotros ofrecemos la sierra para una reunión de todas las organizaciones partidarias. Y también ayuda para suministrar equipo. La compañera que ustedes conocen puede hacerlo por la aduana de Tamaulipas y de Chihuahua.

—Pero insisto en el problema del Partido Comunista —repitió el de Los Guajiros—. Muchos compañeros desconfían porque tratan de negociar entre los grupos armados y el gobierno.

—Hace algunos meses me reuní con ellos —aceptó Lucio—. Vinieron por nosotros acá, hasta la sierra. O hasta la carretera de Zihuatanejo, pues, y estuvimos hablando con ellos en México. No quieren una lucha armada, así es. Pero no veo por qué desconfiar. Hay algunos dentro del Partido que están de nuestra parte. Sería equivocado desconfiar de todos. Ahora que el Doc regrese a la ciudad con ustedes, procuraré ir también a seguir estos planes allá.

—Posiblemente por octubre —aclaró el Doc.

El hombre que tenía una esclava de oro en la mano izquierda volvió a sentarse.

—A ver, escucha lo que te dice mi amigo —agregó con voz calma, suave, mientras comenzaba a fumar.

El otro se acercó al hombre moreno que sangraba de la boca y que se hallaba desnudo, sentado en el suelo.

—Ya lo has oído —dijo—. Así que pórtate bien ahora. Sólo responde a lo que te estamos preguntando ¿me oyes, cabrón de la gran puta, hijo de tu pinche madre?

El hombre respiraba con dificultad. El cuerpo lo tenía amoratado. Al respirar se sobaba con las manos las costillas. Una de las piernas se contraía rítmicamente, a intervalos. El estómago lo tenía distendido aún por el agua suministrada durante horas. Un olor a jabón y a mierda se elevaba súbitamente de los cabellos crespos del hombre moreno que ahora lloraba silenciosamente.

—Sólo queremos que nos ayudes a encontrarlos. Nada más —le dijo otra vez, tranquilo, el que estaba fumando.

El hombre moreno se llevó las manos a la cara. Tosió, hipó, se restregó la sangre reseca y los mocos; lloraba.

—No sé. Yo me fui. Yo me escapé de ellos —respondió con una voz ronca, agotada, como si se tratara de un anciano ya, y no de un hombre de treinta años.

—¿Te escapaste con un M-1? ¿Insistes en eso? ¿Que te escapaste con un M-1, gran pendejo?

El hombre lloraba. El de la esclava de oro se levantó otra vez de la silla.

—Déjalo que responda, sin golpes —dijo.

Se inclinó y se le vio por la camisa abierta una medalla del Sagrado Corazón, meciéndose. Extendió su brazo y lo asió fuertemente de los cabellos dando un súbito tirón. El hombre no sintió dolor, sólo miedo.

—¿Quieres que te creamos eso? ¡Dime! —repitió mientras lo zarandeaba de los cabellos.

El hombre intentó moverse.

—¡No te muevas! —le gritó el otro.

El hombre volvió a gemir, quedamente. Sintió que amenguó de pronto la fuerza del puño que lo sujetaba de los cabellos. La puerta se abrió. Entraron dos hombres en el pequeño cuarto caliente que olía a sudor, a humo de cigarrillos.

—¿Todavía no canta el pollo? —dijo el que sacaba los refrescos del envoltorio y los ponía en la mesa.

—Trajimos tortas de lomo para todos y una de huevo con chorizo para usted, jefe —agregó el otro.

Uno de los agentes empezó a orinar en la taza del excusado que se hallaba en la habitación, a unos pasos del hombre desnudo.

—Para que se llene más, ahora que la vuelva hacer de pocito —comentó, riéndose.

El hombre había recibido un puntapié en el estómago. Se contraía de dolor, boqueando, sin poder respirar.

—¡Habla, hijo de la chingada, que ya nos estás aburriendo! —gritó el que lo interrogaba.

El hombre quería respirar, con angustia. Abrió la boca con dolor, con una mueca grotesca, con los ojos desorbitados, como si el aire fuera una inmensa riqueza, un grito silencioso, una salvación. Luego trató de hablar.

—En los ejidos yo no podía ver a la gente, porque decían que eran contactos que nos daban tortillas, o hasta carne de pollo o de puerco. Y yo pensé desde la última vez que ya no iba a estar con ellos —comenzó a decir, moviendo la cabeza de un lado a otro, con dolor.

Deseó orinar. Sintió un ardor en el miembro. Tuvo miedo otra vez.

—Pero luego me llamaron —volvió a decir, con voz quejumbrosa—. "¿Para cuándo?" pregunté yo. Y pensé en no ir. Pensé también en contestar que no contaran conmigo, que ya no quería andar escondido como animal. Pero nada más me le quedé mirando a Fortunio, porque así se llamaba él, y no le dije nada.

El hombre oyó que los agentes habían terminado de comer. Que dos de ellos abrieron otras cocacolas y empezaron a beberlas, entre eructos. Uno de ellos encendía un cigarrillo y bostezaba. Se esforzó en continuar. Sentía dolor. No quería que se levantaran. Deseó que siguieran en esa mesa, que nunca terminaran de estar en esa mesa. Trató de volver a hablar a pesar del dolor de la boca destrozada, del estómago lastimado por el agua y por los golpes.

—"¿Por dónde andan?", le pregunté a Fortunio después de un rato —volvió a explicar—. "Por la Remonta", me contestó. Pero cuando regresé con ellos otra vez no quise. Pensé que sólo se estaban haciendo pendejos y que nada más comían de los barrios. Y en la mañana sólo uno que estaba de guardia vio que me levantaba. "Voy a cagar, hermano", le dije. "Traigo mucho ruido, pero me llevo el arma, no vaya a sorprenderme algún enemigo cagando", le expliqué, haciéndome pendejo, y riéndome. Y agarré mi M-1 y tres cargadores, y que me voy corriendo. Cuando ellos se dieron cuenta que yo había desertado, pues ya andaba cerca de San Martín. Y entonces, como les dije, escondí el arma unos días y luego me vine para Papalotla. Y un señor ofrecía aquí mil pesos, y yo necesitaba esos pesos, y entonces quise venderlo. Pero nada más. No tengo nada que ver. Si yo supiera algo se los diría, al cabo que no quería seguir. Y ellos han matado a los que se van, se los juro. Así que yo les diría si supiera algo más, lo juro.

El hombre volvió a llorar en voz baja. Los agentes vieron que se empezaba a orinar en el suelo, mientras, lloraba, sin darse cuenta.

—¿Qué hacemos con él? —preguntó el que había traído las tortas.

El jefe del grupo había vuelto a fumar. Miró el cuerpo moreno, sucio de lodo, de orina, de sangre, moviéndose en el suelo con un quejido suave, con un llanto callado. Sintió asco de la carne sucia del cuerpo amoratado.

—¿Seguimos, mi jefe? —preguntó otro.

El jefe del grupo miró su reloj.

—Ya es tarde —dijo—. Ya quiero descansar.

Se puso de pie.

—Sigan con él un poco más —indicó al que había traído las tortas—. Madréenlo por pendejo. Ya no puede decir más. Pero para que se le quite lo pendejo.

———————————

Juan vio a Lucio atravesar la brecha corriendo y quiso reír, decírselo por lo menos a Hilario o a Marcos, que se hallaban cerca de él. Pero Hilario no escuchó; también había visto pasar a Lucio y miraba aún hacia los matorrales por donde había desaparecido. Juan volvió a revisar su arma, sus cargadores. El M-1 parecía viviente, estar a punto de responder. Elevó la cabeza, para ver mejor, encima de la piedra. Distinguió en lo alto a Isaías, que le hizo señas de que bajase la cabeza, de que no se asomara. Distinguió a Lucio otra vez, del lado opuesto, atravesando los matorrales donde estaba la gran piedra que servía de protección. Alcanzó a oír su voz: "Así está bien, así está bien, ya déjenla así, ya háganme caso", decía. Luego vio que Lucio hacía señas hacia el sitio donde debía hallarse Samuel y que movía uno de sus brazos en dirección del camino. Luego lo vio de espaldas, pero no alcanzó a escuchar, aunque veía los gestos que hacía con las manos. De pronto sintió que los ojos de Lucio lo descubrieron asomado por encima de la piedra. Intentó bajarse, ocupar la posición que debía tener, pero Lucio ya le había reclamado con señas su posición. Volvió a acomodar el cuerpo sobre la tierra, con el arma. La mañana se había movido. Algo que no era sólo la luz, sólo el calor, estaba cambiando. Oyó otra voz. Volvió a asomarse. Lucio volvía a ascender el paredón, por la curva de la brecha, entre bejucos y matorrales. Ascendía rápido. Pronto se inclinó sobre unos matones y lo perdió de vista. El calor de la piedra en que se apoyaba le quemó una mano. La retiró y volvió a acomodarse en la zanja. Deseaba hablar, decir algo a quien fuera, a Héctor, a Joel. Levantarse de ahí y bajar hasta el pueblo. Y no era miedo. Era una necesidad de no dejarse caer en el silencio, en la inmovilidad, como si un cansancio lo pudiera ir volcando sobre el vacío pero en pleno mediodía, en la tierra ruidosa, bajo los pájaros sonoros que volaban sobre los árboles y atravesaban la brecha rumbo a la masa verde de los cafetales, entre los mosquitos insistentes que lo acosaban en la cara, en los brazos, a través de la camisa. Escupió sobre la tierra. Súbitamente sintió que la ofendía. Que la tierra lo escuchaba y estaba viva, soportándolo, deteniéndolo. A lo lejos, en el pueblo de Río Bonito, vio las columnas de humo que ascendían desde los caseríos. Había recorrido varias veces la zona en las últimas dos semanas. La conocía ya en el aroma de ciertas pendientes, por los bejucos o los primaveros, por el ruido de las aves o los nidos sobre los amates y los cafetales, por el rumor del viento que se encajonaba en ciertos lugares como buscando las raíces o ascendiendo desde ellas al calor fulgurante de la mañana. Ahora le parecía que nada podía ocurrir, que sólo el olor de la tierra, de los bejucos, de los matorrales, los cubriría como un lento y fino polvo. Que el día sería inexpugnable, inmenso, quieto, como el rumor, a veces, de su propia respiración, de su cara apoyada en la tierra, o en una piedra, o en un árbol lleno de hormigas, o sobre el arma y los cinco cargadores que traía. Deseaba que nadie atravesara el camino, que sólo el silencio, el viento, las aves, la vida misma de la hierba, de la sierra, se quedaran quietos entre ellos, en paz, sin angustia, lejos del miedo. Pero también sentía que la mañana se había movido. Algo que no era sólo la luz ni el calor estaba cambiando. Serían quizás más de las doce. O la una de la tarde, pensó, mirando las breves sombras que volvían a extenderse sobre la brecha, desde los árboles. Pero algo estaba cambiando en la mañana, que no era la luz. Algo que a nada temía. Que en nadie se detenía.

El bamboleo de la camioneta militar aumentó cuando empezó a descender por la pendiente. El conductor miró el deslizamiento de las montañas verdes y azules hacia el cielo, hacia la costa. Por el espejo retrovisor vio que aparecía también, después de la curva, el camión Dina, transportando soldados que recibían el sol caliente, directo. Disminuyó la velocidad. Las zanjas abiertas por las lluvias eran profundas en esa parte del camino. Metió primera, con doble tracción, y giró suavemente el volante para evitar una zanja y avanzar por el centro, donde el terreno era más plano. Entró en la siguiente curva, oyendo que detrás el camión empezaba a repetir la misma maniobra. Uno de los soldados que transportaba en la camioneta gritó a los del camión. En algunas zanjas había charcos aún y por la pendiente se acumulaba el lodo. Intentó alejarse del alto paredón en que las zanjas y el lodo eran abundantes. Cuando giró hacia la izquierda, para retirarse ligeramente del muro de tierra roja, oyó que numerosas piedras estallaban sobre el vehículo, como si fueran huesos triturándose, como si el camión estallara y todo se derrumbara, los árboles, el cielo, los arbustos, las redilas, la luz.

Samuel e Isaías después siguieron disparando sobre el camión Dina. Los soldados del camión recibieron el baño de otras ráfagas que surgían de ambos lados del camino. La camioneta giró en dirección del paredón, bajo el fuego cerrado; las llantas comenzaron a hacer un zumbido desesperado en el lodo, atrapadas en una zanja profunda y encharcada, mientras el motor parecía gemir como un animal moribundo, desesperado. El camión Dina se detuvo bajo el baño de las ráfagas y bloqueó cualquier maniobra en reversa de la camioneta. Viró hacia el paredón y en la misma línea de zanjas y de lodo quedaron atascadas las llantas. En la camioneta un soldado abrió la portezuela izquierda de la cabina pero una ráfaga lo detuvo. Trató de abrir la portezuela derecha y otros impactos le impidieron salir. Se impulsó otra vez hacia la portezuela izquierda y salió de la cabina bajo una nueva ráfaga; rodó por el suelo, bajo el camión, herido. Muchos soldados saltaban a tierra y se parapetaban bajo el camión Dina, disparando. Dos soldados se mantenían en el camión porque

71

dos grandes tanques de gas habían sido alcanzados por las ráfagas y trataron de sujetar las llaves de seguridad.

Se manchó las botas y un brazo cuando se apoyó en dos soldados de los que manaba profusamente la sangre, como si no fuera un líquido humano, sino lodo, agua oscura, de depósitos abiertos, rotos. Brincó hacia el lado izquierdo de la brecha empuñando el Fal y corrió sobre las piedras, sobre la tierra, ensordecido por los ecos de las metralletas, seguido por el delgadísimo silbido de los proyectiles que pasaban sobre su cabeza, como insectos, como aves invisibles. Sentía calor en el cuerpo, una llamarada en la boca, en el aliento, y seguía corriendo, jadeante, mirando la tierra, el lodo, muy cerca ya de la orilla. Quiso tomar impulso desde la blandura de la tierra y salir del ruido inmenso que lo cubría, salvarse en los matorrales, saltar. Algo le rasgó la ropa o le rozó el hombro en ese momento, algo liviano, fresco, que lo hizo caer, y vio que la tierra, que el lodo, que la cercana orilla se elevaban lentamente y que al llegar hasta su cara su hombro dolía, se manchaba la sangre con el lodo y el Fal pesaba, caía también, se quedaba en la tierra, mientras él se arrastraba. Se volvió a mirar atrás, hacia los vehículos. Distinguía cuerpos ensangrentados, rotos, sobre el Dina. Dos soldados llorando tras las llantas traseras. "Debí saltar antes", pensó y se tendió en la hierba. Sangraba de las piernas. Volvieron a disparar desde arriba del paredón, sobre el Dina. Luego volvió el silencio. El silencio inmenso, sin ruido de la tierra, sin ruido de insectos, sin ruido de luz. Apoyó la cara sobre la tierra. "Debí saltar", volvió a pensar. Sintió en las manos la frescura tibia de la hierba, de la tierra húmeda. El silencio cubría la brecha, los árboles. Habían cesado las ráfagas. Podía quitarse las fornituras, los cargadores del Fal y huir en este silencio, protegerse, escapar bajo este silencio. "Debí saltar", volvió a decirse.

Un hombre gritó sobre el paredón. "¡No disparen ya! ¡No disparen! ¡Alto!" Luego cesaron las ráfagas. Escuchó el ruido del aceite y de la gasolina derramándose de la camioneta, la respiración de dos soldados que estaban junto a él. Su brazo seguía sangrando y el adormecimiento avanzaba hasta el cuello, hasta la nuca, la frente. Del otro extremo escuchó a otros hombres. "Si quieren vivir, ¡ríndanse ahora mismo!" "¡Pero ahora, hijos de la chingada!" Los soldados que estaban con él se movieron. Detuvo a uno.

—Ayúdame a salir —le dijo—. De este brazo. Sí, así.

Al incorporarse vio que otros soldados estaban formados al pie del paredón. En lo alto, un hombre delgado, con sombrero de palma y sujetando un M-2 seguía dando instrucciones.

—¡Tiren todas las armas al suelo! ¡Allá, lejos! ¡Y retírense todos! ¡Más, retírense más! Ahí, sí, ahí está bien.

Sentía su brazo adormecido, como algo no suyo, escurriendo sangre por su hombro, por su costado. Trató de quitarse el cinturón de la pistola 45. Dos soldados que habían subido al camión Dina y a la camioneta empezaban a arrojar, bajo el mando del hombre que seguía gritando, las armas, las carabinas, los fales, los fusiles. Oyó ruido a sus espaldas. Vio a los tres hombres armados con M-1 y M-2 que ya los rodeaban. Otro apareció encima del paredón, cerca del que daba órdenes. Trató de sentarse en el suelo, sobre el lodo, inclinándose para no mover el brazo ensangrentado. Vio que el hombre de barba al que los demás llamaban Chelo ya lo apuntaba directamente.

—¿Quién eres? ¿Tú eres mayor, verdad?

En ese momento alguien más gritó encima del paredón.

—¡Que salga la comisión! ¡Pero rápido, ahora mismo!

Seis hombres armados salieron a lo largo de la orilla y corrieron hacia el vehículo. Uno de ellos soltó un viejo rifle y tomó el M-1 de un soldado muerto.

—Sí, soy mayor —dijo al fin—. Soy Bardomiano Morales.

Los hombres que habían aparecido llevaban las armas de los camiones hasta la orilla del camino. Vio que dos de ellos cargaron a un sargento segundo que estaba inconsciente y ensangrentado de un brazo y de un costado, y que lo tendían a un lado de los vehículos, con un casco de cabecera.

—Si quieren todas estas armas —le dijo al hombre que le apuntaba—, pues ahí están, llévenselas ya y déjennos ir, que tenemos muchos heridos.

—¡Cállese o le meto un balazo! —le gritó el hombre.

El mayor estaba apretándose con la mano sana el brazo herido.

—Aquí hay un guacho que no está muerto —gritó Eusebio.

Debajo de dos cuerpos ensangrentados respiraba un soldado. Joel le dio una patada. El soldado gimió de dolor.

—Tú no estás muerto.

El soldado tenía la cara llena de sangre. Movieron los cadáveres que lo sofocaban. Lo ayudaron a incorporarse.

—Sí, sí estoy herido —balbuceó el soldado.

—¿De dónde estás herido? A ver, dime. ¿Dónde te hirieron?

El soldado se revisaba con sus propias manos. Movía las piernas, los brazos. Luego empezó a aterrarse.

—Por favor, yo me rindo también —dijo—. No disparen. No me vayan a matar. Déjenme ir con los demás. Déjenme oír a mí también lo que está diciendo aquel señor, por su mamacita.

Joel lo tomó de la parte de atrás del cinturón y lo levantó en vilo para empujarlo hacia el grupo de soldados.

Era una gran bolsa de manta. Apartó uno de los cadáveres que habían caído encima. Movió a otro soldado muerto y logró sacar la bolsa. La abrió. Eran chicharrones de puerco inmensos, enteros. Los de encima se habían manchado de sangre.

—No importa —dijo Samuel—. No podemos desperdiciar comida. ¡Llévalo todo! —ordenó.

Lucio volvió a gritar a los soldados, desde lo alto del paredón.

—A ver, dime tú, ése, el del casco de malla rota, ¿de dónde eres?

—Soy de Hidalgo, señor —gritó desde abajo un soldado delgado, muy joven.

—Pero tu pueblo, ¿dónde está tu pueblo, cuál es?

—Pues de más allá de Tulancingo, a un lado de Xicotepec —contestó.

—También dime tú. El que está al lado. Sí, tú —preguntó a otro soldado.

—De Oaxaca, señor, de más allá de Teotitlán. Pero para llegar a mi pueblo hay que caminar cuatro horas por monte. Para Nopalera, que así llaman mi pueblo.

—Bueno, yo quiero aclararles que no los vamos a matar —continuó Lucio—. Pero las armas que les estamos recogiendo deben ser para la lucha de los campesinos que ustedes andan matando. Como dice este soldado, que no hay caminos para su pueblo. Pues tampoco hay aquí caminos y todos tienen que caminar por el monte, porque sólo de esa manera pueden atravesar de un pueblo a otro. Por eso sería igual que a sus pueblos llegaran a quemar casas y a golpear y matar. A ver, dime tú, el de Oaxaca . ¿Te parecería bien? Contéstame, dime. Pero en voz alta, que te oigan todos.

—¡No, señor! ¡No me gusta eso!

—Pues sólo piensen que es el mismo monte —volvió a decir Lucio—, y que están en Oaxaca o en Hidalgo, y que golpean y asesinan a campesinos de allí, a su propia gente, en lugar de defenderla como lo hacemos nosotros. Porque el gobierno les dice a ustedes que deben matar campesinos dizque porque son bandidos y gente mala, cuando sólo son pobres. Por eso quiero que lo digan en el cuartel. Que aquí estaremos nosotros luchando contra todo el soldado que quiera seguir matando campesinos, y que acabaremos con todos los que explotan y maltratan al campesino no sólo de aquí, de

74

la sierra, sino de todo México, porque ésta es una lucha en todo el país, ésta es la lucha.

Marcos iba subiendo por la pendiente con una cámara fotográfica colgando al hombro.

—Bueno, ¿ya terminaron en la comisión? —preguntó Lucio, gritando desde lo alto.

—¡Tenemos ya todo listo! —respondió Hilario caminando entre los vehículos—. ¡Cuarenta armas, entre fales, carabinas y pistolas! Y mucho parque para todos.

—¿Está todo fuera de la brecha? —volvió a preguntar.

Lucio se volvió a mirar hacia el camión Dina. Samuel llegaba de la contracuneta.

—Ya está todo listo —respondió Hilario.

—¡Ya acabamos, Lucio! —también gritó Samuel, desde el camino—. Fueron dieciocho muertos —se detuvo luego para hablar con Ruperto, que se había acercado a él—. Y nueve heridos. En total veinte soldados capturados y dieciocho muertos —informó.

Marcos estaba ya al lado de Lucio. Enfocó la cámara *Polaroid* hacia los soldados y disparó dos veces. Lucio volvió a gritarle a Samuel, que estaba junto a Hilario.

—¿Por qué no sacaron del camión todos los soldados muertos? —preguntó, señalando con una mano el vehículo.

—Sólo pudimos bajar a dos, Lucio —respondió Samuel—. Es que muertos pesan mucho. No pudimos, pues. Por eso decidimos dejarlos.

—¿Y vamos a quemar los dos camiones? ¿Con los muertos adentro? —preguntó Hilario.

Lucio movió de un lado a otro la cabeza.

—No —contestó ajustándose el sombrero de palma—. Entonces sólo quemen la camioneta.

Lucio se volvió hacia Marcos, que le extendía ya las dos fotos tomadas a los soldados capturados; las miró unos segundos y luego las levantó.

—Aquí el compañero sacó ya fotos, como ustedes pueden ver —gritó Lucio a los soldados—. Así que llevamos ya las señas de ustedes y los podremos reconocer si los encontramos en algún lugar sin apoyar al pueblo. Y si una de estas caritas vuelve a querer matar campesinos, entonces ya no vamos a perdonar como ahora, ¿entienden?

Lucio vio que todos se habían concentrado ya en el camino, cerca de la brecha, atentos a los movimientos de Samuel que se disponía a incendiar la camioneta.

—A ver, quiero uno de los cascos que traen ustedes —gritó Lucio—. Quiero llevarme un casco de ustedes.

Varios soldados alzaron el suyo, ofreciéndolo.

—Quiero ése, el de la malla —dijo Lucio, señalando un casco que tenía la malla completa.

El soldado avanzó hacia el paredón. Lucio empezó a bajar para tomarlo.

El campesino parecía no estar totalmente despierto. Sus hijos de once y diez años se estaban poniendo los pantalones, adormilados. Uno de los soldados revisó otra vez las hamacas de la casa. Las mujeres observaban asustadas; una gemía quedamente, como si sollozara. El soldado apartó con la punta de su fusil unas pacas apiladas contra el muro. Cayeron sin hacer ruido; contenían hojas secas de plátano y de maíz. Se volvió hacia el otro soldado.

—Ya no hay más —dijo.

El campesino salió de su casa, seguido de su familia. En la calle oscura distinguió el pesado bamboleo de varios camiones militares. Muchos soldados ocupaban la calle, escoltaban las puertas de las casas, apresuraban a las familias a reunirse en el centro del pueblo. El ruido de botas militares y camiones parecía hacer más densa la oscuridad, más lento el movimiento a esa hora, antes del amanecer. El cielo estaba nublado. Un sordo rumor de gritos, de hombres corriendo en el pueblo de El Quemado crecía a cada momento. Las mujeres seguían a sus hijos, a sus esposos, atentas a las maniobras de los soldados que custodiaban las callejuelas polvorientas y las salidas del pueblo. Uno de los oficiales, subido en el capacete de un camión, daba órdenes a la tropa que había acordonado a la multitud.

—Sólo dejamos en paz a los niños muy pequeños, teniente —dijo uno de los sargentos.

—¡Pero los niños son los principales mensajeros! —replicó.

—Trajimos a los que vimos capaces de andar en el monte, mi teniente. Algunos son muy chicos. No saben ni hablar. Pero tenemos a más de ochocientas personas, entre todas las familias.

—¡Silencio! ¡Silencio! —ordenó el capitán que se hallaba encima del camión militar. Alzó las manos para pedir silencio a los campesinos reunidos en la cancha deportiva—. ¡Escúchenme bien! No quiero que haya dudas.

Lentamente aumentaba el amanecer en el horizonte. La tenue oscuridad de la madrugada iba diferenciando los cuerpos de la multitud de campesinos que lo escuchaba.

—¡Sabemos que Lucio Cabañas ha recibido apoyo de algunos hombres de este poblado! —gritó el capitán—. Así que venimos para saber quiénes fueron. Y para saber quiénes son capaces de colaborar con nosotros. Quiero saber quién protegió aquí al mentado Lucio Cabañas y quién colaboró con él en las emboscadas.

Luego quedó callado, como esperando algo.

—¡Las mujeres atrás! —gritó de pronto—. ¡Atrás! ¡Todas atrás! ¡Rápido!

Un ruido de pasos, de voces de mujeres y de soldados se levantó como si con ese movimiento nervioso el amanecer se intensificara. Los soldados se destacaban ahora con nitidez, con las armas oscuras moviéndose entre las mujeres.

—¡Hasta el fondo, hasta las calles! —siguió gritando—. ¡Que retrocedan, que se vayan por las calles! ¡Que ninguna mujer se lleve a los niños!

Los soldados apartaban a las mujeres con rapidez. Los hombres fueron quedando solos en el pequeño campo de tierra suelta. El sol había comenzado a surgir en el horizonte . Una repentina sensación de calor atravesó a todos.

—Yo sé que aquí nadie vio nada. Ya sé que no pueden recordar nada aquí, en su pueblo. Entonces creo que podrían estar mejor en el cuartel de Atoyac o en Acapulco. Creo que ahí si podrían empezar a ayudarnos.

Guardó silencio y los miró con calma, casi con indiferencia.

—¡Empiecen! —ordenó de pronto—. ¡Van a confesar quiénes acompañaron a Lucio Cabañas en la emboscada!

Uno de los soldados derribó de un golpe a un campesino viejo y comenzó a maniatarlo. Todos los soldados dirigieron las armas hacia los campesinos sorprendidos. Los motores de los camiones militares fueron echados a andar y llenaron de ruido el poblado.

—¡Con las manos atrás! ¡Disparen si alguno se resiste! —siguió gritando el capitán mientras los soldados atacaban a los campesinos y los subían en los camiones militares. El sol, elevado ya sobre la mañana, comenzaba a arder con calor, con fuerza.

———————————

—¿Cómo te llamas?

—Ignacio.

—Tus apellidos.

—Ignacio Sánchez Gutiérrez, señor. Para servirle.

—¿Cuántos años tienes?

—Sesenta años, señor.

—¿Eres de El Quemado?

—Sí señor, soy de El Quemado.

—¿Es la primera vez que vienes aquí, al cuartel? ¿No te han detenido antes?

—No, señor.

—Aclara lo que dijiste cuando te trajeron aquí. Lo de Lucio.

El campesino volvió la cabeza ligeramente hacia su izquierda, buscando algo. Sus ojos estaban muy abiertos. Un escaso bigote canoso se extendía sobre la boca entreabierta. Se le dilataban las anchas aletas de su nariz.

—Quiero decir que nadie lo ha visto —comenzó a explicar, moviendo con suavidad una mano—. Sabemos que vino, pues, pero no lo vemos. Creo que nadie. Eso quería decir. Que en otros pueblos quizás sí se muestra a alguien. Pero con nosotros no. Eso es lo que pasa.

—Llévenselo y háganlo hablar —ordenó el teniente a dos soldados.

———————————————

—Localizamos a los doce hombres, capitán.

—¿Doce?

—A lo que parece, mi capitán.

—¿Reunieron a los de El Quemado con los demás?

—No, mi capitán. Los de San Francisco del Tibor, de El Paraíso y de San Vicente de Benítez quedaron en otra parte. También los de La Remonta. Los de El Manzano siguen ahí, porque son indios.

—¿Y qué con aquellos doce?

—Sólo cuatro fueron muy útiles, mi capitán. Es que los demás ya no podían ni hablar.

—¿Cómo los repartieron?

—Sólo a siete los mandamos en helicóptero, mi capitán. A los otros los pusimos aquí, cerca del río, para darles tiempo de hablar.

—Doce hombres me parecen pocos. Lucio tiene más ayuda. Insistan con los que hayan quedado.

—Mi teniente dice que podríamos ya enviar todos los que quedan a Acapulco, a las cárceles de allá, para que el cuartel no se sature.

—Lo comentaré al comandante.

—Algunos campesinos preguntan por los doce hombres que desaparecimos, mi capitán.

—Pues identifiquen a los que preguntan. Por algo lo hacen. Porque son guerrilleros de Lucio o porque son sus mandaderos. Deténganlos a ellos aquí y que los demás se envíen a Acapulco, me parece bien. Y dile al teniente que venga cuando se desocupe de los que esté interrogando. Pero que venga a verme, pronto.

———————————————

—Están insistiendo allá afuera, licenciado.

—Pero diles que vayan a buscarlos a la Zona Militar o al cuartel de Atoyac. Que aquí nada van a encontrar.

—Ya estuvieron en la Zona Militar 27 y en los cuarteles de Atoyac, licenciado. Han recorrido todos los lugares donde creen que pudieran estar apresados. Por eso insisten aquí, con usted.

—Diles que no podemos hacer nada. Que no es asunto nuestro. Que por eso las cárceles están vigiladas por el ejército y que no sabemos qué campesinos trajeron. Que aquí sólo están usando la cárcel y mándalos a la otra, a la Cárcel de Mujeres.

—Pero es que son muchas familias, licenciado. Y ahí siguen afuera, no se mueven. Insisten en que usted las reciba.

—Explícales que no tenemos instrucciones de la Procuraduría del Estado. Que hasta que no tengamos instrucciones precisas no podremos informar nada.

—¿Aunque se queden ahí afuera, todo el día?

—Déjalos que esperen un poco y después los mandas a la Cárcel de Mujeres. Diles que creemos que ahí llevaron a todos los campesinos de El Quemado.

—Yo los veo muy decididos a no moverse, licenciado.

—No importa. Hazles ver que la policía no puede hacer nada.

—Como usted diga, licenciado.

—Pero no regreses hasta que los convenzas. Que les quede claro lo que les digas.

————

—Es que ya está muerto.

Uno de los soldados que custodiaba en el pasillo se acercó a la reja. Respiró el vaho caliente de los hombres encerrados. Eran muchos. Un picante olor de orina y sudor invadía la celda de la cárcel municipal de Acapulco.

—Ya se murió —repitió el campesino, levantando una mano para señalar el lugar de la celda estrecha donde no tenían espacio para sentarse todos los hombres—. Es el viejo, el que llegó muy golpeado.

El soldado trataba de distinguir entre los numerosos hombres hacinados el lugar que señalaba el campesino.

—Es Ignacio Sánchez Gutiérrez, de El Quemado —dijo otro campesino, mirando al soldado con los ojos legañosos y enrojecidos.

—¿No se lo van a llevar? —preguntó el primer campesino.

El soldado seguía mirando al interior de la celda.

————

—¿General? Sí, habla Solano Chagoya, sí —dijo por el teléfono—. Puedo informarle a usted, por supuesto. Para que usted ponga al tanto al general Cuenca Díaz, sí, general —repitió levantando la voz y asintiendo con un firme movimiento de cabeza—. Hemos concentrado a todos los detenidos aquí, en dos cárceles de Acapulco. Sí, así es, tenemos ya patrullas nuestras en todas las cárceles. Los elementos de la policía de Guerrero no podrían con tantos detenidos, general. Sí, hemos tomado medidas al respecto. Sí, en eso no hay cambio, puede informarle así al general Cuenca Díaz —repitió reclinándose despacio en el sillón de cuero y sosteniendo con la mano derecha el teléfono negro—. La fuga de los guerrilleros de Lucio Cabañas se debió a la negligencia, por supuesto. Se fugaron en Chilpancingo, general. Sí, estoy informado. Fueron Carmelo Cortés y Carlos Ceballos. Se les aprehendió hace más de un año, en Atoyac, en estado de ebriedad, y se les procesó por asaltabancos. Pero ahora son muchos detenidos y tenemos que seguir haciéndolo así, general. Ya identificamos a varios seguidores de Lucio Cabañas. Algunos rindieron informaciones muy útiles sobre los poblados. Por supuesto que aplicamos medidas enérgicas, general. Fueron doce, especialmente. Con rapidez, claro. Conviene por los propios soldados, porque algunos no sienten confianza de patrullar ciertas zonas. Y otros elementos tienen ahora un interés mayor por localizar a los participantes de las emboscadas. Necesitamos por eso ampliar nuestro control en la sierra, general —afirmó con interés, echando el cuerpo hacia adelante, para apoyarse en su escritorio—, y una rapidez mayor para interrogatorios, por supuesto. Pero hágame el favor de informar al general Cuenca Díaz que volvimos a tener algunos enfrentamientos con la universidad. Sí, con el rector Wences Reza, por la aprehensión de un estudiante de preparatoria que se llama . . . permítame un momento —pidió el general Solano Chagoya para buscar entre los papeles que tenía ante sí; tomó uno de ellos y continuó hablando—. Se trata de Nicómedes Fuentes García —dijo leyendo el papel—. De Tepetixtla, una zona muy penetrada por Lucio Cabañas, general. El rector protestó junto con asociaciones estudiantiles y con grupos de profesores de la Facultad de Derecho, que se disponen a actuar jurídicamente. Creo que puede agravarse este conflicto con los abogados de la universidad, general, porque quieren seguirse con la defensa de los campesinos. Sugiero por eso tener a los sospechosos bajo una vigilancia más estricta aquí con nosotros o incluso en la Ciudad de México. Deseo saber el parecer del general Cuenca Díaz para determinar a quiénes podríamos remitir a México y a quiénes mantener aquí, general. Sí, así es. Yo espero comunicación de ustedes. Le agradezco, general, sí, gracias.

—No hablan español, sargento.
—Tú sigue, hasta que hablen.
—Pero le aseguro que no pueden.

—Mira cómo saben lo que estoy diciéndote. Se están haciendo pendejos. Todos encubren a Lucio. A ver, tú, contéstame. ¿Con qué les ayudas, cabrón? ¡Contesta, o te sigo partiendo la madre!

—No entiende nada, mi sargento. No hablan español, no son gentes de razón, pues.

—Pero mira sus ojos, fíjate cómo está entendiendo. Tú sigue. Si para medianoche no han querido hablar en español, mátalos.

—Sí, mi sargento.

Salió el sargento de la habitación caliente y húmeda, escupiendo en el suelo. El soldado que seguía en camiseta, sudoroso, se volvió hacia otro compañero y luego miró los cuerpos amoratados de los tres pequeños indios. "Perdón, yo no, no mates, gracias", eran las únicas palabras que decían en español. Las decían una y otra vez, llorando, gimiendo, con los ojos brillantes por el miedo.

—¿Los seguimos rematando, mi cabo? —preguntó el otro, sin expresión alguna, sin odio, maquinalmente, como si hubiera dicho un número.

—Déjame descansar un poco. Dame un cigarro.

El otro soldado levantó su camisa de un clavo hundido en el muro de adobe y buscó el paquete de cigarrillos; lo extendió hacia el cabo y después él tomó otro. El cabo aspiró profundamente, como si su actitud revelara un hondo pensamiento. Pero así era él, parecía meditar, y sólo era la forma de fumar, de cerrar los ojos. El humo del cigarrillo modificó el olor de la habitación. De pronto, desde el suelo ascendió el vapor caluroso de septiembre, el tufo de orina y de excremento. El tufo de orina y quizás ese olor fresco que tiene la sangre, un olor a frío, a fierro, a piedra. El cabo se volvió a mirar a los indios. Estaban en el suelo, caídos como un montón de cosas, de paja seca, de lodo. Uno de ellos acababa de orinarse y la tierra aún no absorbía la mancha espumosa; los jirones sucios de sus pantalones estaban mojados. Eran pedazos temblorosos de algo, ahí, junto a las botas del soldado, que iban expulsando al respirar unos graves y suaves quejidos por las bocas inflamadas, sucias por la sangre. Dos de ellos tenían los brazos rotos; eso aumentaba la sensación de que eran cosas inflamadas, carne abombándose, amoratada y negra como el lodo, como distinta de los cuerpos, que ya defecaban u orinaban sin proponérselo. El cabo sintió sed, pero deseó una cerveza fría, y beberla fuera del ejido, fuera de El Manzano. Beberla en Atoyac, con sus compañeros, en una fonda, oyendo algo de música. Y ver a esa costeña de pechos altivos que aún no había estrujado con sus propias manos.

—¿Conoces Chilapa? —preguntó de pronto.

—No, mi cabo.

—¿Está en la montaña? Porque allá hay muchos indios, ¿no es así?

—Allá están todos, mi cabo. Y allá sólo ellos se entienden.

—¿Y qué vinieron a hacer estos pendejos aquí?

—Muchos indios se bajan de la montaña para trabajar aquí en las pizcas de café, mi cabo. Como éstos.

El soldado se calló, esperando que el cabo terminara de fumar su cigarrillo. Él ya había visto a muchos indios trabajar en las pizcas; los veía llegar, pequeñitos y flacos, a trabajar por semanas. De sus morrales sacaban mandarinas y plátanos que comían sentados bajo los árboles. Los chantes eran quietos, no se metían con nadie.

El cabo arrojó el resto de su cigarrillo hacia los indios y carraspeó. Miró su reloj y se quedó así, pensativo.

—Creí que era más temprano —musitó—. Ya son las nueve de la noche, soldado.

—¿Seguimos, mi cabo?

—Mátalos, mejor. Jamás van a hablar.

—¿Cómo ordena que los ajusticie, mi cabo?

—Rápido, para que no pierdas tu tiempo.

—Como usted diga, mi cabo.

—No, espera. Mejor despacio, y sin tocarles el hocico, por si se animan a hablar en español antes de que te los cargues. A patadas en el vientre.

El cabo ya no miraba los bultos que estaban tendidos sobre el suelo de la habitación. Sin embargo, por momentos escuchaba la respiración de ellos, su grave rumor de sangre, de estertor, el ligero roce de la ropa hecha jirones. Las caras estaban amoratadas, hinchadas en los ojos y en los labios, con sangre reseca en las barbillas y en las frentes. Uno de ellos parecía no estar ahí ya, sino quizás pensando en los caseríos de Chilapa, o en los amplios cielos que miraba antes de venir a Atoyac. No sabía quizá que estaba aquí, como no sabría acaso por qué los soldados lo detuvieron, por qué lo golpearon, por qué no pudo trabajar esta vez como otros años, como todos lo hacían otros años.

El soldado había empezado su tarea. Uno de los cuerpos se estaba acabando; comprimía increíblemente su vientre y el tórax se acrecentaba, como si el cuerpo por su propia voluntad quisiera reventar de aire, vibrar con el sonido ronco de la garganta que respiraba convulsivamente por última vez. La lucha del tórax se detuvo, entre un pequeño charco de sangre y excremento. "¿Cómo es posible que les salga mierda todavía?", murmuró para sí el cabo mientras salía de la habitación, pensando que desde hacía varios días no habían comido nada los indios.

El viento fresco entraba por las ventanas abiertas del vehículo. Pasaban en ese momento por El Cayaco: había gente, niños, hogueras al frente de las casas. El interior del vehículo olía a cerveza. Ella sujetaba el maletín, recargada en el asiento trasero. Volvió a escucharse un disparo, entre carcajadas. Gabriel derramó la cerveza sobre el piso del automóvil, en el asiento; pero reía, se alegraba más con la risa de Carmelo, con los gritos.

—¿Por qué tan seria, compañera? —preguntó Carmelo, riéndose.

—¡Hasta el taxista viene más contento! —exclamó Carlos—. Y eso que lo quiere matar Carmelo.

—¡No lo quiero matar! —interrumpió Carmelo—. ¡Voy a matarlo! Nada más llegamos a Atoyac y mato a este hijo de la chingada.

—¡Déjenlo en paz! —gritó Gabriel—. Ya está asustado. Vamos a chocar, no sean pendejos. Tú no te preocupes, no te van a hacer nada —dijo al taxista.

—¡Sí lo vamos a matar! —gritó Carmelo—. ¡No lo engañes, cabrón! ¡Sí te vamos a matar! —le gritó al taxista—. Así que no te hagas ilusiones, hijo de tu pinche madre.

Carmelo soltó una carcajada.

—¿Estás enojada, compañera, de veras? —preguntó, festivo.

Gabriel volvió a derramar la cerveza. Ella trató de hacerse a un lado. Querría haber llegado a Zacualpan, haber regresado al campamento. Vio a su derecha las primeras casas de Vicente Guerrero y acercó más el rostro hacia la ventanilla abierta. Un olor a madera quemada, a desecho de cocos, invadía el viento, la noche fresca. Cuatro horas antes, en Acapulco, les había insistido en que la brigada los esperaba a las cinco, en Zacatula. "Son las tres de la tarde", había contestado Gabriel, sonriente. "Podemos tomar una cerveza con otro coctel de camarones y llegar a tiempo." Carmelo se rió y lo apoyó en voz alta. "Vamos a quedarnos y luego cumpliremos con nuestro deber", propuso. Ahora eran las siete de la tarde. Por la carretera atardecía. Se aproximaban a Zacualpan.

"¿Cómo explicarlo?", le había confesado Carmelo en la marisquería, en Acapulco. "Es algo como necesario, ¿me entiendes? Una catarsis." Trataba de encontrar con lentitud las palabras justas, con un tono de intimidad, de sinceridad. "Nuestro destino es muy riesgoso, sí. ¿Por qué no decirlo, compañera? Es muy sufrido. Se necesita conciencia política, primero. Y luego valor. Y capacidad para sufrir, ¿me entiendes?" Carmelo daba un largo trago a su cerveza. "Ahora hay un poquito de descanso, digamos. ¿No crees? ¡Asaltar al Banco de Guerrero! ¡Y en plena avenida Cuauhtémoc! ¡Y junto al cine!" Luego, Carmelo se había quedado callado un momento. Parecía haber

olvidado lo que decía. Su cabeza se inclinaba suavemente, girando hacia la mesa, colgando su abundante y lacio cabello negro. "Pero nosotros estamos disfrutando ese dinero un poquito. Es como un sedante, como una pequeña gota de descanso, compañera."

Por la carretera aparecían las casas de Zacatula y las calles cubiertas de niños, de ruido.

—*¡No te detengas! ¡Te digo que no te detengas! —gritó Carmelo—. ¡Hasta Atoyac! ¡Sigue hasta Atoyac!*

El automóvil corría velozmente en la carretera enrojecida por el crepúsculo. Ella vio Zacatula, fijó la mirada en las pequeñas calles de tierra, en la sombra de la tierra, al fondo, en los árboles de tamarindo, de mangos criollos, en los matorrales de timuches y de guajes que se sucedían a la orilla de la carretera. Por un instante, sintiendo el viento fresco que entraba por la ventanilla del automóvil, sintió paz en el aire, una profunda paz en el mundo, en la tierra, en el viento que golpeaba su rostro cuando los caseríos de Zacatula iban quedando atrás.

—*¡Regresa! —exigió Carmelo al taxista.*

Era la cuarta vez que recorrían la calle principal de los burdeles en Atoyac.

—*¡Allí! —gritó Gabriel—. ¡Allí está mejor! ¡Vamos allí! ¡Yo sé lo que les digo! —repitió, gritando al taxista que se detuviera.*

—*Sólo un ratito, compañera —dijo sonriente Carmelo, ebrio—. Aquí nos vamos a quedar nosotros y tú puedes descansar, si quieres. Pero cuida eso —agregó, dando unas palmadas al maletín.*

Ella vio la agilidad de los tres hombres en esconder las armas bajo los asientos. Luego vio los rostros de los cuatro policías.

—*No hay problema, oficial —escuchó decir a Carmelo, fuera del vehículo.*

—*¿Está usted bien, señorita? —le preguntó uno de los policías ante la portezuela abierta.*

—*Es amiga nuestra, oficial —oyó que repetía Carmelo.*

—*Pero baje usted también, señorita —le insistió el policía.*

—*Soy Pedro Serrano —repitió en las oficinas de la Zona Militar 27—. Hace dos días detuvieron a tres muchachos que trabajaban conmigo. Soy el director del Instituto Acapulco. Vengo a gestionar la libertad de los muchachos.*

—*Espere aquí —contestó el cabo, llevándose la identificación de Serrano.*

La mañana era fresca. En el cuartel los soldados caminaban cansinamente, como si también ahí los días de fin de año gravitaran con calma, con sopor. Lupe le había informado a Serrano de la detención de los cuatro, esa misma noche, en Acapulco.

—¿Usted es Pedro Serrano? —le preguntó otro militar.

—Sí, yo soy.

—¿Dice que trabajan con usted Carmelo Cortés y Carlos Ceballos?

—Sí, así es.

—¡Trabajan contigo, madre! —gritó—. ¡Arresten a ese cabrón! —ordenó a los guardias.

El militar temblaba de furia al dar la orden.

—¡Pero yo soy el director del Instituto Acapulco! —gritó Serrano.

—¡Esos hijos de la chingada son los que asaltaron el banco esta semana! ¡Y son gente de Lucio Cabañas! ¡Son forajidos como tú, cabrón! Así que ya te chingaste. ¡Y que salga enseguida una comisión a catear su casa!

———————

—No hay excusa, señores —insistió malhumorado el general Solano Chagoya en la mesa de trabajo.

—No estamos hablando de imposibles, mi general, sino de dificultades —replicó el oficial del Estado Mayor—. La zona aún no está perfectamente comunicada, eso es todo.

—¿Perfectamente comunicada? ¿Qué entiende usted por perfectamente comunicada?

—Digo, estratégicamente —precisó señalando el enorme mapa colgado en bastidor cerca de la amplia mesa donde hablaban.

—¿Y qué entiende por estratégicamente? ¿La comodidad de la Costera, con restoranes y todo?

Los militares se sonrieron, algunos dejaron escapar una risa franca. El mismo general Solano Chagoya recuperó el buen humor. Detuvo con un ademán la respuesta del militar.

—Recordemos esto, señores —dijo mirando algunas zonas amplificadas del mapa que tenían sobre la mesa, entre papeles—. Los caminos que vamos abriendo en toda la zona están en función nuestra, no de los guerrilleros. Los caminos y las comunicaciones que hemos abierto son para nuestra seguridad, no para la de ellos. No podemos aspirar ahora a la perfección de esta infraestructura, porque debe estar en función nuestra. Más adelante, cuando acabemos con el último brote posible de violencia, todas las comunicaciones serán perfectas y ustedes podrán venir a vacacionar en bicicleta, si quieren. Pero ahora no.

—¿Me permite? —preguntó un oficial del 27º Batallón de Infantería.

Solano Chagoya asintió.

—Entendemos lo que nos dice, general. Pero nos preocupan ciertos aspectos que podríamos llamar logísticos. Sabemos que ahora los caminos son para nosotros y para los campesinos que están con nosotros. Es decir, hemos resuelto ya, en gran parte, una distribución estratégica del territorio a través de carreteras asfaltadas, caminos y brechas. Esto se aprecia cada día. El patrullaje se fortalece con población confiable y con destacamentos comunicados y de fácil traslado. Pero ahora se trata justamente de dar un paso más en esta estrategia. Los grupos alzados se ven forzados a seguir otras rutas, no las nuestras, de acuerdo; las poblaciones que los apoyan también utilizan esas rutas a pleno monte. La red telefónica de que disponemos ya en toda la zona, fortalece nuestra ocupación de territorio. Ahora bien, todo esto asegura la eficacia de nuestros movimientos militares, pero necesitamos ya pasar a otro método de control militar. Por ejemplo, las clínicas de salud que se van abriendo en algunos centros poblacionales, nos servirán para detectar movimientos de la guerrilla, eso es claro. Pero al pasar ahora al recorrido de terrenos no asegurados por la red de caminos y brechas, volvemos a debilitar nuestras patrullas.

—Lo entiendo —aceptó el general Solano Chagoya—. Pero diga ya qué es lo que quieren.

—Otro batallón de infantería y más apoyo de la fuerza aérea —replicó el oficial.

Solano Chagoya respiró profundamente. Recorrió con la mirada la mesa de oficiales. Miró su reloj. Eran las doce del día. Llevaban más de tres horas hablando. Se volvió hacia el comandante.

—¿Eso quieres?

—Mira, Rafael —contestó el viejo militar, apoyando los brazos sobre la mesa e inclinando el cuerpo hacia adelante—. Todo nos ayuda. Las carreteras, la red de teléfonos, que ahora son. . . ¿cuántos eran?. . .

—Sesenta —respondió un ingeniero militar—. Son sesenta casetas ya en servicio en toda la sierra.

—Bien, sesenta casetas, Rafael. Pero nos ayuda también, de manera más inteligente, la red de las clínicas de salud y sobre todo las tiendas de Conasupo, pues gracias a ellas podemos deducir muy pronto movimientos de los grupos de Lucio Cabañas. Todo esto está muy bien. La Secretaría de la Defensa actuó perfectamente para convencer de esto al gobierno civil. Pero ahora, para ir peinando terrenos, zonas enteras; para ir acorralando a los grupos alzados, para pasar a una ofensiva que los sofoque, necesitamos una campaña coordinada con escuadrones de helicópteros que apoyen nuestros movimientos por tierra. Es muy sencillo. Empezaría una cuenta regresiva para la gente de Cabañas. Dando este paso, aceptando estas medidas, ya será sólo cuestión de tiempo acabar con el más mínimo brote de guerrilla.

Solano Chagoya seguía concentrado en las intervenciones. Se volvió a mirar el inmenso mapa que pendía de la pared. Miró los alfileres de colores y banderitas que iban marcando poblados, caminos, brechas, destacamentos, a lo largo de los varios metros cuadrados de papel fotográfico. Luego se levantó de la mesa y caminó unos pasos. Miró a través de la ventana la brillantez del día, los árboles soleados, el cielo profundamente azul. Las nubes se elevaban al fondo del horizonte, interminables, como si saltaran desde una inmensa espuma. Sintió deseos de salir, de caminar afuera, de cabalgar, de recordar sus triunfos de equitación. Se volvió hacia la mesa. Algunos militares lo miraban, callados. Otros habían comenzado a conversar.

—¿Qué opina usted, coronel? —preguntó Solano Chagoya, desde la ventana.

El coronel jugaba con un lapicero en la mano. Se volvió a mirar a Solano Chagoya y luego dirigió la vista hacia los papeles que tenía ante sí. Se demoró arreglándolos. Negó suavemente con la cabeza y luego sonrió, mirando al general. Echó el cuerpo hacia atrás, apoyándose en la silla.

—Opino que todo está dependiendo de una decisión política —dijo al fin de un rato.

—Así es —dijo también Solano Chagoya, que tomaba asiento otra vez a la mesa—, todo está dependiendo de una decisión política. Sí, así es.

—Y el problema en sí es muy sencillo. O bien el gobierno acepta que debemos terminar con toda la guerrilla —agregó el coronel—, o aceptamos nosotros que pueden emboscar a soldados en cualquier momento.

Solano Chagoya pensó un momento su respuesta.

—Hay problemas políticos que disuaden al presidente de resolver la situación de Guerrero en términos militares, es la verdad. La Secretaría de la Defensa ha sido muy clara en el tipo de decisión que debe tomarse, pero quieren resolverlo de una manera no militar.

—No abiertamente militar, Rafael —intervino el viejo general—. No quieren actuar abiertamente. Gobernación quiere mantener su posición de fuerza en las ciudades por los grupos terroristas de Guadalajara, de Monterrey, del Distrito Federal. Con el Plan Cóndor han ideado operativos que cubren el país entero. Creen que Guerrero puede solucionarse a largo plazo sin medidas radicales. Por eso es necesario animar al gobierno civil a que haga la prueba, a que se asuma este problema como un asunto militar. Siempre que lo que se proponga sea acabar con el problema en Guerrero, claro.

—Estoy de acuerdo con usted —dijo el coronel—. Necesitamos asumir el problema militarmente, sin depender de instancias civiles. Porque no hay continuidad entre los avances de nuestras tropas y las consecuencias que deberían seguirse, por ejemplo, de los interrogatorios y las detenciones de colaboracionistas de la guerrilla. Los casos de El Quemado, El Ticuí, o El Porvenir, son muy claros. El ejército es sorprendido por la guerrilla en una zona claramente colaboracionista; las detenciones las hacemos nosotros pero después todo pasa a manos de la policía del estado y el ejército queda al margen y expuesto a nuevas emboscadas.

—Pero el escándalo en la prensa es mayúsculo —dijo el viejo general—, y no tardará el gobierno en ceder a las presiones. Los pondrá en libertad muy pronto.

—Y nuestro joven compañero tiene prisa —interrumpió sonriente el coronel, refiriéndose al oficial del 27º Batallón de Infantería—. Para él está muy claro el carácter militar del problema en el estado de Guerrero. Para nosotros también, oficial, créame —dijo volviéndose a mirarlo—. Pero pasa por alto que el incremento de batallones de infantería en nuestra zona y su coordinación con patrullas aéreas supone resolver previamente muchos aspectos políticos que no dependen de nosotros, ni siquiera del general Cuenca Díaz. Eso debe resolverse en Los Pinos.

—O en Bucareli —dijo otro oficial.

—Más bien, *a pesar* de Bucareli —corrigió el coronel otra vez, con una sonrisa franca.

—Lo importante aquí, Rafael —volvió a intervenir el viejo general—, es que para nosotros la situación es muy clara. El ejército no tiene dudas de lo que debe hacer. La confusión la padecen otras instancias. Nosotros sabemos lo que debe hacerse. Y además creo que estamos de acuerdo en que esto se hará tarde o temprano. Por lo tanto, como creo que es cuestión de tiempo el que se tome la decisión política de resolver los problemas de la región en términos puramente militares, debemos prepararnos para que ese momento no nos tome por sorpresa. Debemos adelantarnos a los hechos, hacer más fácil su realización. Y tenemos todo lo necesario para esto. Vean ustedes.

El viejo militar se levantó de la mesa y se dirigió lentamente hacia el mapa enorme que pendía de la pared. Se acomodó la corbata oscura que caía impecable sobre la camisa marrón de manga corta. Un pesado reloj con extensible de plata brillaba en su muñeca derecha. Extrajo del bolsillo de su camisa unos gruesos lentes y comenzó a explicar.

—Sabemos que será necesario peinar toda esta región —dijo señalando con su lapicero una amplia zona del mapa—. Sabemos que esto significará, tarde o temprano, una concentración mayor de contingentes militares. Para ir cerrando un cerco definitivo debemos controlar la posible expansión territorial de las guerrillas. Debemos apuntarlo desde las zonas militares que tenemos aquí, en esta parte del Estado de México, y en éstas de El Bajío hasta, especialmente, Michoacán. Por otro lado, debemos intensificar la operación con las zonas militares de Morelos y de Chilpancingo. Éste es un cerco natural, por así decirlo, en términos amplios. Internamente, por lo que a nuestra zona se refiere, necesitamos el control paulatino de estas áreas, y en especial de estas tres regiones —dijo señalando varios sitios desde Tecpan hasta Coyuca, y desde Atoyac hasta El Paraíso—. Debemos prepararnos en dos sentidos: primero, en acondicionar los primeros helipuertos, indispensables en las primeras maniobras; segundo, acondicionar los cuarteles que necesitemos para los traslados masivos que se incrementarán cuando cerquemos cada poblado. Estas medidas, y la planeación de los movimientos exactos que debemos seguir cuando llegue el momento, podemos iniciarlos ya. Es un asunto de fácil solución, en todos los sentidos de la palabra.

El militar regresó a su asiento. Mientras rodeaba la mesa agregó, con el suave movimiento de manos que solía hacer cuando quería convencer de algo:

—Uno de los lugares que deberemos acondicionar podría funcionar como un campo de entrenamiento especializado, pues la asistencia del grupo técnico norteamericano debemos asumirla como posible y preverla desde ahora.

—¿De modo que sigue en pie la invitación a los boinas verdes? —preguntó el coronel.

—De eso hablaremos más adelante —repuso Solano Chagoya.

—Por último —continuó el viejo militar, después de asentir con un leve movimiento de cabeza—, confieso que los arrestos en los poblados cercanos a las emboscadas, como el de El Quemado o El Porvenir, son positivos para nosotros, no negativos, como el coronel lo ha querido presentar, pues muestran lo equivocado de mantener la intervención de dos tipos diferentes de autoridad. O sea, demuestran que es un error no resolver el caso de Guerrero en términos de un problema de naturaleza militar que requiere una estrategia militar y una autoridad militar. Por lo tanto, señores, como dijo el general Solano Chagoya, no hay excusa ahora. ¿No es así, Rafael?

Solano Chagoya repuso tranquilamente:

—Estoy de acuerdo contigo. Pero falta algo más.

El viejo general se quitó las gruesas gafas y las guardó en el bolsillo de la camisa. Luego lo miró con un aire apacible, como si no entendiera. Varios oficiales sonrieron.

—Falta que me expliques, viejo zorro —agregó Solano Chagoya— lo que estás proponiendo exactamente.

El viejo militar sonrió y dio la palabra a un oficial del 27° Batallón de Infantería.

—Varias medidas, general —dijo éste—. En cuanto a tropa, como ya se dijo, traer otro batallón de infantería. Es necesario reforzar la zona de Petatlán, de Zacatula y de la Unión. En poco tiempo esa zona será más peligrosa por su fácil acceso a Michoacán y por el crecimiento del narcotráfico. Desde esos puntos iremos cercando y cortando comunicaciones a los grupos de Cabañas.

Intervino otro oficial del 50° Batallón de Infantería.

—Hay un antiguo campo militar en Petatlán —dijo—. Podríamos reestructurarlo en pocas semanas y adaptarlo como sede de esa guarnición, general.

Solano Chagoya asintió.

—Siga —dijo al otro.

—Necesitamos reforzar los recorridos con helicópteros, apoyarnos cada vez más en ellos en reconocimiento de la zona y en ofensiva estratégica. Van a ser, de cualquier modo, esenciales para el trabajo que haremos con los asesores norteamericanos. Por eso necesitamos construir más helipuertos, general. Sobre todo ubicar en Atoyac un cuartel principal. La cartografía aérea dependerá de los helicópteros, por supuesto.

—¡Pero si Estados Unidos nos podría mandar, en lugar de boinas verdes, mapas fotográficos tomados por satélite! —exclamó el coronel, moviendo la cabeza de un lado a otro—. No tendríamos que sacar fotos nosotros. Sus archivos son mejores. Si se asomaran ustedes a la ventana, en este momento, saldrían perfectamente en la foto.

Las carcajadas irrumpieron en toda la mesa.

—Quiero que termine con las propuestas concretas —advirtió Solano Chagoya—. Termine usted, teniente coronel.

—Como estamos preparando el cambio total de estrategia militar y tendremos pronto los entrenadores técnicos, creo que es necesario volver a plantear que se concentre en Atoyac, en esta Zona Militar, el mando de todas las acciones militares; que tengan lugar en las dos zonas, en la de Chilpancingo y en la nuestra. Pero, naturalmente, por las circunstancias concretas debemos insistir en que el mando se concentre en Atoyac.

—¡Conque esto es lo que estaban preparando! —exclamó Solano Chagoya—. Esto es lo que traías guardado.

—¿Debo decir que es idea tuya? —le contestó el viejo general.

Solano Chagoya echó el cuerpo hacia atrás, recargándose en el respaldo de la silla, riéndose.

Súbitamente la mesa se cubrió de conversaciones simultáneas entre los militares. Un ruido de papeles acomodándose parecía señalar que la reunión concluía. Solano Chagoya pidió silencio.

—Por lo pronto, y para apoyar sus propuestas —comenzó a explicar—, Inteligencia Militar reforzará nuestros contingentes inmediatamente. Quedarán bajo sus órdenes desde el primer momento, teniente coronel, para su coordinación y evaluación. Por lo que toca a una sola jefatura en el estado, la Secretaría de Defensa ha dado ya su visto bueno, pero manteniendo la independencia jerárquica y administrativa de cada jurisdicción. Se unificará el control militar encaminado sólo a sofocar los grupos alzados. El apoyo aéreo deberá esperar la decisión política del centro. Es cosa de tiempo, de muy poco tiempo.

—Hay males necesarios —comentó el coronel.

—Así es —dijo sonriente Solano Chagoya, poniéndose de pie y dando por terminada la reunión—. Hay males necesarios, así es.

Miró la hora en su reloj. Eran casi las tres de la tarde.

Un inmenso aplauso brota en la plaza bajo el sol aplastante de Chilpancingo, estalla, crece hasta la plataforma donde autoridades municipales, militares y políticas aplauden también. De pie en la plataforma, ante la multitud que llena la plaza Nicolás Bravo, el gobernador continúa arengando con voz sonora:

—Reconozcamos que a la promesa de dotar a Guerrero con carreteras, caminos vecinales, teléfonos, clínicas, luz, tiendas Conasupo, escuelas, en fin, con toda la superestructura de una vida moderna, el gobierno de la República ha unido la eficacia de la acción. Si en 1971 la inversión federal ascendió a 468 millones de pesos —explica haciendo una sugerente pausa—, este año se están ejerciendo 1200 millones. Y estamos seguros de que en el próximo año, 1973, se rebasarán sorprendentemente tales cifras. Y el gobierno de la República ha puesto su atención en nuestro estado no por un sentimiento de conmiseración, sino porque reconoce que el pueblo de Guerrero tiene un derecho auténticamente legítimo que se ha ganado con la fuerza del patriotismo.

Se vuelve sonriente hacia las autoridades que lo acompañan en la plataforma. Saca un pañuelo blanco y se limpia el sudor de la frente.

—Señor licenciado Mario Moya Palencia, secretario de Gobernación y representante del señor presidente de la República —dice lenta, ceremoniosamente, volviéndose hacia donde se halla sentado el ministro—. lleve usted al señor licenciado don Luis Echeverría Álvarez, la adhesión de todos los que habitamos a lo largo y a lo ancho del estado de Guerrero, ahora que, reafirmando nuestra fe en el trabajo y en el futuro, celebramos el 123º aniversario de nuestra aparición en el escenario nacional como entidad federativa.

Vuelven a sonar aplausos en toda la plaza. El ministro y el gobernador se abrazan. Serpentinas y papeles de colores llenan la plataforma y los cuerpos de los políticos. Todavía entre los aplausos, alto, rubio, con una guayabera blanquísima, el ministro se encamina hacia los micrófonos. Ve en la multitud a un grupo de niños uniformados que participaron en el largo desfile, niños vestidos con trajes indígenas, comiendo paletas heladas después de los espectáculos que presentaron. En una calle, a lo lejos, distingue un carro alegórico estacionado; bajo el ardiente sol del mediodía brillan los papeles dorados y plateados, solitarios, sin la alegría del desfile. Apoya las manos en el estrado y siente la madera quemante por el sol. Trata de ajustar el micrófono a su altura; el metal está más caliente aún. Suda por la espalda, por el pecho. Siente la firme quemadura del sol sobre su calva. Mira a lo lejos otra vez el carro alegórico abandonado en la calle, como un inmenso monumento de papel de china tirado en el suelo, en un traspatio. La multitud guarda silencio. El ministro mira bajo el sol aplastante, sin sombra, entre la multitud, rostros morenos, sombreros de palma, burócratas que han aguardado durante horas el transcurrir del desfile, de las danzas autóctonas, de los carros alegóricos, para aplaudir ahora; para soportar aún esta ceremonia. Por un momento decide no pensar que toda esa multitud ha sido llevada a la plaza por transportadores profesionales del estado, a cambio de diez pesos o de una comida, y siente que están ahí por voluntad propia, siente imposible concentrar a tantos a cambio de unas monedas, y se dice que están ahí porque ellos quieren permanecer ahí, porque ellos son el pueblo, ellos son la realidad social.

—¡Pueblo de Guerrero! —exclama por fin—. ¡Ciudadano gobernador del estado! ¡Ciudadano presidente de la honorable legislatura local! ¡Ciudadano presidente del Tribunal Superior de Justicia! ¡Jóvenes de Guerrero! Señoras y señores: conmemora hoy esta entidad su advenimiento al concierto de los estados libres y soberanos que integran la República Mexicana. La federación se une al festejo. El ciudadano presidente de la República, licenciado Luis Echeverría, les envía por mi conducto su felicitación sincera y sus fervientes deseos para esta comunidad laboriosa. Mucho debe la patria al estado de Guerrero. Su pueblo ha estado presente en nuestras grandes batallas por la emancipación política y social, por su caudal de valentía y conciencia de libertad. ¡Mucho sigue esperando la patria del estado de Guerrero!

Un aplauso poderoso se levanta de la plaza, una oleada de manos, de pancartas, de banderines, de confeti. El ministro suda por entero. Siente correr el sudor por su pecho, por sus sobacos; siente la espalda mojada, la camiseta pegada a la piel. El sol sigue cayendo firme sobre su calva; intenta pasarse la mano sobre la piel caliente, como un saludo, como un gesto de compasión por la quemadura. Mira a lo lejos el carro alegórico; dos jóvenes se han subido a él para protegerse del sol con los árboles de papel que aún siguen en el camión abandonado. Los aplausos disminuyen. Agradece con un ligero movimiento de cabeza y luego levanta la mano derecha para afirmar su voz:

—Festejar el nacimiento del estado de Guerrero como entidad es rendir homenaje a nuestro propio germen como nación independiente. Porque si México ha de ser grande, debe serlo íntegro y unido. Guerrero es ejemplo de la lucha del mexicano; aquí le es preciso ahorrar porque no es pródiga la naturaleza; hacer germinar las tierras, dominar aguas salvajes, llevar la cultura a una población creciente, tender caminos en una orografía difícil. Guerrero es ejemplo de la voluntad para salir adelante por encima de condiciones naturales adversas. ¡Por eso decimos que mucho espera la patria del estado de Guerrero!

Un nuevo aplauso estremece la plaza. Centenares de manos aplauden, pancartas y mantas se agitan, parvadas de torcazas y de gorriones vuelan asustadas súbitamente desde los árboles de la plaza, como formando parte de una fiesta de sol, de una intensa alegría que se refleja en el ministro enrojecido por el calor, con el rostro y la calva brillantes por el sudor. Mira por un momento el carro alegórico. Los muchachos siguen subidos en él, pero ya no se protegen del sol; empiezan a mutilar partes del papel y a arrojarlas al suelo. Juegan, seguramente, en el carro abandonado. Vuelve la vista a las hojas restantes de su discurso. Tose. Levanta otra vez su mano derecha como señal para proseguir.

—El presidente Echeverría ha mantenido un estrecho contacto con ustedes —continúa diciendo—. Realizó una intensa gira electoral para formular un amplio programa de desarrollo que hoy está en marcha. "La accidentada geografía del estado", afirmó aquí mismo, en Chilpancingo, "que ayer fue reducto de libertad política, que fue refugio natural de auténticos patriotas en nuestras luchas, hoy debe transformarse en fuente de libertad económica e igualdad social. Hoy en la paz, como ayer en la guerra, haremos de la naturaleza un aliado del pueblo". Fiel a este propósito solidario, el ejecutivo ha puesto en operación en esta entidad planes que abarcan aspectos de infraestructura y bienestar social, que transformarán radicalmente todos los territorios de la sierra. Se trata de trabajos ambiciosos de ingeniería sanitaria, de agua potable, de vivienda. Medio millón de personas recibirán los beneficios de la energía eléctrica. En dos años se calcula construir tres mil kilómetros de carreteras, caminos, brechas. Se extenderán más aún las redes telefónicas en la sierra. Las obras hidráulicas serán cuantiosas.

Una vez más, como si una secreta llave de agua se abriera subterráneamente, se levanta una oleada de aplausos que detienen el discurso. Aplausos incesantes vuelven a echar a vuelo las parvadas asustadas de aves, de torcazas, de cuervos, que suben a los edificios, a los aires como mínimas manchas de frescura en la mañana hirviente de la plaza. A lo lejos, el carro alegórico está de nuevo vacío. Quieto, abandonado con su papel de colores, con su falsa plataforma de papeles brillantes, parece esperar la redención del despojo, de la recuperación de su triste condición de madera sucia, de transporte de carga, de soledad, de hombres. Mientras continúa el aplauso, se vuelve a mirar a las autoridades que aplauden también alegres, enrojecidas por el sol. Y piensa que la plataforma donde se encuentran, desde la que él está hablando, se parece al desfile. Siente que ahora él está vistiendo esta plataforma como un carro alegórico inmóvil, pero también radiante por unos minutos; también radiante de papel y de colores, por unos minutos. Y mira en la multitud quieta el transcurrir de otro desfile más secreto, más sonoro, más dilatado.

—Los jóvenes estudiantes de Guerrero tienen ante sí la gran perspectiva de prepararse para la sociedad que inicia su transformación —volvió a decir—. Tienen abiertas las vías para ver fructificar su talento y preparación. Esta comunidad requiere de su entrega reflexiva y desinteresada. El patriotismo ancestral de la entidad orientará sin duda sus pasos en el beneficio general. Y cabe recordar en estos momentos las palabras de Bravo y de Álvarez cuando consideraban haber hecho de Guerrero una entidad: "¡Viva el sur! ¡Viva la unión!" Y hoy digamos nosotros. ¡Viva el estado de Guerrero!

Ahora levanta los brazos y sonríe al aplauso que crece de nuevo, que brota de la plaza entera, que lo inunda tan grandiosamente como el sol que sigue cayendo desde el amplísimo cielo. Retorna hacia su asiento. El gobernador Nogueda Otero se pone de pie, aplaudiendo aún, sonriente. Le tiende su mano, alegre, y bajo el clamor de los aplausos lo abraza. Algo le dice, acercándose a su oído. El ministro asiente con la cabeza y sonríe. El sol le sigue quemando la cabeza. Siente sed. Pregunta por las actividades que faltan.

—Inaugurar el nuevo palacio de gobierno, licenciado. Si usted gusta, podríamos cancelar el diálogo con los estudiantes que habíamos preparado.

—No, no. Adelante con el programa —contestó sudoroso, enrojecido, sonriente, alegre.

Al fondo, el joven estudiante de camiseta amarilla se pone de pie. Es moreno, de pelo crespo.

—Hablo a nombre de un grupo de estudiantes —comienza a decir en la amplia sala de conferencias, con voz clara, potente, en contraste con su físico pequeño— que deseamos refrendar nuestro apoyo a los profesores que usted dice respetar —el silencio va cediendo en la aglomeración de estudiantes. El ministro, al frente, sentado junto al gobernador, sigue atento a esta nueva intervención—. Queremos aclarar que no opinamos como usted. Aclarar que nuestro estado es uno de los más pobres del país no por causa de sus hombres ni de su naturaleza, no. Es miserable por los políticos corruptos que lo aniquilan, por los monopolistas que se adueñan de puestos públicos como si fueran de su propiedad. ¡No somos pobres por nuestros campesinos, licenciado, sino por los hambreadores y políticos corruptos!

Un fuerte aplauso irrumpe en la sala. El gobernador parece nervioso por los aplausos y voces de apoyo. Pero Moya Palencia comienza también a aplaudir, con una sonrisa franca. Nogueda Otero acompaña los aplausos del ministro. El estudiante levanta las manos para pedir silencio. Cuando disminuyen, continúa.

—Y ante esta injusticia que oprime al estado de Guerrero, nosotros queremos decirle a usted, licenciado, que todos los estudiantes y todo el pueblo de Guerrero quiere y apoya y reconoce el valor del magisterio guerrerense. Porque dos maestros han sido los que han levantado su voz de protesta y su acción decidida para defendernos de esa barbarie corrupta. Dos maestros rurales que son ejemplo para todo nuestro país. Y tomaron como refugio de su protesta la sierra de Guerrero, hasta su muerte incluso, uno de ellos. Y por eso, licenciado, queremos decirle francamente que muchos estudiantes de Guerrero pensamos como Genaro Vásquez Rojas y como Lucio Cabañas, ¡que más vale morir de pie, que vivir arrodillados!

Un nuevo aplauso cimbra los muros de la sala. El ministro y el gobernador se unen de inmediato al aplauso de los estudiantes. El joven de camiseta amarilla toma asiento, entre felicitaciones de compañeros. Moya Palencia está visiblemente contento. Se pone de pie y espera a que los aplausos concluyan.

—¡Jóvenes estudiantes! Vuelvo a decirles que el licenciado Luis Echeverría me señaló muy especialmente que los escuchara, que les dijera nuestra verdad. "Dialogue, hermánese con los estudiantes de Guerrero", me dijo. Por eso —comenzó a decir con voz clara, firme— reafirmo mi convicción del valor que ustedes representan para Guerrero y para la patria. Pero debo ser sincero con ustedes. Y debo aclararles, recordarles, incluso, que el enemigo del gobierno de ninguna manera es un profesor como Lucio Cabañas, no. Los verdaderos enemigos del gobierno son la injusticia, el atraso social, la falta de caminos, la falta de escuelas, la falta de vinculación de la gente con las posibilidades de desarrollarse, de crecer y de vivir en paz y felicidad. Ésos son los enemigos del gobierno, y a esos enemigos hay que vencer, hay que superar. ¡No son los enemigos del gobierno los hombres valientes y leales que están en la sierra!

Sorprendidos, convencidos, los estudiantes llenan la sala de conferencias con otro fuerte aplauso. Nogueda Otero se pone de pie, sonriente, aplaudiendo. El ministro agradece extendiendo los brazos, enrojecido por el calor, sudoroso.

———————

—Lo dicho —anunció Jaime Abarca—. Yo me voy.

Bebió de un trago su copa y luego se puso de pie. Sacó de su bolsa unos billetes y los dejó sobre la mesa.

—Aquí les dejo mi parte —explicó—. Yo me voy.

Tendió nervioso la mano a todos. Trató de cerrar el saco sobre su gran vientre de comedor y bebedor, y se retiró.

Arzeta dio un largo trago a su cuba libre. El mesero trajo la copa de brandy pedida por el ingeniero de caminos que reparaba los tramos estropeados de la carretera de la Costa Grande. Puso una servilleta frente a él y luego depositó la copa. Sólo Camilo vio que se derramó el brandy, que la copa cayó en la mesa y que rodó hasta detenerse junto a un cenicero. El ruido, los gritos, el súbito movimiento de la mesa, el pianista que dejaba de tocar, no lo entendió en el momento, ni cuando vio que el mesero corría entre las mesas. Siguió oyendo gritos, pero ya una docena de hombres los rodeaban apuntándolos con metralletas M-1 y dando órdenes en voz alta.

—¡El que se mueva, se muere, hijos de la chingada! —gritó un hombre vestido de civil.

Revisaban a todos, en busca de armas. Camilo Villatoro opuso resistencia.

—¡Explíquenme qué pasa aquí! —gritó—. ¡Soy agente de Gobernación!

—¡Todos están detenidos! —gritó el mismo sujeto al tiempo que le arrebataba la credencial a Villatoro y otro lo golpeaba con la culata de su M-1 en pleno estómago. Villatoro cayó en el suelo, boqueando de dolor, tratando de respirar.

—¡Éste sí viene armado, mi capitán! —gritó el que revisaba a Eduardo Soto Edwars.

Por la entrada de la tabaquería entraron dos judiciales más, trayendo a rastras a Jaime Abarca, que intentaba sobarse el vientre con gestos de dolor. En los pasillos de la tabaquería, de la farmacia, de la librería, se hallaban apostados en hilera agentes armados con M-1 y M-2, acordonando el paso hasta las puertas de salida. La multitud de turistas extranjeros y de clientes de Sanborn's había callado. No se escuchaba ninguna voz, sólo un silencio que dejaba oír los pasos de los agentes y militares atravesando con los detenidos.

Afuera llovía. El tránsito en la Costera estaba bloqueado; una hilera de automóviles con las luces encendidas y las puertas abiertas se hallaba frente a las puertas de Sanborn's. El mismo militar ordenó la distribución de los detenidos en cada automóvil. En la calle una multitud de curiosos se apretujaba atrás de los acordonamientos de policías y de militares. Por un instante breve, la lluvia cayó sobre los detenidos. De la calle húmeda parecía ascender una quieta paz, una silenciosa dicha que la lluvia seguía refrescando. Avanzó el convoy, encabezado por vehículos judiciales y militares, por la Costera iluminada, llena de gente a pesar de la lluvia. Dejaron la Costera y las calles comenzaron a oscurecerse, a mostrar un paulatino vacío, una quietud sólo alterada por los autobuses urbanos que se detenían ruidosamente en las esquinas.

Entraron en el vestíbulo caliente. Los guiaron hasta la comandancia. Cuando Wilfrido Castro Contreras los vio, se asombró, levantándose.

—¡Qué pasa! ¿Quiénes son los activistas?

—Nos han confundido, comandante —dijo Pedraza—. Ya ve usted, ahora creen que la sierra de Atoyac es el Sanborn's.

—¡Cállate! —gritó el hombre que había dirigido el secuestro—. ¡Tú hablas cuando yo te ordene!

—¿Pero cuáles son los activistas que querían capturar? —volvió a preguntar Castro Contreras.

—¡Éstos! —replicó el militar—. ¡Están complicados a fondo!

La palidez volvió a Wilfrido Castro Contreras. Los militares aún los rodeaban.

—Lo siento, capitán —repitió moviendo la cabeza y señalándolos—. Yo le brindé apoyo con mis elementos sin imaginar que usted quería detenerlos a ellos. Son periodistas que conozco desde hace muchos años y estos otros son agentes de Migración y han sido mis compañeros de trabajo. No creo que estén participando en planes subversivos.

—¡Si usted no los detiene, yo sí! ¡Son mis prisioneros, no suyos!

—Capitán, creo que se equivoca.

—¡A los carros otra vez! —ordenó, empujándolos.

Las luces del cuartel estaban apagadas. Al ver el convoy de automóviles los guardias se alertaron. Cada uno en su posición de guardia estuvieron atentos a todo movimiento de los autos mientras el capitán se identificaba y daban paso franco a los patios del cuartel. Hicieron descender a los detenidos de los autos y los distribuyeron separadamente. Aún llovía. Eran las doce y media de la noche. En la oficina del jefe del Estado Mayor entró el capitán.

El teniente coronel Álvaro Molina estaba en el escritorio. Lo había tratado por reuniones de prensa, por encuentros oficiales, ceremonias. Pero ahora contestó el saludo de Pedraza sin intimidad.

—Explíqueme, teniente coronel. No entiendo qué se proponen con nosotros. De qué se nos acusa.

El militar contestó sin prisa.

—Les explicaremos todo, pero más adelante. Ahora le pido que platiquemos un poco.

Pedraza sintió temor por el tono neutro, sin violencia.

—¿Podría decirme quiénes son sus acompañantes? —preguntó el militar, volviéndose a mirar de vez en cuando varias notas que tenía en su escritorio, ante sí. Después volvió a preguntarle—. ¿Dónde los conoció, señor Pedraza?

—¿Que dónde? —exclamó—. ¿Se trata de un interrogatorio, acaso, teniente coronel?

—De ningún modo. Sólo se trata de una plática.

—Pues le aseguro que ninguno de nosotros tiene antecedentes subversivos y que están cometiendo un error garrafal. Están confundiendo a Lucio Cabañas con agentes de Gobernación. Y esto además es un atropello.

—Quiero saber lo que hicieron antes de reunirse en Sanborn's —replicó serenamente el militar—. Es una conversación amistosa, no un interrogatorio, pero le pido que conteste a todas mis preguntas. Debe comprender que nos interesa aclarar el asunto de ustedes.

—¿Cómo aclarar *nuestro* asunto? Es un error, le estoy diciendo.

El militar movía la cabeza de un lado a otro, lentamente. Sin molestia, pero con firmeza, volvió a la pregunta.

98

—Bien, dígame ahora, ¿qué hicieron antes de llegar a Sanborn's? El militar se disponía a escuchar. Sonó el teléfono y lo tomó.

—Sí, señor —contestó.

Se enderezó súbitamente en su asiento, muy erguido.

—Sí, señor —repitió oyendo al otro extremo del teléfono al general Solano Chagoya. "¡Que los pongan en libertad a todos y les devuelvan sus pertenencias en este instante! ¡Ordénelo! ¿Y para esto quiere usted que lo apoye con más elementos de Inteligencia Militar? ¿Para eso, Molina? ¿Para que me importunen a estas horas en mi propia casa? ¡Confundir con guerrilleros a esos putos periodistas y tomar por asalto a Sanborn's! ¿Para eso me hace usted que yo me exponga ante la Secretaría?"

—No, señor.

"¡Que los pongan en libertad en este instante! ¡Ordénelo ya!"

—Sí señor.

Extendió el teléfono a Pedraza y explicó, lacónico:

—El general Solano Chagoya quiere hablarle.

—El gusto es mío, general —contestó por el teléfono—. Sobre todo ahora.

Oyó al otro extremo del teléfono la risa franca del general.

—Usted sabe ya cómo están las cosas, Pedraza —volvió a decir Solano Chagoya—. En dos meses han emboscado a dos patrullas militares y estamos tratando de identificar todas las redes de comunicación terrorista. Hay vigilancia nuestra en iglesias, en mercados, en bares, para seguir movimientos sospechosos. Sabíamos que hoy se reuniría un grupo subversivo en el mismo lugar que ustedes, por eso los confundieron. Esos militares no son de aquí, son de Cuernavaca y vinieron a apoyarnos. Créame que lo lamento. Le ruego nos disculpe.

—Me parece providencial su intervención, general.

—No diga eso. Le pido disculpas nuevamente. He dado ya las órdenes del caso para que se retiren ustedes a sus domicilios. Buenas noches.

Colgó el auricular. Una sensación de calor lo invadió. Por la puerta abierta del despacho alcanzó a ver a dos de los soldados que los habían escoltado hasta el cuartel. Caminó hacia el vestíbulo. El teniente coronel ordenaba que dos vehículos los condujeran de vuelta a la ciudad de Acapulco. Cuando Pedraza salió a los patios, aún llovía. Eran casi las dos de la mañana. En los patios del cuartel volvía a sentirse la calma, el silencio. A lo lejos, los soldados de guardia estaban fumando. Pedraza volvió el rostro hacia el cielo. Un cielo nuboso, rosado, se extendía entre un halo de vapor. Sintió gusto de que estuviera lloviendo.

—Fue Inteligencia Militar, general. Se confundieron porque no conocen a nadie de aquí.

—¿Me está diciendo que fue Inteligencia Militar? —repitió la voz de Cuenca Díaz, por el teléfono.

—Estaban comisionados en Cuernavaca. No conocen esta zona —volvió a decir Solano Chagoya—. Son elementos nuevos.

—¿Pero confundir agentes de Gobernación con guerrilleros muertos de hambre? ¿Y en un bar de Sanborn's?

—Así es, general.

—Debemos terminar con esto, general Solano.

—Así es, general.

—Espere instrucciones.

—Así lo haré, general.

—Y si vuelven los periodistas como moscas a buscarlo a usted, diga que las guerrillas son ya de la historia, porque en México no existen ni se dan las condiciones para esa actividad. Y repita que ese tal Lucio Cabañas es un simple asaltacaminos. Que ha dado problemas pero que ya lo tenemos prácticamente copado y que es cosa de unos cuantos días que caiga en nuestras manos.

—Así lo haré, general.

—Yo voy a declarar eso también con los de aquí, con los periodistas de México. Y no quiero que andemos otra vez con versiones distintas.

—Así será, general.

—Adiós, pues.

—Sí, general.

—¿Es cierto que usted toma bajo su mando ambas zonas militares, la que tiene sede en Chilpancingo y ésta de Acapulco?

El general Enríquez Rodríguez, nuevo jefe de la Zona Militar 27, se rió y tomó del brazo a Solano Chagoya, a quien sustituía.

—Claro que no —dijo alegremente, moviendo de un lado a otro la cabeza—. Se trata de una coordinación de acciones entre las dos zonas militares que tienen asiento en Guerrero. Le llamamos "Control Operacional de Guerrero", y se refiere exclusivamente a operaciones militares que debemos desarrollar en el estado, o a una supervisión de ellas; pero cada zona mantiene su jurisdicción y sus oficiales. Defensa Nacional me ha nombrado jefe de este Control, pero las dos zonas militares, les repito, mantienen sus propias jurisdicciones. Por cierto —agregó, haciendo una pausa—, ayer asumió en Chilpancingo la jefatura de la Zona Militar 35 el general de Brigada Eliseo Jiménez Ruiz, un elemento magnífico. Tan respetado como mi amigo el general don Rafael Solano Chagoya, a quien me honro en sustituir.

La sala estaba llena de varias centenas de civiles y militares; comerciantes de Acapulco; autoridades municipales, periodistas, se hallaban conversando en diversos grupos.

—Hemos oído que se pretende incrementar la fuerza militar de esta Zona 27. ¿Es cierto?

El general Enríquez Rodríguez sonrió.

—Estimados señores —apuntó—, en unos minutos más haremos una rueda de prensa formal donde con gusto informaré a ustedes de varios cambios en esta zona. Puedo adelantarles que tendremos un nuevo Batallón de Infantería que nos permitirá guarnecer importantes áreas de esta entidad, como las de Zihuatanejo, La Unión y Zacatula. Posiblemente hagamos un relevo también entre el Batallón que tenemos con sede en Acapulco y el que tenemos con sede en Atoyac. Los nombramientos de los nuevos oficiales los daré a conocer en su oportunidad, lo aseguro.

Se despidió, sonriente, de los periodistas, y acompañado de Solano Chagoya y del general Alanís, a través de numerosos grupos, de gritos, de risas, de voces, se encaminó hacia el estrado en que se efectuaría oficialmente el cambio de poderes en la comandancia de la Zona Militar 27.

Había estado aquí, en Acapulco, hacía muchos años, desde 1961, a cargo del 32º Batallón de Infantería. Luego, en 1967, en la jefatura de esta misma Zona Militar, que dejó para asumir en Aguascalientes la de la Zona 14. Pero después volvió a Guerrero para ocupar en Chilpancingo la comandancia de la Zona 35. Y ahora regresaba a Acapulco. Regresaba al aire nítido, al aire fragante de Acapulco. Al vasto cielo azul, al calor que su cuerpo, cuando había sido joven, había recibido con naturalidad, como si su infancia en Tamaulipas lo hubiera preparado secretamente para que Acapulco lo abrazara. Ahora, mientras miraba los numerosos grupos apretados en la Comandancia, mientras escuchaba el rumor de voces, mientras sentía el roce de su ropa militar, el calor y la dicha del sudor en su carne envejecida, en su cuerpo cansado, pero aún íntegramente dedicado a la autoridad, a la disciplina, sentía que en el aire flotaba además del humo de los cigarrillos, de las voces, del rumor de los dos centenares de personas que ahí esperaban sus palabras, un saludo adicional, un gozo adicional superpuesto a la sonrisa del general Alanís y de Solano, superpuesta al silencio que gradualmente se iba abriendo paso entre la multitud. Le gustaba esta tierra, este clima, este aire. Sentía la proximidad, inexplicablemente, de la sierra, de los amigos de San Luis, de Tecpan, de Atoyac. Las primeras posibilidades de abrir en la sierra el camino hacia los plantíos de adormidera, de marihuana. Los amigos que empezó a formar. Ahora estaba más seguro de todo. Estaba más viejo. Tenía el control de todo lo que militarmente se hiciera en el estado, en la sierra, en tierra caliente, en la Montaña. Tenía el conocimiento ahora de cómo otorgar a cada asunto su importancia y su dimensión, su cercanía. Y sobre todo, su protección.

El silencio era total; todas las miradas se dirigían hacia él. Tomó los papeles que había preparado para su discurso. Respiró profundamente. Se volvió a mirar al general Alanís Flores, que se disponía a tomar la palabra en representación de la Secretaría de Defensa. Volvió a pensar en la sierra de Tecpan. Volvió a sentir la seguridad de saber todo, cualquier cosa. No se trataba sólo de guerrilleros, de narcotráfico, de orden civil. Sentía, en lo más profundo del goce de retornar a Acapulco, a los mismos cuarteles de su juventud, al mismo color del cielo, sentía que en lo más profundo brotaba, como una fuente fresca bajo el sol, mojando tierra, piedras, hierba, sentía que en él empezaba a mandar la certeza de lo que se debe hacer en el mundo, en la vida. Dar a todo su importancia, independientemente de ideas, de creencias, de juicios. No bastaba temer. No bastaba aceptar. Era necesario hacer todo. Saber hacerlo. Y no temer, no, sobre todo no temer. Hacer todo.

IV

Enero a julio de 1973

—No le escucho bien, hable más alto —pidió por el teléfono el general Cuenca Díaz.

—Que se amotinó el pueblo —respondió alzando la voz el jefe de la Zona Militar de Veracruz—. Por eso suspendí la entrada de la caña en el ingenio.

—Explíquese bien, general —ordenó secamente Cuenca Díaz.

—El licenciado Alfredo Bonfil trajo de Cosamaloapan trescientos campesinos, dispuestos a romper la huelga aquí, en Carlos A. Carrillo. Son los que desalojaron del campamento a los cañeros en huelga. Nosotros apoyamos solamente, sin intervenir. Pero al ordenar la entrada de la caña en el ingenio se amotinó el pueblo. Preferí no avanzar, pero solicito refuerzos.

—¿Hoy mismo?

—Urgen.

—Proceda con rapidez en cuanto le lleguen los destacamentos de Puebla. Pero declare hasta mañana a los periodistas que quizá los pedirá para asegurar la tranquilidad de la región.

—Así lo haré, general.

—¿Han identificado a los provocadores?

—El peligroso sigue siendo el sacerdote del pueblo. Ha ordenado que un contingente de cañeros rodeen la iglesia y mantengan vigilancia durante las veinticuatro horas. Será contraproducente ahora intentar algo en su contra. Se llama Carlos Bonilla Machorro. Pero tampoco creo que Alfredo Bonfil pueda resolver el problema con obreros traídos de Cosamaloapan o de cualquier otro lugar. Opino que debemos intervenir directamente nosotros y anticiparnos al motín que se está gestando.

—En cuanto lleguen los refuerzos, retire a los esquiroles que organizó Bonfil. No creo en esos rompehuelgas. Siempre hay doble fondo con esa gente. Asuma usted la responsabilidad, general Casillas. Y que después arreglen lo que quieran, que negocien y firmen con Gobernación. Pero aprehenda a los líderes y mantenga todo controlado.

—Sí, por supuesto.

—Infórmeme a primera hora. Y aleje a los esquiroles de Bonfil, recuérdelo.

—¡Continúen! ¡Avancen! ¡Todos avancen!

Los tanques militares comenzaron a derribar los campamentos de huelga de cuatro mil cañeros. Soldados armados con metralletas M-1 y M-2 iban destruyendo barracas, destrozando útiles para comida, ropa, que hallaban al paso en el pueblo veracruzano de Carlos A. Carrillo.

—¡Que abandonen aquella zona, coronel! —volvió a ordenar el general Casillas mientras penetraban en el campamento de los cañeros huelguistas—. ¡Que la infantería cercana al ingenio se incorpore también!

Los campesinos huían ante el avance de dieciséis tanques militares y más de mil soldados. Todos retrocedían ante el despliegue de la masa verde, de los cascos oscuros, del ruido de los tanques demoliendo madera, láminas, cartones, piedras. Niños y mujeres corrían entre la muchedumbre, hacia el pueblo.

—¡Hasta el río! ¡Cubran el río! —gritaba por el radio portátil el general Casillas—. ¡Que ningún cañero regrese al ingenio! ¡Bloqueen la zona!

El ejército era rotundo, inmenso, parecía una ola verde y oscura que cubriera la tierra, los escombros. Cautivaba como una súbita hierba hermosa, ágil, brutal. Un ruido acompasado de botas militares, de tanques, fue uniéndose al clamor largo, inmenso, de millares de campesinos. El clamor parecía provenir de los soldados mismos, no de ese desorden en que se retiraban lentamente hacia el pueblo hombres descamisados, niños, mujeres innumerables. Se replegó la multitud en el pueblo cuando el ejército había arrasado ya con campamentos, con guardias, con barracas abanderadas. Estaba también el ejército tras el repliegue de la muchedumbre.

—¡Ordenen la concentración de todas las fuerzas! —exigió el general Casillas a los oficiales por radio—. ¡Que rodeen las calles del parque! ¡Bloqueen salidas! ¡Todos los destacamentos aquí! ¡Controlen todas las calles de salida!

Los campesinos se concentraban en el parque infantil del pueblo. Gritaban, insultaban a los soldados que se extendían por las calles de entrada al parque. A un metro de distancia de los campesinos, los soldados movieron los cañones de los tanques, apuntaron las metralletas, ante los gritos.

———————

—Son todos, mi general —dijo el teniente coronel Cassani Mariña—. No queda ningún campesino más cortando café. Son más de noventa hombres, mi general.

El general Enríquez Rodríguez avanzó hacia los campesinos detenidos en los cafetales del ejido de El Quemado. Muchos de ellos sudaban aún bajo el sol brillante de la mañana, sin camisa. Niños y mujeres venían ascendiendo por el monte, asombrados por el despliegue militar.

—¡Retiren a las mujeres! —ordenó—. ¡Que no se acerquen niños ni mujeres!

Los soldados se desplazaron con rapidez y acordonaron el cerro donde habían concentrado a los campesinos.

—Ya me han explicado —comenzó a decir en voz alta el general Enríquez Rodríguez— que vinieron al corte de café para apoyar a los jefes de familia de El Quemado que se encuentran presos en Acapulco. Que lo hacen para que estas familias no pierdan la cosecha de café de esta temporada. Ya los he oído.

El general se ajustó los lentes oscuros y siguió hablando.

—Pero nosotros también tenemos nuestras razones. Y por esto les repito que desalojen estos cafetales y que se retiren hasta Cacalutla y se reintegren pacíficamente a sus poblados de origen. Porque los jefes de familia que ustedes protegen son sospechosos de haber participado en ataques arteros contra elementos militares. Por eso esta zona debe estar vigilada contra posibles movimientos de delincuentes que se protegen tras la honradez y confianza de ustedes. El ejército mismo se hará cargo de las parcelas cafetaleras, para impedir que el orden de esta región peligre por una ayuda que puede prestarse a equívocos, señores. Así que los estamos obligando a suspender sus labores de corte de café en este poblado, es cierto, pero es para protegerlos a ustedes mismos de accidentes indeseables, porque es mi obligación que todos puedan estar en paz en sus propias labores. Así que aquí dejan al ejército que trabaje y les pido que se retiren ordenadamente hasta Cacalutla. Los soldados irán escoltándolos en orden hasta la carretera. Buen viaje, señores.

Se dirigió caminando hacia un pequeño camión Dina. Los soldados esgrimieron los fusiles M-1 para formar una valla de presión ante los campesinos que empezaron a bajar por el cerro. Un ruido creciente de pasos parecía brotar del fondo de la mañana, sacudir la tierra.

———————

—¿Y por qué vienes por el monte? ¿Conoces bien el monte? ¿Lo conoces?

—Soy de aquí, señor.

—Pero te venías escondiendo —repitió el sargento.

—No, señor, no.

—¿Cómo dijiste que te llamas?

—José Manuel Flores Santiago.

El campesino traía una camisa amarilla, vieja. Unos pantalones remendados y roídos, sin cinturón. Calzaba huaraches muy usados, pero con correas recientes. El sargento ordenó que lo registraran. Traía un paliacate rojo, cincuenta centavos en monedas y un cigarrillo. También revisaron el sudado y caliente sombrero de palma.

—¡Explícame por qué venías por el monte!

—Para llegar más pronto. Porque otros soldados se llevaron a mi papá. No sabemos de él.

—¿Y para eso vas a Atoyac? Cerca de aquí fueron las emboscadas, ¿no? Tú estuviste en la última emboscada, ¿verdad?

—No, yo no sé de eso.

—Tú eres un guerrillero, ¿no?

—Puede preguntar aquí en el ejido. Me conocen todos, señor.

Dos soldados se acercaron al campesino, que empezaba a llorar. Un soldado le dio un golpe con la culata del fusil.

—¡Traigan a la Madrina! ¡Que venga a verlo!

El campesino se tapaba la cara con las manos, por los golpes, pero su vieja camisa se manchó de sangre.

—¿Lo conoces? —preguntó el sargento a un hombre vestido de soldado.

El hombre se acercó al campesino y lo miró detenidamente.

—No, sargento —respondió después.

—¡Pero dime si es de la gente de Lucio!

—No lo conozco —volvió a decir el hombre, negando con la cabeza, lentamente—. Es que no siempre llegaban todos, pues. Pero tampoco estoy seguro de haberlo visto por estos pueblos.

Dos soldados derribaron al campesino sobre las piedras. Soltó un gemido de terror.

—¡Que lo haga el Prieto! ¡Pero rápido! —ordenó el sargento.

Entre los fuertes pies del campesino se confundían la tierra seca y las gruesas uñas, como una sola masa compacta de tierra o lodo.

106

Cuando la hoja del cuchillo comenzó a penetrar, el campesino gritó roncamente, como si el dolor lo quemara, con una voz animal.

—¡Déjenlo ahí! —ordenó el sargento cuando el campesino se revolcaba de dolor en la tierra, contrayéndose con gritos roncos, deformes, como si la garganta misma se le hubiera desgarrado con la sangre llena de tierra de las plantas de los pies rebanadas, como pedazos de lodo descompuesto, sangre oscura, lodosa, en la carne viva.

El viejo se sonrió y continuó quitando la cáscara a la naranja. Movió hacia Lucio la mano, para explicarse. Levantó su brazo, como una pequeña rama dura y seca, morena.

—Sé muy bien lo que digo, Lucio. Yo me conozco bien al gobierno. Porque ya me tocó vivir la guerra que hizo Amadeo Vidales y también la de Silvestre Mariscal, ése al que llamaban "Ciruelo". Fíjate si no voy a saber.

El viejo terminó de pelar la naranja. Ahora la abría con las manos por la mitad y desprendía un pequeño gajo que llevaba a la boca. Por su mano derecha escurrían gotas de jugo. Asintió con la cabeza. Luego escupió dos semillas.

—El gobierno es traicionero, Lucio. Lo ha sido desde que yo lo conozco. Ya no va a cambiar, pues.

El viejo desprendió otro gajo de la misma mitad de naranja. Lo llevó a la boca. Respiraba con fuerza, como si tuviera dificultad. El olor de la naranja se esparcía, dulce, en el aire del patio.

—Pero no es pendejo, Lucio, fíjate bien. Por eso hay que cuidarse mucho de él, porque ya te vio. Eres como algo que se está empezando a quemar. Y el gobierno ve mucho rastrojo, muchas cosas que pueden quemarse, ¿ves? Y no le gusta la situación. Igual que nosotros cuando desmontamos las parcelas, que cavamos primero una guardarraya para que el fuego no pase al bosque, para que se quede aislado, ¿entiendes? Así le hace el gobierno contigo, pero no cavando en la tierra, sino en los pueblos. Quiere aislarte.

El viejo volvió a comer su naranja. Sus dedos oscuros se iban manchando de un color amarillo. Lucio escuchaba el ruido que el viejo hacía con la boca al comer y sorber el jugo de los gajos. A veces destacaba con más fuerza el ruido del viento que pasaba cerca de la casa. Se aproximaron de nuevo los dos perros del viejo. Uno de ellos movía la cola. El viejo volvió a escupir semillas. Se frotó las manos largas y morenas, como pedazos de troncos, como si fueran duras, impenetrables.

—Porque aquí en la sierra no habíamos visto que el gobierno fuera bueno con la gente pobre. Ahora abre carreteras. Y nos da crédito. Hasta pone un Instituto del Café contra los acaparadores.

Y ya se fijó que aquí no hay alumbrado eléctrico, ni médicos, ni muchas otras cosas. Ahora quiere poner todo. Por esto creo que es mentira. Que dice que ya no es traicionero, que ya es buena persona, sí. Pero después nos irá peor. Después nos quitará todas las cosas que está poniendo y rastreará a todos los que te ayudamos para acabarnos también. Es todo lo que te puedo decir. Te lo dejo a tu criterio, a ver si te ayuda lo que digo. Pero déjame decirte otra cosa, como advertencia. En tu grupo cargas muchachos tan jóvenes que la primera vez que los agarre el ejército van a decir hasta lo que no saben. Yo pienso que debes aceptar sólo gente que sepa a lo que se ha metido, ya madura, que sepa que se puede morir o ganar, pero que no se debe traicionar. Porque un chamaco inexperto no puede entrarle bien a una guerra como ésta. Tú sabrás qué hacer. Yo te lo digo para que estés prevenido. Porque yo quisiera ayudarte más, tú lo sabes. Pero escucha lo que quieras, lo que creas que te ayude.

Los estudiantes seguían gritando. El vocerío se propagaba por los cerros. Medio centenar de soldados había tomado posiciones. Los camiones militares se hallaban estacionados cerrando el paso a la sierra. Los soldados armados de fusiles M-1 y M-2 escuchaban los gritos rítmicos y agresivos de los estudiantes.

—¡Al Quemado! ¡Al Quemado! —gritaban algunos, coreando retos de lucha que aumentaban el clamoreo violento de los estudiantes que trataban de ascender por la sierra hasta las huertas cafetaleras de los campesinos presos. El teniente que comandaba la tropa que los había interceptado caminaba lentamente junto a uno de los camiones militares.

—Tengo instrucciones precisas, muchachos —explicó cuando los gritos de los estudiantes disminuyeron—. Nadie puede subir a El Quemado a trabajar en los cafetales, porque eso ya lo está haciendo el propio ejército. Necesitamos asegurar la tranquilidad de cualquier zona de la sierra. Por eso no puedo permitirles el paso. Regresen a la carretera. Váyanse a Acapulco. Aquí no pueden pasar, muchachos.

Los gritos de los estudiantes volvieron a estallar. Un grupo comenzó a gritar que avanzaran, que todos lo hicieran al mismo tiempo. El teniente levantaba los brazos pidiendo silencio.

—¡Aquí no pueden pasar, muchachos! —gritó entre el clamoreo—. ¡Devuélvanse ya o aténganse a las consecuencias!

Los soldados apuntaron los fusiles hacia los muchachos que seguían gritando. El teniente empuñó también su fusil M-1 y se ajustó sus lentes oscuros. El sol de la mañana comenzaba a quemar, inclemente.

—Van a enviar otro contacto en diez días, pero quieren que la entrevista se haga en México.

Avanzaron por la misma calle, hacia la Costera, en Acapulco.

—Y del auto, ¿lo escogieron bien? —les preguntó.

—Lo escogió Roberto —dijo otro.

—Insisten los de la Unión del Pueblo en que es un error lo que decidiste.

—Pero Carmelo está ya al frente de la Brigada, hasta mi regreso —repuso.

—El problema no es Carmelo, sino los que se quedan con él.

Cruzaron la calle. Pasaba del mediodía. El sol era fuerte, intenso.

—Nos reunimos en noviembre con todos los grupos armados —volvió a insistir Lucio— a pesar de que el ejército recorría la sierra buscándonos, matando campesinos, violentando a los pueblos. O sea, tenemos organización. Tenemos apoyo político en los pueblos. Tenemos fuerza armada para enfrentarnos al ejército —agregó moviendo una mano para expresarse mejor—. Por eso es necesario que esos compañeros trabajen ahí, con nosotros. Y si después vienen Los Guajiros, que vengan. O los del FRAP, que nos ayuden, sí. Es importante nuestra concertación con los otros grupos armados. Porque lo más difícil es reunir a la gente, conciliar diferencias. Esto es lo difícil.

—A los de la Unión del Pueblo no se les olvida la violencia de la Liga. ¡Querer eliminar a compañeros de otros grupos porque no pensaban como ellos!

Habían llegado al final de la calle. Dos camiones urbanos pasaron ruidosamente. Cruzaron de prisa hacia la otra esquina. A lo lejos, de pronto, vieron el mar.

—No conseguirán nada con querer apoderarse de la dirección de la Brigada —insistió Lucio cuando comenzaron a bajar por una estrecha calle—. Les falta conocer todos los pueblos. Darse cuenta que no nos reducimos a la Brigada.

—Pero te atacaron para exigir la coordinación nacional de todos los grupos armados.

Lucio negó con las manos.

—Ellos creen que nuestro partido es simple —repuso—. Para ellos el Partido de los Pobres es una organización como la de ellos, sólo que sin preparación.

—¿Pero subirá alguien más a la sierra?

—Mañana vendrá Eusebio a confirmar el contacto —intervino Gorgonio.

—Faltan aún dos horas —agregó Lucio—. Podemos comer ahí —dijo señalando una marisquería.

—¿Y quién va a tomar el nombre de el Doc?

Lucio se encogió de hombros.

—No tiene qué ver con esto —respondió, cuando entraron en el oloroso merendero de mariscos.

—Sí, sí, soy yo —alzó la voz en el teléfono—, habla Nogueda Otero, diga.

Oyó que alguien distinto contestaba después de un momento.

—Hablamos de la Presidencia de la República —dijo la voz—. Al señor presidente le interesa atender la manifestación de campesinos de esta mañana, señor gobernador.

—¿Cómo dice? —preguntó en voz alta Nogueda Otero.

—Más de cuatrocientos campesinos de su estado llegaron a las seis de la mañana en varios autobuses de pasajeros a apostarse frente a Los Pinos, señor gobernador. Reclaman ver al señor presidente para que ponga en libertad a más de sesenta campesinos de un pueblo de la sierra de Guerrero.

—¿De El Quemado? ¿A campesinos de El Quemado?

—Tienen ya tres horas frente a Los Pinos, señor gobernador. Gritan proclamas y traen mantas extendidas con exigencias.

—Pero se trata de los detenidos por las emboscadas al ejército, licenciado.

—El señor presidente quiere que se les atienda hoy mismo. No quiere que sigan apostados ahí todo el día, porque es muy reciente aún el conflicto con los cañeros de Veracruz.

La voz parecía retirarse del teléfono.

—¿Quiere atenderlos, dice? ¿Que se les atienda?

—Que los atienda usted, por supuesto. ¿Cree usted llegar antes de las tres de la tarde, señor gobernador? —escuchó que respondía la voz, claramente.

—Salgo de inmediato, licenciado.

—El señor presidente Echeverría me pidió que le hiciera saber que tiene mucho interés en esta reunión de usted con los campesinos. Quiere que sea tan amable de pasar antes a las oficinas de Palacio Nacional.

—Así lo haré, enseguida.

—Permítame, señor Gobernador, aún no acabo —interrumpió la voz al otro extremo del teléfono—. El señor presidente le pide que traiga la documentación más útil que le sea posible reunir. Entendemos que sería bueno contar con la opinión de la Zona Militar de Acapulco, especialmente para determinar el desistimiento de la Procuraduría General de la República con algunos detenidos. Así podría ser más útil su diálogo con los campesinos que lo esperan en Los Pinos, señor gobernador, y unir esta solución con la de los cañeros veracruzanos.

—Le suplico que le haga saber al señor presidente que estaré a primera hora de la tarde en sus oficinas.

—Me dará gusto saludarlo. Buen viaje.

Caminaron hasta las casas centrales, donde había un corredor techado. Varios campesinos y mujeres del pueblo, atraídos por el fuerte ruido de los helicópteros, se habían acercado a la cancha deportiva que fungía como centro de El Quemado. Los militares saludaban a los ancianos que se hallaban sentados bajo la sombra de los techos. El general Enríquez Rodríguez llamó a uno de los muchachos que se encontraban cerca.

—Diles que vengan, que se acerquen —ordenó amistosamente—. Que venga la gente acá, sin miedo.

El muchacho salió corriendo y habló con mujeres y ancianos que se hallaban en pequeños grupos mirando desde lejos. El general Cuenca Díaz limpió sus gruesos lentes y se ajustó una gorra militar oscura.

—Vengo personalmente a ofrecer garantías a todas las familias de El Quemado —comenzó a explicar—. A decir a ustedes que no tienen por qué temer al ejército. Porque sólo estamos contra la anarquía de algunos delincuentes que buscan engañar con falsos ideales y que perjudican los bienes que ustedes cuidan con tanto esfuerzo.

El general Enríquez Rodríguez miraba los rostros morenos, quemados, que escuchaban con sorpresa al general Cuenca Díaz. Sentía la atmósfera oprimente, vacía, de su atención. Levantó la vista hacia los soldados que seguían ubicados en la zona. Un centenar más patrullaba la sierra hasta Cacalutla. Descansaban con las armas quietas, colgando de los hombros. Una mujer, al fondo, gorda, con un vestido rosa desteñido, gritaba que regresaran a los campesinos presos. Las mujeres asentían y secundaban con gritos temerosos.

—El gobierno también los va a apoyar en eso —repuso el general Cuenca Díaz a los gritos de las mujeres.

Asintió con un movimiento de cabeza y luego se ajustó de nuevo las fuertes gafas. Levantó las manos, pidiendo silencio.

—El gobierno ofrece todas las garantías necesarias para que trabajen en paz —volvió a explicar—. Como el camino carretero que se está construyendo desde Cacalutla. Y también la tienda Conasupo y las dos aulas para la escuela Vicente Guerrero. O las maestras que están trabajando aquí desde ayer. Por eso digo que cuentan con garantías todos los que estén dispuestos a la tranquilidad social. Además, el presidente de la República les prometió hace una semana, en la Ciudad de México, que los campesinos inocentes serán reincorporados a la mayor brevedad aquí, con sus familias.

El general Cuenca Díaz se interrumpió y se volvió a hablar en voz baja con el general Enríquez Rodríguez.

———————

—Pero ustedes habían venido ya a esta región de Veracruz, ¿no es así? —preguntó el sacerdote Carlos Bonilla Machorro a los desconocidos que lo rodeaban en el recibidor del curato, en la iglesia del pueblo de Carlos A. Carrillo.

Uno de ellos negó con un movimiento de cabeza.

—Es la primera vez que venimos, padre.

—¿Pero qué clase de ayuda ofrecen? —preguntó el sacerdote.

—Podemos traer hombres y armas suficientes para acabar con los militares que están aquí.

—¡Cómo!

—Usted impidió una masacre de campesinos hace dos semanas, hablando solamente con un micrófono. Sabemos que impidió que el ejército acribillara a los cañeros, pues. Y usted dijo a los periódicos que el gobierno estaba convirtiendo a México en un gran Guerrero y en un Vietnam. Se refería usted a la guerrilla, ¿no es así?

—Pero yo no estoy de acuerdo con armar a los campesinos —exclamó—. ¡No estoy de acuerdo con las armas ni con la guerra de ninguna especie!

—Pero basta con que usted se asome para que vea los tanques y los soldados que siguen ocupando la región. Y aunque hay nuevos contratos con los cañeros, realmente no fue lo que esperaban los campesinos, ¿verdad? Por eso venimos, padre. Para hablar con usted.

—Pero yo no lo acepto. ¡Vendrían más refuerzos militares y arrasarían con el pueblo! ¡No lo acepto!

—¿Pero no han arrasado ya? —replicó el mismo hombre—. ¿No los han despojado ya de sus derechos?

—¿Son ustedes gente de Lucio Cabañas? ¿Sabe él que están aquí? —preguntó el sacerdote, confundido, levantándose hacia la puerta del curato.

Los visitantes se volvieron a mirarse entre sí. Lucio sonrió.

———————

Samuel distinguió a lo lejos la polvareda que levantaba el jeep. Hacía calor. Las manos le sudaban. El ruido del motor aumentó, haciendo volar espantados a los chicurros y a las torcazas. Se volvió hacia al fondo: vio a Domingo tratando de asomarse al camino de la huerta para distinguir el vehículo y a Julián y a Conrado cubriéndose tras los matorrales de protección. El jeep frenó ante las piedras que obstruían el paso.

—¡No se mueva! ¡No intente hacer nada! —gritó Samuel, corriendo hacia el vehículo.

El conductor había descendido del jeep, el otro hombre permanecía arriba, sentado.

—¡Que no se muevan, les digo! —volvió a gritar Samuel, apuntando con su M-2.

—¡Pero ésta es mi propiedad! —exclamó el hombre—. ¿Qué hacen aquí?

—¡Regístrenlos, pronto! —ordenó Samuel.

El conductor estaba inmóvil, ante el vehículo. Domingo revisó sus ropas en busca de armas.

—Sólo trae esto —dijo Domingo mostrando una gran navaja de monte, de empuñadura blanca, de botón.

—Ahora el otro —ordenó de nuevo Samuel—. Y también el carro. Busca si traen armas en el suelo del jeep.

Domingo se dirigió al otro hombre. Lo hizo bajar del vehículo. Era un hombre viejo, flaco y fuerte. Olía a hierba.

—También trae una navaja —explicó Domingo, mostrando otra navaja semejante, pero más pequeña.

—¡En el carro, te digo!

Domingo subió al jeep y registró el interior con rapidez. Mostró a los pocos momentos dos armas.

—Este fusil y esta pistola treinta y ocho —comentó, sonriente.

—¡Súbase! —gritó Samuel al viejo, señalando con el cañón de su M-2 el vehículo que seguía con el motor encendido—. Rápido. ¡Súbase, le digo! Usted viene con nosotros.

Conrado se aproximó al viejo y lo empujó hacia el jeep. Se subió con él.

—Que Julián maneje —ordenó Samuel—. Vámonos todos. ¡Pronto!

El viejo comenzó a respirar con dificultad. Samuel se volvió a mirarlo.

—No se asuste. Usted sólo obedezca lo que yo diga y no le pasará nada.

———————————————

—Aquí está el parte, mi coronel. Sí, de la comandancia.

—¿Confirmado?

—Sí, mi coronel —dijo el asistente—. Un secuestro. Fue Lucio Cabañas —agregó.

El coronel Salgado revisó los papeles, sentado en su escritorio.

—La Zona Militar tenía informes de Atoyac y de Tecpan. Quieren saber si nosotros, como policía judicial del estado, necesitamos algún apoyo especial del ejército.

113

El coronel negó con la cabeza, sin levantar la vista de los papeles.

—Esto es lo que quiere el general Enríquez Rodríguez —dijo—. Más secuestros para autorizar guardias privadas en Acapulco y Atoyac.

Se apoyó en su escritorio.

—Primero —comentó con calma al asistente—, que nadie se aleje de la casa de don Francisco Sánchez López hasta que la gente de Lucio Cabañas se ponga en contacto con la familia para pedir rescate. Yo hablaré con el procurador. También encargue vigilancia para la hija, en el domicilio y en su comercio. En fin, los puntos en que Lucio intente el contacto con ellos. Y nada a la prensa.

El asistente se cuadró ante el coronel, para salir del despacho.

"A los padres de familia de la escuela Modesto Alarcón.

"A la opinión pública de Atoyac.

"Con fecha 8 de diciembre de este año de 1965 se ha ordenado arbitrariamente nuestro traslado a otro estado.

"Esta medida es arbitraria desde el momento en que no hemos cometido crimen alguno, ni hemos faltado a nuestro deber de maestros. Hemos servido al pueblo con la mejor y más noble intención.

"Hemos entregado a ellos nuestros mejores esfuerzos.

"Sin embargo, sin explicación alguna, contra la voluntad de ustedes mismos, que serían en última instancia los más autorizados para juzgar nuestra obra y calibrar nuestras acciones, se nos aleja de esta tierra y de esta gente a la que hemos aprendido a amar y a servir.

"Pero a pesar de que vemos en ella una clara represión. Pero a pesar de que consideramos ilegal nuestra movilización, a pesar de que vemos en ella una clara represión de carácter político, violatoria a los principios asentados en nuestra Carta Magna, a pesar de que nos sabemos víctimas de una agresión que pone de manifiesto el carácter represivo de algunas autoridades gubernamentales, nosotros hemos aceptado el cambio, y marchamos hoy mismo a cumplir con honor este destierro, porque nuestra patria es México y en cualquier parte podemos servirla.

"Hemos predicado entre vuestros hijos, durante largos años el amor a la libertad y a la patria; el respeto a las leyes que garantizan al pueblo libertad y justa observancia. Les hemos inculcado el amor a los trabajadores y sembramos en sus conciencias las esperanzas y la fe, en un mundo más justo y mejor, sin odios, tinieblas, ni explotación. Mostramos a ustedes el valor de la unidad ante las dificultades, juntos la practicamos y así sorteamos momentos difíciles y vivimos horas de satisfacción. Juntos luchamos porque nuestra escuela deja-

ra de ser un medio de explotación y abuso, quisimos hacer de ella una escuela popular y democrática que cumpliera con la doble misión de educar a hijos y padres.

"Como ciudadanos amparados por las garantías que la Constitución nos da, ejercitamos nuestros derechos políticos; hicimos vida política manteniendo los principios y las posiciones que nos parecieron más justas y favorables a los intereses del pueblo. Participamos en asambleas y manifestaciones públicas cuando se hizo necesario, y respetamos el credo político a cada uno de los demás ciudadanos.

"Al irnos, queremos agradecer sinceramente el esfuerzo con que ustedes tratan de reparar esta injusticia y su acción firme y valerosa para defender la razón y salvaguardar los intereses de sus hijos. Queremos decir a ustedes que la lucha en que están empeñados es difícil, porque es una lucha que los pone frente a poderosos intereses políticos y económicos; que los enfrenta a la corrupción y a la arbitrariedad y al sucio interés de los enemigos tradicionales del pueblo que se han propuesto hacernos a un lado porque los estorbamos en el camino de engaño y violación. Queremos que sepan que admiramos su decisión y dignidad ante este problema porque están dando una lección de hombría y valor a sus hijos, porque les están enseñando con la acción, que los hombres y mujeres honrados no deben permanecer callados ni cruzados de brazos ante la injusticia y la opresión. Magnífica lección para la juventud y pueblo todo.

"Por eso, ahora más que nunca deseamos proclamar aquí, nuestra decisión de servir firmemente a las mejores causas del pueblo, a orientarlo y a ayudarlo a buscar el camino de su organización y su lucha por una vida mejor.

"Honorables Padres y Madres de Familia: Que la salud y el trabajo reinen en vuestros hogares, que la solidaridad y amistad entre nosotros se fortalezca con la distancia. Que pronto tengamos la dicha de volver a saludarnos.

Serafín Núñez Ramos   Lucio Cabañas Barrientos
Atoyac de Álvarez, 12 de diciembre de 1965."

———————————

Luego preguntó despectivamente:

—¿Y quién les ha dicho esas mentiras?

Un silencio profundo se hizo entre los hombres que asistían a la clase en el campamento de la sierra.

—Pues el profesor Lucio.

El maestro mantenía fija la mirada en el campesino que había hablado. Luego el campesino reaccionó.

—¿Por qué dice usted que son mentiras?

El maestro replicó de inmediato.

—Porque estábamos hablando de la burguesía, no de los "ricos".

—Pero ¿quiénes son la burguesía? —insistió Agustín—. ¿No son los ricos? ¿No son los que nos hacen pobres a nosotros?

—Yo no sé por qué Lucio Cabañas les dijo eso —replicó el maestro—. Yo no lo juzgo. No son cosas claras. Ignoro por qué les dice esas cosas que no son exactas.

—Usted nos está diciendo muchas veces —intervino Eusebio, puesto de pie, en medio del grupo— que lo rural es sólo una parte de la lucha. Que debemos entender la revolución con los proletarios, ¿no? Y que ustedes saben que los pobres que luchamos contra la burguesía somos la fuerza proletaria.

—¡No! —exclamó el maestro—. ¡Los pobres que luchan contra la burguesía no son pobres y ya, no! Debe ser una clase social la que destruya al estado burgués. Y la única clase social que puede hacerlo es el proletariado. Y para eso se necesita una conciencia proletaria en todas las ciudades, con toda la clase obrera. Se trata de una conciencia ideológica, política, militar, sindical. Sin conciencia proletaria no puede haber revolución. No puede crearse el socialismo. Pero es una mentira decir que la revolución socialista es una lucha de pobres contra ricos.

—¿Entonces qué hacen aquí con nosotros? —replicó ofuscado Eusebio—. Que no somos proletarios, como ustedes dicen, sino que somos campesinos, que somos pobres, ¿no? ¿O por qué vienen aquí, con el Partido de los Pobres? Va a decir ahora que está mal que nos llamemos así, ¿no?

—Ustedes pueden llamarse como quieran, yo no me meto en eso —dijo el maestro con impaciencia—. Pero la Organización Partidaria sólo se comprometió a que yo viniera a enseñar marxismo. Y es lo que estoy haciendo.

—Pero usted no viene a enseñarnos —intervino Chabelo—, sino a discutir con nosotros y a burlarse de nosotros. Pero cuando se trata de caminar por el monte no puede usted mantener el paso, ni cargar su mochila, ni siquiera fijarse por dónde pisa y tenemos que andar detrás de usted, para cuidarlo que no se caiga. Y así se ha de sentir usted muy proletario, ¿no? Atendido por los pobres pendejos que vamos detrás de usted.

El maestro negó con un movimiento de la cabeza.

—Pero yo lo vi en la primera marcha que usted tuvo que hacer con nosotros —reclamó Agustín, también de pie—. Usted se cayó porque no pisó con cuidado al bajar del ejido y tiró todo el maíz que usted traía en la mochila. Y yo lo vi que no levantó el maíz, sino que lo tapó con tierra y basura para que los demás no lo viéramos. Y pues eso nadie de nosotros lo haría. Y a lo mejor usted puede bajar seguro sólo de un escritorio, pero no aquí en la sierra ni en los fregadazos con los soldados.

—Los que estamos aquí no tenemos argumentos para explicar como usted lo hace —interrumpió Eusebio—. Pero hay compañeros en la Brigada que saben tanto como usted, por eso pediremos aclarar este problema en una asamblea de todos. Porque me parece sospechoso que usted esté tratando de criticar a Lucio a sus espaldas, cuando él no está aquí para responder. Parece que se proponen otra cosa con él, para quitarlo. O planear algo que no está de acuerdo con nosotros aquí, en la sierra.

—Yo no estoy atacando a Lucio —atajó el maestro con firmeza—. Yo estoy aclarando que la revolución no se puede reducir a una guerra de pobres contra ricos. Yo hablo desde un punto de vista científico. Y no juzgo a Lucio ni estoy en su contra.

—Pues la compañera Sonia, que es también de la Organización Partidaria, ya nos dijo lo que se proponen ustedes, los de la Liga 23 de septiembre.

El maestro volvió a negar, molesto, moviendo la cabeza.

—Por el contrario —repitió el general Enríquez Rodríguez—. Quiero más precisión en todos los destacamentos. Cada uno de ustedes se responsabiliza del control riguroso de la región que le corresponde, por supuesto. Pero ahora no estamos actuando a ciegas —insistió el general—. No requerimos de redadas colectivas, de ejidos enteros. Sólo usted, teniente coronel Cassani —dijo volviéndose al extremo de la mesa, para mirar al militar a quien se dirigía ahora—, usted debe seguir replegando a todos los grupos que quieran manifestarse en El Quemado, controlar la zona desde Cacalutla y Zacualpan, ¿no es así?

El teniente coronel Cassani Mariña asintió, apoyándose ligeramente sobre la mesa de la reunión.

—Pero nuestras acciones deben ser selectivas, señores —insistió el general—. Debemos actuar en todos los poblados más a fondo, selectivamente. Que vean que ya sabemos quiénes se coludieron con Lucio Cabañas. El control debe ser nuestro. Con energía, por supuesto, pero en poco tiempo organizaremos la asesoría especial y encuadraremos los campamentos, uno a uno, para identificar a los grupos principales.

—¿Y la zona de Zihuatanejo a Petatlán, y la de Tecpan, general?

—¿Qué con esas zonas, coronel?

—Podríamos controlar esa región con los nuevos destacamentos, donde está incrementándose el narcotráfico.

—El narcotráfico es ahora otro problema. O mejor dicho, hay un programa nacional para enfrentarlo. Nosotros necesitamos acabar con la delincuencia armada.

—Pero campesinos alzados se han vinculado en Tecpan con el narcotráfico.

El general negó con un movimiento enérgico de la cabeza.

—No, coronel. Estoy dando las instrucciones que deben seguirse.

El coronel guardó silencio, antes de insistir.

—Pero debemos reforzar el patrullaje en las zonas detectadas, general.

—¡Claro! —exclamó el general Enríquez Rodríguez—. ¿Quién está ordenando lo contrario, coronel?

—Bueno, es que. . . —repuso turbado, lentamente—, al haber instalado hace un mes el 19° Batallón de Infantería en Petatlán, y haber destacado partidas especiales en Zihuatanejo, La Unión y Zacatula, parecería lógico aumentar el control de más zonas.

El teniente coronel Cassani Mariña levantó ligeramente la mano, para hablar.

—Sí, diga, —repuso el general Enríquez Rodríguez.

———————

—¡Pero podemos pagar! —contestó el hermano, con vehemencia.

—¿Tres millones? ¿Quieres darles a esos ladrones tres millones de pesos?

—¡Pero van a matarlo!

Aída se rió en voz alta y movió la cabeza de un lado a otro, con firmeza.

—No van a matar a mi papá —replicó—. A ellos les importa recibir dinero, nada más. Y si lo matan, no recibirán un solo centavo. Así que no debemos pagar eso y menos tan pronto.

—¿Usted qué opina, comandante? —preguntó el hermano, exaltado.

El agente apagó el cigarrillo que estaba fumando. Carraspeó. Miró de soslayo a la hija de Chico Sánchez, gorda, morena, de baja estatura.

—Yo creo que deben acudir a la cita que propone el mensaje. Nosotros podríamos planear algo en la zona. Digo, si fuera posible —se corrigió—. Pero, de cualquier manera, necesitan hablar con ellos.

—¡No, claro que no! —volvió a decir Aída, impaciente—. ¡No me están entendiendo!

Se levantó de su silla, ofuscada.

—Necesitamos que ellos reduzcan la cantidad que piden como rescate —volvió a explicar—. Ahora piden tres millones y les juro que ellos ni siquiera esperan recibir un millón. Lo hacen para negociar. Y nosotros debemos actuar así, para que entiendan que no vamos a darles el dinero que quieran, ni asistir a donde nos ordenen para que se den cuenta que no somos sus peleles, que a nosotros nos deben tratar de otra manera.

—No estoy de acuerdo en no ir, no estoy de acuerdo, Aída —replicó el hermano.

Aída levantó los brazos con impaciencia.

—Ya nos volverán a llamar y entonces les ofreceremos menos dinero. Ahora no —repitió—. Y si he de ser sincera, preferiría darles el dinero a estos judiciales para que busquen a esos ladrones, que dárselo a ellos.

Otro periodista de Acapulco quiso intervenir. El gobernador Nogueda Otero lo invitó con un movimiento de cabeza.

—¿Hay alguna relación —preguntó el periodista— entre la guerrilla y las obras de construcción que se están llevando a cabo en la sierra de Atoyac? ¿Se pueden considerar como una respuesta del gobierno?

El gobernador replicó de inmediato, sonriendo.

—Estas acciones en la sierra representan la coincidencia de varias voluntades. Primero —dijo inclinándose ligeramente sobre la mesa—, la voluntad de los pueblos de la sierra. Segundo, la voluntad decidida del presidente Luis Echeverría Álvarez. Y tercero, la preocupación de mi propio gobierno por el desarrollo y bienestar de todas las regiones de nuestro estado. A esta coincidencia de voluntades se debe la construcción de carreteras, de escuelas, de centros de salud, de tiendas Conasupo, y los créditos a cafetaleros y a copreros, las líneas telefónicas que cubrirán por entero a todos los pueblos de la sierra de Atoyac. Acciones así, de tan vastas proporciones, que requieren de un fuerte financiamiento del gobierno federal, del gobierno estatal y de los pueblos mismos, no pueden hacerse de la noche a la mañana, imposible improvisarlas por un clamor de grupos clandestinos y antisociales como el de Lucio Cabañas.

—¿Pero el secuestro de don Francisco Sánchez López no significa que la guerrilla sigue en pie? —preguntó un periodista de Chilpancingo.

El gobernador se inclinó a escuchar a su asistente, que le hablaba en voz baja. Luego levantó la vista.

—Nosotros no creemos que haya sido gente de Lucio Cabañas la que secuestró a ese importante ganadero de Tecpan —repuso—. Sabemos que se ha difundido esa versión, pero creemos que obedeció a otras razones, a otras circunstancias que se investigan a fondo.

—Pero los familiares declaran que fue la guerrilla de Lucio Cabañas —insistió el periodista—. Y la personalidad misma del secuestrado se presta a eso, porque se dice que su fortuna surgió de su actividad como acaparador de copra en la Costa Grande y como prestamista. Quizás lo secuestraron por la presión que este ganadero puede ejercer sobre muchos campesinos.

—Para mí don Francisco Sánchez López es un hombre honorable, digno de reconocimiento por su trabajo, por su voluntad de superar económicamente la región en que ha vivido siempre —replicó el gobernador—. Estoy seguro de que cuenta con más simpatizantes que enemigos. Pero le diré algo más, para alejar la idea de que se trata de una acción del supuesto grupo guerrillero. No sólo el ejército se da cuenta de la tranquilidad social que vive ahora la sierra, desde el año pasado, como les he dicho, sino que sabemos, o tenemos informes de fuentes fidedignas, que Lucio Cabañas no se encuentra ya en el territorio de nuestro estado de Guerrero. Desde hace meses ha salido, buscando quizás sobrevivir en otra región, porque aquí nadie lo apoya, eso es claro ya.

Reconoció el lugar. Eran los cafetales de Río Santiago. Incluso de San Vicente de Benítez. Cuando ascendieron por la cañada vio la tarde inmensa.

—Por acá, don Chico —le gritó el muchacho, señalando una vereda estrecha.

Luego el muchacho se acercó a él, con el arma y su mochila al hombro.

—Para allá, para arriba de la sierra, está Río Santiago.

Había estado por esos lugares muchos años atrás. Treinta, cuarenta años, quizás. Cuando subía hasta El Paraíso.

—Es difícil subir por aquí, ¿no don Chico?

Sintió que el muchacho se detenía a su lado, también. Sintió la calma en el cielo, en el horizonte. Era abril. Quizás sería el veinte de abril, o más tarde, incluso. Miró la sierra azul y oscura que iba descendiendo suavemente hacia la costa, hacia el horizonte de blancura y de nubes que se confundía con la quietud de la tarde. Oyó el ruido de los pericos volando veloces sobre los árboles, sobre las montañas. Sintió cansancio. Miró sus zapatos destrozados. Sus pantalones polvorientos, deshilachados ya. Sintió su cuerpo viejo y flaco. El muchacho seguía a su lado, inmóvil, en silencio.

—¿Se siente mal, don Chico? —preguntó.

Miró al muchacho detenido a unos pasos. Era moreno, pequeño, delgado. Parecía un mendigo. Un campesino de camisa rota, de pantalones remendados muchas veces, y rotos otra vez. Sus pies ajustados a unos huaraches de suelas desgastadas, cubiertos de terrones, de pedazos de lodo.

120

—Me siento un poco cansado —contestó.

El muchacho no se movió. Oyeron el ruido amplio del viento entre los cafetales y platanares, entre los encinos. El viento que surcaban los fuertes pericos, las verdes rayas veloces de los pericos ruidosos.

—Más adelante nos detendremos.

Escucharon un silbido en lo alto del cerro. El muchacho silbó también.

—Nos están esperando —dijo el muchacho, sin moverse.

La tarde parecía oscurecerse ahí, entre los encinos que rodeaban los cafetales. No se dio cuenta inmediatamente. Mucho después notó el silencio a su alrededor, entre las ramas de los árboles, entre la hierba. No entendió que algo le inundara por dentro, le dificultara la respiración. Como si el aire le quemara al respirar. Trató de apoyarse. Era un mareo.

—No quisieron entregar el dinero, don Chico —volvió a escuchar.

Vio al hombre mover la mano derecha, para explicarse. De pronto se dio cuenta que tenía la boca abierta, que su aliento estaba muy caliente. Recordó a su hijo cuando era pequeño, corriendo en la huerta. Se miró las manos, anchas, las uñas muy crecidas. Le pareció extraño estar ahí. Recordó los ojos de Aída, su hija. A su esposa, sentada a la mesa. Levantó la vista. El cielo seguía azul, limpio. Era un azul que podía tocarse, que parecía extenderse como algo material, sobre el mundo.

—¿Dónde van a matarme? —preguntó sin mirar a nadie en especial, sin querer distinguir el temblor de su cuerpo.

Escuchaba otra vez el viento entre los árboles. Le pareció escuchar ladridos de varios perros, a lo lejos, sofocados por la distancia.

—Aquí —le contestó una voz.

El hombre que había hablado lo estaba mirando.

—Sus hijos no quieren dar dinero. No quisieron tratar con nosotros —agregó—. Se lo debe a ellos, don Chico.

—Siéntese —le dijo el procurador Francisco Román al momento que cubría con una mano la bocina del teléfono.

El coronel Salgado se quedó un momento de pie, tratando de recibir la frescura del clima artificial. Gotas de agua escurrían por el aparato oscuro y caían en la alfombra. Oyó que el procurador colgaba el teléfono.

—Ya terminó el caso —dijo volviéndose hacia él—. Encontraron el cuerpo cerca de Río Santiago, en el mismo lugar de la emboscada

121

al primer convoy militar. El forense opina que lo mataron ayer, un poco antes del anochecer.

El procurador se inclinó hacia el informe que le extendía el jefe de la policía judicial del estado.

—Tengo algunas cosas para usted —dijo mientras oprimía un botón de su escritorio.

La secretaria abrió la puerta del despacho.

—Tráigame el expediente para el coronel, Rocío. El de la Secretaría de Educación, el de la ciudad de México.

La secretaria asintió. Una cortina de humo azulado se extendió frente al procurador Francisco Román, que volvía a encender su grueso y largo habano.

—¿Y los familiares? ¿No intentaron otro acuerdo?

—No quisieron. Pero en las cuentas bancarias de Chico Sánchez registramos más de cuarenta y seis millones de pesos. De dinero suyo, no de los hijos. Los tres millones que les pedían no eran nada. Era un caso muy similar al del doctor Becerra, del año pasado. Prestaba dinero y cobraba réditos muy elevados. Fue quitando tierras, huertas, cosechas enteras.

La secretaria volvió a entrar y entregó el expediente. El procurador lo abrió.

—Yo quería comunicarle esto, coronel Salgado —dijo extrayendo varios papeles que mostró al coronel—. Los que asaltaron la caja de la SEP en la ciudad de México son gente de Lucio Cabañas. O muy relacionada con él —agregó, después de aspirar su habano—. Don Fernando está muy al tanto de esto. Asaltos y sabotajes en Monterrey, en Hermosillo, en Guadalajara, en Puebla, posiblemente están relacionados. Y Lucio Cabañas estuvo hace pocos días en Durango y en Veracruz; hace dos semanas, por lo menos, según información de don Fernando. Lucio, pues, todavía se encuentra en la ciudad de México o quizás en Michoacán. Este secuestro de Francisco Sánchez López se produjo en ausencia de Lucio. Necesitamos reforzar todos los retenes militares en las carreteras y llevar a todos los ex militantes de que dispongamos.

El coronel Salgado respiró profundamente. Echó el cuerpo hacia atrás. Volvía a sudar. El clima artificial del despacho parecía no enfriar ya. Comenzó a hablar lentamente.

—No entiendo las decisiones del general Enríquez Rodríguez, que ha autorizado armas reglamentarias a cuantas guardias privadas le solicitan. Perdóneme que insista, pero le pido que el gobernador trate esto con la Secretaría de la Defensa, o con Gobernación, o con quien mejor le parezca, porque esto es una anomalía peligrosa, y en zonas y aspectos que no son competencia real del ejército. El general Enríquez Rodríguez no accede a cambiar de medidas, y militariza cada vez más la sierra y desarticula con las guardias privadas el control de las zonas urbanas. O sea, el que debemos mantener nosotros.

El procurador escuchó en silencio, fumando lentamente su habano, envuelto en una densa nube de humo.

Ella tosió. Tenía sueño. En sus ojos castaños había un brillo de oscuridad.

—No respetan la voluntad de las mujeres —dijo.

Lilia se incorporó ligeramente, para recogerse con las manos los cabellos.

—Aníbal y yo habíamos terminado, ellos lo saben —agregó.

—Pero hace dos años un compañero de la dirección le quitó la mujer a otro —explicó Carmelo—. Cuando Lucio y el Doc andaban fuera. La asamblea propuso fusilarlo, pero sólo decidieron su expulsión a los cuadros de la ciudad. Luego Ramón anduvo con otra muchacha y también se llevó a asamblea el asunto, pero Lucio le pidió a Ramón que terminara con su mujer en Atoyac, para que no hubiera problema de que enamorara a otra.

Lilia escuchó como si no hubiera nadie en la calurosa mañana. Como si el intenso rumor de la sierra no se alterara por el campamento, por el ir y venir de la comisión de cocina, por los que limpiaban sus armas al fondo, bajo la sombra de los encinos.

—El Doc afirmó que todo lo que alterara la organización de la Brigada debía suprimirse para beneficio de los grupos guerrilleros. Por eso andan con problemas. Y porque hace tres meses mataron a dos compañeros que se acostaron con una muchacha —continuó—. Lucio no quería fusilarlos, pero el padre de la muchacha pedía que los mataran. Lucio pidió un fusilamiento fingido, pero a Juan no le dijeron y él sí les tiró a matar, cuando escapaban.

Carmelo se meció en la hamaca.

—¿Y qué vas a hacer? —preguntó Lilia.

—Analizar.

—¿Y la expulsión de Sonia?

—Era necesaria. Habló de más. Dijo muchas cosas.

—Pero permitiste que el otro se quedara.

—El maestro se irá en dos semanas.

—Pero fue el mismo problema. Y a él lo atacaron más.

Lilia se rió. Luego habló, de pronto.

—No tienen disciplina para pensar. No se dan cuenta de lo que deben analizar. Y Lucio está enfermo. No puede estar un jefe de guerrilla tumbado en la hamaca días enteros porque no soporta la migraña, o la cefalea, o lo que tenga.

Carmelo tardó en contestar.

—¿Tienes miedo? —insistió Lilia.

—Lucio va a regresar el próximo mes y ahora en la Brigada hay diferencias. Algunos no están de acuerdo con que hayamos ajusticiado a Chico Sánchez López. Sobre todo porque el viejo empezó a llorar, a suplicar que no lo matáramos, a ofrecernos más dinero, a gritos. Creen que debimos haber negociado.

—Pero Lucio te puso al frente de ellos, ¿no? Tú eres el que debe decidir, ¿no es así?

Carmelo se pasó una mano por el lacio cabello negro.

———————————————————

—¿Quién eres?

—Éste es Saturnino Sánchez, mi capitán, pero está inválido. Dice que tiene 65 años.

—¡Llévenselo también! ¡Arrástrenlo! ¡Llévenselo como sea!

Varios grupos armados recorrían las calles del poblado de Piloncillos. Cateaban las casas, los corrales, los pozos. Replegaban a la población hacia las casas, acordonando las bardas.

—El otro viejo ¿dónde está? —gritó el capitán— ¿Quién lo tiene, cabo?

El cabo se cuadró y corrió hacia los grupos que cateaban las casas cercanas al monte.

—¡Aparten de aquí a todos! ¡Que nadie salga de las casas! ¡Repliéguenlos! —volvió a ordenar el capitán a gritos.

Tres soldados se acercaron, llevando a dos muchachos golpeados.

—Son Eleazar y Santín Álvarez —dijo el soldado.

El capitán los miró. Dio unos pasos hacia ellos, con desprecio.

—¿Cuántos años tienes?

—Diecisiete —contestó uno.

—¿Y tú?

—Dieciocho.

—¡Pues ya se jodieron! —espetó secamente el capitán— ¿Qué les ofreció Lucio Cabañas para que se fueran con él a matar soldados?

—No sabemos nada, señor. Nosotros no tenemos nada con Lucio.

El muchacho que habló estaba golpeado del pómulo izquierdo y comenzaba a inflamársele la cara. Traía la camisa abierta, rota en el costado. Bajo los pantalones sucios y parchados se contraían los pies con nerviosismo. Calzaba sólo un huarache; el otro lo había perdido al resistirse a que lo aprehendieran.

Se acercaron un sargento y dos soldados que escoltaban a otro muchacho delgado, de pelo crespo, descalzo, con el pantalón desgarrado.

—Éste es Toribio Peralta —dijo el sargento.

124

—¿También eres guerrillero? —preguntó el capitán despectivamente.

—No, señor.

—¿Creyeron que iban a andar matando soldados toda la vida?

—No, señor. No soy guerrillero, señor.

El muchacho bajó la vista.

—¿Quién falta? ¿Quién tiene al otro viejo? —gritó el capitán, irritado.

Al fondo apareció el cabo con tres soldados más. Caminaba con ellos el anciano de setenta años, con un sombrero de palma en las manos.

—Aquí está, mi capitán. Éste es Crescencio Reyes —dijo el cabo.

—¿Conque tú eres Crescencio Reyes? —preguntó el capitán.

El anciano contestó primero asintiendo con la cabeza.

—Sí, señor —repuso.

—¿Tienes hijos?

—Sí.

—¿Dónde están?

—Trabajando.

—¿Trabajando en qué?

—Cortando café.

—¿Y por eso te manda dinero y cartas Lucio Cabañas? ¿Porque tus hijos sólo trabajan contigo?

Las manos del viejo estaban crispadas sobre su sombrero de palma. Eran largas, muy morenas, como pedazos secos de tierra. Los ojos del anciano estaban enrojecidos y legañosos; uno era ya de color gris, invadido por cataratas.

—¿Quién más falta aquí? ¿Cuántos faltan? —gritó el capitán; luego ordenó, con el brazo extendido—. ¡Que aparten a todos! ¡Que nadie salga de sus casas! ¡Aquéllos, repliéguenlos!

—Faltan Benito González y Silvestre Calderón, mi capitán —informó el sargento—. Los siguen buscando todavía. Y también falta Arturo Castro, de quince años.

—¡A ver si después de esto Lucio Cabañas encuentra quién le siga ayudando en este pueblo de mierda!

El capitán empezó a caminar hacia los vehículos militares, pero se detuvo. Regresó hacia los campesinos detenidos.

—Los vamos a fusilar aquí, ahora, a todos ustedes —comenzó a advertir—. Porque quiero que aquí, en Piloncillos, sepan a qué atenerse los que sigan ayudando a Lucio Cabañas. Sabemos que el viejo inválido sirve de contacto entre Lucio y todos ustedes. Que le han ayudado con comida, a comprar cosas, que incluso uno de ustedes le llevó armas y parque. Por eso los vamos a fusilar. Hasta aquí le ayudaron a ese perro rabioso. ¡Sargento! ¡Escoja a los soldados que porten M-1! ¡Y aparten a todos los mirones! ¡Que se aleje de aquí todo mundo! ¡Que se retiren! ¡Que nadie se acerque a estos prisioneros, les estoy diciendo!

El capitán movió las manos con energía, apartando a los soldados.

—Ya traen a los otros, mi capitán —gritó un cabo.

—A ésos nos los llevamos detenidos. ¡Ya después se irán de aviadores! —ordenó.

El capitán avanzó primero hacia los vehículos militares y abrió la puerta del primero. Subió al asiento. Escuchó las descargas cerradas de M-1. Buscó una lata de jugo de manzana. La abrió. Volvió a escuchar otras descargas, y gritos. Se asomó a mirar que en el otro vehículo subían maniatados a los muchachos detenidos.

—¡Sargento! —gritó.

A lo lejos vio los cuerpos caídos sobre la tierra, entre los soldados. Uno parecía agitarse por convulsiones. Varios perros se acercaban a oler la sangre. Escuchó los pasos de dos soldados que se aproximaban. Se asomó otra vez por la ventanilla, cuando escuchó las voces.

—Ordene usted, capitán —dijo el sargento.

El capitán escuchó dos disparos de pistola reglamentaria. Miró a lo lejos, a la calle.

—Los está rematando Serafín, el cabo —explicó el sargento.

El capitán asintió con un movimiento de cabeza, dando otro sorbo a la pequeña lata de jugo.

—¿Cuántos tenemos que encontrar en San Vicente de Benítez, sargento?

El sargento se desabotonó la bolsa de la camisa y sacó un papel doblado.

—Éstos son los nombres, mi capitán. La información completa está en su portafolios.

—Léelos. Sólo quiero saber cuántos.

—Son más de siete, capitán. Pero traigo señalados a Florentino Cabañas, Miguel Nájera Nava, Emilio Delgado y Agustín Flores Martínez. Y también otro de El Paraíso, Candelario Bautista.

El capitán miró su reloj. Luego levantó la cabeza. Tres disparos más habían detonado mientras el sargento leía los nombres de su lista.

—Iremos hasta mañana a San Vicente de Benítez, a primera hora, sargento. Ordene ya la retirada. Y búsqueme un cigarrillo.

El capitán oyó que otros soldados se aproximaban al vehículo, conversando en su lengua, en mixteco.

───────────────

Fue caminando a lo largo del mercado. Sentía el olor de fruta, el olor del agua en el suelo, el olor de una suave y acre mezcla de cestos, ceras, semillas. Hombres casi desnudos, morenos, sudorosos, cargaban cajas, bolsas, o conversaban en grupos, comiendo fruta. Sintió que eran algo suyo; que podía mirarlos, sonreír ante todos, extender la mano hacia ellos, lejos, y tocarlos como un corazón suyo, como un secreto de la vida. Conocía los rostros de la Costa Grande, los rostros de los indios, de los vendedores, de los compradores. Sentía que ese momento en el mercado de Acapulco era como atravesar una luz que lo hacía ver con mayor claridad su sensación, su verdad de pertenecer a ellos. Sentía que su vida se dilataba como su nariz, oliendo la multitud. Y las naranjas, y los nanches, y las pitayas, y los plátanos, y los mangos, colocados en hileras de puestos con sus colores propios. Fruta que había visto desde niño en El Porvenir, que había llevado con su abuela cuando la acompañaba a cambiar pan por pescado, por carne, por esa fruta. La había visto en Cayaco, junto al amplísimo río que contemplaba de niño horas enteras, como si su inmenso cauce, su interminable horizonte, más interminable aún para un niño, fuera el descubrimiento de la tierra, del mundo.

De El Porvenir recordaba cafetales, lianas, encinos, amates; el mundo como el cercano muro verde que los rodeaba a cada paso. Era más bien un interior, algo siempre por dentro, por donde se atravesaba de un pueblo a otro. Al llegar a lo alto de un cerro, entre el vuelo de los pericos, de los cuervos, de las torcazas, a veces despejaban las frondas y bajo un inmenso cielo se deslizaban intensas, impacientes, las cumbres de la cordillera de Atoyac: inmensos montes oscuros, inmensas cavidades de sombra, de verde. Pero no las veía entonces como inmensidad, sino como el techo de árboles, de maizales, de cafetales, que atravesaba con su abuela, o que muchos niños como él atravesaban con sus padres a diario, sin ver dentro de esas montañas más que el espacio verde que se abría a cada paso, no más allá, no más lejos, sólo el instante inmenso de los árboles, no como fue después ante el río en Cayaco.

A la orilla de ese río, interminable, rodeada de palmeras esbeltas y altísimas, de ahuejotes y timuches, de platanales, sentía de niño la distancia, el mundo abierto. Ahí había aprendido a mirar lo que no era él, lo que podía ser todo lo otro que no era él y por la carretera pasaba el mundo que él no entendía, ese mundo que tampoco era de los niños de El Porvenir, ni de El Camarón, a donde llegaba con su abuela caminando cada semana.

Salió del mercado y se detuvo en la esquina. El movimiento de la gente, de los compradores, del día, volvió a alegrarlo. Estaba en la ciudad, entre el ruido de autobuses, de automóviles, de calles repletas. Y todos pasaban sin notarlo siquiera. Él sabía profundamente lo que deberían vivir, lo que deberían hacer. Y porque él lo sabía necesitaba cumplir con ese conocimiento. Necesitaba recordar lo que *era él, sin precipitarse, pero profundamente, sin menoscabar nada de su fuerza. Empezó a caminar. El cielo brillaba en su intenso azul con un sol terriblemente fuerte que hacía más blancas las nubes esponjosas. Sentía la dureza de las calles bajo sus plantas. Atravesó en medio de la gente. Caminaba con su camisa holgada, con sus largos brazos delgados, sueltos, relajados. Sólo en sus manos huesudas parecía haber vida.*

———————

Terrance George Leonhardy, cónsul norteamericano en Guadalajara, miró su reloj. Eran las cinco treinta y cinco de la tarde. El chofer sujetaba la portezuela abierta del automóvil negro.

—Puede marcharse ya —le dijo—. Yo manejaré hasta mi casa.

Terrance Leonhardy caminó hacia la puerta del Consulado. Subió el escalón despacio, cojeando por la pierna enferma. Al llegar a la puerta se detuvo y se volvió hacia el chofer.

—Estaciónalo en aquel lugar, en la sombra.

El chofer asintió con un movimiento de cabeza. Terrance Leonhardy entró en el Consulado y se dirigió a su oficina. Abrió su escritorio y revisó los papeles que había dictado esa mañana, antes de la reunión en el Holiday Inn. Firmó tres documentos y llamó por la red al vicecónsul, para confirmar las invitaciones a la recepción que ofrecía por la noche en su residencia.

El calor de la tarde lo envolvió agresivamente cuando se dirigió hacia el automóvil. Arrancó el motor y encendió el clima artificial. Salió del Consulado y tomó la solitaria avenida en dirección del Club de Futbol Guadalajara. La tarde era muy brillante. Vio que el automóvil amarillo se acercaba y disminuyó la velocidad. Luego el vehículo estuvo a punto de chocar con él y trató de evadirlo girando hacia la derecha. El auto volvió a embestirlo. Por el espejo retrovisor vio que otro vehículo blanco frenaba detrás. El que traía el cabello largo y barba trató de abrir la portezuela del auto. Cuatro hombres armados lo estaban rodeando.

—¡Bájese! —le volvieron a gritar—. ¡Bájese!

Lo metieron en el auto blanco, pero no pudo flexionar la pierna enferma. Uno de los hombres lo movió con violencia. Alcanzó a ver su Plymouth negro con la portezuela mal cerrada, en la calle.

—Baje la cabeza —le ordenaron.

Terrance Leonhardy se inclinó y sintió el olor de la tela que le cubría la cara. Pensó que iba a morir.

—¡Agáchese! —escuchó cuando le anudaron la venda alrededor de la cabeza.

128

Sintió que alguien lo obligaba a doblarse completamente y a descansar la cabeza sobre las rodillas.

—No se incorpore hasta que se lo ordenemos —dijo la misma voz.

Sintió mucho después que el auto se detenía, pero el motor continuaba encendido. Se incorporó en el asiento y a tientas buscó apoyo para salir. Se dio cuenta que sudaba.

—¡Cuidado con su pierna, que cojea! —escuchó que alguien decía cuando sintió el olor caliente de otro vehículo.

———————————

—Miguel Nazar Haro debe presentarse con usted esta misma tarde —repitió la voz, lejana, por el teléfono.

—Habló conmigo hace una hora.

—Entonces le confirmo que sobre todo no se intente ninguna investigación que comprometa la seguridad del cónsul. Se prometió al gobierno norteamericano que aceptaremos todas las condiciones de los secuestradores para no poner en riesgo la vida del señor Leonhardy y se giraron ya los despachos oficiales desde la Secretaría de Relaciones Exteriores. El Departamento de Estado, en Washington, prometió no intervenir en pesquisas ni en presiones de ninguna índole. Se trata ya de un compromiso delicado por parte nuestra.

—Pero el señor gobernador ha dado ya sus seguridades al señor presidente de que no se actuará fuera del compromiso del gobierno de la República —contestó, alzando la voz.

—De eso no tenemos ninguna duda, señor procurador. Ya hemos sido notificados de la entrevista del señor presidente con el gobernador de su estado, por supuesto. Pero como le advirtió ya Miguel Nazar Haro, debemos apresurarnos, antes de actuar abiertamente, en la investigación de filiaciones políticas de este grupo del FRAP. Por eso nos urge abreviar los pasos de identificación.

—No entiendo qué debemos hacer, disculpe. ¿Podría repetirme lo que ha dicho?

—Se trata de localizar las conexiones posibles de estos grupos radicales de izquierda. Contamos con la ayuda de algunos elementos que han estado en el Partido Comunista y que tienen suficiente información sobre los movimientos clandestinos y universitarios. Con esta información directa podemos avanzar. Es importante la lista de los treinta delincuentes que exigen que liberemos y que consideran presos políticos. La ubicación de todos los contactos posibles que esta lista nos permita hacer es la investigación que necesitamos ahora. Posiblemente descubramos vínculos con Lucio Cabañas, porque en el comunicado que nos piden publicar es el único grupo organizado que mencionan, y entre los reos de la lista varios pertenecen al grupo Lacandones , que ha estado muy cerca de Lucio Cabañas.

Nos interesa mucho el caso, pues, porque sabemos que Cabañas trata de coordinar todos los grupos terroristas en el país. Con los archivos judiciales de Chihuahua y Nuevo León, además de los de ustedes, podemos integrar los contactos cercanos y directos de los secuestradores y apartar gestos de solidaridad, como para Flores Bello, del que ignoraban que no estaba ya en la cárcel; podemos suponer que no tienen contacto real con él y que se trata de una falsa pista. No así con los miembros del MAR, de Lacandones y de la Liga Comunista, en lo que muestran un buen conocimiento personal.

—Entiendo. Toda la información posible está ya a disposición del señor Nazar Haro y de la judicial federal.

—Pero necesitamos cuidar otros dos aspectos, señor procurador. Discúlpeme usted por interrumpirlo.

—De ninguna manera, siga, por favor, don Fernando.

—Ya hemos indicado a todos los estados que pongan en libertad de inmediato a los reos que piden los secuestradores para trasladarlos en el transcurso de este día a la ciudad de México. Los concentraremos en el Campo Militar número uno y a primera hora de la mañana se les llevará a La Habana, también en avión militar. Según nos ha informado la Secretaría de la Defensa, la Zona Militar de Jalisco tiene ya instrucciones para transportar a los reos que se hallen en prisiones de su estado, señor procurador. Esto es urgente. Y también no dar ninguna pista a la prensa, porque para la expectativa norteamericana es muy importante que no observen de nuestra parte ningún movimiento y ninguna actitud que pueda dificultar la tensión diplomática. Eso por un lado. Pero hay algo delicado todavía, que podría complicar el control de información y de inactividad política que debemos presentar como imagen pública. Necesitamos controlar, o aislar, si usted quiere, este secuestro de posibles conexiones con los acontecimientos en el estado de Puebla, señor procurador, ya que la situación del gobernador Bautista O'Farrill es muy crítica. La violencia en Puebla por la muerte de los estudiantes se agudiza con grupos radicales también, pero desligados del FRAP y de los activistas que exigen que liberemos.

—Pierda cuidado. Entendemos perfectamente el asunto y sabemos que está comprometido aquí todo el país, y no solamente nosotros.

—Como usted sabe, el presidente asistirá a la reunión de producción agropecuaria en Guadalajara el día de mañana. Pero su presencia no se encaminará en ningún momento a llamar la atención sobre el caso del cónsul. Reforzará la imagen de calma ante este asunto. Y también necesitamos que su viaje demuestre a la opinión periodística y a los medios extranjeros que nuestro clima social es de tranquilidad.

130

—Así lo entiendo.

—Muchas gracias, señor procurador. Le deseo suerte.

—Adiós, sí, gracias.

—Se trata de un solo punto, compañeros —explicó Lucio bajo un inmenso amate, en el campamento cercano a El Tranchete y San Martín—. Los hemos convocado para considerar un solo punto y aclarar esta situación peligrosa para nuestros operativos.

En la sierra se levantaba un ligero vapor. La tierra estaba húmeda por las lluvias recientes. Esa mañana el viento comenzaba a mover ese ligero vapor de la tierra, de los árboles. El cielo estaba preñado de nubes inmensas; hacia el sur, hacia la costa, se oscurecían. Desde ahí, desde la costa, posiblemente llegaría la lluvia al atardecer. Lucio levantaba la voz entre los cincuenta hombres reunidos en el nuevo campamento. Manuel y Ramiro se hallaban sentados en la tierra; sólo Ramón estaba de pie, a su lado. Lucio parecía distinto. Se notaba impaciencia en su voz. Agitaba su mano derecha con vehemencia, con molestia, con prisa, incluso.

—Todos tenemos que enterarnos y opinar, compañeros. Porque todos estamos al tanto del problema y casi todos somos testigos. Así que propongo que de una vez tratemos ya este caso, que como todos ustedes saben, es el de Joel y Silvia, Renato, Roque y Julián.

Frente a Lucio, entre los hombres del campamento que escuchaban atentos, estaban de pie Renato y Roque. Julián, que estaba en el extremo opuesto, empezó a caminar hacia ellos. Lucio esperó que hubiera menos ruido entre los grupos que se hallaban al fondo, cerca de la brecha que llevaba a San Martín. Ramón se acercó a Lucio y le dijo algo al oído.

—El compañero Ramón me pide aquí que haga una aclaración al pleno, lo cual creo que cabe, porque no se trata de cuestiones personales. Desde hace tiempo ustedes saben que se tomaron acuerdos para los intercambios entre las organizaciones hermanas, porque muchos compañeros no pudieron superar en nuestras reuniones el respeto a la línea de acción que cada organización creía conveniente tomar. Todos perseguimos un fin único, sí, pero con distintas ideas de cómo hacerlo, con divergencia de opiniones, y por eso no hemos hecho una sola coordinación nacional, aunque sí establecimos que actuáramos juntos en lo que pudiéramos, y que esa solidaridad, que ese intercambio, pues, sería nuestro origen de integración. Y para que ese intercambio pudiera hacerse no sólo de dinero, equipo, o armas, cuando alguna organización pudiera ayudar a otra en eso, sino también más allá, con más compromiso, se tomó el acuerdo de que hubiera intercambio de elementos, que pudiera ir gente nuestra

131

a otros grupos para aprender, y que lo mismo hicieran con su gente otras organizaciones y la enviaran aquí, con nosotros. Pero todos se obligaban a obedecer y a respetar la forma de trabajo de la organización en que se integraran. Y por eso aclaramos esto, porque estos cinco compañeros pertenecen a la Liga 23 de septiembre y siguen actuando aquí como si no hubieran llegado al Partido de los Pobres. Y en la dirección de nuestro Partido consideramos que esto era de suma importancia y que debíamos llevar a la asamblea de la Brigada este caso.

Se levantaba un rumor entre los campesinos de la Brigada. Un rumor que venía rodando desde el fondo, desde los matorrales, desde las peñas donde se sentaban los más nuevos elementos. Lucio alzaba con vehemencia su mano derecha. Uno de los acusados, Joel, movía la cabeza de un lado a otro, negando lo que oía.

—Pero quiero explicarles bien, compañeros —volvió a decir Lucio con voz firme—, la razón de que estemos planteando en asamblea este problema. Es que la lucha en México de los que combatimos con las armas no tiene la misma experiencia, ni la misma forma de trabajo. Cuando nos hemos reunido con todas las direcciones nacionales hemos llegado a la conclusión de que aún no está maduro el desarrollo de la lucha para que todos nos coordinemos con las mismas ideas y los mismos principios. Porque aquí nosotros hemos trabajado con los pueblos. Y contamos con el apoyo de los pueblos si luchamos contra el ejército, o si emboscamos a soldados o a judiciales, o si emprenden una campaña militar contra nosotros. Para todo esto contamos con el apoyo de los pueblos, que nos protegen, nos avisan, nos esconden, pues. Por eso nuestra lucha es con las masas campesinas, porque sin los campesinos nuestra lucha ya se hubiera acabado. Pero otras organizaciones no tienen apoyo como nosotros. En la ciudad, o en un barrio de la ciudad, si la policía persigue a algún compañero, pues se esconden en hoteles, o en departamentos donde tienen salidas secretas, o arreglos para emergencia, y por ahí se protegen, pero solos, porque no los esconden los obreros, o la gente, pues, en sus casas, porque no tienen trabajo con el pueblo y están solos, ¿entienden? ¿Y qué les vamos a decir a esos compañeros? "¿Ustedes no tienen el respaldo popular, así que ustedes no luchen, porque su lucha no es con los pobres, no es con los proletarios?" Pues no, porque ellos no tienen la misma experiencia que nosotros, pero creen que así está bien, que así van hacer la revolución socialista. Ellos que han leído muchos libros y hablan con muchas palabras muy intelectuales de mucha teoría, sí dicen, en cambio, que nuestra gente no tiene teoría, y que entonces no tienen que luchar porque no debe ser así la revolución. Pero tampoco pueden impedirnos que luchemos, porque nuestra lucha es así, y todos los que estamos aquí creemos en ella. Así que hace meses, aquí en la sierra, cuando vinieron todas las organizaciones que siguen una lucha armada, vimos que no todos teníamos la igualdad teórica ni práctica en nuestra lucha, y que por tanto no podíamos tener una coordinación igual para todos. Pero sabemos también que es necesaria toda forma de lucha decidida, con las armas. Porque no todos los que se dicen revolucionarios, o marxistas, piensan que hay que combatir con las armas. Porque muchos dicen que no, que no hay condiciones, que falta un estudio exhaustivo, o sea completo, sin que falte nada, de la realidad. Y eso lo dicen en sus casas, o en las universidades, tomando café, durmiendo en su cama, viendo televisión todos los días, sin perder el sueño por los moscos, ni por el frío, ni por la lluvia, ni por el hambre, como nosotros aquí en la sierra. Entonces los que ya pensamos que debemos luchar con las armas, porque en la legalidad todo es engaño y el gobierno acaba matando a la gente, como a Rubén Jaramillo, que creyó que podía dejar las armas y vivir en la lucha legal como todos los campesinos creen. Se lo creyó y lo mató el ejército con sus hijos, con su esposa que además estaba embarazada, y eso que el presidente de la República le había dado un abrazo para que dejara las armas. Y bueno, si pensamos que debemos luchar con las armas en las manos y empezar así el cambio por la justicia en México, por la justicia verdadera, pues entonces eso ya es un adelanto, eso es un punto de acuerdo entre todos. Y dijimos que debíamos fortalecer ese punto de acuerdo, que todas las organizaciones eran necesarias así, en este momento. Y que no podíamos debilitar a ninguna organización, porque entonces debilitaríamos la lucha entera. Porque algunos del Partido Comunista, por ejemplo, no están de acuerdo con el levantamiento armado, pero entonces luchan contra nosotros, y delatan a compañeros, que muchos han caído presos o han sido muertos por esas traiciones. Y otros le reclaman al Partido Comunista y quieren actuar contra él. Pero no debemos luchar contra nosotros mismos, sino aprender de todas las organizaciones la forma de trabajar, de organizarse, de combatir, incluso de otras organizaciones revolucionarias de otros países. Y por eso es fundamental en el intercambio de personas la obediencia al grupo al que se incorporan, porque de esta colaboración, de esta mutua colaboración, puede hacerse que se desarrolle el trabajo y la lucha en todo el país. Ésta es la razón de ser de los acuerdos, compañeros. Y por eso insisto en que no es una cosa personal, sino algo que va más allá de los individuos y que afecta a la lucha misma, a la solidaridad de todos los que luchamos en el país. Y así no pedimos a otras organizaciones que actúen como nosotros, porque no tienen la misma organización que nosotros. Sino que actúen como son ellas mismas, como ellos decidan, pues, y nosotros respetaremos sus decisiones. Porque es muy fácil decirles a los de Tamaulipas o de cualquier otro lugar, "a ver, éntrenle a la guerra como nosotros, tiendan emboscadas a militares como nosotros, hagan guerrillas". Y no se trata de que contesten que ellos también tienen huevos para enfrentar a los soldados y que lo vayan a hacer. No, porque si no cuentan con el apoyo de todos los pueblos de por allá, no lo podrán hacer. Pero tendrán que luchar como ellos crean que deben hacerlo. Y nosotros debemos decir que sí, que así está bien, como ellos lo decidieron. Y si nos piden que vayamos a ayudarlos, cuando lleguen gentes nuestras, pues que se disciplinen a ellos y que actúen como esa organización decida, pero no como aquí, como en el Partido de los Pobres, porque aquí nosotros decidimos las cosas de otra manera. Y esto es lo que hemos dicho siempre.

Lucio quedó callado. Paseó la vista por todos los que se hallaban escuchando en el campamento. Dejó sus brazos quietos, cayendo a sus costados. Sólo la mano derecha parecía un poco cerrada, aunque la frotaba suavemente contra el pantalón.

—Creo que las razones están ya suficientemente explicadas, así pasaré a exponer las faltas que han cometido estos compañeros —continuó en voz alta, volviendo a levantar el brazo derecho—. Y si ellos quieren hablar después para demostrar que no es cierto lo que yo diga, pues que hablen y que luego la asamblea decida.

Lucio volvió a guardar silencio. Miró a los hombres y mujeres que se hallaban bajo los árboles, sentados en las piedras, en la tierra. El ruido de la sierra había disminuido por un momento. Sólo el viento parecía aumentar, rodear cafetales, zanjas, ascender entre el vapor y la frescura ligera que anunciaba la lluvia cercana.

—Bueno —dijo Lucio—, pues consideramos que estos cinco elementos de la Liga 23 de septiembre y de la Organización Partidaria, que son Silvia, Joel, Julián, Roque y Renato, han emprendido acciones negativas contra el Partido de los Pobres que no son dignas de revolucionarios ni de gente que se diga solidaria con la revolución socialista en México. Y que revelan, por lo tendencioso de su actitud, inmadurez revolucionaria, incapacidad ideológica y mala fe por su vanidad, pues muchas veces por haber leído libros que no se pueden digerir se produce este infantilismo de los que quieren ser revolucionarios. Pues los delitos que han cometido son calumnia y difamación del honor de compañeros y del movimiento guerrillero mismo, labor de zapa contra el Partido de los Pobres y abuso de confianza. Repetidas veces han tratado de debilitar nuestro grupo y confundirlo. Muchos son los testigos, por no decir que todos, de sus repetidos intentos de evadir asambleas y tratar de convencer en privado a nuestra gente de que nosotros no somos lo que decimos, de que nuestra lucha está equivocada y de que los jefes debían ser ellos.

"Se valen de palabras que ninguno entiende aquí, y escudados en esas palabras les dicen que todos están jodidos. Que si no saben tanto marxismo como ellos, que entonces están jodidos. Que si no pueden leer lo mismo que ellos, entonces están jodidos. Que si quieren entender el marxismo con palabras sencillas, que estamos jodidos, porque eso no es el marxismo, y total que ellos son los dueños del marxismo y que si ellos no aprueban lo que hacemos entonces nosotros estamos jodidos. Pero, entonces, ¿qué somos nosotros?' 'Ah, pues son pequeñoburgueses', nos dicen. ¡Ah caray, y nosotros creíamos que éramos campesinos pobres, campesinos hambrientos, ignorantes, pero con un trabajo de masas en todos los pueblos de la sierra. Pues no, para ellos estamos jodidos y no estamos siendo revolucionarios. Pero si preguntamos '¿por qué hemos podido durar seis años luchando en la sierra sin fracasos? ¿Por qué seguimos fortaleciendo nuestra lucha y el ejército nos teme y todas las organizaciones hermanas quieren tener trato con nosotros?' 'Ah, pues eso no cuenta, porque ustedes sólo están haciendo un movimiento populista, no revolucionario. Y siguen a un caudillo, que es ese Lucio Cabañas, que los engaña a todos y al que siguen como si fuera el dueño de todos'. Ah, pero si les decimos '¿cómo está eso de que Lucio es un caudillo populista? ¿Entonces por qué trae todo a asamblea, por qué no da órdenes, por qué no dice él solito todo lo que debe hacerse y siempre tratamos todo en asamblea y nuestras decisiones son compartidas? A ver, ¿cómo está eso?', les decimos. Pero ellos responden, 'no, es que Lucio es demagogo, y los trae apantallados a todos ustedes como pendejos, y no se dan cuenta que los hace como él quiere. Es que así son los caudillos, por eso el movimiento de ustedes no es revolucionario, sino pequeñoburgués'. Pero cuando se les pide que digan sus ideas ante la asamblea, en público, no quieren, y siguen diciendo sus cosas a espaldas de todos. Y se les demuestra que sus ideas están equivocadas, y que no tienen autocrítica, pero, entonces, ¿qué hacen? Como con el compañero Armando, que les demostró que era abuso de confianza lo que estaban haciendo, y les reclamó que sacaran volantes a nombre de nuestro Partido, sin que esos volantes los hubiéramos conocido ni mucho menos que se hubiera tratado en asamblea lo que se decía en ellos. Porque en esos volantes pedían a trabajadores de caminos o a campesinos de los barrios que emprendieran asaltos armados masivos a comercios y poblados, y pues eso era imposible, primero porque se dirigía a grupos que no estaban todavía organizados revolucionariamente, y por lo tanto se pasaban por alto el trabajo de masas, porque ellos no saben hacerlo, y sólo pedían cosas suicidas. Y al demostrarles que no era trabajo correcto lo que ellos pretendían, empezaron a decir que el compañero Armando era un policía disfrazado, y que debían tener cuidado con él, porque traicionaba a todos, y que cuando alguien saliera, él lo delataría y los matarían a todos así. Y eso es la verdad, compañeros, porque tenemos muchos testigos de esto. Y empiezan a valerse de la calumnia para conseguir esto, compañeros: apoderarse de la dirección de nuestro partido. Porque se sienten dueños del marxismo y de la revolución de México, aunque no hacen trabajo de masas, no son del pueblo, no tienen experiencia en organización, ni en lucha, ni madurez revolucionaria, pero se sienten los dueños de las ideas y creen que deben dirigir todo, aunque no sepan dirigir, y que los debemos obedecer todos, aunque son incapaces de convencer a ninguno de nosotros. Y como son muy intelectuales creen que se merecen todo y que todos los demás estamos jodidos si no les hacemos caso. Y quieren dirigirnos y piensan que como todos nosotros somos campesinos pendejos que no tenemos lectura de tantos libros como ellos, así creen, pues, que es muy fácil convencernos y apantallarnos y convertirse en los dirigentes del Partido de los Pobres. Y ésa es otra verdad, que son usurpadores de la revolución, de la lucha revolucionaria. Así delataron a los compañeros que se prepararon en Corea y al llegar a México ya los esperaban para arrestarlos. Así son los burócratas marxistas en todas partes. Y para usurpar se valen de la calumnia, de la oscuridad, del ocultamiento, por eso merecen el repudio de todos nosotros. Porque nosotros los aceptamos como compañeros solidarios, que venían a ayudarnos, a compartir con nosotros lo que sabían. Y han abusado de esa confianza para debilitarnos, para atacarnos, para que los siguiéramos como borregos porque se sienten con la verdad única y no quieren la unidad, sino ser los jueces para decir quién sí es revolucionario y quién no, y que desaparezcan los que ellos digan que no, y que los desaparezcan porque los fusilen, o los entreguen, o los delaten, pues sólo son capaces de destruir la revolución y provocar movimientos suicidas en la sierra y en las ciudades. Esto es lo que tenía que decir, compañeros. Ahora que hablen ellos, si se quieren defender.

Cuando Lucio terminó, el sol caía, inmenso, sobre el campamento. El calor había brotado de inmediato. El ruido de la sierra pareció esconderse de pronto, aunque las nubes seguían amontonándose en el cielo, hacia el sur, grises. Ramón empezó a pedir silencio, alzando las manos.

—Como ha dicho el compañero Lucio —comenzó a hablar—, ésta es la exposición del problema. Las acusaciones concretas también las ha explicado Lucio. La asamblea tiene que analizar todos los puntos. Pero ahora —agregó, dirigiendo la vista hacia tres de los acusados— que se defiendan ellos de las acusaciones. O que hable uno. O como quieran, como decidan, pues.

Renato levantó la mano. Ramón asintió con la cabeza.

—Va a tomar la palabra el compañero Renato.

—¡Compañero! —gritó uno de los hombres que se hallaban atrás, puesto de pie—. ¡Compañero! Una aclaración, antes de que hablen los acusados.

—A ver, habla, Daniel —contestó Ramón.

—Pues quiero decir que yo, y al menos los que están aquí junto a mí, que estamos de acuerdo con lo dicho por el compañero Lucio. Pensamos que es correcto lo que dice, pues. Sí, es correcto todo lo que ha apuntado, porque todos somos testigos, como él ha dicho. Todos somos testigos del comportamiento de los acusados. Y eso es correcto también en lo que dijo el compañero Lucio. Nada más que nosotros creemos, pues, que no pasa lo mismo con el compañero Julián. Porque para nosotros siempre ha sido un compañero solidario. Y todo lo que él nos ha dicho, pues nos parece que ha sido correcto. Él ha sido respetuoso de las asambleas, y no creemos que sea su caso. Esto es lo que queríamos decir, era una aclaración. Muchas gracias.

Un murmullo se levantó entre todos los que se hallaban en el campamento, apoyando lo que había dicho el campesino. Ramón se volvió hacia Lucio y luego pidió silencio nuevamente.

—Creo que muchos estamos de acuerdo con lo que ha dicho Daniel —explicó—. Pero les recordamos que se trata de una acusación general sobre los compañeros que no pertenecen al Partido de los Pobres y que es la asamblea justamente la que decidirá sobre todos los casos. Así que está bien la intervención de Daniel, pero es necesario que escuchemos ahora a Renato.

Renato estaba ya junto a Ramón. Guardó silencio un momento más. Luego dio unos pasos.

—Voy a hablar en nombre mío, principalmente —dijo—, aunque también a nombre de mis compañeros, porque a pesar de lo que ha dicho Lucio Cabañas, nosotros no actuamos por motivos personales, sino porque tenemos la misma idea y un mismo propósito.

Se detuvo un momento. Levantó la vista.

—Porque la lucha revolucionaria —volvió a decir— no es asunto de ideas particulares, sino de una ideología precisa. Y nosotros la tenemos, y por eso puedo hablar a nombre de mis compañeros, porque no es cuestión de opiniones casuales ni de fines subjetivos. Nuestra posición ha sido muy clara desde el principio. Vinimos a colaborar con ustedes para apoyar la formación ideológica del Partido de los Pobres. No queremos decir que no tengan miembros con formación ideológica marxista, no, pero sí venimos aquí para ayudarlos en las tareas de formación política, de teoría marxista, pues, para ser más claros. Y nosotros nos comprometimos a contribuir con

137

eso. Y no nos hemos apartado de ese objetivo. Pero si lo que hemos traído ofende a muchos de ustedes, eso ya no es problema nuestro, porque nosotros sólo decimos las cosas como son, y si a ustedes, o a alguno de ustedes, como al compañero Lucio, por ejemplo, no les gusta lo que pensamos, pues lo sentimos mucho, porque nosotros sólo estamos hablando de lo que venimos a tratar con ustedes, o sea, de pensamiento político, de teoría del marxismo.

Renato guardó silencio un momento. Miró los rostros sucios, morenos, de los hombres del campamento. Miró los huaraches que calzaban los que se hallaban frente a él, sentados en el suelo; miró los pies ennegrecidos, las manos callosas, morenas, los ojos rasgados que se abrían mucho para entender. Respiró profundamente. Se volvió a ver a Silvia. Trató de recordar sus clases, los salones, el olor a gis, a humo de cigarrillos. Desde la primera clase que impartió en preparatoria supo distinguir a los alumnos por la mirada. Buscaba los ojos y encontraba la inteligencia, la comprensión de los que podían entender. Sintió deseos de fumar un cigarrillo. De dar algunos pasos junto a Ramón, como si lo hiciera en otro lugar, ante un escritorio de clase. Miró los ojos de esos campesinos pobres, enfermos, acosados por el sudor, por largas caminatas, por el viento y el sol de la sierra que curte la piel, que endurece los músculos de la cara, de la espalda, que los va mimetizando como esa tierra misma, como pedazos de piedra, como ramas secas. Ligera, débilmente ascendía en su estómago la sensación del miedo. Una impotencia lo detenía ahí, frente a esos ojos burdos que lo miraban. Sintió una inmensa necesidad de ser claro, de no mentir, Pero escuchaba también el miedo. Levantó la vista hacia las copas de los árboles. Movió ligeramente su pierna derecha hacia adelante, afirmándose.

—Partimos de una sola idea —volvió a decir en voz alta—. O mejor, para que sea más claro, para nosotros sólo hay una explicación verdadera, científica de la sociedad, de la vida de todos los pueblos. Y esta explicación es el materialismo histórico. El marxismo, en una palabra. No podemos engañarnos en esto. Pero el marxismo es pensamiento, es análisis, es estudio. No podemos creer que no debemos pensar, o analizar, ¿no? Para ser profesores, hay que estudiar. Para ser médicos, hay que estudiar. Para ser guerrillero, pues hay que estudiar también, ¿no es así? Tenemos que estudiar mucho de armas, de disciplina, de estrategia militar, ¿no? Para todo hay que estudiar. Bueno, pues para ser marxista, hay que estudiar también. Y para ser revolucionarios como nosotros queremos, tenemos que estudiar marxismo; sólo estudiando podemos ser verdaderamente revolucionarios, porque así nos daremos cuenta de si lo que hacemos está de acuerdo con el marxismo o no. Bueno, pero algunos de ustedes no saben leer bien. O de los que saben, no todos tienen práctica para leer bien. Y entonces nos dicen Lucio o Ramiro que no les enseñemos marxismo completamente, sino en forma sencilla, con palabras sencillas, o sea, con otras palabras, para que entiendan todos con otras palabras. Pero nosotros contestamos que no podemos engañarlos, que no podemos decir con otras palabras lo que realmente son las cosas. Porque, por ejemplo, no se trata de una revolución verdadera la lucha de pobres contra ricos, no, esto es falso. Claro que sí luchan los pobres contra los ricos, sí, pero lo que realmente ocurre es que hay varias clases sociales, y si la clase obrera no es el soporte de la revolución, las otras clases no podrían hacer solas una revolución socialista. Tienen que entender la teoría de las clases sociales, para comprender qué queremos decir con la lucha de clases. Pero además no estamos luchando solamente contra el ejército, la policía o los judiciales. Ni siquiera contra el gobierno, fíjense bien, ni siquiera contra el gobierno, sino contra otra cosa, que es el Estado burgués. Y el Estado no es lo mismo que el gobierno. Porque si cambia el gobierno, no cambia nada, porque otro gobierno, dentro de un mismo Estado burgués, se convierte en otro gobierno burgués, y no habrá cambio. Por eso nosotros decimos que la lucha es contra el Estado burgués, para cambiar el Estado burgués, y por eso no puede hacerse con elecciones nada más, como muchas gentes del Partido Comunista quieren hacernos creer. Las elecciones no sirven, aunque sean limpias, porque son parte del mismo Estado burgués, y por eso decimos que la lucha debe ser armada, violenta y proletaria. Y es entonces cuando puede haber una lucha que se crea revolucionaria, pero que no lo sea realmente. El marxismo nos ayuda a ver lo que en verdad está ocurriendo.

Volvió a guardar silencio. Tenía la boca seca. Sintió fatiga, impaciencia; la inutilidad de decir lo que estaba diciendo. Silvia lo estaba mirando. Joel también. Sintió sus manos calientes, con sudor. Las restregó en el pantalón.

—Y esto es precisamente de lo que se nos acusa —continuó con voz ligeramente temblorosa—. Decir lo que podemos ver. Decir que según el marxismo el Partido de los Pobres está corriendo riesgos populistas, de caudillismo. Porque muchos de ustedes son parientes de Lucio, o lo conocen de mucho tiempo atrás, y la organizacón depende cada vez más de su persona, y de los lazos personales que él tiene con ustedes. Y, por ejemplo, es caudillismo y populismo hacerles creer que pueden venir tres meses, o un mes, o seis meses, a luchar aquí, en la sierra, y que luego puedan bajar a sus casas y seguir su vida normal hasta que tengan ganas de subir otra vez o hasta que Lucio les diga que los necesita. Y eso es peligroso para la revolución. Porque la lucha por la revolución exige que uno se integre para siempre. Por eso muchos compañeros han sido delatados, porque los que suben aquí dos o tres meses conocen a todos, saben el sitio de los campamentos, el nombre de los contactos en los pueblos, y cuando viajan, delatan, ya sea porque son policías disfrazados o porque los torturan. Así se pone en riesgo la revolución. Y esto se le ha dicho a Lucio Cabañas desde la reunión de todas las organizaciones armadas del año pasado, aquí mismo, en la sierra de Atoyac, y no ha querido hacer caso de que eso es suicida y de que eso es ¡caudillismo y populismo! —gritó con voz firme.

Tenía la boca un poco seca aún, pero con la emoción había desaparecido la impaciencia. Sudaba profusamente. Se pasó una manga de la camisa sobre la frente. Sentía resbalar el sudor entre la barba rala.

—Ahora que si Armando es policía infiltrado o no —volvió a hablar—, pues en efecto, no lo sabríamos demostrar. Quizás no lo sea. Pero da lo mismo, porque cada vez que entran y salen guerrilleros de vacaciones, o temporaleros, se pone en riesgo la seguridad de todos los que estamos aquí, porque nos van descubriendo por delaciones o porque los compañeros son aprehendidos y torturados. Porque ustedes mismos saben de muchos campesinos que han estado con la Brigada varias semanas, o meses, y que luego les roban a ustedes hasta las armas y que las tratan de vender en los pueblos, ¿no? A ver, ¿no es así? ¿Y no sabemos también que muchos se bajan de aquí y se van derechito a darse de alta en el ejército? Y ésos se convierten en perseguidores y van guiando al ejército contra la guerrilla, ¿no? Entonces es lo de menos si Armando es policía o no, pues son casos incontables. Y podría seguir hablando más tiempo —dijo después de un momento de silencio—. Pero es todo lo que tengo que decir ahora. Sí. Es todo.

Se retiró unos pasos. Ramón se incorporó y caminó hasta situarse al frente de todos.

—¿Alguno quiere intervenir? ¿Alguien de ustedes quiere hablar? —volvió a preguntar.

Lucio lanzó una mano.

—Yo —dijo Lucio—. Yo quiero agregar algo. Para que no haya confusión.

Lucio caminó hasta donde se hallaba Ramón. Miró a todos, tranquilo, con los brazos caídos. Parecía estar pensando en otras cosas, estar absorto en otros temas. Parecía que no hablaría nunca. Movió una mano, suavemente, frente a su cara, para espantarse un insecto que volaba cerca de él.

—Quiero dar un ejemplo —volvió a decir—. Un ejemplo, para que no haya confusión. Porque Renato dijo que ellos ven más, porque saben más marxismo que nosotros, según ellos, aunque siempre se negaron a discutir con los compañeros de brigada que sí han leído y estudiado los mismos libros que ellos. Pero, por ejemplo, dice que debemos luchar contra todo el Estado burgués, no sólo contra el gobierno. Pero quiero preguntarle: ¿dónde está el Estado burgués? ¿Dónde está la dirección de ese estado, o en qué calle, pues, para que vayamos a luchar contra él, como dice? Porque el Estado burgués tiene gobierno, y nosotros estamos luchando contra el gobierno del Estado burgués. Pero además tiene ejército. Y nosotros estamos luchando contra el ejército del Estado burgués, y además padecemos las crueldades de ese ejército. Y el Estado burgués provoca y permite el hambre de todos los campesinos que somos nosotros, y peleamos también contra esa hambre, contra esa carestía. Y la padecemos también. Y la injusticia. Y el atraso educativo. Y las condiciones precarias de salud. Y todo lo que puede padecerse del Estado burgués nosotros lo padecemos. Y contra todo lo que pueda lucharse en contra del Estado burgués nosotros lo hacemos. Así quiero que diga en qué revolución socialista se ha empezado a luchar de otra manera que no sea contra el gobierno y contra el ejército de ese gobierno, para que nos ilustre. Además, que explique por qué dejar que el pueblo luche es contrarrevolucionario. Porque hay riesgos de traidores, por supuesto, en todas partes. Ellos son un ejemplo de traidores, da la casualidad. Porque traidores son los que debilitan la lucha, los que se oponen a ella, los que calumnian, los que hacen lo que ellos, pues. Entonces que diga por qué el hecho de que estén ustedes aquí, de que todos ustedes estén luchando con las armas en las manos, es indebido. Ah, y también que diga por qué no les importa que ustedes estén en la lucha en el caso de que ellos sean los jefes y no los que nosotros por asamblea votamos que lo sean. Que nos digan cuántas células de campesinos han logrado organizar, o cuántas células de obreros en las fábricas de las ciudades. Que nos digan si eso es igual a andar cargando libros.

Muchos se rieron en el campamento. Lucio se quedó callado. Luego esperó a que el rumor cesara.

—Bueno —dijo—. Pues era todo lo que yo quería agregar.

—¿Quiere contestar alguno de ustedes? —les preguntó Ramón.

Renato negó con la cabeza. Lo mismo hicieron Joel y Silvia. Ramón buscó del lado opuesto a Roque y a Julián.

—Yo creo que nada hay que agregar —dijo Roque en voz alta—. No pensamos igual que Lucio. Eso es todo. Así que no hay manera de ponernos de acuerdo. Lo mejor es que nos vayamos y ya, asunto arreglado. Ustedes se quedan con las ideas de Lucio y nosotros nos reintegramos a nuestras organizaciones.

Ramón se rió. Sostenía entre los dientes una brizna de hierba, que escupió antes de hablar.

—Para que ustedes fueran recibidos aquí, se requirió de una aceptación de la asamblea del Partido de los Pobres —explicó a Roque—. Así que se necesita también el permiso de nuestro Partido para que se vayan.

Se volvió a mirar a todos. El silencio era general y pesaba como algo material en el aire, en el viento fresco que seguía soplando, en el movimiento acompasado de las copas de los árboles.

—En caso de que juzgue la asamblea que está el asunto suficientemente tratado, es momento de que pasemos a decidir por votación si se consideran culpables a estos compañeros o no. Y en caso de que se les considerara culpables, votaremos por la pena que merecen, si fusilamiento, o expulsión, o lo que se crea mejor. Así que está a votación y a consideración de ustedes.

Ramiro pidió la palabra. Se hallaba junto al amate, sentado. Se puso de pie.

—Yo creo que fusilarlos sería una contradicción, compañeros —dijo—. Yo creo que eso es lo que merecen. Pero como son de otra organización hermana, nosotros nos estaríamos contradiciendo si llegáramos a fusilarlos, porque estaríamos haciendo algo como lo que ellos hacen, que es socavar la lucha de las organizaciones hermanas. Eso es lo que yo pienso.

Ramón hizo una expresión con los brazos, invitando a que otros hablaran.

—Yo apoyo lo que dijo Ramiro —intervino otra vez Lucio—. Yo creo que no debemos caer en lo que ellos mismos y otras gentes del Partido Comunista están acostumbrados a hacer, que es entregar gente, descalificar a compañeros que no piensan como ellos, y así. Creo que debemos sólo expulsarlos y ya, pero no fusilarlos, porque no nos corresponde matar a gente que aunque no piense como nosotros está luchando con las armas contra el mismo enemigo, pues.

—Bueno, pero antes de discutir el tipo de castigo —dijo Ramón— debemos primero votar si son culpables o no. Eso es lo primero. Así que debemos empezar por esto, compañeros. Está a discusión este punto.

Ramón miró a todos. Comenzaba a refrescar el viento. Ramón vio que un hombre levantaba la mano, atrás, junto a Daniel.

V

Agosto a diciembre de 1973

—Que lea Ramiro los nombres —repitió Lucio.

—Pero otros queremos ir también —insistió Eusebio, de pie—. Muchos todavía no han participado en una emboscada.

—Según el informe de Raúl —replicó Lucio—, no necesitan ir más. Y tenemos trabajo en estos pueblos, porque nunca hemos organizado aquí núcleos de apoyo para la Brigada. Ésta es la acción principal. Por eso decidimos por votación los que tienen que ir a la acción militar.

Ramiro se puso de pie y extendió una hoja de papel.

—Los que tienen la comisión de poner la emboscada son éstos —dijo, disponiéndose a leer—: Ramón, Martha, Quirino, Damián, Alfredo, Héctor, Solín, Raúl y Silviano. Y yo, porque Raúl y yo escogimos el lugar de la emboscada. Éstos son todos los compañeros.

—Recibirán contactos en tres días para que sepan el lugar donde acamparemos —aclaró Lucio—. Ustedes suban también desde Zacualpan hacia el oriente, hacia Coyuca de Benítez, rumbo a Pie de la Cuesta. Los vamos a esperar para avanzar hacia el río. Desde el 24 de agosto los vamos a esperar.

—Pero que se preparen ya los compañeros —pidió Ramón.

—Todos —repuso Lucio—. Ustedes para que salgan al amanecer. Los demás, para que levantemos el campamento.

—Yo digo que repasemos el plan de la emboscada —insistió Quirino.

Lucio asintió con un movimiento de cabeza.

—Que traiga Raúl el dibujo —pidió Ramón.

—Sí, quiero verlo yo también otra vez —agregó Lucio.

143

Ramón se puso de pie para pedir el dibujo. Raúl se acercaba con la cartulina blanca.

Miró la carretera. Pensó que no llovería por la tarde. Hacia el sur, las nubes se amontonaban, inundaban el horizonte. Se volvió hacia los matorrales, por la voz de Martha. Más lejos oyó la respuesta de Quirino, con su entonación norteña. Vio a Ramiro incorporarse del otro lado y reclamar que guardaran silencio. Luego apareció en la carretera, desde el rumbo de Las Palmeras: se acercaba en la tarde la silueta a muy alta velocidad. Solín se mantuvo en la misma postura, hasta distinguir dos figuras tras el parabrisas. Dudó. Empuñó su M-2. El camión oscuro estaba ante él, casi saliendo. Disparó por fin. Dos ráfagas se abrieron, tardías, desde la cuneta. El motor del camión produjo un ronco ruido. Los impactos caían sobre los faros, también sobre la lona que lo cubría, pero no salió de la carretera. Todo sucedió muy rápido. Los disparos no lo detuvieron. Silvano y Mauricio bajaron del paredón. Quirino bajó también y corrió disparando hacia el camión que se iba empequeñeciendo ya a la distancia, rumbo a Zacualpan.

—¿Pero cómo puede decir que se trata de los bandidos de Lucio Cabañas? ¡Dígame usted! ¡Y en la carretera Acapulco Zihuatanejo! ¿Se da cuenta?

—Es que se detuvieron todos los carros, mi general. Antes de Zacualpan. Los guerrilleros andaban corriendo en medio de la carretera disparando al camión.

—¡Explíquese!

—En el camión sólo venía el conductor con el capitán y un soldado, mi general. Les hubiera sido imposible contener el ataque.

—¿Cómo?

—Le digo que se detuvo la circulación en la carretera y empezaron a repartir de esos volantes entre los pasajeros de los autobuses. Incluso comenzaron a dirigir la circulación y en un Ford rojo detuvieron a tres norteamericanos; les robaron una cámara fotográfica, una grabadora y dinero; sólo les dejaron el paquetito de marihuana que ellos traían para su propio uso, general.

—¿Y enviaron ya tropas en su persecución?

—No, mi general.

—¡No pueden evadir los destacamentos de Cacalutla!

—Pero es que fue antes de Zacualpan, mi general. Entre Las Palmeras y Zacualpan.

—Pues entonces han entrado en Coyuca de Benítez. Que rastreen toda la zona. Pero inmediatamente. Quiero reunidos aquí a los oficiales de los batallones de Atoyac y de Acapulco. Hoy mismo. Debemos penetrar desde Coyuca hasta Tepetixtla.

—Podríamos saber con cierta rapidez hacia dónde se dirigen, mi general. Porque eran pocos hombres, no más de una docena, por la información que hemos recogido. Podemos suponer que se dirigen hacia un campamento, pues. Un campamento que no puede estar por El Quemado, pero sí en Coyuca de Benítez, El Mosquito o El Venero. Las lluvias hacen imposible el rastreo, mi general. Pero los pueblos pueden orientar mucho en el avance de los contingentes de Lucio, no del comando que atacó el camión en la carretera nacional.

El general Enríquez Rodríguez se ajustó irritado los anteojos oscuros y tomó el teléfono rojo.

—Retírese, capitán. Dígale al teniente coronel Cassani Mariña que lo espero esta misma tarde en mi oficina. Que traiga toda la información de que disponga. Incluyendo a los soldados del camión atacado. Todo.

Acamparon junto al arroyo, arriba de Pie de la Cuesta. Empezaba a oscurecer. Tendieron las hamacas sobre los árboles del arroyo. El cielo estaba nublado, pero con muchas zonas despejadas, llenas de estrellas. Estaban agotados. Después de beber una infusión caliente de hojas de limón subieron a sus hamacas.

Una hora después Eusebio empezó a sentir un ruido profundo en el arroyo. Era un ruido como de piedras, de cascada, de basura. Trató de distinguir el movimiento que se agitaba y bajó hacia la orilla del campamento. Los trastos de la cocina se golpeaban en el agua. Los árboles donde colgaron las hamacas empezaban a inclinarse sobre la creciente sorpresiva del arroyo, sobre el vaho del agua oscura y sucia que encorvaba los troncos de los amates, de las parotas, de los ciruelos. Eusebio dio la voz de alarma. Despertaron todos, ya rodeados por la creciente del arroyo. A Lucio se le mojaron la hamaca y su equipo. Cambiaron la cocina de sitio llevándola lejos de la orilla. Desanudaban las hamacas luchando contra la corriente. Cubiertos de lodo, acosados por las jaras y la basura que el arroyo arrastraba, fueron sacando las armas, la ropa, el equipo. Lejos, en la orilla seca, no estaba Ranmel. Lo distinguieron dormido aún en su hamaca, agitada con violencia por los árboles a punto de desgajarse. Gritaron, pero Ranmel no escuchaba. Uno empezó a arrojarle piedras y a gritar, mientras se introducía en el arroyo que seguía creciendo.

La silueta de Ranmel pareció despertar. Lo vieron incorporarse. Quedarse inmóvil varios segundos, mecido por el movimiento de los árboles en que pendía la hamaca. De pronto saltó a la corriente y empezó a deslizarse, a brincar, a tratar de despertar en la oscuridad, en el frío de la corriente lodosa que lo rodeaba como una pesadilla. Desnudo, sin hamaca, sin arma, fue corriendo hasta la orilla, con los ojos muy abiertos, respirando por la boca, cubierto el cuerpo con ramas y lodo. Un olor a río y a raíces inundaba la noche, inundaba el cielo, la oscuridad del cielo tranquilo. Un enjambre de moscos caía sobre los cuerpos mojados, sobre los brazos, sobre las caras.

Ascendieron por el cerro de palmeras de cayaco, desordenadamente. Los soldados habían rodeado las dos palapas cercanas al arroyo de El Venero. Una anciana lloraba frente a la primer palapa. De la otra los soldados sacaban a golpes de fusil a un hombre ya ensangrentado. Un capitán daba órdenes a los grupos que avanzaban por el cerro. Tres soldados rodeaban al campesino golpeado. Había dos niñas llorando con las manos en la boca, los vestidos desgarrados, descalzas. La esposa del campesino se resistía junto a la puerta, sujeta por dos soldados. Era mediodía. El calor parecía confundirse con la llovizna como si todo se tornara en vapor, como si la tierra abriera un lodo caliente que el sol intentaba secar, confundir entre la llovizna y el calor asfixiante.

—¡Llévenlo al arroyo! —gritó el capitán—. ¡Que lo coman los perros! ¡Si no quiere hablar que se lo coman los perros!

Uno de los soldados sujetó al campesino de los cabellos, con violencia. El campesino gimió. Lo obligaron a caminar. Tenía el pantalón manchado de lodo. Levantó las manos, para protegerse la cara. Distinguió la voz de su esposa, los gritos. Luego oyó a sus perros y después los disparos. Los soldados volvieron a disparar. El gemido de los perros era un dolor intenso. Volvió a sentir un golpe en la espalda. Otro de los militares gritaba órdenes a los soldados que llegaban.

—Están rastreando todos los barrios —explicó Raúl—. Y llegaron ya al campamento.

—Sólo habíamos enterrado alimentos y equipo —interrumpió Chelo.

—Si fuera cierto lo que dicen los campesinos —intervino Ramón—, entonces preparan la campaña militar concentrando tropas en Tepetixtla.

—¿Y el coronel Cassani? ¿Por qué no actuamos contra él? —preguntó Ramiro.

—Yo también estoy de acuerdo en eso —intervino Chelo.

—Varios campesinos lo han visto en una safari por el camino de Petlala a Coyuca. Podemos actuar ahí, mientras avanzamos hacia Yerba Santita —sugirió Ramiro.

—Me parece bien —comentó Lucio, finalmente, poniéndose de pie—. Exploren antes la zona. Pero lejos de Petlala, porque hay una guarnición ahí y no podemos arriesgarnos a la mitad del recorrido por esos pueblos.

—¿Y por qué no Petlala, de una vez? —preguntó Raúl.

Lucio negó con las manos.

—¿Quién les ha dicho que toda revolución debe tener un Moncada o un Madera? No quiero enfrentamientos con la guarnición. Aquí nuestro trabajo es político, de organización, y no nos conviene el desgaste militar en este momento. Escojan el camino del coronel Cassani, sólo eso. Hagan sólo eso. Pero convoquen a asamblea, para que informen de la emboscada.

—¿Ahora? —preguntó Ramiro.

Lucio asintió con un movimiento de cabeza.

Un automóvil se detuvo y otro, por la calle lateral, frenó ruidosamente. Seis hombres armados salieron con agilidad y violencia.

—¡Cuidado! —gritó el de la guayabera amarilla y de largas y abultadas patillas negras—. ¡No intenten moverse!

Avanzaron todos. El de la guayabera amarilla gritó otra vez que era la policía judicial. Gonzalo alcanzó a mirar un tatuaje en el brazo del agente. Luego alcanzó a oír que Juan gemía de dolor, caído en el suelo, junto a él.

—¡De dónde vienen! —preguntó otro—. ¿Quiénes son ustedes? ¿Son alzados, verdad? ¿Son gente de Lucio, verdad? De ese hijo de su pinche madre, ¿no?

Gonzalo sintió el golpe en el costado. El agente volvió a lanzarle una patada. Sintió que lo tomaban de los cabellos.

—¡Levántense, hijos de la chingada! ¿Qué no están oyendo? ¡Levántense!

—¿Vienen de una fiesta, cabrones? ¿Vienen de trabajar, de oír misa, hijos de la chingada, a estas horas?

Gonzalo vio que el hombre de la guayabera amarilla hacía una seña a otro que se encontraba al lado.

—Ustedes llévense a esos dos en el carro —dijo—. Nosotros nos llevaremos a éste.

Gonzalo oyó a Juan que pedía su bolsa, oyó que decía que su bolsa se había caído en el suelo.

—¿Y crees que la vas a necesitar todavía, pendejo? —oyó que le gritaban.

Dentro del vehículo aumentó el olor acre del sudor de los agentes que lo sujetaban. Alcanzó a ver las calles solitarias de Coyuca, la quietud silenciosa de la medianoche. "Si no encuentran camión para Coyuca, pues duérmanse en el cerro, no vayan a llegar así, caminando, por la noche", les había dicho Lucio. Miró las calles quietas, muy conocidas para él. Luego cerró los ojos.

———————

Lucio quedó callado. Se volvió a mirar a Eusebio, que bajó la vista.

—¿Me puedo retirar? —preguntó Eusebio.

Lucio aceptó con un movimiento de cabeza. Lo mismo hizo para los demás.

—Estoy segura de lo que digo —prosiguió Hilda después, cuando quedaron solos—. Porque me siento mareada. Y me siento mal. Me estoy dando cuenta.

—¿No es enfermedad? —sugirió Lucio.

—No, me están embrujando —atajó Hilda, con firmeza.

—¿Pero qué conseguirían con eso? —preguntó.

—Que me enamore de él. Eso quiere Elfego. Estoy segura de que es él quien me está embrujando.

Lucio caviló un momento.

—Hace dos noches se acercó a mi hamaca y me tocó. Quiere que yo le haga caso a como dé lugar. Y yo no quiero. Por eso lo está haciendo así.

Lucio intentó convencerla.

—¿Y no conoces algún medio para contrarrestar lo que te está haciendo?

Hilda se quedó pensativa.

—Yo te ayudo —insistió Lucio.

—Se lo dije a Damián, el doctor. Pero no me cree.

—Él tiene mucho trabajo en los barrios. Hay mucha gente enferma. Yo creo que no quiso ofenderte.

—No me cree, Lucio.

—Vigilaremos a Elfego por las noches. Y Nadia y tú acerquen más su hamaca a la de Eusebio, por lo pronto.

———————

Llegaron los hombres por la parte sur de Los Tres Pasos. Cada uno portaba una carabina M-2. Varios cerdos pequeños, negros y

148

flacos, pasaron junto a ellos, corriendo. Junto a la primera casa, un perro movía la cola, nervioso. Comenzó a ladrar. Los dos hombres se detuvieron. Gritaron a los de la casa. Una niña apareció a poco tiempo en la puerta, a unos pasos de la cerca; tardó en responder que no. Un niño más pequeño, desnudo, apareció detrás. El hombre que hablaba se les quedó mirando. Les preguntó sus nombres. Los niños no respondieron. El otro hombre dio unos pasos por la calle, evitando los charcos. Por la pendiente que ascendía hacia el centro del pueblo vio a otros cerdos negros entre los perros y gallinas. A lo lejos, casi al finalizar la parte alta de la calle, un asno estaba inmóvil, junto a una cerca de jaras. El hombre que hablaba se retiró de la casa y avanzó hacia el otro. "No hay nadie", le dijo. El otro hombre se volvió a mirarlo. "Se están haciendo pendejos. Entra en la casa." El primer hombre se ajustó el sombrero de palma y avanzó hacia la cerca. Vio apilados en un rincón varios ladrillos de adobe y algunos calabazos. Los niños seguían en la puerta. El niño pequeño, con la nariz sucia de mocos y los cabellos desordenados, se había puesto frente a la hermanita y miró al hombre llegar a ellos.

Entró. En un rincón de esa habitación, detrás de dos hamacas, en una silla desvencijada, se hallaba un anciano. Se sentía en la casa la humedad del piso de tierra. Atravesó la habitación y salió al patio posterior. Una mujer no mayor de treinta años, vestida con una falda verde y una blusa muy sucia, lo estaba mirando. El hombre saludó. La mujer no se movía del patio; seguía junto al tronco de un limonero. "Somos alzados", le dijo el hombre. "Tenemos hambre. Estamos buscando amigos." La mujer pareció moverse. El niño desnudo se acercó. El hombre se hizo a un lado para dejar pasar al niño y le vio las pequeñas nalgas llenas de tierra, los pies con lodo. El niño se recargó en el árbol pero con una de sus manitas asió con fuerza la falda de la mujer. "¿Son del monte o son soldados?", preguntó ella. "Somos de la Brigada Campesina. Somos hombres de Lucio Cabañas", respondió él. "¿Y qué quieren?" "Comida y amigos." "Tengo varias tortillas, nada más. Y esos plátanos que están ya hervidos." "Pero aquí ya nos han ayudado antes." La mujer se tardó en contestar. "Aquí nada más vienen a robarnos. No quiero saber si son soldados o bandidos." El hombre avanzó en el patio. Olía a orines, a excremento, a ramas podridas por los charcos. Miró a la mujer. Estaba descalza. Sus fuertes pantorrillas morenas asomaban bajo la falda.

Los dos hombres armados avanzaron de nuevo por la calle lodosa. En uno de los charcos, cerdos y perros hurgaban metiendo los hocicos entre los desperdicios. "Debemos regresar por la noche", dijo el primer hombre, "cuando no estén trabajando. Así encontraremos a todos". El otro escupió hacia un lado. "Se están haciendo pendejos", dijo. El primer hombre: "Mejor regresamos después y que nos acompañen." "No, en estos pueblos toda la gente es de Lucio. Están esperando a saber lo que haremos. Van a correr la voz de que aquí andamos nosotros y van a asomar la cola." "¿Y la tropa que nos espera en el monte?, ¿regreso a avisarles?" "Ya tienen órdenes. Y además latas de chiles y de jamón endiablado y galletas. Así que los únicos pendejos que no vamos a comer a tiempo somos nosotros." "Está bien, como usted diga." "Camina por aquí, para salir por este lado del caserío."

"¿Qué quieres?, ¿no ves que estoy apenas comiendo?" "Sí, mi sargento", contestó el cabo vestido de campesino y agregó: "pero es que se acerca un contingente de soldados". "¡Cómo!" gritó, "¡si estamos recorriendo la zona!" Mordió un chile jalapeño entero entre dos galletas saladas; el aceite y vinagre escurrieron de la boca y las gotas resbalaron hasta el cuello. "¿Por dónde los vieron?" preguntó arrojando el rabo del chile al suelo y limpiándose la mano derecha en el pantalón. "Van saliendo del pueblo por el lado del arroyo, por ahí los vieron." "¿Los vieron quiénes?" "Nosotros, los centinelas", contestó. "Abre otra lata de jamón enchilado", volvió a ordenar. "No, mejor una de salchichas", corrigió. Se quitó de la piedra donde estaba sentado "¡Ah qué pendejos!" Se abrió la bragueta del pantalón, "qué pendejos son", volvió a decir. Sacó su miembro oscuro, velludo; brotó la carne rosada del glande y un chorro blanco haciendo espuma sobre la tierra, salpicando las botas y los pantalones; sostenía el miembro con la mano derecha. "¿Y a cuál batallón corresponden los soldados?" "Creo que son de los de Petlala, mi sargento." "No te pregunté qué creías." "Sí, mi sargento, pero sí son los de Petlala, porque son los del 17 batallón." El chorro blanco y caliente dejó de caer; se agitó la carne oscura y velluda en el aire. "Pues que se vayan a chingar a otra parte y nos dejen aquí en paz", dijo tomando la lata abierta de salchichas que le extendían; comenzó a comerlas; al mismo tiempo tomó un bote de jugo de manzana y bebió un largo trago; luego tomó tres salchichas en la mano, sin galletas. "Están fofas", dijo con la boca llena al tiempo de ponerse el sombrero de palma y tomar su M-2. "Si ya terminaste, sígueme tú también, cabo Fernández." Empezó a caminar sobre las piedras llenas de musgo para tomar la cuesta de platanillos que descendía hasta el poblado, entre la humedad de la tierra y los zancudos que en nubes densas caían sobre los cuerpos, en la cara, metiéndose en la nariz, en los ojos, en las orejas, picando las manos de todos los soldados vestidos de campesinos que lo seguían.

"Estas huellas son frescas, mi sargento." "Creo que se están emboscando", replicó. "Caminemos hacia el arroyo, quizás encontremos el contingente, mi sargento." "Caminemos una chingada, no podemos regresar al pueblo para que descubran que no somos campesinos sino soldados." "Como usted diga, mi sargento." "Pues así digo, no quiero ir al pueblo." "Pero si los seguimos, por los rastros pueden emboscarnos." "Que no pueden, que no pueden confundirnos. A ver, tú, trépate a este árbol y mira si cerca de aquí están los del batallón de Petlala." "Sí, mi sargento." "Hazlo." "Sí, mi sargento." "No hables más, sube más arriba, dime." "No puedo distinguir, mi sargento, está muy tupido el terreno." "Pues abre bien los ojos." "Sí, mi sargento, pero está muy tupido." "Quédate ahí por si ves algo." "Sí, mi sargento." El hombre se descolgó su M-2 y soltó al aire una ráfaga; un ruido inmenso de hojas y de pájaros irrumpió en la sierra, en el aire. El viento era más frío, la lluvia estaba a punto de caer sobre la sierra. Los mosquitos seguían contra la cara, contra las orejas. Soltó otra ráfaga al aire, ahora en dirección contraria y vino un silencio por segundos; luego surgió otra ráfaga de M-2 cerca del árbol. Un grito ronco de los matorrales como pedruzco arrojado. Nuevas ráfagas del Fal y de M-2 estallaron, cayeron ramas. Gritó: "¡Mi sargento!" Oyó el dolor. "¡No, no, no!" gritó otra vez detrás de una piedra laja, sudoroso, con una mano lastimada por las espinas en que había caído. "¡No disparen, no, no!" "¡Ríndanse!", volvió a estallar otro grito, nuevas ráfagas, una granada cayó cerca del árbol y un soldado vestido de campesino salió tratando de correr ensangrentado, ya sin brazo: pendían de su cuerpo unos pedazos sanguinolentos. Gritó con furia; respondió otra voz hacia el norte, desde una pequeña acumulación de rocas y árboles de platanillo; ráfagas cerradas cubrieron después la voz; el hombre sangraba de la mano. Gritó: "¡Responde, diles que también somos soldados!" Buscó al que se hallaba en el árbol. "Mi sargento, ya se lo chingaron." "¡Carajo, a todos!" "Sí, mi sargento." Volvió a gritar mientras las ráfagas de su M-2 sacudían los matorrales; no sentía sangre en la mano; las detonaciones huecas, la oscuridad sobre el lodo y sangre entre las ráfagas, entre la lluvia, desgarrándose la voz, la garganta, vaciando otro cargador; el lodo, la sensación del metal, del arma caliente, de las manos aferradas al M-2, de los dientes apretados, las quijadas apretadas, el ruido, el disparo.

—No, señores, no es así —repitió Wilfrido Castro para pedir silencio—. No se trata de un comunicado oficial, y en todo caso, no compete a nosotros confirmarlo, sino a la comandancia de la Zona Militar 27. Allá sí, en el Fuerte de San Diego. Allá les informarán.

Uno de los periodistas de *El Gráfico*, que se hallaba cerca de él, volvió a explicar.

—Mire, comandante Castro Contreras. Entendemos que usted no puede confirmar oficialmente un parte militar de veinte soldados muertos en Tepetixtla y de cinco heridos en un enfrentamiento con los guerrilleros de Lucio Cabañas. Eso lo entendemos todos. Pero en la Zona Militar hemos buscado al general Enríquez Rodríguez y nos han dicho que no se encuentra en Acapulco. Quizá se halle también en Tepetixtla, supervisando las maniobras o reconociendo el lugar del enfrentamiento. No lo sabemos. O quizá se encuentra aquí, en Acapulco, y se resiste a recibirnos, ¿entiende? Y en este caso sería una confirmación de las bajas que el ejército sufrió ayer en la sierra.

El comandante Wilfrido Castro movió la cabeza de un lado a otro, negando.

—Entre mis funciones no está vigilar al general Enríquez Rodríguez, señores.

—No, comandante, por supuesto —replicó el periodista—. Pero como las informaciones surgieron de la policía judicial de Acapulco y de la preventiva, usted sabe que noticias así deben tener una causa.

—¿Podría decirme qué agente judicial bajo mis órdenes ha hecho esas declaraciones, señor Dorantes?

El periodista se turbó y se volvió hacia sus colegas. Un rumor cubrió el vestíbulo donde se encontraban.

—¿Así que usted quiere tener secretos conmigo? —insistió.

El periodista permaneció callado. Movió la cabeza, nervioso. Luego alcanzó a explicar:

—Quiero seguir siendo su amigo y también de toda su gente, comandante.

El periodista de *Vanguardia* intervino.

—Pero hay mucho movimiento de camiones militares hacia Tepetixtla —explicó—. Y también de ambulancias. Y sabemos, esto sí confirmado, que un agente del Ministerio Público de Acapulco salió a Coyuca de Benítez.

Wilfrido Castro Contreras miró al grupo que lo rodeaba.

—¿Y por qué creen ustedes que fue un enfrentamiento con gente de Lucio Cabañas? Puede tratarse de un accidente. O de simples maniobras militares ¿no? —dijo levantando su mano derecha en gesto de explicación—. Pero de cualquier manera esto no es una información oficial y la Zona Militar tendría que decir si ocurrieron esos hechos. Yo no, señores.

La balsa que construyeron se había roto; la corriente la arrojó en medio del río contra troncos de árboles y los tablones saltaron hechos pedazos. Ahora una larga soga unida en muchas secciones permanecía sumergida en la corriente; casi trescientos metros de soga de orilla a orilla, sujetas las puntas a potentes palmeras de copra. Era necesario que descendieran las aguas para atravesar el río ayudados de la soga colgante. Pero durante muchos días el río Coyuca de Benítez mantuvo su creciente inmensa, inacabable. Árboles, animales, ramas, basura, lodo, fue arrastrando lentamente, colosalmente, en su corpulencia. Las aguas se fueron aclarando también, su ancho mundo que iba cubriendo huertas de palmeras, árboles de plátano, amates, parotas. Un ruido crecía con la corriente durante las noches, inmenso como el olor de raíces y de légamo que se hacía más fuerte cuando se interrumpía la lluvia. Un ruido persistente como el viento, como el movimiento del mundo bajo las nubes y las estrellas.

Avanzaba septiembre, lento como la inmensidad de las lluvias y del río. Lucio contemplaba la corriente. Contemplaba en la distancia de la otra orilla, bajo la lluvia, con el dolor intenso que se aferraba a su cabeza durante horas, la calma de la luz que desde muchos años atrás, desde su infancia, llegaba hasta él. Ahí mismo había contemplado de niño la paz profunda del mundo que parece brotar al mirar lo lejano. Ahora parecían invertirse los años y allá, en esa distancia que no había envejecido, en ese mismo horizonte que no había crecido, que no se había marchado del mundo, estaba él, esperando algo, o levantando las manos para que se reconociera allá, detrás del agua, de las palmeras inundadas, del aroma del río, de raíces podridas. Algo que brotaba en su vida hecho de nuevo. Era a veces un ruido líquido y ágil, como la risa de su abuela. Una risa de mujeres ancianas. Un sentimiento ancho y tranquilo en el que cabían la gente, los recuerdos, los daños que ya se habían vivido, los recuerdos que ya no era posible rescatar. La voz de Serafín, el esposo de su madre. El recuerdo borroso de su padre o el levantamiento de su abuelo junto a este río, en la misma sierra de Atoyac, junto al mismo olor y calor de cafetales y de palmeras de copra. Un recuerdo borroso, formado con palabras, en lugar de la voz del padre, en lugar de la mirada del abuelo. Palabras, ideas, conversaciones, en vez de manos, tacto, calor.

Y ahora junto al río, sentía el horizonte de la distancia con que entendió que eso era el mundo por primera vez. Como si este inmenso río, o esta distancia de palmeras, de lluvia, de nubes, de cielo inmenso, fuera también su abuelo o su padre. Fuera parte de esos cuerpos y de esa sangre que luchó ahí, que murió ahí. Un río que ellos vieron y que formaba parte de lo que ahora ellos eran, de lo que fueron antes, allá, en la orilla, donde él miraba la quietud, la distancia. Una profunda fuerza del agua que arrastra desde la sierra todo hacia el mar; todos los arroyos creciendo en la sierra para llegar aquí, a lo que es el mundo, a lo que él miraba ahora como el mundo. A la orilla que él mismo era ahora. A la espera de la disminución de las aguas para cruzar a esa orilla. Dejar atrás la quietud de la fuerza. Tomar la fuerza. Como si regresara al origen del río, hasta la sierra. La sierra donde caminó con su abuela llevando el pan que ella horneaba para cambiarlo por maíz, frijol, camarones de otros ríos de la sierra o de pozas donde él comenzó a bañarse, a jugar. Donde su abuelo era un puñado de zapatistas, poblados que ayudaban a los guerrilleros de su abuelo, escondido en Atoyac, en esta Costa Grande, bajo estas lluvias, junto a estas avenidas de ríos, de arroyos. Campesinos y poblados que también el gobierno masacró y arrasó por órdenes de Madero, de Huerta, de Carranza. Bajo esta lluvia, estas noches, junto al ruido del río de Coyuca, la orilla parecía un largo rosario de difuntos, una larga letanía de gritos, de nombres desesperados, de árboles que volvían a crecer, a reverdecer, a cargarse de fruta, de fuerza. Aquí también los Vidales y Silvestre Mariscal. Y Pablo Cabañas, su abuelo. También Juan Álvarez. Siglos de guerra en la sierra. Siglos de muertos en la sierra. Y junto al río pensaba que era la misma tierra, la misma sangre, el mismo grito sin terminar que lo llamaba desde la orilla, que escuchaba desde la otra orilla, donde él también tendría después que llamar a otros, que gritar a otros, que recordar a otros que desde la orilla sumaban su grito, su estertor, su furia, su desesperado recuerdo.

Era extraño permanecer así, quieto en la hamaca, con el dolor intenso que le destrozaba la cabeza, junto a las inmensas aguas del río que arrastraban fuerza, animales, lluvias, piedras. Que arrastraba la vida con todas las cosas que el agua del mundo lleva, vidas enteras, hombres muertos, hombres olvidados, luchas inacabadas o fracasadas, recuerdos, miedo. Un miedo igual a la lentitud con que avanza lo inmenso, con que parece detenerse a lo lejos el mismo mar, el mar que se toca en el mundo, que desde esta orilla puede ver que se desplaza por la inmensidad del río. Era extraño luchar ahora. Pensar que esto era también la lucha: esperar junto a la corriente, bajo los días de septiembre que se inundaba junto a ellos; sentir lejanos los días que estuvo en la Ciudad de México; el médico al que lo llevaron los espartaquistas; el viaje a Veracruz, a Durango, para extender la lucha; la casa de la Ciudad de México en que lo hospedaron; la hermosa mujer de un anuncio de televisión; su regreso a la sierra, la expulsión de Carmelo.

Una noche oyó por radio las noticias sobre Chile y dijo que el presidente Allende moriría. Que no tenía ejército. En las armas empieza el poder, pensó durante esas noches. Y lentamente, en cada arma, podría él vislumbrar su destino. El destino de todos, el destino de la sangre de septiembre, el destino de esa orilla, y el de la otra que lo llamaba, que lo esperaba. Era extraño luchar, pensaba. Parecía que siempre lo hubiera hecho, que no pudiera recordar un solo momento en que no se hubiera propuesto luchar. No, imposible distinguir el origen. Quizás al caminar con su abuela por los pueblos. Quizás al no pensar. Al subirse a los árboles a cortar cajeles y limones. O en Ayotzinapa, en sexto año de primaria, cuando se reunió con otros alumnos para reclamar asistencia a los profesores. Qué extraña parecía ahora la lucha. Qué extraño no sentir vacío ante la muerte. Ahí, en el río, en la inmensidad de la creciente de las aguas, iban pasando todavía los cuerpos de Gámiz, de Óscar González, de Genaro. También de Raúl Ramos. Se volvía hacia el mundo inmenso del agua y en el río seguían pasando todos los que fueron palabras y no sangre, y todos los que fueron sangre desde su primera lucha, desde su primera palabra. Ahí pasaban soldados, oficiales. Pasaban los camiones militares y la risa de los soldados que habían emboscado. Pasaban perros, pájaros, palmeras. Muchedumbre de mosquitos. Pasaba la sombra de los cafetales y de los platanares, la sombra de la lluvia, la sombra de la prisa. Ah, la prisa. Esa prisa de cumplir, de gritar para hacer todo lo que se tiene que hacer. De sentir el compromiso con algo más que sólo la gente con que ha recorrido los montes. La prisa de gritar que su vida era ésa, la que estaba en esa orilla esperándolo cruzar el río, cruzar el mundo. Esperándolo, pero con prisa.

Días después, cuando la soga emergió sobre la corriente, empezaron a movilizarse. Ayudaban los fuertes, los nadadores. Hilda creyó poder cruzar sola al segundo día, impaciente por el traslado de los grupos, del equipo, de las armas. Dio la espalda a la corriente y a la mitad del río el oleaje la doblegó. La asfixia la obligó a soltarse de la soga y fue arrastrada por la corriente, hacia las copas de los pocos árboles que seguían erguidos en medio del río. Trataron de ayudarla José y Evaristo, pero la corriente los arrastró también río abajo. Quirino logró sujetarla después y lentamente empezó a sacarla. Poco antes del amanecer del segundo día comenzaron a retirar la soga. Se habían trasladado. Habían atravesado la inmensidad de las aguas, el abismo, un mar que no había dividido sus aguas, que no seguía abierto.

En la calle Villagrán, de la colonia Bellavista, en la ciudad de Monterrey, se detuvo una camioneta azul, Chevrolet, con caseta acoplada, a un lado del taller mecánico Reyna, sin apagar el motor. Eran las nueve y siete de la mañana. La tienda que estaba al otro lado de la calle tenía un letrero pintado: El Centavito. Pocos vehículos pasaban en ese momento. El conductor se inclinó sobre el volante de la camioneta y quedó mirando hacia la esquina de la calle Luis Quintanar; dos hombres salían del depósito de hielo y cerveza que estaba en la esquina. Luego habló. Uno de los acompañantes asintió, sentado junto a la otra ventanilla; traía camisa azul, a cuadros. El conductor volvió a mirar su reloj y luego las bardas largas, quietas, cubiertas de enredadera, de la Cervecería Cuauhtémoc.

———————

El auto Ford Galaxie negro apareció por la calle Luis Quintanar. Frenó suavemente al llegar a la esquina. El anciano que venía sentado junto al conductor colocó bajo el asiento su paraguas cerrado. Vio del otro lado de la calle las bardas de la cervecería, las familiares bardas, la quieta fuerza del día que nuevamente esperaba él, con la mañana. Su asistente, que iba en el asiento trasero, carraspeó. Volvió a avanzar el automóvil para atravesar la calle. La camioneta Chevrolet azul, los embestía. Para no estrellarse, el Ford Galaxie giró hacia la derecha. Pero el conductor sintió el ruido del motor en el volante e intentó sacar la pistola de su cintura. Uno de los hombres que corría por la calle disparó una ráfaga de metralleta y el cristal del parabrisas saltó en pedazos. Otro intentó abrir la portezuela derecha y sacar al anciano, herido ya, que cayó afuera, en el suelo, sobre una alcantarilla; sus anteojos rodaron y quedó con los ojos abiertos, moviéndolos, sin hablar. Desde el asiento trasero del Galaxie seguía disparando con la pistola el asistente del anciano. El hombre de camisa amarilla introdujo la metralleta por la ventanilla y soltó la ráfaga sobre él. Luego levantó en vilo a su compañero que yacía muerto en la calle, frente al depósito de hielo, y lo llevó al interior de la caseta acoplada. Regresó por el otro herido y lo ayudó a subir a la camioneta. Luego se sentó al volante y arrancó por la calle Villagrán.

———————

En la esquina de Justo Corro y Lima detuvo la camioneta, a tres calles del asalto. De un carro Ford Falcon bajaron dos hombres. Ayudaron a pasar al herido y al compañero muerto al asiento trasero del auto y cerraron la camioneta. Detrás del Ford Falcon arrancó un Volkswagen por la calle de Lima, para salir de la colonia Bellavista. El hombre herido sangraba y había perdido el conocimiento. El hombre que venía sentado junto al conductor puso un sombrero de palma sobre la cabeza del herido.

—Se desmayó —dijo el conductor.

—Hazlo ahora —contestó.

—¿Así?

—Hazlo ahora —repitió.

El hombre vio por la ventanilla la calle vacía, la mañana iluminada. Cuando se acercaban a la esquina de una fábrica abandonada, se volvió a mirar al compañero herido. Tenía la boca abierta. Acercó el cañón de la pistola automática al entrecejo del herido. Disparó. Lo vio estremecerse ligeramente y luego la sangre fluir bruscamente sobre la nariz. Se aproximaban al lugar donde abandonarían el auto.

El director de la policía judicial del estado, Carlos Solana, negó con la cabeza por tercera vez y levantó la mano pidiendo silencio a los periodistas.

—No, señores, los sospechosos a que me refiero no son directamente los asaltantes. Son sospechosos por ser activistas subversivos de grupos como la Liga Comunista y el MAR.

—Entonces, ¿cómo procederán contra esos sospechosos, licenciado Solana? —preguntó un periodista de la ciudad de México.

—Sólo como eso, como sospechosos —contestó—. Los interrogaremos para aclarar los nexos que los asaltantes pudieran tener con ellos. Porque desde 1971 estábamos enterados ya de que grupos como la Liga y el MAR planeaban secuestrar a personas prominentes de aquí, de Monterrey.

—¿Son muchos, licenciado? ¿Podemos conocer los nombres? —preguntó otro periodista local, de *El Porvenir*.

Carlos Solana se inclinó sobre uno de los papeles que su ayudante le extendía sobre la mesa.

—Claro que sí —dijo disponiéndose a leer—. Éstos son los sospechosos que tenemos: Estela Ramos Zavala, Marco Hirales Morán, Sergio Dionisio Hirales Morán, Darío Morán y José Luis Sierra Villarreal. Están ya plenamente identificados como elementos subversivos de esas agrupaciones y algunos de ellos como participantes directos o indirectos en los secuestros del cónsul de Estados Unidos en Guadalajara y en el de la aeronave de Mexicana de Aviación en Monterrey. Los interrogatorios a estos sospechosos pueden arrojar mucha luz sobre las conexiones de grupos terroristas en el asalto armado a don Eugenio Garza Sada.

—¿Cuenta la policía judicial del estado con el apoyo de otras dependencias policiacas o militares, licenciado Solana? —preguntó otro periodista de la ciudad de México.

Carlos Solana asintió con un vigoroso movimiento de cabeza.

—Así es —repuso—. Otras dependencias nos apoyan en la investigación desde las primeras horas de esta misma mañana. Son muchos los recursos humanos que necesitamos para investigar los posibles nexos de estos grupos con delincuentes de la Ciudad de México o del estado de Guerrero y de Jalisco. Por eso, además de nosotros y de las policías preventivas del estado, participan la Dirección Federal de Seguridad y la Policía Judicial Federal. La vigilancia, insisto, señores, debe extenderse a todo el país. Este crimen fue cometido aquí, en Monterrey, para duelo de la sociedad regiomontana, en la persona de uno de los mexicanos más ilustres, más útiles a nuestra sociedad; pero atentados de esta naturaleza no se circunscriben a una sola comarca. Además, las características generales de los asaltantes, obtenidas por declaraciones de testigos oculares del atentado, fueron boletinadas ya desde Matamoros a Tijuana, por toda la frontera, a fin de que también la policía norteamericana esté lista para detenerlos en la frontera si intentaran fugarse. Todas las carreteras están bloqueadas ahora —prosiguió explicando después de interrumpirse para escuchar un mensaje en voz baja de su ayudante—. Hay una intensa búsqueda también para localizar en la ciudad un auto placas EUF-625, de Coahuila, que fue visto por el parque de los Niños Campeones, cerca de los cementerios del Carmen y Dolores. Ahí encontramos esta mañana, como ustedes saben, un automóvil Ford Falcon gris, modelo 1967, pocos minutos después del asalto a don Eugenio Garza Sada, a las nueve treinta y cinco, para ser exactos. En el interior de ese vehículo yacían dos cadáveres de hombres jóvenes. Uno de ellos tenía señales indudables de haber recibido el tiro de gracia. Creemos que ellos son los agresores que resultaron heridos en el asalto a don Eugenio Garza Sada y que fueron trasladados en la camioneta Chevrolet que abandonaron a tres calles del lugar. Además de un sombrero de palma, una bolsa de pan y los cadáveres, encontramos en el Ford Falcon dos pistolas, una de ellas Magnum. Como creemos que se trata de los asaltantes mismos, sus fotografías han sido boletinadas y publicadas en todos los diarios de la región. Quizás ningún familiar se atreva a reclamar los cuerpos, pero si alguno lo hiciera, estaríamos entonces en la posibilidad de aclarar con rapidez la identificación de los móviles del asalto y los nexos de estos grupos de delincuentes.

—¿Quiere decir que aún no han identificado los cadáveres encontrados en el Ford Falcon? —preguntó un periodista de la ciudad de Monterrey.

—Ahora, a las once treinta de la noche —repuso Carlos Solana mirando su reloj—, no han sido aún identificados los cadáveres, así es. Pero puedo asegurarles que pronto las investigaciones llegarán a resultados satisfactorios, señores.

—¿Qué nos puede decir de más detenidos? —preguntó un periodista de la Ciudad de México.

—¿Más detenidos? —repuso con molestia Carlos Solana.

El periodista se había puesto de pie, con su libreta en la mano. Varios agentes judiciales atravesaron por la sala hacia la puerta de salida. Carlos Solana se notaba ofuscado.

—He dado ya la lista de nombres sospechosos, señores —dijo con tono cortante—. Y debo aclararles que no queremos contrariar en estos momentos delicados a la opinión pública nacional ni regional. Estamos haciendo un esfuerzo por cumplir con hacer pública una información que en otros países no se daría por ningún motivo, puesto que podría frenar o complicar innecesaria e indeseablemente las pesquisas formales que la policía judicial y otras corporaciones hermanas del país tenemos que desarrollar en este caso delicado para México, no sólo para Monterrey. Pero por tratarse de la inmensa personalidad de don Eugenio Garza Sada, de ese hombre de gran talla industrial, educativa, humana, estamos dispuestos a colaborar con los diarios mexicanos. Pero de ninguna manera puedo permanecer impasible ante provocaciones que puedan partir de ustedes mismos para entorpecer nuestro trabajo. Yo no los contrarío en sus labores, y lo mismo puedo pedir para nosotros, señores.

El periodista había seguido de pie. Algunos reporteros se acercaron a hablarle en voz baja. Levantó la mano, esgrimiendo un lapicero para intervenir.

—Con todo respeto para usted, licenciado Solana —volvió a decir el periodista—. Para usted y para los organismos policiacos del estado de Nuevo León y del país. Mi pregunta no busca ofenderlo. Ni tampoco a sus colaboradores, que empiezo a ver nerviosos por nuestra intervención —prosiguió diciendo mientras el movimiento de agentes judiciales se hacía más notorio en la sala—. Pero sabemos que hay muchos detenidos ya en varios lugares no sólo aquí, en Monterrey, en la penitenciaría del estado y en el campo de la séptima Zona Militar, sino que también hay detenciones que no se han hecho públicas, en Coahuila, San Luis Potosí, Puebla, Tamaulipas y Jalisco. Y hacemos esta pregunta porque usted mismo ha informado que todas las policías del país se han movilizado por este fallido secuestro del industrial Garza Sada. Por eso creo que nuestra pregunta sigue el mismo planteamiento que usted ha dado a conocer. Porque resultaría difícil creer que la Federal de Seguridad participara aquí sin haber hecho detenciones en todos esos lugares en que se ha sabido de desaparecidos porque se les acuse de colaboradores de Lucio Cabañas o de grupos que secuestran a magnates.

—Yo no estoy vigilando el trabajo de otras corporaciones —replicó molesto Carlos Solana—. Mi trabajo se concentra aquí, en el estado de Nuevo León y no estamos al tanto de lo que ocurre en otros sitios. Porque le recuerdo que cada estado es soberano y nosotros sólo podemos contar con un apoyo solidario en este momento para avanzar en nuestras pesquisas, que deseamos continuar hasta el fin, hasta obtener resultados positivos. Y creemos que es suficiente ya con la información que hemos querido compartir con ustedes, con la opinión pública. En caso de que demos otra rueda de prensa, señores —agregó conteniendo visiblemente su disgusto—, lo haremos saber con suficiente anticipación. De otro modo recibirán los boletines que creamos compatibles todas las dependencias policiacas con el avance de las investigaciones. Muchas gracias, señores —dijo poniéndose de pie y saliendo hacia la puerta del vestíbulo rodeado por varios agentes judiciales que se interponían con violencia entre los periodistas.

—¿Licenciado Zorrilla? ¿Señor gobernador? —se escuchó la voz lejana, por el teléfono, con interferencia.

—Sí, soy yo —contestó Pedro Zorrilla, gobernador de Nuevo León.

—Le llamamos de la Secretaría de la Presidencia, señor gobernador —agregó la voz con más claridad por el teléfono.

—Sí, diga, diga —repuso Pedro Zorrilla.

—Para hacer de su conocimiento que el presidente de la República llegará a las dos y media de la tarde a la ciudad de Monterrey para asistir a los funerales del señor Eugenio Garza Sada.

—¿Cómo? —preguntó alzando la voz—. ¿Llegará hoy mismo?

—Sí, así es, señor gobernador —exclamó la voz al extremo de la línea telefónica que otra vez parecía cubrirse de interferencia.

—El licenciado Torres Manzo y el ingeniero Bravo Ahuja ya están aquí, licenciado —repuso Pedro Zorrilla—. Teníamos entendido que venían con la representación del señor presidente.

—El señor presidente decidió asistir esta mañana —repuso la voz con más claridad en el teléfono que por un momento pareció despejarse—. Recibimos informaciones que lo persuadieron a asistir con los secretarios de Educación y de Industria. La presencia de los secretarios sólo daría fe de la importancia de don Eugenio Garza Sada como industrial y como fundador del Instituto Tecnológico. Pero con la asistencia del señor presidente de la República se fortalecerá, o debe fortalecerse, señor gobernador, la participación activa del Estado mexicano en el rechazo a este asalto. El señor presidente no quiere que haya ninguna duda de su apoyo y solidaridad con la familia Garza Sada y con la fuerza industrial de Monterrey, ¿me entiende?

—Me parece una decisión muy oportuna, licenciado —repuso Pedro Zorrilla—. La presencia del señor presidente echará por tierra versiones tendenciosas que buscan contraponer a la industria y al gobierno. Es muy importante la decisión que ha tomado. Hágale saber que lo felicito y que las autoridades del estado de Nuevo León lo esperaremos en el aeropuerto a la hora indicada.

—Es importante que sepa la familia Garza Sada que el señor presidente asistirá personalmente para demostrar su amistad con ellos y para dar reconocimiento, con su presencia, a un creador de industrias de espíritu nacionalista, señor gobernador. No va por presiones políticas, sino porque el gobierno de la República y los industriales de Monterrey son amigos, y ambos con espíritu nacionalista y patriótico. Con su asistencia, el presidente Echeverría demuestra la amistad con la industria de Nuevo León, y no su antagonismo, ¿me entiende?

—Sí, licenciado, por supuesto. Y me parece atinada la decisión del señor presidente, como le digo.

—En la Zona Militar de su estado tienen ya conocimiento de esto. Y le informo también que irá el Oficial Mayor de la Presidencia.

—Bien, licenciado. Tomo nota.

—¿Está confirmada la filiación política de los asaltantes?

—Está confirmada, licenciado. Son comunistas. Y al parecer varios del movimiento ferrocarrilero de Vallejo. Uno de los cadáveres fue reclamado por la esposa. Eran del grupo que secuestró hace un año el avión de Mexicana de Aviación.

—La Procuraduría y Gobernación rindieron un informe muy preciso esta madrugada, señor gobernador, y al señor presidente le interesa en especial la actitud de respuesta de la opinión de su estado.

—Hay un intento de manipulación muy claro por parte de grupos conservadores de Nuevo León, licenciado, pero no hay una oposición política abierta al gobierno de la República.

—Tenemos informes de que parte del grupo industrial se congratula por la caída del presidente Allende en Chile y que considera como una represalia el asalto al señor Garza Sada.

—Algunos grupos de extrema derecha festejan la caída de Salvador Allende en Chile, así es —repuso elevando la voz nuevamente Pedro Zorrilla—. Creen que el apoyo de México al gobierno de Unidad Popular de Chile equivale a apoyar la creación de grupos armados comunistas aquí y en todo el mundo. Pero esto es absurdo, licenciado, esto sólo es el planteamiento absurdo de los grupos más conservadores y enfermos. No creo que debamos prestar atención a esas posturas que son minoritarias.

—De cualquier manera, señor gobernador, las instrucciones de seguir apoyando hasta lo último a los asilados chilenos, proseguirán sin el menor asomo de duda. No se aceptará ningún tipo de sabotaje o de presión para modificar esta postura de México, señor goberna-

161

dor. Por eso el presidente va también personalmente ahora. Debe quedar claro y fortalecido el apoyo solidario del gobierno de la República con el duelo del señor Garza Sada.

—Entiendo, y causará una impresión muy favorable en el medio industrial, porque dos secretarios de Estado y el presidente mismo disiparán cualquier duda que los grupos más conservadores de aquí pudieran tener sobre el distanciamiento con el gobierno de la República.

—Necesitamos insistir en que los móviles del atentado eran económicos, no políticos. Que se trata de un secuestro frustrado y que el gobierno de México reprueba ese hecho.

—Lo entiendo y me parece la mejor y más valiente decisión que pudo tomar el señor presidente en estos momentos, lo repito.

—Si hubiera algún cambio de horarios en el vuelo del señor presidente yo mismo le volvería a llamar, señor gobernador.

Como si se hubiera roto de pronto un frágil muro, o un cordel que la ataba, al llegar al cementerio la muchedumbre se precipitó destrozando sepulcros, ramas, arbustos. El impulso incontrolable se esparció hasta las primeras líneas del cortejo. Los cordones policiacos y de seguridad fueron rebasados por la multitud que se movía, que se derramaba. Sólo uno de los secretarios de Estado logró permanecer junto al presidente Echeverría. Una fina lluvia caía desde hacía varios minutos. Los paraguas, las gabardinas, estaban ya húmedos.

Colocaron el féretro junto a la cripta, bajo el templete de los oradores. Cuando terminaba de hablar el segundo, la lluvia cayó con fuerza, abundante. Un grupo se cerró alrededor del presidente Echeverría para cubrirlo con paraguas. El tercer orador, Ricardo Margáin Zozaya, comenzó a hablar en nombre de los grupos empresariales y bancarios de Monterrey, elevando la voz, vuelto hacia los deudos y el presidente, entre el ruido de la lluvia.

—Existen ocasiones —comenzó a decir—, ciertos momentos en la vida de la ciudades, en que los hechos son más elocuentes que las palabras. Ésta es una de esas ocasiones. Contemplar esta multitud —continuó, señalando a los millares de personas esparcidas bajo la lluvia— en la que se encuentran, como siempre ha sucedido en Monterrey, unidas todas las clases sociales, nos hace reflexionar en la calidad humana y moral de don Eugenio, de quien todos sabemos la forma alevosa, inaudita, en que fue acribillado a tiros de metralleta.

El silencio de Margáin Zozaya pareció destacar el rumor de la multitud, del viento, de la fuerza de la lluvia estrellándose contra la tierra, los sepulcros, los árboles.

—Que sus asesinos y quienes armaron sus manos y envenenaron sus mentes —prosiguió— merecen el más enérgico de los castigos, es una verdad irrebatible. Pero no es esto lo que preocupa a nuestra ciudad. Lo que alarma no es tan sólo lo que hicieron, sino por qué pudieron hacerlo.

Margáin Zozaya hizo una pausa. La lluvia seguía cayendo con fuerza. Ajustó las hojas de su discurso y se volvió a mirar el féretro gris. Luego se volvió hacia el presidente y los deudos de Eugenio Garza Sada.

—La respuesta es muy sencilla —continuó con voz firme—, aunque a la vez amarga y dolorosa. Sólo se puede actuar impunemente cuando se ha perdido el respeto a la autoridad; cuando el Estado deja de mantener el orden público; cuando no tan sólo se deja que tengan libre cauce las más negativas ideologías, sino que además se les permite que cosechen sus frutos negativos de odio, destrucción y muerte. Cuando se ha propiciado desde el poder, a base de declaraciones y discursos, el ataque reiterado al sector privado, del cual formaba parte destacada el occiso, sin otra finalidad aparente que fomentar la división y el odio entre las clases sociales. Cuando no se desaprovecha ocasión para favorecer y ayudar a todo cuanto tenga relación con las ideas marxistas a sabiendas de que el pueblo mexicano repudia este sistema por opresor. Es duro decir lo anterior —afirmó después de una pausa—, pero creemos que es una realidad que salta a la vista. Secuestros, atentados dinamiteros, asaltos bancarios, universidades convertidas en tierras de nadie, destrucción y muerte, eso es lo que tenemos que sufrir en carne propia y en la de familiares y amigos.

La lluvia pareció amenguar. El suelo estaba enlodado.

—Urge que el gobierno cambie de rumbo —volvió a sentenciar Margáin Zozaya— para que renazca la confianza en el pueblo mexicano. Poner un hasta aquí a quienes mediante agitaciones estériles y actos delictivos y declaraciones oficiales injuriosas, amenazan con socavar los cimientos de la patria. Es un deber ineludible.

El presidente estaba con el traje oscuro ya mojado, con la cabeza empapada y helada, junto a los deudos, flanqueado por el secretario Torres Manzo y uno de los hijos de Eugenio Garza Sada, fijos los ojos, que parecían más pequeños, en el hombre que hablaba; cerrados los labios y prominentes y sólidas las quijadas, quietas en su rostro redondo, mojado.

El niño levantó la vista. Un helicóptero agitaba las copas de los árboles, producía un ruido de troncos secos cayéndose, de troncos de árboles viejos acumulándose sobre la tierra. El niño estaba con los pies descalzos. Tenía diez años. A esa edad había visto ya muchos helicópteros sobrevolando el ejido. Sabía que despegaban de

Atoyac pero que después tomaban esta ruta, hacia las lagunas o hacia el mar. A veces se alejaban hacia el interior y no los escuchaba ya; los distinguía entre las nubes, perdiéndose, empequeñeciéndose. Pero ahora el helicóptero se dirigía a las lagunas. Un saco blanco venía colgado bajo el aparato, que se movía suavemente. El niño estaba cuidando las dos gallinas que aún conservaba su familia. Para retirar los huevos del día llevaba una pequeña bolsa de plástico.

Se trepó sobre la barda de troncos y miró el horizonte. Quería ver la gota de metal que atravesaba las nubes, que se desplazaba ruidosamente sobre la tarde. Sentía curiosidad, no temor. Quería cerciorarse. Pero sólo veía pasar el juguete por el cielo, haciendo un ruido sordo, agradable incluso, sin humo, que le atraía. Estaba atento a que el helicóptero soltara el bulto, porque era la señal. Y el niño quiso por un instante llamar a sus hermanos, pero era inútil. Se alejaba, cada vez era más difícil distinguir la figura de ese objeto en el cielo. No podría ver nada. No podría recordar nada. Las gallinas cacareaban estruendosamente. Parecían llamarlo, instarlo, apresurarlo. El helicóptero se alejó aún más y cesó de escucharlo. Pero sintió el silencio. Y sintió que a esa distancia nadie podía morir, a nadie podía sucederle nada, que todo estaba seguro. Se bajó de la barda a hurgar en los tibios nidos de las gallinas. Tomó los huevos aún calientes; el gallinero olía muy penetrante, ácido. Al terminar de recogerlos se volvió a mirar el cielo. Un leve rumor empezaba a llegar hasta él, desde el rumbo de las lagunas. El helicóptero regresaba, iba aumentando su figura y su ruido, un ruido sordo, acompasado, como el de muchas palomas juntas. Se quedó hipnotizado, quieto. El helicóptero sobrevoló el ejido y las gallinas volvieron a agitarse. El niño sintió que lo veían desde el helicóptero, suspendido sobre las palmeras de copra. Brillaban las ventanas del helicóptero y veía a los tripulantes, o creía verlos. Se suspendía un momento más, agitando las ramas de las palmeras y de los árboles. Su ruido era muy intenso y las gallinas seguían asustadas. De pronto se dio cuenta el niño de que varios perros estaban ladrando. Siguió mirando el helicóptero y empezó a sentir que algo le estaba sucediendo a él, que algo no comprendía. No podía moverse, no podía mover sus manos, sus piernas. Quiso mover la cabeza, pero la tenía fija, de cara al cielo, bañado por el ruido pero también por un sonido extraño, por una especie de silencio que se superponía al estruendo de los motores. Sintió dolor en los oídos, sintió miedo, sintió que no lograba mirarlo bien, que algo le impedía mirar con claridad. Pensó que algo estaba buscando ahí el gobierno. El miedo lo cubría debajo de ese ruido ensordecedor. El miedo por él, por todos. El helicóptero comenzó a elevarse otra vez, como un animal vivo, un toro que se vuelve al lado para embestir, y conforme se alejaba, conforme volvía el niño a escuchar el ruido de la tierra, a sentir la tierra, el olor de la hierba, el sol de la mañana, tuvo un inmenso deseo de sentir el sol en su cuerpo, de sentarse. Puso con cuidado los huevos a su lado y quedó sentado en la tierra, sin entender por qué sus pequeños puños temblaban. Seguía llorando.

—¡Reúnan a todos! ¡A todos, les digo! —gritó el capitán.

Los soldados habían rodeado las palapas de la playa. En una hilera de palapas las hamacas colgaban vacías. Enfrente, en una serie de fondas, las mujeres cocinaban en estufas de carbón. El camión militar estaba a cien metros, por el camino de San Jerónimo. El sol de las tres de la tarde caía con violencia sobre la playa, sobre el oleaje inmenso del mar abierto. Los pescadores se hallaban de pie junto a las lanchas varadas. Las olas brillaban al reventar en la playa, como vidrio. Algunos soldados empuñaban sus armas; otros las traían colgando en los hombros. El capitán se acercó a los pescadores. Dio unos pasos ante ellos, mirándolos. Las espaldas y los hombros brillaban por el sol, sudorosos.

—¡Explíquenme! —gritó el capitán— ¡Explíquenme a mí! ¡Tú! ¡Dime tú! —le ordenó a uno de los pescadores.

El hombre moreno se quedó callado. Tenía la frente perlada de sudor. El pelo negro se agitaba, despeinado, por la fuerte brisa del mar.

—¡Te digo que te expliques! —volvió a gritar el capitán.

El hombre se movió ligeramente. Pareció volverse a mirar hacia las palapas donde las mujeres estaban asustadas, mirando.

—Bueno —dijo moviendo un brazo para señalar hacia el mar—. Es que lo hemos visto varios de nosotros, pues. El mar ha estado aventando pedazos de ropa, de pantalones, de vestidos de mujer. Y huesos de gente, pues.

—¿Huesos de gente? —interrumpió secamente el capitán.

El pescador volvió a quedarse callado, mirando al militar.

—¡Responde! —gritó el capitán—. ¡Explícate!

—Yo no, pues —repuso el pescador—. Eso dice la gente que ha venido. Hemos oído aquí que dicen que son huesos de gente lo que está aventado el mar. Eso dicen. Pero también el mar está aventando zapatos de mujer y de niño, huaraches. Eso hemos visto, pues.

—Es basura que viene de otra parte —interrumpió el capitán—. Porque nadie puede asegurar que sea de gente que haya caído al mar. Porque nuestros helicópteros sólo arrojan arena. ¿Lo oyen ustedes? Los de allá, ustedes, ¿lo oyen? ¿Lo oyen todos? Aquí nadie debe decir mentiras. Quiero que esto quede bien claro. Sobre todo porque aquí la gente viene a divertirse, ¿no? La playa está muy bonita. Por eso viene la gente a divertirse aquí, a nadar, ¿no es así? Y ustedes quieren que estas playas sigan estando abiertas a toda la gente, ¿verdad? ¿De quiénes son esas palapas que alquilan? Y aquéllas, también, donde venden comida. ¿Quiénes son los dueños? ¿Tienen sus permisos para esas palapas?

Dos pescadores se movieron, levantando los brazos.

—Varias familias tenemos permiso para trabajar en esas palapas —contestó uno de ellos—. Mi esposa y yo tenemos aquélla, la del fondo —dijo señalando con la mano la fonda donde tres mujeres se hallaban quietas, mirando a los soldados que rodeaban a los pescadores.

—¡Pues quiero que me entiendan lo que estoy diciendo, señores! —volvió a decir el capitán—. Porque estas playas están muy bonitas y nosotros queremos que sigan aquí, sin que nadie los moleste. Así que todo lo que arroje el mar, toda la basura que siga aventando, ustedes la van a quemar o la van a enterrar. Y nada más. La queman o la entierran como basura y se olvidan de todo esto, de los cuentos que la gente anda inventando. No tienen para qué hablar de esas cosas con nadie, porque eso no les importa. No tiene caso, pues. Y ustedes sigan trabajando y mantengan estas fondas para que la gente venga a divertirse. Pero no queremos que ninguno de ustedes ande diciendo al que aquí se presente lo que el mar arroja. Al fin que son mentiras. Y yo creo que a nadie le gustaría comprobar si podemos arrojar en alta mar a traidores o a lenguasueltas, ¿no? ¿Verdad que no? Así que vamos a consumirles aquí unas cervezas con pescados fritos, para que vean que somos sus amigos. Para que piensen lo que les conviene hacer —agregó haciendo señas a un grupo de soldados para que se acercaran a los pescadores—. Y los que tengan cosas de ésas que aventó el mar, que hayan guardado o escondido, o que no hayan tirado, muéstrenselas aquí a los señores soldados para que las vean y comiencen a quemarlas —dijo encaminándose hacia las palapas.

7 de noviembre de 1966

—*¿Y todos siguen en México?* —*preguntó Lucio.*

—*Se quedaron pocos en México, no más de cuatro. Y yo, para venir a verte.*

La mujer partía un pedazo de tortilla para comerla con los granos de arroz que tenía en el plato. Se sorprendió de pronto con la pregunta de Lucio y lo miró extrañada.

166

—Sí, ¿en cuánto tiempo desarmas y armas tu pistola, Lupita? —insistió Lucio.

—No he contado el tiempo —respondió la mujer, riéndose—. Lo he hecho muchas veces, pero sin fijarme en cuánto tiempo.

Lucio la miraba sonriente. En el centro de la mesa estaba la cacerola azul de peltre, con pedazos de carne frita, y una pequeña cazuela con arroz. Lucio le acercó una garrafa de agua, de barro. La mujer lo miró. Sonrió, mientras tomaba otro pedazo de tortilla.

—¿Los entrenó un militar, verdad? —agregó Lucio.

—Así es —contestó—, te lo había dicho.

—¿Y ese militar te dio dinero también a ti, para que vinieras a verme?

La mujer lo miró a los ojos. Permaneció callada mucho tiempo.

—Sí —contestó al fin.

Lucio movió la cabeza ligeramente.

—Estás vigilada, Lupita. Por eso no te hacen nada.

La mujer lo seguía mirando, extrañada. Tenía sus largas manos blancas sobre la mesa de madera, junto al plato vacío. Por la ventana la luz de la tarde comenzaba a oscurecerse. Una suave penumbra iba cayendo sobre los muros, sobre la mesa, sobre los ojos de Lucio.

—El mayor Cárdenas nos ha ayudado —replicó la mujer después, como si se hubiera repuesto de la sorpresa—. Nos ha ayudado con entrenamiento, con material, con dinero. Muchos compañeros han llegado a protegerse en su casa. Se ha arriesgado mucho.

Lucio negó moviendo la cabeza.

—No creo siquiera que se llame como les ha dicho —repuso suavemente.

La mujer retiró las manos de la mesa y las dejó, quietas, sobre el regazo. Las ojeras marcadas en el rostro mostraban cansancio.

—No seguimos con el mayor, porque él se regresa con el grupo de Gaytán a la sierra de Chihuahua, pero no hemos roto con él —contestó—. Porque nos ha ayudado a protegernos, a salir de Chihuahua, a que yo llegara contigo. Y de cualquier modo es importante para nosotros que hables con Hugo.

—¿Aunque yo no esté dispuesto a una lucha armada?

La mujer se sonrió con una expresión de tristeza.

—Aunque estés dispuesto a seguir de profesor y a continuar sólo con mítines de campesinos y escuelas, sí —dijo la mujer, sonriendo, asintiendo amistosamente con firmes movimientos de cabeza.

—¿Pero te ha gustado la merienda? —preguntó Lucio, mostrando con una mano las cazuelas pequeñas de arroz blanco y de guisado de carne. La mujer se rió alegre, en voz alta. Inclinó la cabeza hacia la mesa y miró con un deseo reprimido las cazuelas y las tortillas enormes de maíz.

—Quédate unos días aquí —comentó Lucio mientras la mujer comenzaba a comer con rapidez, con hambre—. Luego regresa por otro lugar, ya no te conectes con las familias que te recibieron en Cuautla y en Taxco. Ya no regreses con los contactos de ese mayor Cárdenas. Mejor piérdetele un tiempo, para mayor seguridad. Que no sepan que vas a traer a Hugo. Yo recomendaría eso.

La mujer lo escuchaba, comiendo con avidez. Los labios los tenía brillantes ahora, mientras comía. Estaba acabando ya con el arroz y la carne que se había servido. La mujer se esforzaba en disimular la tristeza de que hubiera terminado tan rápido con el plato. Lucio la invitó a que se sirviera otra vez. La animó.

—Es para ti —insistió Lucio—. El banquete es sólo para ti.

La mujer volvió a servirse en su plato arroz blanco y pedazos de carne de res.

—¿Nadie ha desconfiado de él? —repitió Lucio.

—Óscar dice que traicionó en Madera, que traicionó a Arturo.

—Yo empezaría por romper esa relación y evitar que tuviera manera de localizarte.

—Hugo está ahora protegido por él. Yo vengo de estar con gente suya en Taxco.

Lucio se sonrió, moviendo la cabeza suavemente.

—Por ahora no peligras. No les harán nada hasta que no descubran todos sus contactos.

La mujer quedó callada, mirando la mesa. Luego comenzó a recoger el plato y los cubiertos.

—¿No quieres comer más? —preguntó Lucio.

La mujer negó con un movimiento de las manos y prosiguió levantando la mesa.

—¿Y a qué crees que se debieron los retrasos de los otros grupos, Lupita?

La mujer había llevado a la pequeña estufa las cazuelas de carne y de arroz y las había tapado con un trapo blanco. Se sentó nuevamente a la mesa. Tenía un vaso de agua frente a ella.

—No sabemos. Había ríos muy crecidos en la sierra. Los que iban en automóvil no pudieron llegar por eso. Se perdieron, además. Y los que debían llegar por tren no pudieron bajar en Madera, sino más adelante. Hubo muchos contratiempos. No pudo hacerse todo como se había planeado.

—¿Pero no todos conocían los caminos?

—Necesitamos tu ayuda, Lucio —repuso la mujer, mirándolo a los ojos.

Era blanca, alta, de mirada penetrante. Estaba sentada muy erguida. Desde que Lucio la conoció era así. Desde la Escuela Normal, desde los encuentros de la Federación de Estudiantes Normalistas era ella así, erguida, fuerte, alta. Ahora en su rostro se notaba cansancio. Uno de los ojos de la mujer parecía temblar, parecía tender hacia la enfermedad, la angustia. Era bella, atractiva, más alta que él. Pero la voz era dulce. Vibraba clara, con la entonación de los norteños, pero suave, femenina. Lucio se sorprendía de la fuerza de la mujer, de su gran estatura y de su presencia afectuosa, de su voz suave.

—Necesitamos que nos ayudes, Lucio —repitió la mujer—, aunque no te sientas aún preparado para la lucha armada.

Lucio levantó sus manos como si hubiera respondido a otra pregunta o pensara en otra conversación, no en ésa exactamente.

—Queremos continuar la lucha, pero no sólo en Chihuahua, como quiere el grupo de Gaytán. Hugo hablará contigo para eso, para organizarnos en otras partes, no sólo en una localidad. Óscar González insistió en coordinar trabajo de masas en todo el país, establecer contactos, compromisos en distintas regiones antes de una lucha armada. Pero no quiere relaciones con nosotros porque desconfía del mayor Cárdenas, quiere romper con él.

—¿Y ustedes?

—Yo me mantengo con el mismo grupo. Con los que estuvimos con Arturo.

—¿Qué ocurrió, entonces?

—Es que no todos eran de la sierra. Algunos subían por primera vez. Los que estaban en la sierra, que son los que ahora se regresaron otra vez con el mayor Cárdenas, pues ellos sí llegaban directamente de Dolores. Los otros, los que tenían que salir desde Chihuahua, se perdieron.

—¿Y por qué no iba con ellos un guía?

—Sólo algunos se perdieron, no todos. Llegaron, pues, pero no al mismo tiempo, no en la fecha prevista. Unos se retiraron antes de que llegaran los demás. Y algunos llegaron ya después del asalto al cuartel.

—Entonces no atacaron todos los que debían atacar.

—No —repuso la mujer.

—¿Pero había militares fuera del cuartel, no? Los agarraron a dos fuegos, ¿no es así?

—Sí —dijo la mujer—. No se dieron cuenta que había más soldados patrullando la ciudad. Creyeron que todos se hallaban en el cuartel.

—¿Y por qué no se dieron cuenta? ¿Estaban escondidos los soldados? ¿O la gente del pueblo de Madera no les dijo que había gente afuera?

—Es que ya se habían ido los compañeros que debían vigilar la ciudad y el cuartel. Ahí estuvieron, pero días antes, en la fecha correcta. Pensaron que el ataque se había suspendido. Por eso bajó después un compañero al pueblo a revisar él solo. Era uno de los que llegó con Arturo Gámiz. Dijo que todo estaba en orden, que no había peligro.

Lucio volvió a sonreír, con pesadumbre.

—Podría uno pensar que los estaban esperando, ¿no crees?

La mujer sonrió también, con un gesto de amargura.

—Muchos ya no querían atacar el cuartel en esas condiciones —agregó la mujer—. Pablo Gómez se opuso porque las circunstancias habían cambiado mucho; no estaban todos los compañeros y no se podía tomar el cuartel como se había planeado. Pero Arturo insistió. Arturo los convenció de que cambiaran los planes originales de incendiar el cuartel, transmitir por la radiodifusora del pueblo y luego retirarse con las armas y pertrechos. Aunque se cambiara todo eso, pero atacar el cuartel como un hostigamiento, un ataque rápido, para luego retirarse.

Lucio la miró. Su mano huesuda y larga descansaba en su rostro. Luego la bajó hasta la mesa y la dejó ahí, quieta, como un objeto distinto, separado de él. Bajó la vista a la mesa. Parecía no estar ahí. Haber olvidado ya que se encontraba ella ahí, a su lado. Ella bebió el vaso con agua que tenía enfrente. Cuando lo dejó vacío, sobre la mesa, Lucio la estaba mirando otra vez, con una ligera sonrisa. Inclinó la cabeza, suavemente, y movió la mano, como tratando de decir algo más.

—¿Tenían tanta prisa en morir? —preguntó.

—¡Le estoy ordenando que me entregue al oficial del 27 Batallón de Infantería! ¡Eso es todo! —volvió a gritar el coronel Alfredo Cassani Mariña.

—Pero sigue dormido —dijo nervioso el policía, disculpándose—. Sigue borracho, no oye.

Dos oficiales llegaron en ese momento y se acercaron al coronel, reportando a los policías detenidos en el edificio.

—¡Ordené que a toda la policía de Atoyac, no sólo a los que encontraran aquí, en las oficinas! —exclamó vuelto hacia ellos.

—Llegarán con las otras patrullas, coronel.

—¡Pero quiero aquí al comandante de policía! ¡Que lo busquen, que lo traigan aquí!

—Ya lo tenemos detenido —replicó el otro militar—. Estaba en su oficina. Ahí está ahora.

Los dos soldados sacaban a rastras al militar encarcelado. Traía el uniforme manchado de vómito. Los dos soldados lo sujetaban de los hombros. Se había orinado en los pantalones.

—¡Llévenselo! —espetó el coronel.

Los soldados habían rodeado la plaza de Atoyac y sitiado el edificio de la Presidencia Municipal. Guardias y policías estaban sorprendidos por la ocupación militar. Pasillos y oficinas habían sido ya controlados por varios pelotones armados que penetraron corriendo en el edificio.

—¡Traigan a todos aquí! —ordenó el coronel—. A todos, capitán. Desarmados. ¡Quítenles a todos sus armas!

Los soldados se concentraban en los separos policiacos, alrededor del coronel Cassani. Los policías, ante él, permanecían callados. Los miró y se acercó a ellos.

—A un soldado, a un militar —les gritó— nadie lo puede tocar, ¿me oyen? Ningún policía puede ponerle las manos encima. No volveré a permitir que nadie agreda así al ejército. Un militar es su padre y tienen que respetarlo porque yo sé cómo hacer que nos respeten, ¿entienden? ¿Entienden?

Los soldados formaban ya un acordonamiento en los separos policiacos. Varios policías iban llegando, empujados con violencia por las escoltas militares, mezclados con empleados de limpieza.

—¡Junto al muro, junto a la pared! —gritaba un oficial a los policías desarmados—. ¡Con las manos tras la nuca! ¡Todos! ¡Rápido!

———————————

—¿La Secretaría de Gobernación tiene ya un informe pormenorizado? —preguntó el gobernador Nogueda Otero al procurador Francisco Román.

—Lo expliqué telefónicamente al subsecretario, a don Fernando Gutiérrez Barrios —contestó—. Y a primera hora les envié un informe por escrito.

—¿Les expusiste todo? —volvió a preguntar.

—Sólo hechos escuetos —repuso el procurador—. Consigno el nombre del coronel Alfredo Cassani Mariña como el que comandó el operativo militar con soldados del 27 Batallón de Infantería de la guarnición de Atoyac. También que permaneció el edificio después con guardias militares. Que el despliegue militar en la plaza y las calles aledañas ocasionó que la población creyera que se trataba de un cuartelazo y que el ejército asaltaba el ayuntamiento por desaparición de poderes.

171

El gobernador se retiró de su escritorio, dando unos pasos por el despacho.

—Pero esta mañana el general Carranza Tijerina negoció con los militares de Atoyac —agregó Francisco Román—, y según los informes que tenemos, han devuelto ya las armas a los policías, aunque todas descargadas.

—¿Qué explicación ha dado la Zona Militar 27 en Acapulco? —preguntó el gobernador.

—Creemos que el general Enríquez Rodríguez estaba enterado del operativo de Cassani, aunque oficialmente no lo declaran así.

—¿Pero qué explicación han dado?

—Ninguna.

Nogueda Otero se retiró de una de las ventanas. La guayabera blanca acentuaba su gordura. Volvió a sentarse. Francisco Román no hablaba. El gobernador empezó a hojear el informe que le había extendido.

—Coincido con usted —comenzó a decir Francisco Román— en que no podemos presionar al ejército, claro. Pero quizá podríamos intentar otras cosas.

El gobernador asintió, en espera de las palabras del procurador.

—La policía judicial federal y la judicial de nuestro estado tienen problemas con la Zona Militar 27. Y no insisto en que el general Enríquez Rodríguez al apoyar las guardias de seguridad privadas de Acapulco haya agravado el pistolerismo de toda la región, aunque nosotros estemos perdiendo este control y no disminuya el índice de secuestros en Guerrero, como sabemos. Pero aquí el general ha agudizado el problema del pistolerismo y el de los garitos ilegales que no pueden clausurar ni la policía judicial federal ni la judicial del estado porque están custodiadas por guardias de soldados. Creo que mucho avanzaríamos si la Zona Militar 27 se concentrara más en la guerrilla de Lucio Cabañas. Porque ha aumentado la fuerza de la guerrilla en la sierra y ha disminuido la fuerza de la policía judicial en las ciudades frente al ejército. Creo que sería muy provechoso este cambio.

—Pero debemos plantear primero el problema de conjunto del estado al presidente Echeverría —repuso el gobernador—, porque para operativos contra el narcotráfico dependemos absolutamente del ejército.

—Así es —aceptó Francisco Román—, pero desde que asumió la comandancia de la Zona Militar 27 el general Enríquez Rodríguez, no sólo ha aumentado el pistolerismo, los garitos ilegales y la guerrilla de Lucio Cabañas, sino también los narcotraficantes en la sierra de Tecpan. Ya el propio jefe de la policía judicial federal en Acapulco, Jaime Alcalá García, ha dado órdenes expresas a sus agentes de no intervenir en garitos donde se vean guardias militares.

—¿El licenciado Ojeda Paullada está enterado de esto?

—Sí, por supuesto.

—Entonces el presidente Echeverría y el licenciado Moya podrían verlo con interés.

—Yo prepararé todos los informes del caso, además de la secuela de este asalto al edificio municipal de Atoyac.

—¿Especialmente la opinión de Enríquez Rodríguez sobre la conducta del coronel Cassani Mariña?

—No creo que avancemos en nada por ese lado —repuso Francisco Román.

—Yo tengo también una audiencia con el general Cuenca Díaz el próximo mes.

—Inteligencia Militar tiene mejores informes que nosotros, y no le diremos nada nuevo al general Cuenca Díaz.

—Por supuesto —dijo Nogueda Otero, sonriendo—. Pero ayudará que nosotros también le informemos.

———————

—Si la misma policía no se da cuenta de que nosotros somos la fuerza que controla la región, menos lo harán los campesinos y los guerrilleros. ¡Ellos deben poner el ejemplo, general!

—¡Una cosa es el fuero militar y otra el asalto a una presidencia municipal! ¿No entiende? —replicó secamente por el teléfono el general Cuenca Díaz.

—El coronel Cassani lo consideró necesario por el principio de autoridad.

—¿Y por un oficial borracho e indisciplinado va usted a enfrentar al ejército con el gobierno civil, general Enríquez Rodríguez? Y no me es fácil convencer al presidente de la República de que el estado de Guerrero se ocupe militarmente para que sus oficiales hagan lo que se les antoje.

—El coronel Cassani es de los elementos más importantes con que cuento, general.

—Pues solucione usted ahora mismo los problemas con las autoridades civiles. Y sin gritos ni pelotones de ocupación.

—Hay infiltrados en todos sitios, general. No dudamos que entre la policía también haya guerrilleros embozados.

—¿Por eso protege usted piqueras en toda la sierra con soldados? ¿Para que la policía no moleste a las putas, general?

—No entiendo, perdone.

—Pues apresúrese a entenderlo, porque quiero una evaluación precisa de toda su zona y de todos sus operativos. Completo. No quiero cambios en su zona sin una disciplina a fondo. En una semana, general, completo.

———————————

—Sí, dígame, dígame.

—Hace dos días estuvieron en San Ramón, mi teniente. Pero perdone que lo despierte.

El militar se incorporó en el catre. Miró su reloj. Eran las siete de la mañana. Comenzó a calzarse las botas.

—¿Confirmado? —preguntó.

—Así es, mi teniente. Hasta se quedaron ahí, a bailar con la gente.

—¿Y en Santa Ana? ¿No estaban en Santa Ana? ¿No era ésa la información que teníamos? —dijo terminando de abotonarse la camisa.

—Han estado en Santa Ana y en San José. Pero ahora en San Ramón, mi teniente. Ahí supieron que habíamos llegado aquí, a Yerba Santita, y por eso no creo que avancen más. Pero aún no abandonan la zona, mi teniente. Creo que no deciden su avance. Y Lucio Cabañas anda con ellos, lo sabemos por los campesinos que capturamos en Pie de la Cuesta y en Tepetixtla.

Habían salido de la pequeña casa de bajareque. La mañana era fresca. Se dirigían hacia los camiones militares.

—Y podríamos peinar la zona —agregó—. Incluso todavía hay gente de Lucio en San Ramón, que podríamos sorprender. Nos ayudarían a conocer sus movimientos en la zona.

—¿Cuántos hombres son?

—No más de cuarenta. Y no podrían desplegarse con rapidez, porque el terreno es muy abierto para recorrerlo durante el día. Tendrían que movilizarse de noche.

El teniente llamó a uno de los soldados que se hallaban de guardia en el vehículo de radio.

—Hagámoslo rápido, capitán —dijo volviéndose hacia el militar—. Ahora mismo. Primero tome en San Ramón a los campesinos coludidos con los guerrilleros y obtenga información de su campamento. Pediré apoyo de helicópteros en cuanto me confirme la cercanía de Lucio en San Ramón.

—Nos convendría repartir en varios frentes la zona, porque hay tres brechas de acceso. Podríamos ocupar las tres direcciones para emboscarlos.

El soldado de guardia se había acercado al teniente, y esperaba.

—Que lo acompañen a San Ramón doscientos efectivos, capitán. Ahora mismo. Tome la brecha de La Cascada, que es la ruta más corta a San Ramón. Yo espero su comunicación por radio para avanzar en la dirección necesaria. Les formaremos un cerco, capitán, ahora mismo.

Sintió el olor de la pólvora y de la tierra; las sacudidas poderosas del M-2 golpeando su hombro. Después oyó a los soldados. Habían salido, pues, de Yerba Santita e iban a Las Compuertas, ahí, por esa brecha. Miró en una visión fugaz los rostros, las bocas abiertas. Varios soldados cayeron con la cara destrozada, con los hombros mutilados. Otros arrojaron sus armas y sus fornituras, corriendo. Un soldado de tez blanca, aterrado, con los ojos muy abiertos, escapaba por la pendiente; le disparó dos veces; por el impulso de la carrera vio elevarse el cuerpo al recibir los disparos, como un trapo, como un animal que volaba sobre los cafetales, que se desplomaba sin ruido, convulsionado. Un enjambre de insectos lo acosaba. Un ruido de abejas, de insectos invisibles cruzaba el aire derrumbando ramas, astillando troncos. El soldado que tenía en la mira del M-2 no podía parar la ráfaga de su Fal y estaba ya disparando hacia el aire. hacia arriba, hacia el cielo, incapaz de dominar el movimiento del arma. Lo vio caer. Sintió movimiento a su lado. Rosario estaba de pie. Le gritó pero ella no escuchaba. Los proyectiles zumbaban sobre él, entre las ramas. Vio a Kalimán rodar por la tierra y sujetarla de las piernas para derribarla.

Estallaron granadas. Oyó las ráfagas de Fal, los disparos de M-1 y de pistolas automáticas, pero lejos, fuera de la brecha, desde Yerba Santita. Sonaban huecos, como una dolorosa fiesta lejana. En los soldados caídos la sangre oscura parecía brillar sobre la ropa, sobre la hierba, como cristales desperdigados en el camino, entre piedras. Ramas caídas, algunas armas, fornituras, se escalonaban por la pendiente. El ruido de pájaros volvió a comenzar. Un ruido ensordecedor de loros, de torcazas, de alondras, como si nuevamente amaneciera, como si apenas despuntara la poderosa mañana de la sierra. Los disparos lejanos seguían sonando en Yerba Santita, inútiles, tristes.

—A ti te han visto con el profesor desde hace tiempo. No tardarán en buscarte. ¿Y para qué esperar que esto ocurra? Ya no puedo andar peleando. Tú eres fuerte todavía. Vete, hijo, ayúdale al profesor. Llévate estos pantalones que te traje, están buenos. El profesor te va a recibir. Un día podrás venir, cuando haya menos peligro. Si yo fuera más joven, pues te dejaría aquí y yo me iría de alzado. Pero no puedo. Mis sesenta años son muchos ya y les perjudicaría andarme arrastrando por los ejidos. Y llévate también la pistola, para qué la quiero aquí. Luego me la encuentran y con ella misma me matan. Es vieja, pero sirve. Ya sé que es 22, y que los guachos disparan con mejores armas. Pero úsala, no te quedes aquí. El gobierno está llegando a muchos lugares. Me dijo tu tío Eulogio que había ya mucho gobierno desde Atoyac hasta Río Santiago. Que también vio mucho gobierno desde Cacalutla hasta El Quemado. El gobierno está por todas partes ahora, hijo, y también llegará aquí, dentro de poco, ya verás. No te esperes, porque entonces ya no podrás salir. Aquí te van a matar. Y a mí también. A todos. Vete ahora. Llévate esas tortillas, nosotros ya nos las arreglaremos después. Dame el gusto de saber que no te van a matar aquí en la casa. No sería bueno eso, hijo. ¿Sabes cómo los están buscando, verdad? Tus propios compañeros de la Normal te van a traicionar. El gobierno se ha metido en todas partes. Eulogio me dijo que hasta teléfonos están poniendo en toda la sierra para los guachos. Así se hablan ellos más rápido. Y con los caminos que están haciendo, ¡uh!, pues más. No es bueno que te quedes aquí. Mejor vete con el profesor, ahora que estás fuerte. Y hazle daño al gobierno, defiéndete bien. Siempre les ayudaremos en todas partes. Porque no respetan, tú ya sabes. ¿Te acuerdas de Nacho Sánchez, el viejito de El Quemado, que tenía mi edad? Dizque por morralero del profesor se lo llevaron a punta de cabronazos, a culatazos, a patadas, todos lo golpearon, pues. En la cárcel de Acapulco dicen que se untaba cebolla por todas las heridas que tenía. Y eso que era un viejo, pero ni así, lo mataron a patadas y de nada le sirvieron sus dolores. O a Julio Hernández, el de San Martín, ¿te acuerdas? Pues ese capitán Sosa lo golpeó, lo pateó dizque para que confesara. Y ya que el cuerpo ni la cabeza movía, ya que la carne parecía gelatina de tanta patada, lo dejaron en paz. ¿Así quieres morir, como una cosa que van ablandando a golpes? Recuerda que entran los soldados a los ejidos y van reuniendo a todos los hombres hasta que encuentran a los que buscan. O hasta que escogen a los que más les gustan. Claro que si me matan a mí, pues ya estoy viejo, es puro bagazo lo que matarían. No importa, pues. Pero tú no, hijo. Sería una lástima que te mataran fuerte como eres, todavía bueno para vivir. Vete a ayudarle al profesor. En Piloncillos llegaron antes del amanecer, cuando todos ni se despertaban, y los soldados fueron sacando de casa en casa a todos los hombres. Recuérdalo. Y se quedaron con tres viejos y tres muchachos, y ahí se los llevaron golpeados a las afueras y hasta por la espalda les dispararon a todos, tenían prisa, yo creo, porque más bien les gusta hacerse esperar. Y los viejos como yo, pues nos morimos y ya. Pero los muchachos da tristeza, porque ellos pudieron haber peleado y es una lástima que los maten así, sin provecho. Por eso vete ahora, no te tardes más. Aquí no vas servir para nada. Ya ves lo que nos dijo Eulogio, que a los Tonantin de Citlala, por haberse ido a quejar a Iguala, cuando regresaron el alcalde Pineda los fusiló en la plaza del pueblo, como escarmiento, y que hasta a los niños mandó a ver el fusilamiento para que todos se anduvieran con cuidado. Así que, ¿quieres quedarte para que te maten sin que te hayan aprovechado los que andan con el profesor? Vete tú, aquí nos quedamos nosotros. Pero vete ahora, que todavía es de noche. Y llévate ese pantalón que te traje, que está bueno, hazme caso. Pero no te regreses nunca, no quieras bajarte nunca, porque bajarías sólo a que te maten. Ahora dile a tu mujer que tienes que irte. Ella lo va a entender, y ya verás que también lo prefiere. Nosotros nos quedaremos aquí, a esperar a los soldados. Pero llévate esas tortillas. Ahí tenemos varias naranjas y plátanos, y eso podemos comer mañana. Y me traeré más plátanos para cocer, también. Así que llévate esas tortillas. Y no vengas más por aquí, hijo. No te vaya a traicionar alguno cuando te vea. Y dile al profesor que con gusto iría yo también, pero que estoy muy viejo, y que no le serviría para nada. Él lo entenderá. Y te aseguro que no tengo tristeza. Me da orgullo que no te vayan a matar aquí. Eso es bueno para tus hijos y para mí. Además me quedo muy a gusto ahora, en el sereno. La noche está muy despejada. Mira qué de estrellas. Me voy a quedar un rato pensando. Y si todavía Dios está despierto, voy a pedirle por ti. Pero no te olvides de esas tortillas. Y dile a tu mujer que la quieres, pues si al cabo es cierto. Eso es verdad, ¿no? Aunque te estuviste cogiendo también a la negra, la hija de Serafín. Pero es que desde niño te gustaba, y se querían mucho desde entonces. Pero pídele perdón a tu mujer y entenderá que te debes ir. Y no te fijes en mí. Yo no cuento, ya te lo dije. Yo ya ni como basura sirvo. Así es. Pero qué buena estaba esa negra que te cogías. Con unos pechos así de grandes como los de ella, si uno se agarra bien nunca se cae en ninguna parte. Y por ahí andan diciendo que es muy puta. Tú lo sabrás mejor. Cómo te buscó esa negra. Yo nada más la veía pasar por aquí, dizque a lavar a la noria. Pero te decía, dile al profesor que lo mando saludar, que le deseo que se conserve bien, y que le siga poniendo emboscadas al gobierno. Dile que los soldados sólo se envalentonan con los campesinos indefensos, pero que cuando oyen que la Brigada anda cerca, se van cagando hasta cuando caminan. Y ve nomás, ya quiero que te vayas y te estoy deteniendo con tanto hablar. Será que estoy muy viejo y a lo mejor no te volveré a ver. Y estoy así, tratando de engañarme con la noche. ¿Te acuerdas cuando nos íbamos juntos a Atoyac? Desde niño fuiste muy cabrón, te gustaban las señoras, no las niñas. Pero te gustaban las mismas que a mí. Sí, yo bien me acuerdo. Pero yo siempre quise darte algo más. Y te di estudio. Siempre quise, desde que naciste, que llegaras a ser profesor. Yo sé que es difícil eso, pero pudiste hacerlo. Ayer se lo dije a Eulogio. Mira, Eulogio, le dije, mi hijo se hizo profesor, como tú bien sabes. Sí, yo lo sé, Toño, me dijo.

Mira, Eulogio, le dije, eso cambia a los hombres. Porque los profesores saben otras cosas. Tú miras algo y ellos también, pero se quedan pensando en otra cosa más, que tú no ves, que tú no te imaginas. Así le dije, y Eulogio opinó como yo. Por eso ustedes son los que enseñan, por eso son profesores. Y deben saber los guachos que ustedes algo tienen, porque si no ¿para qué vendrían a buscarlos hasta acá? Por eso tienes que irte. Yo siento que un dolor me crece por dentro al pedirte que te vayas. Porque estoy viejo ya. Pero que no te maten aquí, y sin provecho. Tú eres un profesor, igual que él, y tienes que irte. Mira cómo se ve el cielo aquí. Pareciera que allá nada pasa, que todo está bien. Que no falta nada. También esta noche pareciera que a nosotros no nos falta nada. Sólo se oye la tierra. ¿Oyes toda la noche? Así te tienes que ir ahora, en medio de este ruido que te va a proteger. Los cafetales te pueden cubrir mientras te vas. Yo a veces siento que ahí podría estar mucho tiempo, sin que nadie me encontrara. Ya ves, por Santiago se ocultaron y sorprendieron a los guachos. Nunca se imaginaron que ahí iban a estar. Y fue bueno, el profesor les cobró juntas muchas que nos debían. ¿Te acuerdas cómo bajaba el mayor aquél, el que era puto y que siempre quería que se lo cogiera el negro Nicolás? ¿Te acuerdas? Andaba asustado y luego quiso culpar a todos los campesinos de Río Santiago, y casi quería matar al que lo mirara a los ojos. Esos guachos no respetan ni a Dios. Como son gobierno se creen dueños de todos. Y así se van a creer siempre. Hasta que los detengan todos ustedes, junto con el profesor. Por eso te digo que te vayas ahora, cuando nadie te puede ver. Qué tal que de día alguien te vea. Eso estaría peor. Tú necesitas que te aprovechen. Vete, hijo. Yo me quedaré aquí un momento más, mirando todas estas estrellas. Me va a hacer bien quedarme ahora aquí, en la noche. Es como entender cosas que debí comprender hace muchos años, cuando era joven, como tú. Y voy a pensar en ti hasta que muera, para darte ánimos. Porque me siento orgulloso. Yo esperaré aquí a los guachos. Y cuando vengan a buscarte, les diré que tú eres profesor, y que andarás trabajando en alguna parte. Y no pienses en mí. Ni en tus hijos, que se van a quedar bien. Ya les falta poco para hacerse hombres. Y yo me voy a encargar de decirles lo que tienen que saber. Vete tranquilo, ahora que todavía es de noche y no te puede ver el gobierno. Vete ahora, hijo, y hazle saber al profesor que contigo me estoy yendo yo también. Que te reciba como si fuéramos los dos. Porque te quiero como si te llevaras mis ojos, como si te llevaras también mi resuello, esta lumbre que me está quemando aquí adentro, que me entristece. Pero ya estoy viejo, hijo. Por eso quiero quedarme ahora así, esta noche, pensando. Déjame abrazarte. Pero llévate esas tortillas, que ya verás que te van a servir. Sí, hijo, adiós. Sí, sí.

Tres asistentes del general Rangel Medina intervinieron para replegar discretamente a los otros militares hacia el fondo del vestíbulo. El general se sentó a la mesa. Ninguna autoridad civil había acudido al cambio de poderes de la Zona Militar 27.

—Para mí el trabajo en esta Zona Militar es fundamentalmente de diálogo —explicó a los miembros del Estado Mayor—. Diálogo en todos los niveles. Sólo así puede conocerse a fondo la problemática de un lugar y estar en posibilidad de compartir los diversos problemas que aquejan a sus habitantes. Y quiero aclarar desde ahora, que para mí diálogo es sobre todo conocer puntos de vista y opiniones que deseo comprender y respetar. Especialmente respetar. Por eso he tomado posesión de esta Comandancia así, sin protocolo, sin ceremonias especiales. Por el compromiso de trabajo.

—Pero desde la semana pasada dos de nuestros batallones emprendieron acciones en las zonas cercanas a Yerba Santita y a Tepetixtla —explicó uno de los militares—. Necesitamos tomar decisiones en varios aspectos, general, de manera urgente. Sobre todo por el ataque en Yerba Santita.

—Dispongo de elementos suficientes de juicio sobre los grupos levantados en armas —replicó—. Pero me propongo de inmediato recorrer la sierra a fin de conocer más de cerca la realidad de los pueblos. Conocer directamente lo que ocurre en los mismos lugares; las causas o la realidad, pues, para no confundirlos con otros delitos que se están cometiendo en varios puntos, como atracos y secuestros, que requieren también de otras medidas.

—Pero la decisión en Tepetixtla es importante, general, perdone que insista. Porque el pueblo de Yerba Santita estaba coludido en la última emboscada.

—Toda la sierra está coludida con la gente de Cabañas —dijo el general—. Es necesario controlar a fondo cada zona. Pero son muchos los operativos necesarios y no quiero desgastes.

—¿Sabe usted que aumenta la fuerza pública en Acapulco? —intervino otro de los militares.

—No entiendo, disculpe.

—De trescientos setenta policías, habrá dos mil doscientos cincuenta, y de veintidós patrullas, se aumentarán a sesenta. Es la información de que disponemos.

—Las autoridades civiles y las autoridades militares tienen funciones distintas —repuso el general Rangel Medina—. El ejército sólo intervendrá en la persecución de asaltantes y secuestradores cuando lo soliciten las autoridades civiles del estado o del municipio, coronel. Pero mi nombramiento no está relacionado con las medidas que las autoridades de Acapulco o de Guerrero hayan tomado. No se les olvide a ninguno de ustedes. En ningún momento se les olvide, señores.

A lo lejos se detuvo el automóvil negro. El conductor se bajó y abrió la portezuela trasera. Cuando vio al ingeniero salir del automóvil, se ocultó tras el tronco del árbol. Levantó la vista: un ligero viento movía apaciblemente las copas de los árboles; había olor a hierba, a eucaliptos. Escuchó el rumor ronco de las fuentes a su izquierda, mojando los muros de Tláloc, cayendo en una pendiente suave hasta el Museo Tecnológico. Volvió a mirar; el ingeniero se había alejado unos pasos del vehículo y el conductor se hallaba en el interior. Temió que fuera un error haberlo citado aquí. A lo lejos seguía escuchando el murmullo de la feria, de la montaña rusa, como trepando por encima del rumor de las fuentes de Tláloc. Dos automóviles se detuvieron cerca.

Sentía dificultad al respirar. Escupió. Tenía la boca amarga, como si no hubiera comido durante días enteros. Salió. Bajó por la pendiente. Empezaba a atravesar la amplia calle cuando Rubén Figueroa lo reconoció. Caminó hacia él. Alcanzó a mirarle los ojos. Varias parejas caminaban lentamente por la calle. El ingeniero le tendió la mano derecha, para estrechar la suya.

—Te ves muy jodido, Pascual. ¿Qué te pasa?

—La mala vida descompone a cualquiera, ingeniero.

—Pero si tú estás bien, Pascual. No te hagas pendejo. Los que la están pasando mal no vienen a Chapultepec.

—Eso sí. Aunque yo no vengo a pasear.

Gordo, con una mirada intensa, con la boca sonriente y oscura, con los ojos rodeados por ojeras, el ingeniero Rubén Figueroa lo miraba. Desde el automóvil, a unos pasos, el conductor estaba atento a ellos. Pascual miró otra vez a ambos lados de la calle. Luego dirigió la vista hacia el fondo, hacia los árboles donde había estado oculto. El ingeniero había comenzado a caminar.

—Necesitamos tu ayuda, Pascual. Especialmente yo, aunque, también al presidente le urge arreglar esto.

—Usted dirá, ingeniero.

—Necesito entrevistarme con Lucio. Yo sé que tú, como su tío, puedes ayudar a que me reúna con él. Eso es lo que debes arreglarme, un encuentro con él. Donde sea. Donde él quiera. Te lo pido en mi calidad de senador, fíjate bien.

Estaban caminando por la colina. Se dirigían hacia los mismos árboles donde Pascual había estado oculto. A lo lejos escuchaban el ruido de bocinas y automóviles en el periférico. Las fuentes de Tláloc seguían manando sus aguas y su murmullo.

—Dígame cómo le mando una nota a mi sobrino. Porque para que yo regrese a Atoyac necesitaría estar más loco que para venir aquí con usted.

—No es broma Pascual. Necesito que te subas a la sierra.

—Pero si aquí mismo me andan persiguiendo. A la sierra no llegaría vivo.

—Date cuenta que al presidente le interesa tu ayuda y sabrá muy bien cómo protegerte.

—¿Pero usted no sabe de todos los cateos que hacen en los ejidos, de todos los retenes militares que abundan en Guerrero? Si me libro de Acapulco, de Coyuca no paso, ingeniero. Ahora es una ratonera el estado.

—Eso tiene solución, Pascual. Lo que necesito saber es si tú te comprometes a conseguirme esa entrevista con Lucio. Y no me dores la píldora. Dime si verdaderamente puedes ayudarme en esto.

Caminaban ya entre los árboles, junto al rumor de las fuentes. Un perro pastor alemán corría a lo lejos, junto a un par de niños. Sus ladridos se escuchaban tersamente, como parte del aire, del olor de la hierba, del olor de los eucaliptos. El ingeniero se detuvo. Lo miró a lo lejos. A Pascual le parecía percibir el olor del casimir oscuro, de la corbata de seda. Se volvió hacia el automóvil; a lo lejos distinguió al conductor, que estaba afuera, mirando hacia ellos; parecía inofensivo a esa distancia. A unos pasos, en una banca, una pareja se besaba. Volvió a escuchar los ladridos del perro, a lo lejos, y la risa de los niños.

—Dime si puedes hacerlo, Pascual —insistió el senador.

Lo miraba a los ojos. Por un instante creyó en su sinceridad. Fugazmente se sintió seguro de él. Por vez primera, después de innumerables noches y días agitados por el temor de ser localizado, aprehendido, golpeado, sintió calma. Respiró hondamente y volvió a mirar hacia el distante automóvil. Miró la calle. Pasaban dos vehículos, lentamente. Nada parecía amenazante. Sintió calma. Pero se esforzó, dentro de esa misma calma, en despertar. Como de una pesadilla se exigió despertar, mirar, resolver su vacilación. El ingeniero esperaba su respuesta. Él la sabía. Pero se contuvo. Necesitaba, muy rápidamente, con apremio, pensar. Algo no había registrado. Algo se le estaba escapando, que no atinaba a descifrar.

—Mire, ingeniero. Ni usted ni yo podemos asegurarnos nada. Usted no puede asegurarme que no me matarán en Atoyac y yo no puedo asegurarle que mi sobrino quiera hablar con usted. Pero quien perdería más en este asunto sería yo, no usted.

El ingeniero se rió.

—No seas tan desconfiado —replicó—. Bien se ve que no sabes lo que es un presidente de la República. Cuando yo te digo que él te protegerá, sé lo que te digo. Vas a estar más seguro que yo, te lo juro. A ningún soldado se le ocurriría saltarse las trancas con él, Pascual. Tú vas a llevar su bendición, que es más efectiva que la del Papa.

Los ojos risueños del ingeniero brillaban intensamente. Parecía seguro de sí, orgulloso, dueño del mundo. Pascual empezó a entrever esa seguridad, a discernir el poder que ese hombre transpiraba.

—Explíquese más, ingeniero, por favor.

En el rostro de Rubén Figueroa vio un gesto fugaz de impaciencia. Luego, imperceptiblemente, la sonrisa volvió. Un leve temblor en los párpados reflejaba la tensión. No parecía mirar a ningún sitio, no parecía darse cuenta de lo que lo rodeaba. Chapultepec no existía en ese momento. Sus ojos estaban fijos en algo que no estaba ahí, con ellos, sino en su mente, en su imaginación, en su interés obsesivo por lo que pedía. Por un momento pensó que podría estar loco.

—Te voy a aclarar, primero, que yo aprecio a tu sobrino. Que yo creo que él tiene razón de ser rebelde, pero yo no comparto, por supuesto, el que le esté haciendo la guerra al gobierno, porque un día u otro van a acabar con él. Yo creo que el gobernador es muy pendejo y no ha sabido solucionar el problema de Lucio. Y yo, como senador de Guerrero y como hijo de mi estado, escúchame bien, Pascual, en mi calidad de guerrerense, de patriota, yo quiero solucionar este asunto. Quiero hablar con tu sobrino y convencerlo de que se una conmigo para hacerle un bien a Guerrero. ¿Me has entendido, Pascual? Yo conocí a Genaro, y hablé con él muchas veces. Era muy buen muchacho. Hasta que lo hicieron rebelde. Es que la mula no era arisca, sino que la hicieron. Genaro quería la institucionalidad, la lucha política, la negociación. Era un gallo muy valioso. Pero nuestros gobernadores son muy pendejos, Pascual. Creen que cualquiera que habla, ya les quiere picar el culo y nada más saben reprimir, ¿me entiendes? Se asustan solitos y andan repartiendo golpes a todo mundo, como si eso fuera la autoridad. Y tú me vas a ayudar a acabar con esta situación. Yo quiero poner a trabajar a todos los hombres de Lucio, amnistiarlos, entregarles toda una región, la misma en que se están dando de cabronazos con los soldados, para que la siembren, para que hagan sus cooperativas, para que me ayuden si yo quedo como gobernador. Por eso estoy hablando contigo, Pascual. Y no quiero que te me vayas a rajar. Dile que quiero hablar con él personalmente, donde él quiera, y que no lo va a saber ninguna otra autoridad. Que le doy mi palabra de hombre.

—Pongamos por caso que Lucio acepte hablar con usted. Digo, supongamos que puedo hallarlo y que él quiera verlo a usted. De ahí a que usted lo convenza de dejar las armas hay un largo camino, ingeniero. A Lucio no lo compran con puestos ni con tierras. Eso es lo difícil. Tiene ideas, y muy firmes.

El ingeniero se rió nuevamente. Estaba ahora contento. La tensión en sus párpados había desaparecido. Se inclinó hacia Pascual y con una sonrisa que podía ser alegre y burlona a la vez, le dijo:

—Mira, Pascual, quiero que tú estés conmigo en esa entrevista y que esté un sobrino mío que también es comunista, Febronio, que habla el mismo lenguaje que Lucio. Llevo a mi sobrino de intérprete para que hablen el mismo inglés, ¿qué te parece? Y como es maestro de la universidad, pues estoy seguro que los dos se van a entender muy bien. Pero, además, te digo, todo hombre, por más ideas que tenga, sigue siendo un hombre. Y yo conozco a los hombres, Pascual, ése es mi trabajo, conocer a los hombres. Febronio entenderá sus ideas, y para eso lo llevaré, pero yo conozco a los hombres, y sé que Lucio va a estar de mi lado.

Habían vuelto a caminar, ahora sobre la hierba. El amplio redondel de las bombas de agua se extendía frente a ellos. Muy a lo lejos se alcanzaban a escuchar los ladridos del perro pastor alemán. Nuevas parejas habían ocupado las bancas metálicas de los andadores. El conductor, a lo lejos, pendiente de ellos, seguía afuera del automóvil. Se habían encendido ya las luces de las fuentes de Tláloc, que ahora, iluminadas, parecían brotar con más abundancia. La feria también estaba ya iluminada; la montaña rusa era una inmensa giba de luces sobre la masa gris y verdosa del bosque.

—Pero necesito otra cosa, ingeniero. Algo que para mí es muy importante.

Rubén Figueroa se volvió a mirarlo, deteniéndose.

—Que localice a mi hermano Luis y lo ponga en libertad. Que usted lo localice en el Campo Militar número uno. Digo, si aún no lo han matado ahí. Porque ya uno no sabe cómo andan las cosas.

Rubén Figueroa lo tomó del brazo y lo apretó con fuerza.

—Me comprometo a rescatar a tu hermano. Hablaré con el presidente mismo. Te doy mi palabra.

—¿Y conmigo? ¿Cuál va a ser mi seguridad?

Lo soltó del brazo y volvió a caminar.

—Te voy a conseguir dos salvoconductos. Uno para el ejército y otro para los judiciales. Pero salvoconductos verdaderos, de los papás de todos esos hijos de la chingada, para que tú no tengas problemas. Hasta los más pendejos se van a asustar contigo. Uno va a ser de Hermenegildo Cuenca y otro de don Fernando Gutiérrez Barrios. Son amigos míos, y de toda mi confianza. Especialmente don

Fernando debe estar al tanto de todo esto, ¿sabes? Prefiero tratar con él que con el secretario. Ese licenciado ya se cree el futuro presidente, pero todavía le falta recorrer un terreno con muchas piedras. Y no quiero que se levante polvo por ahí. Yo tengo compromiso con Guerrero, y quiero que esto lo arreglemos nosotros mismos, Pascual, entre familia. ¿Cuánto dinero necesitas? Digo, para tus gastos, no me vayas a malinterpretar. Yo entiendo que escondiéndote de los judiciales no ibas a estar trabajando como todo mundo.

—Pues nada más lo necesario para mi hermano y para mí.

—Te daré el dinero junto con tu hermano Luis. Pero si necesitas algo llámale a mi hijo. Él te dará lo que necesites. ¿No quieres ahora cien pesos, para estos días?

—No, ingeniero, gracias.

—Anda, Pascual, te los presto como amigo.

—No es necesario, ingeniero.

—Ya estás grandecito para saber lo que te conviene y no voy a insistir.

—¿Cuándo dejarán en libertad a mi hermano?

—Esta misma semana, Pascual. Lo prometo.

Bajaban por la colina en dirección al automóvil. El conductor había abierto la portezuela trasera y los esperaba. Pascual miró a ambos lados de la calle. Sintió cansancio. Quizás dolor en las piernas. Se dio cuenta de que tenía la boca seca y amarga, otra vez.

—No pierdas contacto conmigo, Pascual —le dijo desde el interior del automóvil, mientras el conductor encendía el motor—. Avísame de todo lo que hagas. Y recuerda que don Fernando es hombre de confianza. Él puede ayudarnos en todo.

El automóvil comenzó a alejarse. Pascual miró la calle. Había anochecido ya. Ahora, al quedar solo, una lasitud comenzó a invadirlo, y una sensación de hambre y de miedo. Empezó a caminar hacia la feria, con prisa.

VI

Enero a mayo de 1974

—Sí, fueron ocho vehículos, licenciado —repuso el coronel Salgado, asintiendo con un movimiento de cabeza al tiempo que bajaba la vista a las notas que había llevado al escritorio del procurador—. El operativo se inició a las cuatro de la tarde y terminó a las ocho de la noche.

—Pero sin víctimas —reafirmó el procurador Francisco Román.

El coronel Salgado negó con un movimiento de cabeza.

—La comisión de campesinos insiste en la agresión y en las amenazas, pero no en víctimas.

—Ya liberaron a los campesinos aprehendidos, ¿no es así, coronel? ¿Qué quieren ahora?

El coronel Salgado volvió a revisar sus notas.

—Fueron liberados Juana Vásquez Suástegui y Antonio Vásquez Solano, sí. Pero insisten en ver al gobernador o a usted. Incluso quieren pedir audiencia con el señor presidente de la República. Son los planteamientos de los comisarios ejidales, licenciado. Los mismos Apolinar Olea y Lucio Escobar. Les parece que La Venta fue injustamente tratada porque ellos alegan que siempre han estado de parte del gobierno, que siempre han confiado en el gobierno y que nunca se han opuesto a nada. Por eso quieren que se deslinden las responsabilidades de los agentes que catearon el poblado.

El procurador Francisco Román guardó silencio.

—Mire usted, coronel —dijo después, molesto—. Tenemos muchos problemas como para que ahora los comisarios ejidales de La Venta o de cualquier otro ejido vengan a romperse las vestiduras como mártires. Nadie sufrió violencia física, nadie fue agredido de manera directa y los únicos arrestados fueron puestos en libertad en menos de cuarenta y ocho horas. Lo que nosotros teníamos que hacer, ya lo hicimos, y si como dicen, siempre han estado de parte del gobierno, pues que lo demuestren ahora. Y que se responsabilice el comandante de Acapulco de todo, coronel. Déle instrucciones terminantes.

—Todo es mentira —explicó Wilfrido Castro Contreras ante todos los periodistas que lo rodeaban en su despacho—. Mis agentes no cometieron arbitrariedades en el pueblo de La Venta. Es mentira, señores.

—¿Y qué hará, comandante? —preguntó el periodista de *El Trópico* de Acapulco—. ¿Interpondrá algún recurso ante el Ministerio Público?

—¿Cómo dice usted?

—Digo, por la denuncia formal que presentaron los campesinos de La Venta ante el licenciado López Mayrén, del Ministerio Público.

—No, no —volvió a negar con firmeza Wilfrido Castro, atajando con la mano derecha—, no saqueamos ninguna casa, como he dicho, ni mucho menos robamos alhajas. Eso es mentira, señores. No herimos a nadie, no ultrajamos ni aprehendimos a ninguna persona de las que dicen. No, por supuesto que no.

—Pero ayer liberaron a los dos campesinos de La Venta —terció el periodista de *El Sol de Acapulco*.

—Sólo buscábamos a José Natividad Navarrete, que vive en ese lugar. Eso sí —dijo Wilfrido Castro—. Pero no pudimos robar ninguna pertenencia de nadie ni detener a ninguna persona porque mis agentes única y exclusivamente penetraron en el domicilio de la señora Alberta Villanueva. A la señora se le pidió que viniera con nosotros para un interrogatorio, para confirmar algunas pistas sobre su hijo, eso lo reconozco. Pero se le retuvo aquí unas horas, nada más, y luego quedó libre de regresar a su domicilio.

—¿Pero los otros presos, comandante?

—Es mentira, señores —insistió Wilfrido Castro—. Les repito que mis agentes sólo entraron en el domicilio de la señora Alberta Villanueva. Y da la casualidad de que la señora se encuentra ahora en las oficinas de la comandancia y ustedes pueden confirmar con ella lo que estoy diciendo, para que se den cuenta. Y les aclaro que ya hablé hoy mismo con el comisario ejidal, con el señor Apolinar Olea, y le hice ver que se engañó con informaciones falsas. Así que ya hemos despejado este asunto, hablando, como deben hacerse las cosas. Eso es todo. Nuestros enemigos son los delincuentes, no los ciudadanos ni los campesinos de La Venta, señores —afirmó con molestia, poniéndose de pie.

Rosendo Serna se acercó a su automóvil con las mangas de la camisa remangadas y un trapo mojado en una mano. Sumergió el trapo limpio en la cubeta y lo llevó sobre el cristal del parabrisas, dejando escurrir el agua desde el capacete. Brillaban las molduras y el cristal bajo el sol radiante. Se volvió porque le pareció oír que lo llamaban de lejos. Al fondo de la calle, en la esquina, un camión de refrescos daba vuelta lentamente. Volvió a sumergir el trapo en la cubeta. Lo extendió sobre el cofre del automóvil y siguió tallando. Sudaba, un cansancio ligero lo iba inundando en la mañana luminosa. El camión de refrescos se detuvo más adelante y oyó que un hombre gritaba desde la calle. Se volvió a mirar y lo vio entrar en la tienda. Levantó la vista, hacia el cielo. Sintió en su rostro la luz del sol, la fuerza de la mañana caliente. Se inclinó hacia la cubeta y la fue vaciando a la orilla de la calle; el agua iba cayendo entre las piedras. Separó más su pie derecho, para no mojarse; una de las correas de cuero de sus huaraches negros se había salpicado. Agitó al final la cubeta para reunir los granos de tierra atrapados y de un golpe arrojó el agua sobrante.

Entró en la frescura de su casa. Abrió la llave de agua en el vestíbulo y esperó a que la cubeta se llenara. Cuando salió a la calle caliente, el camión de refrescos arrancaba; lo vio alejarse con lentitud, ruidosamente. Un niño gritó en la esquina, junto a un viejo que comenzaba a atravesar. Rosendo se dispuso a enjuagar las llantas de su automóvil. Oyó el ruido distante de otro motor. No se volvió a mirar. Veía reblandecerse la gruesa capa de lodo en la llanta delantera; el agua iba abriendo las grietas, arrastrando el lodo. Vio de soslayo un carro blanco, Volkswagen, que se acercaba despacio, levantando el polvo de la calle. Se detuvo junto a él y el muchacho que conducía, de camiseta oscura, abrió suavemente su puerta. Rosendo se puso de pie, para dejarlo pasar.

—Buenos días —dijo el muchacho, sonriendo desde el interior del carro.

—Buenos días.

El motor sonaba ruidosamente. Pensó que lo estaba acelerando en exceso. En el asiento delantero venía otro muchacho y atrás un hombre.

—¿Rosendo Serna?

—¿De qué se trata? —repuso.

—¿Es del periódico El Rayo del Sur?

Rosendo vio que el hombre que venía atrás del conductor intentaba asomarse para mirarlo. Usaba bigote y vestía una camisa verde.

—Yo soy.

—Traemos algo para usted —dijo el muchacho que conducía.

Rosendo volvió a oír que el motor estaba muy acelerado. Luego vio salir al otro muchacho y tenderle una bolsa de papel por encima del vehículo. No entendió que la puerta del conductor permaneciera abierta. Miró la bolsa de papel que sujetaba con las dos manos el muchacho desde el otro lado. Sintió el calor del sol en los hombros. Sintió que algo le quemaba en los hombros. Quiso huir de la bolsa de papel al estallar la primera detonación. Gritó de dolor, porque el hombro le comenzó a arder por el calor.

—¡Rosendo! —gritó el hombre que estaba sentado detrás del conductor—. ¡Para que esto también lo denuncies! ¡Para que te conste lo que denuncies!

Rosendo alcanzó a verse cayendo ante el arma que también disparó el hombre que le gritaba. Vio también una mancha blanca que comenzaba a moverse. El ruido del motor se alejaba. Pero él sentía ya la tierra de la calle, el calor de las piedras, sobre la cara, sobre la boca. Trató de no cerrar los ojos, de que la sangre no le cerrara los ojos, de que la boca gritara para tomar aire, no perder ese aire caliente que ardía, que lo mojaba.

Vieron que el vehículo descubierto levantaba una nube de polvo por el camino de tierra y se acercaba despacio al vado del río, hacia Agua Fría. El vehículo disminuyó la marcha para entrar en el vado. Lucio dio la señal, disparando sobre el parabrisas. Más abajo del río, desde la cuesta, sonaron otras detonaciones.

—¿Ves a Enrique? ¿Lo ves? —gritó Lucio, nervioso.

—Está detrás de la portezuela —respondió Carmen—. Yo tampoco puedo verlo.

Lucio sintió el zumbido de proyectiles que pasaban entre ellos.

—¡Chema! —gritó Lucio—. ¡Bájate a la brecha! ¡Por abajo! ¡No, a ése no, déjalo que se vaya! ¡No importa! ¡No le dispares!

Lucio vio correr al otro hombre hacia los matorrales del río, herido de un brazo. El Pullo bajó corriendo a la brecha, siguiendo a Chema. Lucio creyó oír un grito ronco, desgarrado. Se incorporó y bajó por la pendiente. Corrió luego hacia la brecha. Cuando llegó al vehículo, Chema y el Pullo apuntaban a un hombre que estaba muriendo. Del hombro y de la garganta salía la sangre a borbotones, con un ruido animal, subterráneo. Junto a la sangre estaba una pistola escuadra de cachas blancas, con el detonador levantado. Vicente recogió el arma.

—Es una Browning, catorce cartuchos —dijo.

Lucio notó que el hombre sangraba también de una pierna; el pantalón desgarrado parecía parte de la carne abierta y sanguinolenta.

—¿Es él? —preguntó Lucio, mirando el rostro que no se movía en medio de la sangre—. ¿Es él?

—Sí —dijo Chema—. Es Enrique Juárez.

—Está bien —dijo Lucio.

—Ya se chingó —dijo Chema.

Lucio comenzó a caminar hacia la parte trasera del vehículo.

—Remátalo tú —le dijo a Vicente—. De una vez. Y ponchen las llantas. Los que tienen Fal, nada más. Tú no —le gritó al Pullo—. Recoge tus casquillos. Tú tienes nueve milímetros, ¿verdad?

El Pullo afirmó con un movimiento de la cabeza.

—Recógelos para evitar problemas.

Lucio preguntó al grupo que revisaba el vehículo.

—¿Qué es eso? Ah, son medicinas —dijo—. Vámonos. Ese balón déjenlo, sí ahí déjenlo.

A lo lejos se escuchó otro vehículo. El ruido del motor se distinguía claramente.

—¡Vámonos pronto. Por acá, por abajo!

Lucio echó a correr hacia la pendiente, hacia los matorrales donde seguía Carmen apostada. Vio la polvareda que se levantaba en el camino al paso del vehículo.

—¡Es otra camioneta! —gritó—. ¡Vámonos! ¡Creo que ya nos vieron!

Lucio comenzó a correr entre los matorrales de la pendiente. Se detuvo un momento y se volvió a mirar la brecha.

—¡Vámonos por este lado! —volvió a gritar—. ¡Por este lado! ¡Después damos vuelta hacia arriba! ¡Corran, no borren la huellas! Que las vean. Luego rodeamos para salir por arriba.

—¿Afuera? Explíquese —insistió el gobernador.

—Los estudiantes se amotinaron frente al penal de Acapulco —repuso el procurador Francisco Román—. Querían testificar la liberación de los cuarenta y cinco campesinos de El Quemado que siguen presos, incitados por el comunicado de las FAR. El juez de Distrito explicó ya que es imposible, que se les sentenciará en breve tiempo, pero que no se les puede liberar a menos que se desista la Procuraduría General de la República. Se concentraron más de trescientos cincuenta estudiantes y el desorden se extendió al interior cuando el nuevo jefe de la policía intervino para dispersarlos; lo insultaron, trataron de cercarlo y tuvo que retirarse. Cuando intervino Wilfrido Castro, era ya imposible contener a los estudiantes. Fue cuando se inició el conflicto en el interior. Dos pelotones de soldados controlaron la agitación, señor gobernador. Retiraron a los estudiantes y luego sometieron a todos los reclusos del penal. El coronel Enrique Alba y el teniente coronel José Ávila Vásquez condujeron el operativo. Ya di instrucciones para que cambien de prisión, incluso, a los guerrilleros capturados de Lucio Cabañas, los que secuestraron al ingeniero Farril Novelo hace varios años. Ellos son los culpables directos del amotinamiento en el interior del penal.

—Pero las FAR también son del grupo de Lucio Cabañas, ¿no es así?

El procurador negó con la cabeza.

—Algunos se desligaron de Lucio Cabañas, pero son grupos distintos.

—¿Y El Quemado? ¿Por qué piden la liberación de campesinos a cambio de don Vicente? ¡Están coludidos con la guerrilla de Lucio!

—La información que tenemos es en el sentido de que las FAR operan como grupo distinto, independiente de Lucio Cabañas. Son comandadas por Carmelo Cortés.

—¿Hay relación con el asesinato de Enrique Juárez? Fue también la semana pasada, como el secuestro de Rueda Saucedo.

—Nadie se ha atribuido el atentado todavía. Son varios cabos sueltos. Aún tenemos presión en Atoyac y en Acapulco por la muerte de Rosendo Serna, por ejemplo. El comandante de la policía judicial de Acapulco declaró que contamos con pistas para dar con los culpables, pero son inciertas, aunque sirvieron para negociar con Jesús Bernal, de la Unión de Camioneros de Carreteras Federales, que se proponía organizar paros como protesta por el asesinato.

—Pero todo está relacionado, procurador, ¿no es así?

—Al parecer hay nuevos movimientos en las ciudades y no sólo en la sierra. El general Rangel Medina está controlando la zona de Atoyac con más efectivos y está reduciendo los movimientos de Lucio. Nos toca concentrarnos en el secuestro de Vicente Rueda Saucedo. Como vicepresidente de la Cámara de Comercio y diputado federal, su secuestro preocupa a varios sectores. Además, puedo afirmar que no ha salido de Acapulco; que se encuentra ahí, en la ciudad, con sus secuestradores.

—Esto es asunto de Lucio, insisto —dijo el gobernador Nogueda Otero, asintiendo con la cabeza, mirando fijamente al procurador.

———————

—¿Y qué hizo la guarnición de San Vicente de Benítez? —preguntó ofuscado el general Rangel Medina.

—Ya recorrió la zona, general, pero los guerrilleros se retiraron ayer mismo, al anochecer. En la guarnición supieron del asalto esta mañana.

El general Rangel Medina se inclinó molesto sobre su escritorio.

—Es que ocuparon el pueblo —siguió explicando el oficial—. Después de asaltar las oficinas del Instituto Mexicano del Café llamaron a una reunión a los campesinos del poblado. Concentraron a toda la población. Secuestraron camiones, bestias de carga, campesinos. Tomaron el poblado más de cien guerrilleros, general.

—Pero un contingente así no puede desplazarse fácilmente, y menos ahora, cuando no llueve y es imposible eliminar rastros, coronel.

—En el caso de que después del asalto se movilizaran al mismo tiempo los cien hombres. No si se dividen en diez grupos pequeños o en más, general.

—Pero esos grupos se dirigirán al mismo punto. No se encaminarán a diez campamentos distintos.

El coronel permaneció callado.

—Debe corregir todas las fallas —repitió el general Rangel Medina—. Sabemos que los guerrilleros no se concentran de manera permanente. Que muchos son temporales y que acuden a zonas de contacto. Que sus depósitos de alimentos encontrados el año pasado se ubican en las zonas donde tienen mayor colaboración de campesinos. En fin, no quiero perder tiempo ya. No quiero volver a oír que asaltan El Porvenir y roban dinero y armas frente a la guarnición de San Vicente de Benítez. Necesito presentar al general Cuenca Díaz el próximo mes nuestras propuestas concretas. No basta con perseguirlos, coronel. Debemos cortarles el camino. Debemos cortarles salidas, entradas, contactos. Eso es lo que nos corresponde hacer. Prepare así todos los movimientos de su zona, de su batallón, con fechas pero sobre el mapa, coronel. Vamos a acabar con este asunto de una vez. Tiene una semana para preparar esos informes para la reunión de oficiales del Estado Mayor de esta Zona Militar.

—Prácticamente hemos terminado con la información que me ha pedido, general.

El general Rangel Medina miró su reloj. Luego se puso de pie.

—Cambie al responsable de la guarnición de San Vicente de Benítez. No quiero que lo asalten y se dé cuenta un día después.

—Como usted ordene, general.

—Y aclare a todas las guarniciones que no son para estar cuidando los cuarteles, sino los territorios.

René volvió a tomar la palabra.

—Bien, compañeros —dijo levantando la mano y pidiendo silencio en el campamento de El Picoso—. Bien, éstos fueron informes de los tres comandos. En cuanto a informes terminamos. El balance quedó positivo, como han dicho varios compañeros, con los ajusticiamientos de Rosendo Serna, de José Natividad Paco y de Enrique Juárez. Aunque fallaron, como ya se criticó también, con Agustín el Tordillo, por el arma que se utilizó, y en las heridas a José el Panadero. Pero el saldo ahora es positivo, pues, y la Brigada Campesina sigue teniendo presencia entre los pueblos de la sierra. Esto es importante. Ahora, aquí el compañero Lucio quiere hablar —agregó René—. Que pase acá, adelante. Acá. Escuchemos, compañeros.

Lucio atravesó entre los grupos del campamento. La mañana ascendía con su sonora fuerza de aves, de árboles, del arroyo que caía en la cañada cercana. Se agachó ante las ramas de un árbol de plátano y se ajustó el sombrero después.

—Quiero insistir en algunas cosas —comenzó a decir suavemente, sin prisa; bajó la vista unos momentos, luego levantó el rostro y miró hacia el fondo los grupos—. Esto de ajusticiar, digo, no se trata de matar y ya. Claro que la guerra siempre se basa en eso, pues. Pero nos llamamos Brigada Campesina de Ajusticiamiento porque se trata de una justicia, no de matar. Y en la justicia hay que limpiar cosas, como si quitáramos piedras o troncos de los caminos, para pasar. Y esas piedras, o esos troncos que hay que quitar del camino pues son precisamente los traidores, los que se oponen a que pasen los campesinos. O sea que no tenemos por qué ajusticiar a toda la gente que sea injusta con los pobres. No, sólo a los que se oponen a esta lucha, pues entonces son enemigos y en la guerra se acaba con ellos. Sólo tiene que morirse gente como Juan García y Carmelo García; tiene que morirse gente como Rosendillo, que lo acabamos de matar porque denunciaba a campesinos y su periódico lo usaba contra nosotros. O tiene que morirse gente como Enrique Juárez, como hace rato lo dijimos, porque robaba los créditos para los ejidos, recibía en su casa a los soldados, denunciaba a los de allí, se robaba las vacas de muchas familias y luego dejaba recados escritos que decían "no busques tus vacas, se las llevó Lucio Cabañas". O gente como Tibe Paco, que cuando fue comandante de la policía montada con el gobierno de Caballero Aburto recibía dinero de los caciques por matar a campesinos. Y anduvo dondequiera matando, se daba gusto y nadie lo castigó. Allá, en la carretera, por Zacualpan, en la Trozadura, mató a cuantos quiso, sin ley, y nunca pudieron hacer nada los campesinos. Era pobre, pero fue enemigo de los pobres. Y hasta ahora pudimos con él, como acaban de informar aquí los compañeros. O debe morirse la gente como José Benítez, que sirvió de guía a los soldados y llegó hasta La Florida y provocó la muerte en muchas familias. Y le mandamos una carta para que se compusiera y no quiso, y le echamos unos balazos en los pies allá en El Porvenir y no se quiso componer, y lo agarramos y tembló y nos pidió disculpas, pero otra vez siguió denunciando. Por eso mejor lo ajusticiamos en Atoyac. Ejecutamos a los traidores, a los causantes de la muerte de otros. A ésos los quitamos del camino, como piedras o hierbas venenosas, porque ellos tienen que morir. Y les insisto que no se trata de matar, porque nosotros somos el verdadero juzgado del pueblo. Como un tribunal que todavía no tiene edificio y que anda en el monte porque aquí está su lugar. Somos como el único tribunal verdadero de los pueblos. Así que lo que hacemos es justicia. Algo que diría que es sagrado, porque no se trata de causar males, sino que avisamos y juzgamos en cada caso si lo amerita o no. Porque la justicia es algo muy delicado. Y es parte de la lucha, de avanzar en el camino, de despejarlo para que la gente vea que se está haciendo ya el camino, que pueden caminar por él, atravesar por ahí. Esto quería decirles. Nada más. Pensé que debía insistir en esto. Así que ya terminé con la palabra y si el compañero René quiere continuar la reunión del balance, pues como él diga.

Lucio se alejó unos pasos, buscando la sombra de un amate. René se incorporó. Avanzó otra vez hacia el frente. Traía la camisa abierta, sin abotonar.

———

—Usted debe pensar que es muy fácil llegar con Lucio, ingeniero, pero no es así. Se lo aseguro. Y no es fácil para ellos mismos encontrarlo, además. No crea que siempre están todos reunidos. Que los guerrilleros tienen una oficina para cuando usted necesite verlos. No, qué va. Lucio estuvo ilocalizable en enero y en febrero.

—Pero insiste. Tú insiste —repitió Rubén Figueroa mientras caminaba en el patio, en Acapulco—. No soy pendejo, Pascual. No me chupo el dedo.

—Pues Lucio no quiere tratos con nadie del gobierno. Dijo que no quiere hablar con nadie del gobierno.

—Aclárame bien eso, Pascual —interrumpió Rubén Figueroa—. ¿Se negó a entrevistarse conmigo o con cualquier autoridad?

—Dijo que no quiere nada con el gobierno. Y que usted es parte del gobierno.

—¿Pero le aclaraste que seré el próximo gobernador? ¿Que no soy como el pendejo de Nogueda Otero? ¿Que no estoy de acuerdo en cómo trataron a Genaro Vásquez otros más pendejos que Nogueda, como Caballero Aburto y Miranda Fonseca? ¿Le dijiste eso?

—¡Claro que sí, ingeniero!

—¡Pues si no es pendejo, Lucio tendrá que aceptar!

—A Lucio no le interesa amnistiarse, ingeniero. Quiere seguir con las armas.

—Yo no le estoy ofreciendo la amnistía de Cuenca Díaz, Pascual. Yo le estoy pidiendo que trabaje por Guerrero. Incluso que no desaparezca su Partido de los Pobres, sino que lo meta a las elecciones del estado, que tenga diputados para llevar su voz al Congreso. Yo le estoy ofreciendo que siga luchando en otros frentes, no que se quede cruzado de brazos.

Rubén Figueroa se detuvo, hablando excitado. Pascual Cabañas lo miró, en silencio.

—Déjalo que se convenza, Pascual. Tendrá que pensarlo. Búscalo otra vez. En dos semanas, mejor. Y vuelve a insistir. Cuenca Díaz está decidido a no dejarlo crecer, a acabar con él. Yo le ofrezco que siga su lucha, pero conmigo.

—Por nuestra parte no ha quedado, ingeniero.

Rubén Figueroa se volvió a mirarlo.

—Por la de él tampoco ha de quedar —agregó.

—*Necesitamos que nos ayudes ahora de otra manera —dijo Lucio—. Tenemos otros planes en la Brigada. Necesitamos salir. Necesitamos entrenar cuadros especiales, que conozcan otras cosas, pues, con profundidad. Tenemos que avanzar en otros lugares. Ya no sólo de pueblos, sino del país, ¿entiendes?*

El Volkswagen blanco doblaba por una calle. Venía sentada junto a él, en el asiento trasero. Lucio llevaba quietas sus manos sobre las piernas. Judith volvió a mirar las toscas botas de campaña de Lucio.

—*¿Cuántos serán? —preguntó ella.*

Lucio siguió mirando los autos que se iban deteniendo por el tránsito lento. Luego contestó, sin volverse.

—*Tres —dijo mirando por la ventanilla; luego se volvió a mirarla.*

—*Yo tengo que estar en Alemania antes —comentó ella—. Así que no puedo viajar con ellos. Tendrán que hacerlo solos.*

—*¿Tú los esperarás? —preguntó Lucio.*

—*Sí, en julio. Tienen tiempo para prepararse.*

—*Te daremos a ti el dinero. Arregla todo para ellos.*

—*¿Ya sabes a quiénes enviar?*

Lucio asintió con un ligero movimiento de cabeza.

—*Vamos a necesitar mucho trabajo en las ciudades —contestó—. Necesitamos compañeros preparados para actuar también ahí. En muchas cosas. En entrenar comandos, en seguridad, como instructores. Cuando regresen enviaremos a otros tres o a más. ¿Podrías arre-*

glar también eso? Con otros compañeros de allá, de Europa. Como la ETA, quizás. No sólo este compañero egipcio.

—No sé quién trabaje con la ETA —respondió Judith—. No sé incluso si tenga relación con Henri Curiel. O si la tuvieron alguna vez, mejor dicho.

—Me gustaría saberlo —explicó Lucio—. Creo que trabajan bien y actúan desde una región. Quizá tengan apoyo en los pueblos de su región, como nosotros. No sé. Si hubiera contactos revolucionarios con ellos, o de algunos comunistas de allá mismo, pues me gustaría saberlo. Creo que tienen buen trabajo. Que es correcto su trabajo, pues. Buena organización clandestina. Y su entrenamiento, también. Me gustaría. Si fuera posible. Como los compañeros Tupamaros, ¿entiendes? O los guerrilleros peruanos, los amigos tuyos. Me interesa que tengamos esos contactos. Los vamos a necesitar cada vez más a partir de ahora.

—Yo tengo que salir en mes y medio, Lucio —comentó Judith—. Y tengo que recorrer varios países, no sólo Alemania. Ahí estaré más tiempo y sería fácil mover fechas. Pero necesitamos dejar arreglado antes el asunto de los tres compañeros que deben llegar a París.

—¿Conoces a Curiel?

—No estoy segura. Posiblemente no.

—¿Los entrena ahí, en Francia?

Ella se encogió de hombros. El automóvil se había estacionado desde hacía dos minutos junto a un parque. Bajo la mañana soleada algunos niños corrían en el parque, entre los árboles. Camiones y automóviles pasaban sonando las bocinas, numerosos, junto a ellos.

—Ellos se hacen cargo de los compañeros —repuso ella—. No sé si trabajan en Francia o se van a otro lugar.

—¿A Argelia?

—Posiblemente, pero no lo sé —respondió—. Como veterano de la revolución en Argelia, bien pudiera ser ahí donde Henri entrene a las brigadas internacionales. Pero su casa, o mejor dicho, lo que llaman los compañeros la casa de Henri Curiel, está en París.

—Para nosotros es importante —comentó Lucio, mirándola a los ojos; luego habló al que conducía—, ¿podemos seguir, compañero?

El conductor echó a andar el automóvil; había mantenido encendido el motor.

—Es importante para nosotros —repitió Lucio, volviéndose a mirarla de nuevo—. Hemos pensado en tres gentes de las más comprometidas con nuestro partido, y necesitamos su entrenamiento militar, así, a fondo, profesional, pues. Porque harán mucho acá, en verdad, cuando regresen. Tienen mucho que hacer. Necesitamos que ese compañero egipcio también nos ayude —repitió.

—Habrá un asesor en cada batallón —replicó el general Rangel Medina, en Acapulco, retirándose la pipa de la boca—. Eso ya lo hemos aclarado. Y acondicionaremos incluso en Atoyac y en Petatlán campos de entrenamiento, aunque las movilizaciones mismas serán suficientes como preparación de los destacamentos.

—¿Pero seguirán incrementándose los efectivos, general? —preguntó otro oficial.

—Todo está coordinado —respondió el general Rangel Medina—. Pero necesitamos situar ahora nuestras acciones en un contexto más amplio, coronel; comprender la función militar que desempeña actualmente esta zona. Hay un frente muy descuidado, por supuesto, que es el del narcotráfico de Tecpan y de algunas partes de Coyuca. Pero debemos sofocar el movimiento guerrillero con el control de la sierra de Atoyac y frenar sus desplazamientos hacia tierra caliente o hacia Tecpan. Es el camino natural para contenerlos. Pero comprendiendo el tipo de movilización que necesitamos ahora. Por eso quiero que empecemos a explicar el uso de estos mapas —agregó señalando los planos cartográficos dispuestos sobre la larga mesa de trabajo.

—Todos los acondicionamientos de las diferentes guarniciones se concluirán en los próximos dos meses —intervino otro oficial, apoyando las palabras del general Rangel Medina—. Los helipuertos, centrales telefónicas y otras adaptaciones se acelerarán la próxima semana, cuando quede lista la carretera asfaltada de Atoyac a El Paraíso. Esto permitirá un desplazamiento de vehículos pesados con gran rapidez en toda la sierra. Será una vía segura para las movilizaciones de equipo y para la coordinación de los destacamentos.

—Pero volvamos a nuestro asunto, señores —insistió el general Rangel Medina, señalando con un suave movimiento de la pipa encendida los planos fotográficos sobre la mesa—. Debemos precisar todos los datos que hasta hoy disponemos de los grupos rebeldes. Entender los procedimientos para cercarlos. Por eso insisto en que se trata de un contexto más amplio. No tanto de localizar ahora a los guerrilleros, sino de analizar, *traducir* sus movimientos conocidos, sean anteriores o recientes. A partir de estos mapas podremos bloquear el suministro de información, de alimentos, de armas y de hombres que le permite a Lucio Cabañas seguir actuando en varios poblados. O sea, nos proponemos controlar ciertas zonas claves, ciertas zonas estratégicas; después, aplastar al puñado de hombres armados ya no será problema; será natural, inmediato. Por eso hay otros aspectos técnicos que debemos escuchar para entender operativos en marcha como los desplazamientos nocturnos y el levantamiento de mapas fotográficos adicionales. El general Puga lo explicará en este momento. Por favor, general —agregó, dirigiéndose a un oficial que se hallaba sentado a un costado de la mesa, junto a un gran mapa colocado en la pared cubierto con numerosos alfileres de colores.

—El apoyo técnico que debemos de facilitar —comenzó a decir el diplomado de Estado Mayor, después de un breve asentimiento con la cabeza al general Rangel Medina— parte primero del sistema aplicado y desarrollado por las llamadas *special forces*, elementos altamente especializados y que técnicamente se designan como *cadre*. Su apoyo partirá, entre otras cosas, fundamentalmente de estas fotografías que tenemos sobre la mesa —agregó tomando un grupo de ellas y extendiéndolas ante los militares—. Éstas son llamadas de un *click*, y corresponden a una extensión de mil metros, y estas otras, de dos *click*, y abarcan una extensión de dos mil metros. Ambas fueron tomadas por satélite. Para la utilización técnica de este material se requiere desglosar varios puntos de seguridad que ellos llaman *cache*.

—¿Cash? —preguntó alguien. Un rumor se levantó en la mesa.

—Sí, así es —agregó sonriendo también—, es como descubrir "el efectivo" o algo así, pues son mecanismos para identificar escondites de víveres y de armas, y también las redes de apoyo de los pueblos de las inmediaciones que pueden abarcar desde informaciones y alimentos, hasta armas y hombres. Por eso el general Rangel Medina insistía en ciertos operativos inmediatos que pueden suministrarnos la información necesaria para pasar a otro aspecto que podríamos considerar especialmente técnico o estratégico: lo que ellos llaman *sitmap* o mapa de situaciones, una especie de lectura profunda de los movimientos de la región guerrillera en la que pueden aplicarse hasta setenta y dos variables de significación informativa, la mayoría de ellos comprobados con la experiencia de Vietnam.

—Conviene apuntar, señores —interrumpió el general Rangel Medina, levantando la mano para pedir al expositor un momento— que en este caso la información que obtengamos de los pueblos debe originarse en muchos aspectos. La asistencia social es fundamental en este momento. No podemos dar palos de ciego, señores, ni obtener a sangre y fuego todos los datos que necesitamos. Debemos reclutar amigos en todos los pueblos que constituyen focos de apoyo a los guerrilleros. Este deslinde es importante, y complementará el rastreo directo por destacamentos en otros operativos. Perdone, general; continúe, por favor.

El diplomado de Estado Mayor asintió.

—Estos *sitmap* no sustituyen a ninguno de nuestros operativos —prosiguió—, sino que los orientan. Con la información disponible en cada uno de los puntos principales de movilización podemos levantar los primeros esquemas de algunas zonas. Veamos esta primera —dijo poniéndose de pie y acercándose al enorme mapa colocado en el muro; con un lápiz amarillo señaló una región de la sierra de Atoyac—. Esta zona que al norte comprende El Porvenir y El Paraíso, hacia el sur Atoyac, hacia el poniente Los Corales y El Coco y al oriente los poblados que van desde Cacalutla hasta Tepetixtla y El Quemado, ha sido clave en acciones guerrilleras. La extensión es enorme, y sería imposible plantearnos la posibilidad de una ocupación total con efectivos militares. Pero hemos aplicado una ordenación situacional con estas cartas fotográficas a fin de trazarnos un derrotero metódico de movilización, control, censos, rastreos y asistencia social. Por ejemplo, tenemos localizados en esta región precisa restos de campamentos, depósitos de víveres y aprehensiones de elementos guerrilleros. Empecemos con estos puntos —dijo regresando a su fuerte silla de madera y cuero, al costado de la mesa, e inclinándose sobre los planos dispuestos ante él, seleccionó un grupo de ellos y los mostró a todos—. Hemos incluido aquí información de varios años; para ser precisos, desde 1971, aunque en algunos aspectos hay datos utilizables hasta de 1970. Vean ustedes esta secuencia de seis campamentos descubiertos; los puntos forman algo así como un corredor o una gruta guerrillera. En esta otra secuencia se marcan los lugares de ocho depósitos de alimentos encontrados en los pasados dieciocho meses, que contenían sacos de harina, frijol, maíz, sal y un buen número de latas de leche en polvo y de sardinas con sellos de las tiendas Conasupo instaladas en estos tres poblados que aparecen también señalados —agregó indicándolos con el lápiz—. Es decir, las fechas, las horas y los tipos de acción de los grupos rebeldes, superpuestos así en el tiempo, es una información que puede revelarnos movimientos repetitivos, o aclararnos el sentido de movilizaciones advertidas antes y que se han identificado como emboscadas consumadas o frustradas, corredores de mensajeros o de suministros de armas y de alimentos. En otras palabras, la red de comunicaciones de que dispone la guerrilla en regiones específicas. Mostraré a ustedes cómo a partir de estos datos hay una comprensión mayor del terreno que debemos ocupar. Por ejemplo, en estos planos —dijo extendiendo nuevos pliegos— están señalados tres sitios de posibles emboscadas que no prosperaron por avisos oportunos de campesinos pertenecientes a estos dos ejidos marcados en verde; hemos marcado también estos ocho poblados en que confirmamos la realización de asambleas y de bailes ofrecidos a guerrilleros; tenemos aquí marcados cuatro poblados donde aseguran haber visto la movilización de más de cien hombres armados, a diferencia de estos otros poblados donde en varias ocasiones sólo atestiguaron la presencia de pequeños grupos, no mayores de ocho hombres, que realizaban contactos para la obtención de alimentos y de información; se complementan los datos con estos sitios identificables con asteriscos azules, aquí, donde se efectuaron aprehensiones de campesinos que resultaron después miembros activos de los grupos armados guerrilleros y estos otros donde uno o más campesinos vieron desaparecer a guerrilleros que andaban en grupos o solos, incluyendo la información del doctor Andalón, secuestrado en 1971, y quien transportó en su automóvil a tres guerrilleros hasta este punto, es decir, hasta las inmediaciones de El Paraíso. No continuaré con otros elementos que se desprenden de posteriores análisis, como las relaciones de parentesco descubiertas en informantes, aprehendidos o ya desaparecidos, que nos permiten deducir los nombres y el número, por supuesto, de por lo menos una tercera parte de los elementos que integran el grupo de guerrilleros de Lucio Cabañas proveniente de poblaciones de la sierra de Atoyac. Lo que nos permite, también, suponer la población flotante de otras regiones y, sobre todo, de otras organizaciones ajenas al estado de Guerrero, que forman parte de estos grupos rebeldes. Por el estado actual de información, los lazos de parentesco con Lucio Cabañas mismo es un dato notable para rastrear conexiones tácticas de la guerrilla. Pero en fin, volviendo al punto que me toca deslindar, con la información esbozada en mapas, y reduciendo nuestras variables a las que he enlistado, pueden observar en estas amplificaciones las líneas y las flechas de color que hemos trazado en las áreas punteadas. Observen que se trata, evidentemente aquí, en esta parte —dijo señalando una región de los mapas— de rutas ya muy definidas de movilización de rebeldes, y acá, en éstas —dijo señalando con el lápiz otra serie de líneas—, de rutas "probables" que deberemos ensayar para ir descartando los poblados que no constituyan focos de aprovisionamiento. Estas líneas o datos situacionales orientan ahora nuestras operaciones en varios sentidos, como ustedes pueden apreciar. En principio, por supuesto, en el control de censos y de alimentos y en la investigación de policía militar. Pero también en el sentido de que estos planos operan como una radiografía del sistema de la guerrilla, sistema que deberemos, en un sentido real y técnico, interferir, desactivar, destruir. Es decir, los operativos de nuestros destacamentos tienden no solamente al control humano y militar de la zona, sino a la destrucción de las comunicaciones de la guerrilla que nos sea posible descubrir a través de esta ordenación de los mapas. En los poblados sabrán que actuamos sobre *a, b* o *c*, pero sólo nosotros sabremos que actuamos así para controlar un sistema de apoyo a la guerrilla que nos permitirá, a muy corto plazo, destruir después materialmente al grupo guerrillero. En estas zonas que hemos considerado, pues, deberemos efectuar una movilización de destacamentos que hagan visible sobre el terreno mismo, las hipótesis principales que se desprenden de estos análisis. Éstos son los puntos pertinentes que deben resolverse de manera permanente con otros recursos ya acumulados, como son fotografías individuales o de familia, o informaciones adicionales de delatores o de nuevos detenidos. La utilización de otros instrumentos más precisos será consecuencia del avance en estas primeras operaciones, como perros, detectores de jabón en corrientes de ríos o arroyos, análisis de materia fecal para identificar los tipos de alimentos ingeridos, en fin. Si el general Rangel Medina desea que me extienda en algún punto, podríamos hacerlo; como usted diga.

El general Rangel Medina se ajustó las gafas oscuras y se inclinó sobre la mesa. Tenía aún la pipa entre los dientes. Sonrió. Luego se quitó la pipa y la dejó sobre la mesa, a un lado del cenicero de vidrio oscuro. Carraspeó.

—Los comandantes de cada batallón querrán saber con qué asesoría contarán, seguramente —comenzó a decir—. En un momento se les hará saber, claro. Pero me interesa recalcar algunos puntos. No quiero suponer ni insinuar que hubo retroceso en las acciones militares de esta Zona 27, no, de ninguna manera. Pero sí quiero recalcar que la ocupación militar de Atoyac y la ascendencia que esta Zona tiene en todos los operativos del estado suponen una dimensión política para el ejército mexicano que no debemos olvidar en ningún momento. El ejército es el portador del orden en todo el territorio. Nuestra responsabilidad es el orden, señores, la paz social. Y es el momento de demostrarlo. Debemos demostrar a todos los grupos rebeldes que no hay ninguna porción del territorio mexicano que sea tierra de nadie, tierra sin justicia. Debemos ocupar militarmente la sierra de Atoyac porque somos el orden, la legalidad. Esto, sobre todo, señores oficiales. Pero después, dado lo expuesto por el general Puga, debe quedarnos claro que todas nuestras movilizaciones tienen un sentido altamente decidido. Debemos adelantarnos a sus movimientos, a sus conexiones en los pueblos, a sus emboscadas, a sus depósitos de alimentos. Sabemos que durante meses el mayor contingente armado de Lucio Cabañas se desplazó por el municipio de Coyuca, no por Atoyac. Pero también sabemos que ahora se desplaza en las rutas que hemos previsto y que ha expuesto aquí el general. Los desplazamientos de Lucio Cabañas son siempre nocturnos. Por eso ahora ocupamos también la sierra en todos sitios y en todo momento, incluso de noche. La carretera de Atoyac a El Paraíso será fundamental para nuestra movilización. Pero nuestro cuartel será la sierra, señores, serán los cerros, los montes. Nuestros destacamentos deben sentirse seguros en cualquier punto de la sierra. La Secretaría de Defensa ha dado todo el apoyo necesario, todo el equipo posible. No hay duda en este punto. Y los instructores se diversificarán también, por supuesto. Por eso el movimiento inmediato será levantar un censo muy preciso de los habitantes de todas las poblaciones que en el mapa se han considerado como estratégicas para la guerrilla. El censo nos permitirá identificar familias, conexiones con activistas, colaboracionistas y, por lo pronto, también un control riguroso de la alimentación de la zona. No podrá haber un grano de maíz, ni un pedazo adicional de pan, ni un gramo más de arroz ni de azúcar de los que sean necesarios para la subsistencia del número de habitantes de cada poblado. Y no podrá llevar en su morral ningún campesino que salga a trabajar sus parcelas una cantidad de alimento mayor que la que requiera para su jornada. Esto es fundamental, señores. No entender estas medidas, no entrenar a las escoltas de retenes, a los destacamentos de recorrido en ese punto, será de consecuencias indeseables para nosotros. Éste es el soporte de los operativos inmediatos.

El general Puga buscó entre los papeles que tenía ante sí. Luego extendió varias tarjetas al general Rangel Medina.

—Será gradual la asesoría de campo —comenzó a explicar cuando el general Rangel Medina le devolvió las tarjetas—. Para los batallones de Atoyac y de Petatlán será inmediato. La próxima semana estarán dos instructores. Oficiales, por supuesto. Centroamericanos o chicanos. No habrá problemas de idioma. Sólo necesitaremos confirmar la orden de la Secretaría de Defensa. El general Cuenca Díaz nos lo indicará la próxima semana.

————————————

—Eso no está a discusión —respondió Lucio.

—¡Pero todos tuvimos distintas comisiones y está confirmado! —exclamó Ramiro—. ¡Es una traición a la guerrilla! Si quitan al Banco Ejidal ochenta y un mil pesos, ese mismo dinero deberían haberlo entregado a la Brigada, en lugar de haberlo gastado con putas y en borracheras.

—Ya se le impuso disciplina —replicó Lucio.

—Pero no se planteó en asamblea. Todos debemos opinar aquí.

—Es responsabilidad de la dirección, no de la asamblea —refutó Lucio.

—Pero afecta a todos. Domingo ya se retiró de la Brigada y acompañó a Ramón en el operativo. Estuvo en el arroyo del Bazar cuando asaltaron al pagador. Vio el dinero. Dijo que todos éramos iguales a Ramón. Que así pura chingada que haremos una revolución. Que todos somos borrachos y putañeros.

—Muchos ya no estuvieran aquí si los hubiéramos fusilado, como algunos de ustedes proponían cada vez que se planteaban problemas. Todo debe analizarse en función de la lucha, de lo que cada quien significa para la lucha. No podemos pelear contra nosotros mismos, como los de la Organización Partidaria o los de la Liga. O incluso como los del Partido Comunista.

201

—Pero aquí entregó Ramón solamente cuarenta y un mil pesos, Lucio.

—Si estuviéramos atenidos a lo que hacen los demás, ninguno de nosotros quedaría ya en este momento. A Ramón se le ha castigado y está bajo disciplina especial a juicio de la dirección. El caso de Domingo es otro. Yo no estoy solapando los errores de mi familia. Ramón es un combatiente. Lo ha demostrado mil veces. Por un error que cometa no lo vamos a tratar como a un criminal. Muchas veces he defendido de sospechas a otros compañeros y después los hechos me han dado la razón.

Ramiro asintió moviendo la cabeza, reflexionando. Escuchaban el ruido del río que caía hacia Los Pasos. Eran las seis de la tarde. En el campamento había mucha actividad, muchas voces; levantaban los equipos; envolvían la máquina de escribir de Lucio, armas, víveres para la jornada siguiente.

—No estoy en contra de Ramón —insistió Ramiro—. Pero ese operativo se decidió porque no tenemos dinero. Porque nuestra situación es muy crítica, muy difícil. El ejército nos está quitando contactos en los pueblos; controla caminos, campesinos. Está alcanzando nuestros campamentos, nuestros depósitos de armas. Necesitamos dinero. En estas condiciones es un crimen botar el dinero en putas. No estoy contra Ramón, Lucio, repito. Estoy diciendo que no tiene madre nadie que cometa esos hechos. Y esto puede afectar a muchos compañeros de la Brigada si no se le pone una medida de castigo que sirva de ejemplo.

Una ráfaga de aire frío atravesó bajo los árboles. El cielo de marzo aparecía despejado, muy azul, antes del atardecer.

—Ya está Fierro Loza aquí —dijo René, que se había acercado a ellos.

Lucio asintió con un suave movimiento de la cabeza.

—¿Ya lo saben los otros compas de la dirección? —preguntó.

—Sí. Saben que sólo estará unas horas en el campamento.

—¿Y los visitantes?

—¿Los que trajo Eusebio?

—Sí.

—Ya se fueron. Bajaron a la ciudad.

—Avísales que reciban a Chon, que vamos enseguida.

Un viejo campesino había acompañado a René.

—¿Ahora sí lees las horas en el reloj? —le preguntó Ramiro.

El viejo campesino sonrió. Llevaba un reloj en la mano. Su rostro avejentado, moreno, se cubrió de arrugas. Sus dientes eran amarillos.

—Déjanos solos un momento, Kalimán —pidió Lucio al campesino; cuando lo vieron marcharse, Lucio siguió hablando.

—Varios compas radicales andan tratando de hallar disgustos desde la discusión de Coria y su mujer. Desde ahí, pues. Y nos costó alejar a los mariguanos que se metieron a la Brigada el año pasado. Ya los cortamos. Ya les quitamos contacto y no se los volveremos a dar. O sea que ya eliminamos ese peligro en la Brigada. Porque no podemos tener mariguanos en la lucha. Así que hasta al Coyote y a Rosario, que son buenos compas, tuvimos que perderlos, sólo para que no regresen a través de ellos Coria y Elfego, la Hormiga, el Clavito, Luis, Raúl. Muchos compas, pues. Pero ahora hay otras cosas en la lucha. Tenemos seis meses de trabajo en los pueblos de Coyuca. De trabajo de masas. Y tenemos contactos ya por fuera, para organizaciones de otros países, no sólo de aquí, de México. Y tenemos que dejar este campamento mañana y buscar nuevas defensas para responder a los movimientos del ejército. O sea que debemos estudiar más a fondo los movimientos de la Brigada. Y no quiero que algunos compas sientan más divisiones aquí. Como Manuel y Víctor, o Mauricio y el Guacho. O Domingo, que por eso renunció a la lucha de nosotros, tomando como pretexto a Ramón. Porque no podemos frenarnos a nosotros mismos —agregó—, eso no me parece.

—En El Coco aseguran que son soldados —insistió Samuel—. Que han estado visitando el poblado estos días, pero así, disfrazados de electricistas.

—¿Pero cuántos? ¿Cuántos han venido?

—No sé. Los que caben en una safari.

—¿Vienen desde San Andrés? —preguntó Ramón.

—Los campesinos sólo afirman que eran soldados.

—Pero hemos puesto ya emboscadas en dos días y nadie sube en una safari —replicó Manuel.

—Deben estar de avanzada, preparando un recorrido. Saben que estamos cerca.

Lucio permanecía callado. Manuel intervino de nuevo.

—En tres días más abandonaremos el campamento —dijo—. Nos falta la reunión de mañana en San Juanito y después en San Luis.

Lucio asintió con la cabeza.

—Así es —contestó Lucio—. Después nos moveremos de aquí.

—¿Dejamos una emboscada en la brecha?

—En los dos lugares, para proteger el campamento —respondió Manuel.

—Estoy de acuerdo —apoyó Lucio—. Pero con más compas. Con más emboscadas, pues.

—Que se embosquen también en el campamento —propuso Ramiro.

—En el campamento y en dos partes de la brecha. Escoge a los grupos que se quedarán contigo —le indicó a Ramiro.

—Estoy de acuerdo —repuso Manuel.

Ramiro volvió a colocarse los binoculares y divisó muy lejos la nube de polvo. Se mantuvo así, en esa postura, hasta que distinguió el color oscuro del vehículo. Miró que descendía por la ladera y alcanzaba la salida de la curva. Esperó un instante más. Vio a la safari embestir los troncos y las piedras que obstruían el camino. Disparó. Otras ráfagas se abrieron desde los matorrales. El vehículo giró hacia la derecha, pero otras ráfagas de M-1 y de Fal rociaron el parabrisas. La puerta izquierda alcanzó a abrirse. Un hombre ensangrentado intentó salir; otra ráfaga cayó sobre él. Ramiro no había vuelto a disparar. Escuchó el grito de un hombre aterrado. Gallo Negro corrió hacia el vehículo, seguido de Ricardo.

—¡No disparen! ¡No venimos armados! ¡No disparen! —seguía gritando el hombre.

Ramiro salió de su puesto. Alcanzó a mirar que no eran militares.

—¡Sólo son dos! —gritó Ricardo vuelto hacia el campamento.

—Pero no estamos armados —gimió el hombre en la safari—. Somos técnicos de la Comisión de Electricidad. No venimos armados.

En la cabina destrozada Ricardo miró los impactos sobre los asientos, sobre el volante. El hombre que había conducido estaba ensangrentado, tenía los ojos saltados y por la boca abierta dejaba escapar un ruido ronco. A lo largo de un brazo destrozado caía la sangre hasta la tierra, ensanchando un lento dibujo negro sobre el camino.

—Vimos la ambulancia en la noche, cuando estábamos cruzando el río, después de la una de la mañana. Estaba estacionada en la brecha con las luces rojas encendidas.

—Ellos fueron —dijo Lucio.

—Pero ya está el ejército en San Manuel, en Río Bonito, en El Cerrón, en El Plano —insistió Silvano—; están ocupando los caminos más altos. Vienen subiendo ya por todos los cerros de aquí, hacia El Coco.

—Alrededor de la emboscada a la safari —dijo Ramiro—. A donde llegó la ambulancia.

—Pero los soldados que yo vi —repitió Silvano— están a menos de setecientos metros.

—Están deduciendo el lugar en que nos encontramos —observó Lucio—. No saben exactamente dónde, pero lo suponen.

—¿Dices que están subiendo entre los cafetales de este cerro? —preguntó Ramiro.

—Los campesinos dicen que están subiendo por veredas y huertas. Pero yo vi a soldados en este mismo cerro en que estamos.

—Es el inicio de un cerco —dijo Lucio—. Quizás oyeron también nuestras voces. Hay que organizar la retirada ahora mismo. Coloquen de nuevo las emboscadas para proteger el campamento —pidió a Ramiro—. Los demás que recojan el equipo y que lo oculten. Que tiren el nixtamal y alimentos pesados. Mi máquina de escribir, Ramón que se quede también. Y que todos dejen aquí las mochilas. Que dejen todo, cobijas, cubiertas de plástico, hamacas. Organízalos, Ramón. Que sólo se queden con armas y mochilas ligeras.

———————

Cuando empezó a oscurecer, se acercó Ramiro.

—Envié a Silvano y a su primo a recorrer las veredas que cruzan el río —explicó en voz baja—. No encontraron rastro del ejército. Posiblemente esté emboscado, o vayan a atacar ahora, durante la noche.

Lucio parecía no escucharlo. Reflexionaba, sin responder. La oscuridad en el campamento vacío era ya total. Un viento helado se extendía entre los cafetales y los encinos. La tierra parecía más húmeda.

—¿Siguen emboscados los compas en la brecha? —preguntó Lucio.

—Sí, tenemos tres emboscadas.

—No creo que se hayan retirado —replicó Lucio.

—Pero Silvano bajó hasta el mismo sitio en que los vio esta mañana.

—No creo que se hayan retirado —repitió—. Deben saber que estamos emboscados aquí, en la brecha a El Coco. Alguien debió advertirles. Pregunta a Ramón si han levantado ya todo el equipo. Hay que retirarnos por el río. Sólo con mochilas ligeras y las armas. Puede haber enfrentamiento cuando intentemos salir hacia El Plano, para bajar a Atoyac. Tomaremos en el río la margen contraria a Tres Palos. Si no nos encontramos con el ejército en esa zona, bajaremos hacia El Plano y ahí nos emboscaremos de nuevo. El ejército tendrá que subir a El Pescado o bajar hacia El Plano. Que los compas emboscados nos protejan ahora, para cruzar la brecha.

—¿Nos llevamos alimentos?

Lucio negó con un movimiento de las manos.

—Dile a Sotero que debemos retirarnos ahora. Él y nosotros dos vamos a encabezar la retirada por el río. Que se venga ya.

———————

Comenzaron a ascender el lomerío cercano por la margen del río. Lo cruzaron otra vez un kilómetro más abajo, por las pendientes hacia El Plano. Los soldados habían bajado por otro sitio, quizás advertidos por alguien. Lucio dirigía la marcha junto a Ramiro. El Gato llevaba colgada al hombro una de las gallinas que regalaron los campesinos. El primer grupo se detuvo sobre el monte que bajaba hacia el camino de El Plano y Los Triángulos, ya cerca de la medianoche. El aire parecía limpiarse más, despejarse hacia la carretera, por el monte, frío, intensamente helado. Empezaron a bajar con prisa, como si estuvieran a punto de llegar a una casa familiar, al final de un viaje. En la brecha, Lucio esperó de nuevo. Luego caminó en dirección de El Plano para alcanzar la zona bordeada de abundante bejuquillo, lejos del río. La hilera se fue esparciendo. La oscuridad era muy cerrada. Lucio buscó un lugar para dejar la brecha y avanzar por el monte. Ramiro se acercó a él. Entonces sonaron disparos, lejos, hacia el barrio de Los Triángulos; dos ráfagas, huecas. Lucio vio en la oscuridad correr a todos, dispersarse asustados. Ramiro se retiró para tratar de controlarlos. Desde el fondo de la brecha arrojaban armas, mochilas, desordenadamente, con pánico. El Gato arrojó la gallina para correr más aprisa. Se introdujeron en la maleza oscura, entre alambres de púas, entre espinas, desgarrándose en la oscuridad las ropas, la cara, los brazos. En poco tiempo Lucio sintió sólo el silencio. En la tierra seguían algunas mochilas abandonadas.

—Buenas noticias, ingeniero —dijo la voz de Pascual Cabañas por el teléfono.

—Más alto, Pascual. Habla más alto —repitió Rubén Figueroa.

—Ayer recibió mi hermano Luis una carta de Lucio, ingeniero, diciendo que acepta. Perdón, ingeniero. ¿Me oye? —preguntó alzando la voz nuevamente Pascual Cabañas, al fondo de una ruidosa interferencia.

—Te escucho, Pascual. Pero habla más alto.

—Tenemos una carta para usted. Pero pone varias condiciones para la entrevista. Y usted debe saber qué contestar, ingeniero.

—¡Dile que sí a todo! ¡Dícelo!

—Pero es que ahora tiene que contestar usted mismo. Hay un contacto ya para eso. Para que se pongan de acuerdo, pues.

—¿Cómo dices?

—Un profesor. Un amigo de Lucio.

—No te entiendo.

—Se llama Inocencio. Inocencio Castro. Él va a ayudar en todo, para que se pongan de acuerdo. Para los comunicados, pues. Mensajes, ¿me entiende?

—¿No confía en ti, Pascual? ¿No confía en ti ni en Luis?

—Nosotros sólo somos parientes, ingeniero. Pero el profesor Inocencio es un contacto de la guerrilla.

—¡Está bien, está bien! —contestó alzando la voz, por el teléfono otra vez lleno de interferencia—. Pero necesito hablar primero contigo, Pascual.

—Usted dirá, ingeniero.

—¿No podemos ir más rápido, Valenzo? —ordenó Wilfrido Castro Contreras desde el asiento trasero.

—Cuando salgamos de esta calle, mi comandante.

Entraban en la Vicente Guerrero. El tránsito de automóviles era muy lento a esa hora. La multitud atravesaba, se bajaba de las aceras, se metía entre los autos. Wilfrido Castro volvió a mirar el periódico. Su esposa, junto a él, miró la calle, la aglomeración de niños, de hombres, en el Mercado de las Crucitas. Valenzo aceleró el auto para ganar el paso a otro automóvil, pero disminuyó enseguida la velocidad. Ella quiso entender, porque durante un segundo, o dos quizás, pareció hacerse un vacío. Como si se detuviera la mañana, como si todo en la calle, todo lo que estaba allá, bajo el sol brillante, se quedara detenido, fijo, un instante inacabable. Los dos hombres que estaban afuera apuntaban hacia ellos. Intentó gritar, moverse, desesperadamente.

—¡Cuidado! —pudo gritar cuando sonaban las detonaciones.

Wilfrido Castro sintió los disparos en la cintura y en la pierna y desenfundó maquinalmente su Browning. Valenzo ya estaba ensangrentado. La esposa se arrojó hacia el volante y vio una multitud detenida y sorda, muda, paralizada, de piedra; giró hacia la derecha y un poste se acercó muy lento; no sintió el impacto. Afuera seguían los gritos. Entregó la metralleta a su esposo. Salió al calor inmenso de la mañana, al calor húmedo de la calle. Tenía en la mano la Browning de su esposo. Disparó contra los hombres que corrían; sintió en su mano el brinco viviente de la pistola. Pero un calambre, una quemadura le bañó de sangre la mano porque la cacha de la pistola ardió. El hombre que le había disparado había vuelto a correr otra vez, se perdía entre la multitud. Vio a su esposo apoyarse con dificultad en el auto, con la metralleta.

—¡Se van, Wilfrido! ¡Dispara! ¡Se van!

Wilfrido Castro sintió que su esposa se acercaba. Sintió también dolor, un dolor intenso. Y sentía la ropa caliente; la sangre caliente que lo empapaba. Ante él se abrió la puerta de un taxi.

—¿Y Valenzo?

—Él necesita una ambulancia —contestó la esposa.

El ruido de la calle aumentó. Venían niños, hombres a rodear los automóviles. Todo era ruido, todo era una multitud de voces bajo el sol quemante, una oleada de gritos en esa calle que ella deseaba ya abandonar, dejar atrás, dejar ahí afuera. Cerró la portezuela. El taxi arrancó. La multitud comenzaba a apartarse.

Lucio siguió escuchando a los campesinos de Las Cataratas. Se hallaban sentados frente a la cancha deportiva, cubiertos de sol en el corredor de una casa. Lucio miraba al campesino que refería los atropellos de los soldados en San Martín, pero miraba también las casas donde parte de la Brigada ayudaba a preparar la comida para ese día. Lucio sentía quietud, agrado; era una alegría cercana a la dicha. Era la dicha, quizás, en medio de la violencia que relataban.

—Sí —confirmó Lucio—. El ejército siempre hará esas cosas. Saquear, violar mujeres, matar ancianos, niños, a todos. Sí, eso hará siempre. Y no sólo en San Martín, sino aquí, en todas partes. Por eso, hasta que nosotros seamos nuestro propio ejército estaremos seguros. Mientras no seamos el ejército, mientras no nos preparemos para eso, nuestros pueblos van a ser perseguidos.

—¡Pues aquí estamos, profesor! —exclamó un campesino que seguía de pie, detrás del grupo. Tenía desabotonada una camisa verde, vieja y se veía su fuerte tórax moreno, lampiño—. ¡Cuente con nosotros para ese nuevo ejército!

Varios hombres sonrieron. Lucio también. El campesino era muy joven, de ojos oscuros y labios muy gruesos.

—Sí, pero lo tenemos que formar despacio —contestó Lucio—. Precisamente aquí estamos ahora muchos en la Brigada y necesitamos armas. Y más organización entre los pueblos. Sobre todo ahora que el ejército recorre todos los ejidos y secuestra, y mata, y tortura. Es cuando más fuerza necesitamos de ustedes. Porque solamente los propios campesinos podemos protegernos. Al campesino es al que más engañan, pues. Y casi nada nos dejan. Una casita de bajareque, unas hamacas, unas tacitas, a veces unas gallinas, o un burro, y ya. No nos dejan tener más. Y a pesar de eso, siempre nos traicionan. Nos matan. Por eso ahora no debemos dejar que nos traicionen.

Se sentía el calor de la mañana ahí, en el centro del pueblo. Lucio escuchaba el inmenso rumor de vida de la mañana. Dos muchachos tendían granos de café, para secarlos, en la orilla de la cancha deportiva. Un niño pasaba montado en un asno gris, seguido de dos pequeños perros; se quedó mirando hacia ellos.

—No olviden lo que les voy a decir —continuó Lucio—. Porque aquí hay todavía zapatistas, pues. Pero ¿qué pasó con ese ejército campesino? Pues lo traicionaron. Lo traicionaron los carrancistas. Mataron a Zapata con engaños en Chinameca, ustedes saben. Y por eso Carranza es un traidor de los campesinos. Y todos los que siguen traicionando a la gente de Zapata, pues son carrancistas. Porque sólo Villa y Zapata tenían ejércitos del pueblo. Ellos eran campesinos como nosotros, que luchaban por lo mismo que nosotros. Y hasta que no ganemos nosotros la guerra, seguirá habiendo carrancistas que traicionen a México. Por eso debemos cuidarnos de todos los que nos siguen traicionando. Ahora se llaman Nogueda Otero, o Moya Palencia, o Cuenca Díaz, o Luis Echeverría. Pero son los mismos carrancistas traidores. Ellos traicionan a todos. Ellos engañan a Rubén Jaramillo y le dicen: "Rubén, ya deja de luchar con las armas. Ya ganaste. No va haber más injusticia con la gente campesina. Puedes ver que Zacatepec va a cambiar y será de los campesinos. Mejor vente a trabajar en la legalidad con nosotros". Y Rubén les creyó. Porque hasta el presidente López Mateos lo llevó al palacio de la República y ahí le dio un abrazo delante de los periodistas. Y Rubén Jaramillo creyó que estaba bien, que era correcto que él dejara las armas. Pero también lo traicionaron. Mataron a toda su familia. A su esposa que estaba embarazada. Fue una traición. Los soldados llegaron por él a su casa. Llegó un capitán asesino, como todos los capitanes que ahora saquean y matan aquí en Guerrero. Asesinaron a toda su familia, lo mataron a traición, porque así son los carrancistas. Así son esos hijos de la chingada, que nada más quieren matar campesinos, y traicionarlos, y engañarlos. Por eso traicionaron al compañero Gámiz en Chihuahua, también un capitán. Y a los hermanos Vidales, que aquí sabrán mejor que yo que lucharon por lo mismo. Sí, por eso ya no debemos creerles. Nosotros mismos debemos ser nuestro propio ejército. Y aprender a ser astutos como ellos. Usar sus propias artimañas para que dejen de traicionarnos.

Dos muchachos del ejido se acercaron al grupo donde conversaba Lucio. El más alto venía con una camiseta de algodón azul desteñida y pantalón blanco.

—Las señoras quieren saber si traen las cosas aquí, a la cancha, para que todos coman ya —dijo.

—Que las lleven hasta el encino. Ahí en la sombra que pongan la mesa para que pasen los que vayan a comer —dijo uno de los hombres viejos que estaban junto a Lucio.

Uno de los hombres de la Brigada se encontraba cerca.

—¿Tú qué opinas, Lucio? —preguntó.

—Ya don Rutilo dijo que sí, nada más que allá, debajo del encino —contestó Lucio—. Y sirve que ahí pueden cantar los compañeros de la guitarra, porque ahí está más alto.

—Sí, está bien —replicó el de la Brigada—. Porque algunos quieren oírnos cantar. Les dijimos que traemos unas canciones nuevas. Y también el corrido de la compañera Judith Reyes, que ya nos lo sabemos.

—Ah, pues muy bien —contestó Lucio.

—Esto se va a poner bueno —dijo otro de los viejos riéndose.

Los otros campesinos se rieron también. Luego volvió a hablar Lucio.

—Miren —les dijo—. Estamos ahora empezando abril. Yo les prometo que dentro de muy poco tiempo, que antes de que termine el próximo mes, vamos a realizar algo muy importante, que va a provocar que el ejército se retire y que nosotros podamos organizar mejor nuestra lucha.

—¿Podrán a pesar de los helicópteros y camiones? —preguntó otro de los campesinos.

—Podremos —contestó Lucio, sonriendo.

Todos comían. Los perros hurgaban y ladraban entre la multitud congregada en la cancha. Los pequeños cerdos oscuros, de patas altas y delgadas, también buscaban pedazos de comida entre la basura. Un niño llevó a Lucio un plato de arroz, frijoles y carne de pollo. Una enorme tortilla de maíz de la sierra cubría el plato. Lucio comenzó a romper la tortilla para comer con ella pedazos de carne y montoncitos de arroz. Enjambres de moscas zumbaban cerca de ellos. Lucio levantó la vista hacia el cielo. Pasaba ya de mediodía. El cielo estaba despejado, muy azul. Allá, en lo alto, parecía haber calma, quietud. Parecía caer otra vez la sensación de dicha que lo asaltaba desde la mañana.

—La comisión de guardia ya relevó a los campañeros —dijo Ramiro, que se acercó a Lucio, sentándose junto a él.

Lucio asintió con la cabeza.

—¿Ya comiste? —preguntó en cuanto pasó el bocado.

—Sí —dijo Ramiro.

Lucio siguió comiendo de su plato, con avidez. Tenía los dedos manchados de comida y la boca brillante, grasosa.

—Tres compañeros están bebidos —agregó Ramiro—. En una casa les ofrecieron una botella de aguardiente de caña con miel y ya andan muy alegres. Uno de ellos ya quiere declamar una poesía, antes de que empiecen las canciones.

—¿No va a hablarles Heraclio sobre las tácticas del ejército? —preguntó Lucio.

—Sí, él va a hablar primero, antes de las canciones.

Lucio volvió a asentir con la cabeza, sin quitar la mirada de su plato.

—¿Estás contento? —le preguntó Ramiro.

Lucio se volvió a mirarlo. Tenía un brillo alegre en los ojos.

—Sí —dijo con la boca llena—. Sí.

—¿Qué has pensado hacer con los soldados de San Martín?

Lucio negó lentamente con la cabeza. Su cara parecía más delgada, más enferma.

—Nada por ahora. Después lo haremos. Necesitamos ahora cuidar lo principal. Lo del viejo.

—Bueno, iré a avisarle a Heraclio que esté listo —dijo Ramiro, poniéndose de pie—. Ya debemos empezar, porque la gente está esperando.

———————

Lucio se acercó a Serafín, que afinaba otra vez la guitarra ante la cancha deportiva llena de gente. Lucio miró esos rostros alegres, morenos; los sombreros de palma, los hombres con camisas abiertas. Muchos estaban atentos a Serafín, esperando que cantara otra canción. La tarde comenzaba a caer sobre el ejido. Un ligero viento fresco llegaba hasta él, bajo el follaje del encino. Algunas mujeres regresaban a las casas con cazuelas, vasos, trastos. Parvadas de pájaros volaban a esa hora, revoloteando ruidosamente sobre las ramas.

—Quiero decir unas palabras —comenzó a explicar Lucio en voz alta, pidiendo silencio con la mano derecha—. Voy a decirles algo. Porque tengo ganas desde hace rato —agregó, sonriendo.

Lentamente la gente guardó silencio. Lucio se había quitado el sombrero. Su cabello hirsuto parecía más abundante y su rostro se veía más afilado, más pálido.

—Quiero decirles algo este día —prosiguió—. Porque en la mañana estuve hablando con ustedes de lo que nos falta hacer y de muchas cosas que tienen que ver con México. Pero ahora, después de que hemos estado aquí alegres, oyendo poesías, canciones, por la hermandad de los campesinos de este barrio, de todos ustedes que nos brindan su apoyo, que son solidarios con la Brigada que es también de campesinos. Porque todos los que estamos aquí somos campesinos y por eso sentimos igual, porque somos iguales, pues, somos una sola familia en todo el país. Pues yo quiero decirles qué siento, por qué estamos aquí. Decirles por qué luchamos, por qué los necesitamos. Que sepan cuál es nuestro rumbo, pues. Cuál es como la brecha a lo largo del monte que debemos seguir para llegar al destino que nos proponemos para todos. Porque no podemos ofrecer nuestra vida, ni arriesgar la vida de los niños, ni de los viejecitos, ni de los pueblos, si no fuera porque queremos llegar a algo muy grande. Y es algo que desde antes de Zapata sabemos aquí todos nosotros. Por eso lo quiero decir ahora. Porque es lo que traigo aquí, con sentimiento.

Lucio se detuvo un instante. La tarde comenzaba a caer. Ei cielo se despejaba, la luz era más clara, como un cristal purísimo que atravesara árboles, agua, rostros, ojos brillantes, pájaros. La multitud del poblado atendía la voz de Lucio y lo miraba con la ropa muy sucia, con la botas de montaña llenas de lodo, con una camisa de manta color café, de manga larga, muy gastada ya.

—Nosotros tenemos que hacer muchas cosas. Lo digo de verdad —continuó—. Muchas. Porque decimos que estamos luchando por una revolución verdadera, para todos los que vivimos aquí, en nuestro país, para que todos podamos vivir bien, justamente en México. Pero decimos eso y no bastan esas palabras para todo lo que en verdad queremos hacer. Porque nuestro partido no se llama partido socialista, sino Partido de los Pobres. Y no se llama nuestra Brigada una brigada socialista, sino Brigada Campesina de Ajusticiamiento. Y es que nosotros somos como ustedes mismos. Somos ustedes mismos, la misma cosa, pues, como mi cuerpo tiene este brazo, y esta mano, y esta pierna, y este estómago, y todo es mi cuerpo. Así nosotros somos ustedes. Porque somos el mismo pueblo que explotan los dinereros y los políticos que tienen policías y soldados. Y nosotros somos el mismo campesino. Pero somos nosotros como sus piernas, para caminar recio por el monte y llegar a la verdadera felicidad del pueblo, a su libertad, pues, para que todos vivan como personas respetadas, bien crecidos los niños porque coman bien, porque tengan mucho cuidado con médicos, con medicinas, con hospitales, con escuelas. Somos sus piernas, pues, para caminar políticamente, para llegar al socialismo al que nos proponemos llegar todos los campesinos pobres. Y somos también sus manos, porque la Brigada hace justicia con su propia mano, con su justicia campesina, no con la justicia mentirosa de los policías ni de los soldados ni de los jueces ni de los políticos, no, sino con la justicia campesina. Porque a nosotros aquella justicia nos traiciona. Siempre nos engaña, nos mata, nos deja hambrientos, nos dice que somos ladrones, que somos animales. Porque esa justicia es traicionera. Ni los propios ricos saben controlarla. No es de Dios ni de los hombres, es de traicioneros.

"Por eso nosotros luchamos contra soldados, contra judiciales, contra los que sigan llevando la injusticia a nuestros pueblos. Y somos también la voz de ustedes, porque nosotros enviamos comunicados de lucha que aparecen en radios, en periódicos, en revistas, y hasta en televisión. Y es una voz que se oye por todas partes. Y es la voz que nace de aquí, de nosotros, de los campesinos, nada más de los campesinos, de ningún otro lugar, de ninguna otra parte viene esta voz, sino de aquí, pues. De ese hombre, y de aquél que está ahí sentado oyéndome. Y de ese muchacho. Y de todos ustedes, que ven cómo mata el gobierno y como traiciona. Ésa es la voz del pueblo y parece increíble que los pobres campesinos podamos lograr tanto, ¿verdad? Así dirán Cuenca Díaz y Echeverría. De seguro dirán "Oye, tú, ¿cómo esos muertos de hambre hablan y les hacen caso en los periódicos? ¿Cómo que nos siguen ajusticiando soldados, y policías, y organizan a los pueblos, y se enfrentan a nosotros?" Dirán que cómo es posible, que no es cierto. Pero nosotros sabemos que sí es cierto, y que estamos hablando por lo que queremos. Y es que los pobres somos nosotros y ellos no saben qué es eso. No saben qué es andar con huarachitos por el monte y morir con huarachitos, y no tener ropa más que esta poquita que todos traemos, que no es buena, y no tener casa fuerte, sino sólo de bajareque o de palmas. No saben qué es eso. No saben qué somos. Creerán que somos pobres y ya, o que nuestra opinión no cuenta, y que si nos morimos, pues ya, como si se murieran pájaros o cualquier cosa. Y creen que estamos sucios. Que no valemos nada. O que no tenemos alma, ni inteligencia. Pero no saben esto. Es como si nosotros fuéramos algo que no entienden, como si los campesinos fuéramos algo que nadie conoce. Como si fuéramos un secreto, pues, en el mundo, el secreto de todo lo que existe en el mundo. Porque nosotros sabemos de la tierra lo que nadie sabe. Porque nosotros estamos limpios de tanto estar junto a la tierra. De tanto recibir la lluvia y el agua de la tierra. De tanto cultivar café, y maíz, y frijol. Nosotros somos los que ayudamos a la tierra. A las fábricas, a los talleres. Nosotros somos los que limpiamos las casas de los ricos y del gobierno. Y los que limpiamos las calles. Nosotros somos los que trabajamos para la riqueza de todos los lugares. Por eso cuando decimos que ésta es la lucha de los pobres, decimos que se trata de la lucha más limpia, más pura que pueden tener los hombres como aspiración, como destino, sí. Porque nuestra revolución socialista no es quitarle cosas a alguien y ya. No, no es eso. Nuestra revolución es devolver a los pobres lo que no les dejan tener, lo que no les dejan disfrutar también. Que los ricos vivan justamente, con lo que necesiten, pero también que los pobres vivan con lo que justamente merecen. Pues no se trata de ser justos con unos y con otros no, porque entonces no saldríamos de lo mismo y siempre habría pobres. Eso es parte de nuestra revolución, sí. Porque no es matar ricos y ya, no, nosotros queremos que toda la gente viva, todos. Sólo mataremos a los ricos que estén matando gente. A ésos sí. Pero yo les quería decir otra cosa. Quiero que sientan lo que yo. Lo que sentimos mis compañeros y yo, pues. Decirles que lo más importante de esta revolución socialista, de estas cosas que vamos a hacer, es que están naciendo de aquí, de nosotros los campesinos, de nosotros los pobres. Porque es importante decir que nos han quitado todo, que nos dejan sólo miseria, que se llevan a otro lugar lo nuestro, nuestro café, nuestros animales, nuestras siembras, sí. Pero que aún tenemos mucho. Mucho para dar a todos. Nosotros los pobres. Porque tenemos que dar la riqueza mayor de todo, que es esta lucha, que es esta revolución para todos, para los pobres y para los ricos también, porque no saben que estarán mejor así, con nuestra revolución. Y esto es lo que podemos dar. Todavía tenemos esto para dar, fíjense, y ya lo estamos logrando. Nada más espérense tantito, y verán que sí lo logramos. Porque somos los únicos que estamos aquí, cuidando la tierra, cuidando los montes, entendiendo todo esto. Y otros campesinos en otras partes también están cuidando tierras y sierras. Estamos más cerca de lo verdadero del mundo. De las cosas reales. Aquí, en este encino, en estos pájaros, en estos montes. Aquí la tierra no está tapada con otras cosas. Aquí estamos nosotros más cerca del mundo. Y es que los campesinos somos así, lo más importante para la tierra. Y por eso todos se beneficiarán con nosotros, con nuestra revolución. También los perros, los venados, las chachalacas, todo eso, los pescados, los ríos, todo eso se va a beneficiar. Hasta los arroyos que se están secando, porque mientras más aguas corran por las laderas, por la sierra, pues será mejor. O sea que a los manantiales incluso se les va a dejar en paz, manando agua en los montes, y que vaya la gente ahí a tomarla. Por eso digo que la revolución no es cosa nada más así de simple como la guerra, o guerra de los pobres. Quitar a los ricos y devolver a los pobres. Todo eso se va a hacer, pero también otras cosas, porque de eso es capaz una revolución de nosotros, de gente así, que puede hacer esto, esta guerra y beneficiar tanto, hacer bien a tantos pueblos y a tantas cosas. Pero yo creo que de pláticas por este día, para mí es todo. Sólo que ustedes quieran preguntar. O si no, que entonces Serafín vuelva a tocar la guitarra y que sigan cantando los compañeros, antes de que caiga la tarde. Antes de que nos tengamos que ir nosotros, pues. Y ya es todo, es lo que yo quería decirles con palabras sencillas, para que entendieran lo que podemos hacer nosotros, los que somos así, campesinos, que hacemos bien a las cosas. Y que por eso nuestra vida, que es sólo mía, o de él, pues es pequeña, y no se compara con la lucha, no se compara con la revolución que queremos. Y que por eso nuestra vida la damos para esto, para que todos podamos tener más, para que todos quieran más sus vidas, y las den también por esto, porque esto es lo que cuenta en la vida. Esto es lo más importante que podemos vivir, como dicen aquí las canciones que van a entonar con la guitarra de Serafín. Eso es todo, de veras. Gracias por esto. Gracias. Yo ya me voy, para que ahora estemos contentos con las canciones.

—Ésta es la carta, señor ingeniero.

Rubén Figueroa vio su nombre escrito con una letra difícil, infantil incluso. Rompió el sobre. De baja estatura, gordo, el profesor Inocencio Castro guardó silencio.

—¿El día veinticinco de mayo? ¿Quiere que nos veamos el día veinticinco de mayo? —dijo Rubén Figueroa, interrumpiendo la lectura.

Inocencio Castro pareció no oír y lo miró a los ojos. Rubén Figueroa respiró a pleno pulmón y levantó las manos.

—¿Escribo la respuesta o se la digo a usted?

Inocencio Castro seguía mirándolo.

—Creo que sería mejor por escrito, señor senador —contestó.

Rubén Figueroa movió la cabeza, negando.

—Insista que en mi condición actual no puedo yo decidir el retiro de ninguno de los cuerpos policiacos del estado de Guerrero, profesor. No hay manera de que yo retire a los judiciales de ninguna esquina, imposible. Yo estoy dispuesto a acudir a donde Lucio proponga, pero ambos tenemos que ajustarnos a condiciones que están fuera de nuestro alcance, fuera de nuestra voluntad.

Inocencio Castro seguía mirándolo a los ojos, sin responder.

—Quizá Lucio le haga saber la próxima semana su respuesta —contestó.

9 de abril de 1963

—¿Que fuiste tú? —preguntó uno de los niños de sexto año.

—Sí, él fue —se adelantó a decir otro.

—No lo hice a propósito —contestó, tratando de evitar las miradas.

Dos de los niños que lo rodeaban eran de sexto año. Se escuchaban los gritos de los que jugaban pelota o corrían inundando la escuela de Mezcaltepec con un ruidoso recreo.

—No sabe usar la resortera —dijo uno de ellos.

—¿Ya lo han visto tirar? —preguntó otro de los más pequeños—. Tira con los ojos cerrados.

Otros niños se abrieron paso a empellones entre el grupo. Con los ojos muy abiertos veían al que trataba de ocultar su resortera en el pequeño morral de manta que pendía de sus hombros.

—No es cierto —repitió el niño, tratando de defenderse.

—Sí es cierto. Tira con los ojos cerrados. Tira así, miren —dijo el pequeño haciendo una mueca burlona y cerrando los ojos como si fuera ciego.

Todo el grupo rompió en carcajadas. El pequeño siguió haciendo muecas de ciego imitando el restirar de la resortera. El otro niño intentó empujarlo.

—Dinos la verdad —insistió uno de los más grandes—. ¿Querías pegarle al profesor o es que eres muy pendejo con la resortera?

Todo el grupo se rió.

—Les digo que así fue —repitió el pequeño—. Quiso presumirme de que le podía atinar a una torcacita volando y recibió la pedrada el profesor Lucio en la cara.

El otro niño frotaba nervioso los pies descalzos en la tierra. Sus ojos estaban a punto de llorar.

—El profesor gritó y se llevó así las manos a la cara —explicó el pequeño, cubriéndose con las manos la cara morena y encorvándose hacia el grupo como si el dolor lo acosara.

—¡Cómo serás pendejo! —exclamó otro de los niños, moviendo de un lado a otro la cabeza.

—¿Y te vio el profesor?

—Sí, sí lo vio —dijo otra vez el pequeño—. Se levantó después y ya estaba con la cara llena de sangre y miró con uno de sus ojos así —dijo el niño cubriéndose otra vez la cara— y luego se fue hacia la Dirección, para que lo curaran. Sólo hizo con la mano así, diciéndole que se fuera.

Todos lo seguían rodeando. Los pies descalzos del niño se frotaban lentamente, a ras del suelo. Una de sus manos estaba fuertemente asida al pequeño morral. Sus ojos se movían nerviosos. De sus narices pendía un montoncito de mocos transparentes, que en vano intentaba sorber. No parecía escuchar los gritos que inundaban la escuela en ese momento, cuando el recreo estaba a punto de concluir.

—Pero si no sabes tirar, ¿para qué andas con resortera? —dijo uno de los de sexto año.

El niño musitó algo otra vez, sin levantar la vista del suelo; le comenzaban a salir lentamente las lágrimas.

—Yo no tuve la culpa —murmuró.

—¡Robaron armas a la Brigada! ¡Violaron el reglamento! De ninguna manera, compañeros —exclamó Manuel ante la asamblea en el campamento de la Caña de Agua—, de ninguna manera debemos permitirlo. Ya expusimos que hace dos días, el tres de mayo exactamente, se robaron tres pistolas. En la Dirección acordamos ponerles vigilancia sin que ellos se dieran cuenta. Y ya oyeron ustedes que ayer en la noche quisieron desertar y fueron detenidos al tratar de fugarse del campamento. Son traidores, compañeros. En nuestro reglamento se dice que debe ser pasado por las armas todo aquel que deserte, robe armas o dinero a nuestro Partido de los Pobres, porque roba a la revolución. Por eso no estoy de acuerdo con lo que dice el compañero Lucio, que debemos perdonarlos, pasarles sus faltas, como si fueran descuidos de cualquiera de nosotros y no lo que son, solamente traidores. Yo insisto en que nadie roba armas ni se convierte en desertor por descuido. Y especialmente ahora que el ejército está controlando todos los pueblos que nos apoyan y que ha movilizado a destacamentos especiales para rastrearnos y cercarnos poco a poco. Por eso no se apoya a la revolución disculpando a los traidores como si se tratara de amigos de buena fe. El compañero Lucio está en un error y yo lo conmino a que recapacite y que vote también por ajusticiar aquí a estos traidores que son Venustiano, Rocío e Hipólito. Sólo él y Ramón no quieren unirse al voto de todos nosotros. Ésta es la verdad, compañeros. Y por eso hablo claramente, para que se entienda que mi postura no es personal, que no tengo ninguna otra cosa oculta o egoísta para pedir que castiguemos a tiempo a los traidores agazapados en nuestras filas.

Un rumor de aprobación se extendió por la asamblea. La mañana ya era en extremo calurosa. La mayoría de los hombres se habían desabotonado las camisas y buscaban la sombra de las ramas de los platanares y primaveros. Lucio avanzó hacia el frente de los grupos. Se veía su rostro muy pálido, enfermo. Se detuvo un momento con Ramón y habló con él en voz baja. Luego se colocó frente a los hombres y levantó una mano para pedir silencio.

—Quiero explicar de una vez por todas lo que yo pienso —comenzó a decir alzando la voz y mirando hacia donde se encontraban Manuel y Ramiro—. Porque se dicen versiones de lo que yo mismo digo, y por eso pido ahora que me escuchen bien, porque no se trata de que yo imponga mi punto de vista, no. Les repito que no debemos ver esto como un caso aislado y ya, al que podamos tratarlo sin pensar en más cosas de la lucha. Porque aquí dice Manuel que yo no los quiero considerar como traidores a estos compas que estamos juzgando. Que yo quiero tratarlos mejor que a todos los demás, que a ustedes. Y pues no es así, compañeros. Manuel está distorsionando mis palabras. Porque yo estoy planteando problemas o aspectos de táctica guerrillera y ellos, digo el Chupachencas y Ramiro quieren ser sólo jueces, y se les olvida que todos aquí, aunque seamos algunos de la Dirección del Partido de los Pobres, somos primero compañeros de lucha, y no jueces de los demás.

Manuel se puso de pie y levantó una mano, interrumpiendo en medio de un nuevo rumor de voces que se había levantado en el campamento.

—Yo conmino al compañero Lucio a que hable de una manera más clara y abierta. Porque ya tiene mucho tiempo hablando sin decir nada, sólo dando rodeos al asunto y alargando el problema. Que vaya al grano y que sea conciso. Que aclare su postura sin dárselas de muy teórico y sin posiciones sentimentales. Yo lo conmino a que diga menos palabras y hable más del asunto que nos interesa a todos los compañeros de la asamblea.

Lucio se ajustó el sombrero nerviosamente. Dio unos pasos hacia la sombra de un gran amate que se elevaba en el campamento, cerca de él.

—Yo no quiero alargar esta discusión —volvió a explicar en voz alta; un ligero temblor de molestia se reflejaba en su voz—. Les digo, yo no quiero alargar esta discusión. Porque ya tenemos aquí varias horas de esta mañana y pasa ya del mediodía, compañeros. Pero tampoco quiero discutir de cosas que no vienen al caso en este asunto, porque yo nunca me propongo hacer trampas con lo que digo, con las palabras, pues. Aunque a veces aquí a los compañeros que ahora se molestan les parece bien ser muy teóricos y otras veces ser muy concretos. Y no se trata de esto, compañeros. Yo repito que no estoy en contra de que se les castigue. Yo lo único que estoy diciendo es que debemos darles primero un castigo diferente y después si no se regeneran, ajusticiarlos. Yo estoy proponiendo que ahora, en este momento preciso, los tengamos como prisioneros. Esto significa que yo los considero culpables. Pero unos votan para que se les fusile. Pues sí, ésa puede ser una decisión que se tome contra ellos, porque ya son prisioneros, y a algunos prisioneros se les ejecuta, así es en todas partes donde hay guerra. Sólo que aquí es donde yo quiero aclarar que no se trata de una cosa aislada el decidir si los ajusticiamos o no, y que ya no pasará nada después, que no le importa a nadie más que a nosotros. Es aquí donde yo les digo que estamos equivocados. O que nos podemos equivocar. Porque nuestra lucha no es solamente algo nuestro y ya, un asunto particular de nosotros, no, compañeros. Nuestra lucha es también de todos los pueblos de aquí de la sierra que nos ayudan, que nos apoyan, que luchan también con nosotros. ¿Y ellos no van a opinar de lo que hagamos nosotros? ¿Van a decir que está bien que ajusticiemos como traidores a la misma gente que sus familias en varios pueblos nos pidieron que se integraran con la Brigada? Porque en todos los pueblos de la sierra se defienden los lazos familiares. Y a todos ustedes que están aquí los han recomendado sus familias con nosotros como compañeros de lucha, y sus familias nos apoyan y también en otro sentido participan de la guerra. Entonces yo digo que puede ser contraproducente ajusticiar a compañeros sin ninguna oportunidad. No que no se les castigue, sino que primero se les tenga prisioneros. O sea, que la orden de ajusticiamiento se aplace hasta que terminemos el operativo especial que estamos planeando; después, si no se han regenerado, aplicamos la sentencia. Porque así podemos resolver varias cosas. Y aquí es donde tratan de distorsionar lo que yo digo, por eso lo voy a repetir. En este momento, como ya varios lo han dicho esta mañana, el ejército está apretando cercos a muchos pueblos de la sierra y nos está tratando de sofocar y de rastrear con muchos más batallones que nunca. Posiblemente haya más de veinte mil soldados en toda la Costa Grande para acabar con nosotros. Entonces los pueblos de la sierra están siendo atacados en este mismo momento, están siendo objeto de mucha represión, de un racionamiento de comida que está causando mucha hambre a todos los campesinos de la sierra. Pues fíjense bien —agregó Lucio dando unos pasos hacia adelante y alzando la mano derecha para pedir silencio—, primero, sería contraproducente que si los pueblos están sufriendo represión del ejército en este momento, supieran que también nosotros ajusticiamos a sus familiares en la Brigada sin darles ninguna oportunidad. Porque esas familias saben que los recomendaron porque eran compañeros que querían luchar a nuestro lado, y no porque fueran traidores. Y además, también la misma represión provoca miedo en todos, incluso entre muchos de ustedes que están aquí. Porque cuando bajamos a la brecha de Los Triángulos muchos se echaron a correr asustados, ¿no es así? ¿Y por qué no dijimos que eran traidores o desertores y los fusilamos a todos? El miedo también puede hacer que muchos quieran desertar. Eso lo hemos visto ya muchas veces, cuando hemos estado en vísperas de un operativo acordado y la gente con miedo ha tenido que quedarse junto a nosotros bajo amenazas, obligados, pues, casi como prisioneros, y ya que terminamos el operativo pues los dejamos que regresaran a sus pueblos. ¿No es así? Por eso digo que ahora debemos de actuar igual que antes, y no es que yo ahora tenga un capricho de que actuemos de otro modo. Ahora tenemos un gran operativo por delante. Y debemos hacerlo bien porque apartaría al ejército de la sierra. Por eso digo que sigamos actuando como siempre lo hemos hecho y que los declaremos prisioneros hasta que concluyamos nuestro operativo, luego, si no se componen, pues entonces sí los ajusticiamos. Porque no sabemos ahora si querían desertar por miedo o porque trataban de atacar la Brigada. Eso es todo lo que yo digo. Lo que yo pienso, pues, y por eso insisto en que no es un capricho mío, que no es una idea mía, sino que así hemos actuado en otras situaciones parecidas y que no veo prudente que ahora cambiemos nuestra costumbre de juzgar estos casos y los ajusticiemos y ya. Así que yo les pido que recapaciten también, de que se den cuenta de lo que sea más conveniente decidir en función de nuestra lucha y de los pueblos que nos apoyan en la lucha, y no que sólo veamos esta decisión como una cosa particular de nosotros. Y además propongo que como hemos discutido ya mucho este asunto y ha pasado ya mucho tiempo, hagamos un receso. Porque yo tengo guardia dentro de media hora y así todos podemos pensar más en lo que conviene decidir.

Manuel se puso de pie y levantó la mano para intervenir. Comenzó a atravesar entre los grupos que hablaban ruidosamente en el campamento.

—Tardaría una semana más —dijo Ramón

—Tenemos que decidirlo ahora —explicó Ramiro.

—Pero estamos a cargo nosotros de todas las tareas —insistió Ramón—. Lucio no puede. No podrá en una semana más, por lo menos.

—¿Cambió de tratamiento? —preguntó Manuel—. ¿Ya no es el del nuevo médico, el de la ciudad de México?

Ramón asintió con la cabeza.

—El Totola insiste, pues, en una comisión —repitió Ramiro.

—Pero en Tierra Blanca hay simpatizantes de la Brigada —apuntó Manuel—. No creo prudente ahora ajusticiar a alguien desconocido. Sólo el Totola insiste.

—Pero hay una delación —repitió Ramiro—. Hay una denuncia con el ejército.

—Pero es sólo el caso del Totola, ¿no? —preguntó Manuel.

—Ya sabe el nombre del denunciante —dijo Ramón.

—Gabino y Rutilo quieren ir en la comisión —dijo Ramiro—. Si se aprueba, claro.

No contestaron. Quietos, dejaron que se aproximara. Apareció entre los cafetales, cargando un bulto.

Rutilo miró que el hombre se asustaba. Les mostró el bulto que traía y se cayeron dos tortillas en el suelo. Rutilo miró las inmensas, gruesas tortillas campesinas de la Costa Grande; el terror del hombre aumentaba y temblorosamente se las mostraba extendiendo los brazos. Gabino se acercó al hombre.

—Pedí que les hicieran más tortillas, muchachos, se los juro —gritó con la mirada perdida, aterrado.

Rutilo miró los pies oscuros, las grandes uñas duras y resecas que sobresalían, llenas de tierra, de los huaraches del hombre que pisaba sin darse cuenta las tortillas caídas.

—¡Viejo hijo de tu chingada madre! ¡Hasta aquí llegaste!

—¡No muchachos! —volvió a gritar el viejo, pálido por el terror, ofreciendo todavía el hato de tortillas—. ¡No, muchachos! ¿Por qué?

—¡Sabemos todo por Totola, a quien tú quieres matar! ¡Pero el Partido de los Pobres no puede ser engañado por traidores como tú, cabrón!

—¡Pero si yo nunca le hice nada al Totola! ¡No sé de que me hablan! —alcanzó a exclamar, afligido, el hombre, mirando alternativamente a Daniel y a Gabino.

La ráfaga del M-2 cayó sobre él. Los impactos hicieron saltar el bulto, desgarraron el pecho, la camisa blanca de manta. El cuerpo se convulsionó en la tierra entre borbotones de sangre. Las tortillas se manchaban con sangre y lodo.

Juan llegó del poblado de Tierra Blanca.

—El Totola nos hizo pendejos —exclamó—. El viejo estaba de parte nuestra. Se había organizado para que hicieran tortillas para nosotros. Todavía quedaron muchas tortillas.

Ramiro sintió vértigo, asco. Sintió vergüenza, desprecio. Escupió una masa amarga que le resecaba la boca. Levantó la vista para ver a Manuel y a Gabino.

—El Totola le robó sus vacas al señor Guillermo Santos y por eso lo habían denunciado al ejército. No sabían que el Totola se había metido después en la Brigada.

Ramiro caminó unos pasos desconcertado. El Totola había huido.

—Las mujeres dijeron que nos fuéramos a la chingada. Que a don Leovigildo Fonseca lo querían todos en el barrio. Que le digamos a Lucio que no contemos más con ellos, que pura chingada que nos vuelven a ayudar.

—No —respondió el muchacho; una ligera línea de gotas de sudor rodeaba su boca entreabierta, temblorosa—. No, capitán, se lo juro.

—¿Para qué quieres tanto maíz, entonces?

—Somos varios vecinos con muchos niños pequeños. No nos alcanza, pues. No dejan que uno compre más de un kilo de maíz.

—¡Pero pides más de cien kilos!

—Es que no nos alcanza así. Nuestros papás son viejos y enfermos y no podemos decir a las mujeres que bajen cada día hasta Atoyac para comprar nada más un kilo. Hace cuatro días golpearon a una señora del ejido, en el retén. La golpearon y la bajaron a culatazos del camión porque traía tres kilos de arroz y un casillero de huevos. Le decían que era para los alzados y no le creían que era para su familia. Y la señora empezó a llorar y les aventó los huevos a los soldados y entonces la golpearon. Todavía no se puede levantar. Sigue enferma en su casa.

—¿No tienes animales? ¿No tienes gallinas? Y el maíz de sus parcelas, ¿dónde está? ¿No tienes?

—A veces nos lo quitan los guerrilleros y a veces los soldados. No tenemos, señor capitán. Y es por la familia chiquita que le vine a pedir un salvoconducto, con riesgo de que usted no me creyera y me mandara a castigar. Pero es la verdad. Se lo juro.

El capitán se levantó de la silla de lona donde estaba sentado y caminó hacia una escolta de soldados. Les habló en voz alta y luego señaló al campesino que lo esperaba de pie. Trajeron a otro soldado, acompañado por un cabo, para hablar con el capitán. El campesino observaba a la escolta. Todos miraban hacia él. Vio que el capitán asentía con un movimiento de cabeza y que luego movía los brazos para que apartaran al soldado que habían traído.

—Mira, escúchame bien —dijo al campesino cuando regresó nuevamente—. Si no resulta ser cierto lo que me estás diciendo, yo mismo te colgaré de este árbol que ves aquí. Porque voy a investigarte. Nosotros no queremos joder a los campesinos de estos pueblos, sino que los estamos protegiendo. Recuérdalo bien, muchacho. Pero cuando los perros alzados se acerquen por aquí nos vas a ayudar, ¿entiendes? Ahora dame tu nombre y dime cómo se llaman todos los de tu familia —agregó inclinándose sobre los papeles en una mesa de madera.

———————————

—¿De quién es este maíz? —gritó el soldado que había subido al vehículo en el retén de la carretera de Atoyac a El Paraíso—. ¿De quién son estos sacos? —repitió gritando.

El muchacho, a un lado de la carretera, levantó una mano y se abrió paso entre los pasajeros.

—Son míos —dijo.

El soldado bajó del camión y llamó a una escolta. Lo separaron del grupo de pasajeros y lo condujeron hacia las tiendas de campaña. Lo metieron en una. El campesino sintió vértigo, dio un paso en el vacío, cayó en un hoyo excavado en la tierra de la tienda de campaña, profundo y ancho. Cuando se puso de pie, su rostro apenas sobresalía del nivel de la tierra. Sentía la humedad caliente, las paredes con raíces y piedras.

—¿Quién te pidió comprar ese maíz? —le gritó un soldado.

El joven campesino sintió al mismo tiempo que tronaba su espalda, que caía sobre la tierra por un dolor que le quemaba. Trató de mirar a los que estaban detrás de él, pero no pudo, por la asfixia.

—¡Eres un perro guerrillero! —volvió a gritar el soldado.

Cuando se incorporaba, recibió otro culatazo en la espalda. Abrió la boca desesperado, tratando de respirar. Movió la cabeza, miró las figuras verdes de los soldados, rodeándolo.

—¡Ese perro sarnoso te mandó! ¿Verdad? —le gritó el mismo soldado.

—No, yo no —gimió con voz apagada, jadeante, revolcándose en la tierra—. Yo no, señor. . .

Vio que otro soldado se le acercaba. Por un instante le pareció escuchar sólo un zumbido. Luego sintió muy intenso el olor de la tierra. Miró que su camisa y sus pantalones se habían manchado de lodo.

—¡Ya déjenlo! —oyó que gritaba otra voz.

El campesino vio que los soldados se apartaban un momento, dudosos. Luego alzó la vista y miró a un militar alto, flaco, de barba, con un pelo muy largo que le llegaba a los hombros. Su voz era muy potente y grave.

—Yo lo voy a interrogar. Ya déjenlo.

Dio unos pasos entre los soldados y en la orilla de la excavación se acuclilló.

—A ver muchacho, respóndeme —dijo con tono pausado y tranquilo—. Porque de mí depende que te vayas ahora o que ya no salgas de este hoyo. Dime quién te mandó a comprar ese maíz.

—No tenemos maíz para comer tortillas —dijo el campesino, después de un momento de silencio, nervioso—. Pedí permiso para transportar este maíz al capitán que está en El Mezcalito. Lo compramos entre varios vecinos.

—¿Te dieron un papel? —preguntó el militar.

El joven campesino sacó de una bolsa de su pantalón azul claro un pequeño pliego. El militar lo tomó y empezó a leerlo. El campesino reconoció las insignias de capitán.

—Pero aquí no vale ningún papel —explicó el militar, despedazando el escrito—. Ni con la firma del general Cuenca Díaz te dejaría yo pasar, mucho menos con la de un capitán. Así que dime quién te pidió ese maíz. Con esto pueden vivir muchos días los perros de Lucio Cabañas.

—Es todo, se lo juro —respondió el campesino—. Hable usted con el otro capitán que está en El Mezcalito y le dirá que él me dio permiso de comprar ese maíz.

—¡Aquí yo soy el que da las órdenes, no tú, muchacho! Contéstame a quién le llevas este maíz.

El campesino sintió a los soldados acercarse. Intentó mirar hacia atrás, temiendo otro golpe.

—Es así como le digo, señor, se lo juro —respondió, gimiendo.

—¡Cuélguenlo hasta que confiese! —tronó el capitán.

Arrojaron de inmediato una soga a la escolta que se hallaba abajo, con el campesino. Dos soldados le rodearon el cuello y tiraron de la puntas de la soga. El campesino comenzó a soltar un ruido ronco. Por un momento los huaraches del campesino parecían bailar en la tierra, enterrarse, nerviosos, mientras la cabeza se doblaba suavemente como un tallo. Cuando soltaron la soga, el campesino parecía desmayado. Una patada en las costillas lo hizo gritar de dolor y moverse.

—¡Confiesa! ¡Dime para quién compraste ese maíz!

El joven campesino trató de responder. Parecía haber perdido la voz. Comenzó a llorar en silencio, con un gemido casi inaudible. Trató de escupir y la saliva le resbaló de los labios. Un soldado lo levantó de los cabellos. Ya de pie, volvió a sentir la soga en su cuello.

El general Cuenca Díaz replicó ofuscado.

—¿Que le hagamos caso a un bandido? ¿Quieres que le hagamos caso a un bandido?

—Pero ya está dispuesto a dialogar —insistió Rubén Figueroa—. Eso es importante.

—¿Con Lucio Cabañas? ¿Un diálogo con un bandido? —exclamó Cuenca Díaz moviendo la cabeza de un lado a otro con desdén.

—Se trata de una medida especial —insistió Rubén Figueroa, sentado en uno de los fuertes sillones del despacho del Secretario de la Defensa Nacional—. Yo estoy asumiendo los riesgos, ya te dije. Sólo piden el repliegue de las fuerzas militares por una semana, mientras negociamos en la sierra. Si no hay resultados positivos, nada se habrá perdido y en una semana volvería el ejército a ocupar sus posiciones.

El general Cuenca Díaz se inclinó hacia adelante, ajustándose las gruesas gafas.

—¿No te das cuenta que movilizar los destacamentos que tenemos en Atoyac es una operación muy costosa y muy difícil? Lo que estás pidiendo es imposible, te lo aclaro de una vez. El ejército nacional no está bajo las órdenes ni los caprichos de forajidos.

—Yo no subestimo la importancia de esa movilización. Pero yo entiendo esto como una señal de parte de la guerrilla para deponer las armas.

—¡Cómo, señor! ¡Qué señal! —exclamó el general Cuenca Díaz—. ¡Te pide como condición que se retire el ejército y las policías y todas las fuerzas del orden! ¡Qué clase de señal es ésta!

—No se ha tenido diálogo con él hasta ahora. Y yo estoy dispuesto a hacerlo.

—¡Dialogar con quién! ¡Es un bandido que no tiene honor, que no tiene dignidad! ¿Cómo vamos a quitar las banderas de un regimiento que está luchando por imponer el orden a petición de un bandido? El señor presidente tampoco está de acuerdo en lo que te propones. Te lo advierto, no está de acuerdo.

—¡Pero tengo autorización del presidente!

—Vas a tratar con un forajido, con un bandido sin honor. Con esa gente no pueden salir bien las cosas, Rubén. Te van a perjudicar. Vas a sufrir atropellos, recuérdalo. Si quieres desconocer la calaña de esos forajidos y darles palmaditas en los hombros, allá tú. Será peor para ti, incluso. Pero el ejército nacional no puede estar sometido a las exigencias de hombres fuera de la ley, de ninguna manera.

—¡Pero los riesgos los correré yo!

—¡Los riesgos los hemos corrido todos! Y principalmente los soldados acribillados por esos forajidos traicioneros, que matan al acecho, como perros, que no se atreven a dar la cara. Que no se atreven a dar la cara ni contigo. ¿Por qué no se reúnen contigo en otro lugar? ¿Por qué te exigen que vayas a su guarida y que se limpie la zona de las fuerzas militares, de las fuerzas del orden? Se trata de un mecanismo artero, agazapado. Y más ahora, cuando secuestran al hijo de Filiberto Vigueras y asaltan criminalmente a un pagador en la sierra.

—¿Es tu última palabra, Hermenegildo?

Cuenca Díaz continuaba ofuscado. Rubén Figueroa esperaba tensamente, con la boca entreabierta.

—El ejército está luchando por imponer el orden en toda la sierra de Guerrero. Y lo estamos haciendo ya con la sangre derramada de nuestros soldados. El ejército no va ceder en esa lucha. No saldrá de la sierra. Los que saldrán de ahí serán ellos, esos asesinos. Hasta que los acabemos el ejército se movilizará como convenga al país. Te lo advierto. Y adviérteselo a esos bandidos.

—¿Por qué?

—Me aclararon que ya no irán —contestó Inocencio Castro—. Que ya nadie va ir a mi casa a esperar respuesta de usted.

—¿Pero ya sabe Lucio? ¿Recibió mi nota de hace dos días? —insistió Rubén Figueroa.

—No quieren correr más riesgos de que alguien se entere. Para mayor discreción, señor.

—¿Aunque el ejército no se haya replegado como Lucio pretendía?

Inocencio Castro se encogió de hombros.

—No sé —dijo.

—¿Sabes lo que dice esta carta?

—Lucio piensa que usted hizo esfuerzos.

—¿Pero sabes lo que dice esta carta?

—Me dijeron que no esperaban respuesta —contestó—. Que querían una gran discreción esta vez.

—Está bien —dijo Rubén Figueroa, en tono de terminar la conversación—. Está bien, profesor.

—Y ¿qué vas hacer, Lucio?

Lucio respondió sonriendo. Le agradaba encontrarse de nuevo con Armando.

—Pero ¿qué vas hacer con esa gente? Necesitas cuadros preparados, con disciplina —insistió.

—Esta gente es la que lucha, Armando. Son como yo. Somos iguales que ellos.

—Pero no pueden quedarse nada más porque quieran estar junto a ti. Los cuadros deben ser más adelantados ideológicamente. Me parece peligroso que te bases en ellos, insisto.

Lucio miraba a lo lejos el arroyo. Había muchos mosquitos en ese sitio. Se espantaba los insectos con suaves movimientos de las manos. A veces pasaban volando parejas de pericos, veloces, ruidosos.

—Nosotros tenemos algo —comentó Lucio, mordiendo un pedazo de corteza—. Tenemos muchos años de trabajo haciendo pueblo. Ésta es una posibilidad. Y es una base real. Este pueblo no lee libros. No se cura cuando se enferma. No come. Porque no son como los compas de la ciudad, intelectuales —dijo, sonriendo—. Pero ser pobre es eso, ¿no? Ellos saben que son los pobres. Y que esta lucha es de ellos. Entonces me pregunto, el pueblo que no lee libros quiere luchar porque sabe que ésta es una lucha suya, ¿y nosotros vamos a decirle "no, tú no luches junto a mí porque no sabes qué es la lucha del proletariado"? No, es mejor que luche y que se prepare cada vez más para la lucha. Por eso no es un problema del pueblo, sino nuestro, o de los compas que han leído libros en las ciudades. Ya saben muchos libros, de acuerdo. Pero ahora deben saber también de los pobres, de los pueblitos, de las familias que nos dan tortillas y que nos cuidan y que nos avisan de los soldados. ¿Me explico? Es como si tuviéramos que contar con la realidad, como si tuviéramos que darle más importancia a la realidad que a las ideas. No me refiero a las ideas de lucha, a la ideología, sino a que la lectura de los libros nos muestra la sociedad con ideas, en lugar de verla con los ojos. Es como si los radicales quisieran hacer su lucha por su cuenta, por una sociedad que ellos se imaginan y que sólo aceptan si le dan su visto bueno. Y pues no es así con un pueblo real. ¿O vamos a decir que no existe porque no ha leído los libros que leyeron los compas de tal o cual partido? ¿Vamos a decir que este pueblo no sirve porque no es como dicen los libros que debe de ser? Para entenderlo se necesita ser parte de ellos, ser pueblo también. Y por eso tiene una responsabilidad nuestro Partido. Una responsabilidad con gente real, que nos da comida real, esfuerzos reales, no teóricos. Ellos han hecho real esta lucha. Han hecho real que tengamos varios años en la sierra. No hicimos un trabajo de masas de ése que sólo se imaginan leyendo, no, porque es el pueblo real el que nos está apoyando y quiere luchar. Entonces no les puedo decir que no sirven, que no entienden porque no saben leer o porque no pueden discutir de libros con los compas de la Liga o del MAR. Por eso no dejo este pueblo. O sea que no puedo decir que ahora este pueblo no me sirve y mejor me voy con otros que han leído los mismos libros que yo. Y no porque tema que después anden diciendo que para el profesor Lucio Cabañas el pueblo es ignorante y que mejor se fue para hacerse amigo de otros que sí entienden lo que él dice. Ni tampoco me quedo porque me guste ser caudillo del pueblo, pues entonces no hubiera discutido en forma abierta en las reuniones que hicimos aquí con los otros grupos armados, ¿no? Y no puedo dejar este pueblo porque sería no sólo una equivocación revolucionaria, sino hasta cobardía. Sería cobarde ahora decir que ya no me gusta pelear aquí porque las condiciones sociales cambiaron o no son las que los libros dicen que deben ser.

—Pero es que las circunstancias están cambiando, Lucio. El ejército vigila pueblos enteros. Mata niños, viejos, mujeres. Te está cortando toda posibilidad de movimiento en los pueblos. Dan medicinas, comida, abren caminos, para que los pueblos vean que con el gobierno tendrán más que contigo. Sería una equivocación quedarte aquí, porque ocasionarías una represión mayor sobre los pueblos, y porque se corre el riesgo de que nos acabe el ejército a todos.

—Sí, hay cambios, es cierto. Pero el pueblo sigue luchando en estas condiciones que están cambiando. Entonces debemos seguir luchando porque las condiciones van a obligar a que la lucha sea también distinta, pero con el mismo pueblo.

—Date cuenta, Lucio. Insisto en cambiar de estrategia para que los mismos poblados estén más protegidos. El ejército se está concentrando aquí, en Guerrero, con destacamentos del Bajío, de Morelos, del Estado de México. Vendrán después los de Oaxaca, los de Michoacán. Traerán todo el ejército a Guerrero, y no podremos luchar militarmente contra ellos. Ahora es cuando debemos retirarnos a otras zonas, escaparnos del cerco que están empezando a formar.

Mientras sepan que estamos aquí, en Guerrero, van a recorrer paso a paso todo el estado, todos los pueblos, todas las casas, hasta encontrarnos y darnos en la madre. Hay que salir del cerco, remontarnos a otras zonas e impedir que el ejército se concentre aquí para acabarnos.

—¿Y qué haremos en otro lugar, con qué pueblo trabajaremos, en qué pueblo nos apoyaremos para luchar, si nos ven huyendo y dejamos que éste se quede a merced del ejército? "¿Y cómo dejaron las cosas por allá?", nos van a preguntar. "¿Por qué no arreglan bien las cosas allá y luego se vienen con nosotros?", nos van a decir.

—El ejército no quiere que salgamos de aquí, Lucio. Porque si salimos ahora, no acabarían con nosotros, te lo aseguro.

Lucio quedó pensativo. Seguía moviendo suavemente sus manos, espantando los mosquitos. Se ajustó el sombrero y se volvió a mirarlo. En sus quietos ojos hubo un destello de alegría, de risa.

—Les vamos a dar una sorpresa —dijo; llevó su mano al sombrero de paja para ajustarlo de nueva cuenta, como parte de su regocijo—. Tenemos preparada una sorpresa para el gobierno. Con eso abriremos el cerco. Lo habíamos preparado desde hace tiempo, pero ya llegó el momento.

—¿Qué quieres hacer?

—Sí, he pensado mucho en lo que acabas de decir. He pensado mucho. Pero no me preocupa el cerco, sino el aumento de la represión. Algunos barrios ya tienen temor de vernos, porque después de nosotros llega el ejército. Yo mismo evito comprometerlos. No podemos atacar tan seguido, porque el ejército también quisiera atraernos a los enfrentamientos y reducir todo a choques militares. Pero nuestra lucha no es cuestión militar, sino una cuestión social, una lucha en muchos sentidos. Por eso veo necesario no retirarnos de la base de los pueblos que nos ayudan, porque ésa es nuestra verdadera lucha, que no puede terminar. Yo distingo las responsabilidades. Fui claro al explicarme con las otras organizaciones armadas. Vinieron todos. Yo entiendo que cada quien enfrenta condiciones distintas y que sus métodos de lucha son los que deben ser. Pero los de las organizaciones partidarias atacaron a compañeros del Partido Comunista, querían fusilarlos ahí mismo. Y después amenazaron a los compañeros de la Unión del Pueblo. No les importaba lo demás, ni el trabajo con campesinos. Querían como primer punto someter a votación el nombramiento de los mandos. ¿Pero cómo podíamos pensar en hacer un solo frente armado cuando todos tenemos distintos métodos, distinta experiencia? Yo respeto sus ideas. Pero saber mucho de teoría y saber mucho de armas y saber planear operativos en las ciudades no es lo mismo que convencer a los campesinos de que nuestra lucha es suya, y contar con ellos para todo. Pero a ellos no les interesaba la lucha. Ellos querían ser los caudillos y decían que lo era yo. Y yo no critiqué a ningún grupo. Yo pedí que mantuviera cada quien su método de lucha pero que tratáramos de llegar a un acuerdo que nos permitiera formar progresivamente un frente armado en todo el país. Y eso era una responsabilidad distinta. No como la responsabilidad del pueblo que aquí nos ayuda a luchar, no. Es la responsabilidad de respetarnos todos los que luchamos con armas en México. Esa responsabilidad es ya sólo de nosotros, de los compas que saben muchos libros, que saben mucha teoría. Pero en lugar de que nos dedicáramos a planear una estrategia nueva se dedicaron a criticar a todos como si los enemigos fuéramos nosotros mismos y no el gobierno burgués. Y quisieron debilitarnos y crear divisiones y apoderarse de la Brigada. Pero, ¿apoderarse para qué? Nosotros no somos solamente los que andamos en armas, sino todos los pueblos que nos apoyan. Y no podrían haber contado con ellos aunque hubieran convencido a cinco de nosotros. Además, el Partido Comunista me ha pedido muchas veces que deje las armas, y sabes que a ellos les convendría que no hubiera tantos grupos armados de izquierda que ya los desconocen. Hasta con Carmelo salimos mal y ahora él ya anda en otras ideas y trabajando solo. Entonces he pensado mucho en esto de salirme de Guerrero. ¿Salir sin pueblo? ¿Apoyarnos en los que creíamos hermanos y que desde el año pasado han mostrado inmadurez para una lucha con las masas? Es difícil. Debemos pensar muy sinceramente si el pueblo que está con nosotros es o no fundamental para la lucha. Porque si fuera así, las condiciones todavía indican que debemos permanecer luchando aquí, con este pueblo. Y yo creo que las condiciones son favorables todavía. Y más con el plan que ya hemos decidido, que es un cambio de estrategia nuestra, otra respuesta contra la represión.

—¿Un atentado? ¿Emboscada?

Lucio sonrió.

—Un secuestro —dijo.

Rubén Figueroa se incorporó de nuevo ante su escritorio, en sus oficinas de la ciudad de México, en Churubusco. Su escritorio estaba cubierto con papeles y objetos de bronce.

—Pero él es nuestro aliado para el congreso —repitió—. Es importante mostrar esta unidad. Lo es para el presidente. Y también para joder a Nogueda.

—¿Pero cuándo te ayudó a buscar a Lucio? —replicó el hijo—. Date cuenta. Ya quisiera yo que Lucio le anduviera haciendo caso a ese par de cabrones. ¡Cómo no! Aceptó negociar porque tú eres Rubén Figueroa.

—No entiendes —replicó el ingeniero—. Tenemos las cartas buenas en las manos. Uno puede ser generoso cuando ha ganado. Y es ahora el caso. Por eso quiero darles una probadita del pastel. Es la unidad de todos los sectores. Llegaré al congreso del partido con toda la fuerza.

—¡Vaya! —exclamó Febronio—. ¡Todavía no hablas con Lucio y ya crees tenerlo en la bolsa!

—¡Si aceptó negociar conmigo es porque ya lo tengo en la bolsa, es porque ya está dispuesto a aceptar! ¿Tú crees que no sabe para qué quiero hablar con él? ¿Crees que piensa que sólo quiero saludarlo personalmente? No se trata de una reunión social, Febronio. Va a hablar con el futuro gobernador. No es pendejo, sabe muy bien de qué se trata.

—Eso mismo es lo que yo digo —replicó el secretario—. Si Lucio ha aceptado amnistiarse ha sido por ti. Por eso digo que sólo tú debes cargar con el mérito. ¿Para qué repartirlo con otros que no reconoce Lucio?

—Por el país, te digo. No quiero oír pasos en el techo dentro de dos años porque Moya se haya salido con la suya, ¿no entienden? Éste es un asunto muy complicado. Lucio es la piedra en el zapato de Gobernación. Y por eso debo mostrar la unidad de fuerzas en el estado. Y que Nogueda no aparezca. Que seamos nosotros, pero mostrando fuerza popular. Mostrando los cojones, pero también cerebro. Como decía López Mateos: los huevos son un buen plato para los políticos, pero deben cocinarse con sesos. Por eso quiero que coman también de mi mano.

—Pero el hijo de Gómez Betancourt va a querer cobrarse la amnistía de Lucio como asunto suyo, papá.

—Si sigues pensando así de nada te serviría gobernar Guerrero. Y tú, Febronio, ya verás que Lucio me va a acompañar a la convención del partido y que seré el único verdadero gobernador en todo el país, no mamadas, sino el único político en México. A eso es lo que le tienen miedo Nogueda y Moya. No quisieran verme con esta fuerza. Pero que vean cómo hacen política los hombres, no los maricas.

—Pero no los subas a la sierra —volvió a insistir el hijo—. Yo estoy de acuerdo en que muestres la unidad de todos los sectores. Pero tú los estás invitando a ser héroes sin que les cueste nada. Eso nos va a perjudicar. Porque debe quedar claro que esto es un asunto Figueroa, no de cuantos se acerquen a la fiesta cuando ya estén tocando los músicos.

Febronio estaba escuchando en silencio. El secretario del ingeniero también. La secretaria había traído nuevas tazas de café. Fumaban todos. Era agitado el ambiente. El ingeniero se levantó al teléfono varias veces. En un momento los dejó solos.

—Convéncelo de que esto le traerá problemas. Tú los conoces, Febronio —dijo el secretario.

Febronio se rió. Bebió de su taza, regocijado.

—¿Pero piensas que Lucio va a ceder a las primeras de cambio? ¿Que está esperando a Rubén para entregarle las armas? ¿Para decir a los campesinos que ya se acabó la lucha?

—Mira, Febronio —interrumpió el ingeniero, regresando otra vez a su oficina—, tú sólo debes explicarle a Lucio en el lenguaje que él entiende, y que es el tuyo, que su lucha no lo va a llevar a ninguna parte. Que las condiciones objetivas o como tú quieras decirle, no están como para que siga dándose de cabronazos con los soldados de Cuenca Díaz, porque si no, acabarán con él. Eso es lo que tú debes decirle. De lo otro me encargo yo. Tú háblale de teoría. Y dile que yo creo en él. Y que Genaro era amigo mío, y que yo lo protegí. Y que yo quiero que él sea útil al pueblo. Que él podrá hacer todo lo que quiera de cambio social en Guerrero si trabaja conmigo. Pero tú díselo en ese lenguaje, en el que entienda, para que vea que yo también ando con marxistas y que las palabras me hacen lo que el viento a Juárez.

Volvieron a traer varios papeles para Rubén Figueroa. Luego sonó la red privada. Retiraron las tazas vacías. Hablaban precipitadamente, agitados por la euforia. Quedaban pocas horas para el vuelo del avión a Acapulco y para arreglar algunos asuntos de la convención del PRI. Volvió a levantarse el ingeniero al teléfono. Cuando regresó, la risa lo embargaba, el ánimo lo hacía parecer más joven, más robusto. Pero aún se mezclaba la sonrisa franca con la mueca de burla, de suficiencia. Apartó una taza de café caliente.

—Nos quedan ya sólo seis horas en la ciudad de México —dijo el ingeniero—. Quiero salir a la hora justa. Necesito ir todavía al Senado. Los veré en el aeropuerto. Mañana iré a Chilpancingo y después ajustaremos detalles en Acapulco, en mi casa.

Entró la secretaria con varios documentos que depositó en el escritorio, mientras los demás se despedían. El teléfono de la red privada volvió a sonar. Rubén Figueroa se sentó en su fuerte sillón reclinable, para contestar. Luego pidió a su secretaria dos llamadas telefónicas de larga distancia. Cuando el hijo regresó a la oficina para acompañarlo al Senado, Rubén Figueroa terminaba de firmar los documentos que tenía en el escritorio.

—Hablé con el viejo —dijo poniéndose de pie, cuando terminó de firmar, dando el último sorbo a una taza de café—. En la voz se le notaba el miedo. Todos son una bola de maricas. Por eso el país va en picada. Le dije que ya íbamos muchos en la camioneta y que no había espacio para él. Que no podía acompañarnos. Que nos veríamos en la convención del partido.

El hijo sonrió.

—¡Bien! ¡Bien! ¡Muy bien! —exclamó caminando detrás de él, cuando se retiraban de la oficina.

Rubén Figueroa salió a la terraza, con un habano encendido. Miró la bahía de Acapulco. Iluminada, inmensa, una oscuridad azulada de varias tonalidades surcadas por hileras luminosas. El aire caliente, húmedo, las hacía vibrar. El humo del puro se tornaba más dulce, más ligero. La noche era caliente, olorosa. El ruido del mar ascendía desde las rocas. Acapulco era inolvidable. Era algo suyo, de su alma, que recorría por su sangre todos los recuerdos. Pensó que podía estar siempre así, contemplando la bahía. Las luces temblaban en el calor de las playas. Parecían estar diciendo algo dulce, un nombre que no quería permanecer en secreto. La verdad humana no era muy distinta de eso que estaba sintiendo en tanta noche, en el aroma del habano y en el aroma de las bugambilias y de las rosas que ascendían hasta él. En el azucarado aroma de la terraza, mezclándose con la brisa, con la lasitud marina. Extendió uno de sus brazos hacia la bahía. Abrió su mano y la miró buscando la silueta de la noche. Hasta él llegaba la verdad de Acapulco, la belleza. Centenares de cuerpos estarían amándose, bebiendo, gozando en ese momento tras su mano. Era la dicha, rozándolo, oyendo sus pensamientos. Para lo que él se proponía en ese momento de su vida, profunda, vigorosamente, la noche era una respuesta en sí misma. El calor humano de la noche era la mejor señal de lo que le tocaba vivir. Sintió de pronto como un relámpago en su mente. Era un hombre que amaba esa bahía. Era un hombre, ahí, en esa noche perfecta. Esperando el alba. Esperando la luz.

232

VII

30 de mayo a julio de 1974

El hombre pequeño, moreno, subió a la Combi. Despedía un ligero olor a hierba, a tierra húmeda. Tenía los ojos oscuros.

—Ya oíste Febronio. A tomar la otra carretera —dijo el ingeniero.

Maniobraron con la Combi en el estrecho camino de El Ticuí y enfilaron de regreso hacia la carretera principal. Las ventanillas estaban cerradas; el frío del amanecer era aún intenso. Pascual y Luis empezaron a conversar. Se volvió a mirarlos. Entroncaron con la carretera Acapulco-Zihuatanejo.

—Doble a la derecha —dijo el hombre pequeño—. Rumbo a Tecpan, hacia allá —agregó, señalando con una mano.

Giraron hacia la derecha, hacia Tecpan. Pasaron San Luis. Varias camionetas copreras estaban estacionadas a la orilla de la carretera. Cuando pasaron por el poblado de San Pedro, miró otra vez al hombre. Venía sentado junto a Pascual. Vio sus manos fuertes, callosas, las uñas sucias. Se aproximaron a la Cañada de la Remonta. El hombre pequeño volvió a hablar.

—Más adelante hay una brecha —dijo—. Tenemos que seguir por ahí.

—Como él diga, Febronio —agregó—. Sigue por donde él diga.

Dejaron la carretera y tomaron a la derecha un pequeño camino disimulado entre charcos y altas y tupidas matas de algodoncillo, dando tumbos, despacio, siempre con el motor en primera velocidad. Ascendieron por una cuesta muy pronunciada, con muchos hoyancos y rocas, estrecha. Alcanzaron un pequeño llano de altura donde el camino se amplió. Una nube de polvo muy fino había invadido el interior de la Combi. Se detuvieron.

—¿Cómo? —preguntó.

—Es en otra parte.

—¿No es aquí?

—Pero es muy cerca. Tenemos que regresar otra vez a la carretera —dijo el hombre.

De nuevo en la carretera, al dejar atrás el pueblo de San Luis, Febronio aguardó, disminuyendo la velocidad, a que pasara un viejo Chevrolet azul para desviar la Combi hacia la izquierda y seguir por otra brecha.

Una cadena con candado cerraba el camino a las madereras de Alcibiades Sánchez. Una mujer la quitó y les dejó libre el paso. La camioneta verde avanzó por la brecha. La neblina se elevaba en la vegetación boscosa, con un creciente ruido de animales, de aves, de amanecer intenso. Descendieron luego por una empinada cuesta seca, con hierbas ralas, que no parecía de la sierra; una tierra quemada, yerma. A los pocos minutos llegaron al caserío de El Seco. El muchacho descendió de la Pick up y estuvo caminando unos minutos por los alrededores. El sol calentaba ya la tierra. Luego el muchacho regresó. Los hombres que seguían sentados en la cabina lo miraron.

—Tendremos que regresar —comentó el muchacho, apoyándose en una de las ventanas del vehículo.

—Disminuye la velocidad, pero no te pares.

Desde lejos resaltaban los moños de tela colocados encima y al frente de la Combi roja.

—¡No te detengas! —volvió a pedir el muchacho.

Habían varios hombres en el interior de la Combi. Reconoció al que estaba en el asiento delantero.

—¡Detente aquí! —dijo segundos más adelante—. ¡Aquí, aquí está bien!

Descendió de la Pick up. A lo lejos vio la Combi, empequeñecida, como una cajita roja envuelta para regalo. Empuñó la rama verde que había cortado en San Jerónimo y empezó a caminar en medio del camino. Levantó la mano en señal de saludo.

El muchacho se apoyó en una ventanilla abierta, saludando a sus tíos y mirando a Febronio.

—¿Ya hiciste el contacto? —le preguntó el hombre pequeño desde el interior de la Combi.

234

—Ya subí hasta El Seco y bajé otra vez, pero yo creo que todavía no llegan —respondió el muchacho, volviéndose a mirar a la mujer que iba junto a su tío Pascual.

—Debemos subir hasta El Seco, ingeniero. La comisión nos iba a esperar más o menos a estas horas —explicó el hombre pequeño mirando un reloj.

—¿Ya me vengo con ustedes? —preguntó el muchacho, impaciente.

—¿Llegó contigo Inocencio?

—Sí.

—Que se venga también con nosotros. Después tendrá que manejar.

———————————

Febronio detuvo la Combi en el ejido de El Aguacatoso, junto a la barda de una de las casas, construida con ramas delgadas de encinos. Varios perros ladraron al vehículo mientras se estacionaba. El ingeniero descendió primero y se encaminó hacia una casa donde vendían refrescos y galletas. Una mujer gorda y morena, estaba asomada por la ventana.

—¡Buenos días! —le dijo quitándose el sombrero para limpiarse el sudor de la frente.

La mujer se metió al fondo de la casa y luego se asomó por la puerta.

—Déme un refresco. Uno de toronja o de limón —pidió.

—No tengo hielo —dijo después de un rato la mujer.

Todos habían bajado de la Combi y se acercaban a la casa. El ingeniero caminó unos pasos, solo, pensativo. Miró su reloj. Pasaban ya de las once de la mañana. El sol caía firme, quemante. Habían recorrido muchos kilómetros. El aserradero de Alcibiades Sánchez estaba silencioso.

—Voy a buscar un poco de gasolina —dijo a Febronio y a Sabás—. Allá, donde están aquellos camiones. Creo que ahí podrían vendernos alguna.

El muchacho y Pascual acompañaron al ingeniero. Desde antes de llegar al caserío donde se hallaban los camiones, escucharon, retumbando por los montes, el gemido de un animal aterrado.

—Creo que están matando a un puerco por aquí —explicó Pascual.

Los gemidos se intensificaron, después disminuyeron y se escucharon más espaciados, más leves. Cuando se acercaron a los camiones volvieron a escucharlos. Tras los camiones encontraron a dos hombres desollando a una puerca. Niños y mujeres recibían en grandes cubetas de metal la sangre que brotaba de la puerca degollada. El ingeniero vio una masa inmensa de grasa y de sangre, como dos cuerpos que se iban separando mientras la puerca gemía roncamente, como dormida, como si no hubiera muerto aún, si bien ya se le había desprendido más de la mitad de la piel. Los hombres se volvieron a verlos por un momento, vestidos sólo con un corto calzón de baño; uno de ellos estaba descalzo y otro con huaraches. Tenían el cuerpo ensangrentado, la cara y los cabellos sucios de sangre, de grandes coágulos que escurrían por sus cuellos. En ese momento el inmenso cuerpo de la puerca que desollaban se agitó, se contrajo, convulsa, como si reviviera. Una de las cubetas llenas de sangre estuvo a punto de volcarse. Uno de los hombres gritó al niño, enfurecido, que quitara la cubeta. Sujetaron la inmensa masa sanguinolenta. El ingeniero creyó ver que el hocico del animal se abría desmedidamente, como luchando por morder, o por respirar. Sintió asco de la carne inundada de sangre, de ver las manos de los hombres desollando al animal. Escupió en el suelo, mareado por el fuerte olor a excremento y sangre. Un rumor ronco produjo la mole sanguinolenta cuando la movieron para desollarla por el otro costado.

—¿Cuánta gasolina necesitan? —volvió a preguntar uno de los hombres, cuando terminaron de desollar al animal. Estaba de pie ante ellos, sangrante y sudoroso; su abdomen se movía agitadamente mientras respiraba.

—Lo que puedan vendernos. Diez litros, o veinte. Sólo necesitamos gasolina para llegar a Tecpan.

El hombre se dirigió a uno de los camiones. Hurgó en uno de los asientos hasta encontrar una manguera angosta y corta. Pidió un recipiente a uno de los niños, mientras quitaba el tapón del tanque a uno de los camiones.

—Les voy a vender treinta litros —dijo sin mirarlos.

El ingeniero alcanzó a ver, mientras se vertía la gasolina en el recipiente metálico, que la masa desollada de la puerca brillaba al sol del mediodía. Un enjambre de moscas gigantescas zumbaba cerca del cuerpo. El ingeniero sacó del bolsillo varios billetes y se los entregó al hombre que le daba la gasolina.

—Quinientos pesos —dijo—. Aquí tienes.

Pascual tomó el recipiente de las manos sucias y morenas del hombre.

El muchacho recogió la rama atravesada en el camino y luego siguió a Sixto a la orilla de la carretera. Entre los árboles y las matas cerradas aparecieron hombres armados. Uno de ellos pidió que todos bajaran de la Combi y penetraran en el monte.

236

—Pero lleven la Combi más lejos, allá, cerca de aquel árbol —agregó cuando todos habían descendido—. ¡Y levanten el cofre, para que si pasa alguien parezca que está descompuesta!

Entre los árboles y matorrales surgían más hombres armados. Febronio miró por el espejo retrovisor un camión grande; pasaba lentamente, con una carga de ganado; los hombres del camión saludaron al pasar. Cuando estacionó el vehículo, Juan levantó el cofre del motor. Febronio caminó apresurado para unirse a los demás. Un hombre lo esperaba. Sintió una leve presión en la boca del estómago. Entraron al monte por una pequeña brecha que habían formado las pisadas de los otros. En un pequeño claro vio a todos los hombres armados conversando con el grupo. Lo fueron saludando y sintió las manos ásperas, calientes. Vio que Figueroa estaba molesto.

—¿Por qué? —lo escuchó decir, esforzándose por parecer sorprendido, más que molesto.

—Acostumbramos recoger las armas de todos los visitantes —respondió el hombre al que llamaban Ramón—. Luego se las devolveremos. Cuando se regresen otra vez, al terminar la entrevista —agregó.

Febronio notó que aumentaba la irritación de Figueroa.

—¡Nosotros venimos en son de paz! —exclamó Figueroa, alzando los brazos—. No les estamos pidiendo que nos entreguen también sus armas, porque queremos una reunión de buena fe. Venimos armados sólo para defendernos en el camino.

El hombre al que llamaban Ramón escuchaba atento, tranquilo.

—Pero es la costumbre aquí —respondió con calma, como si no lo hubiera dicho antes.

—Repito que nosotros no venimos en son de guerra, sino de paz —insistió Figueroa—. Y que no veo por qué nosotros debamos ser los únicos desarmados. Pero no vamos a discutir por eso.

Figueroa entregó una escuadra 380 y luego otra Luis Cabañas, calibre 45.

—En la Combi dejaron también una escopeta recortada —dijo Sabás—. Yo creo que calibre 12.

Febronio observó que la intervención del hombre pequeño terminó de irritar a Figueroa.

—¡No es posible! —tronó Figueroa—. ¡No veo por qué tengan que recoger incluso esa arma! ¡Sólo las trajimos para defendernos en el camino, para una emergencia!

El hombre seguía sentado sobre una piedra. Escuchó atento a Figueroa. Luego sonrió con calma y levantó los hombros como explicando que así era.

—Debemos trasladarnos a un lugar muy cercano de aquí —dijo, poniéndose de pie ágilmente—. Está muy cerca, no tardaremos mucho en llegar. Pero tenemos que hacer varios viajes con la Combi en este mismo camino —agregó.

Febronio sintió el movimiento de los hombres y de las armas. Todos parecían reanimarse. Miró su reloj. Pasaban de las seis de la tarde.

—Usted se va conmigo, en el siguiente grupo, ingeniero —explicó a Figueroa; luego, dirigiéndose a Febronio, dijo—: Váyase primero usted con Pascual y Luis y con la secretaria del ingeniero. Los compañeros que vayan con usted le indicarán el camino. Y que Inocencio maneje después la Combi —ordenó a los demás—, que él regrese por nosotros.

—Deténgase aquí —le dijo uno de los hombres—. Estaciónese ahí, junto al árbol.

Febronio estacionó el vehículo en el sitio que le indicaban . Empezaron a descender todos.

—Uno de nuestros compañeros manejará ahora para recoger a los que se quedaron allá. Nosotros seguiremos a pie —agregó el mismo hombre.

Febronio descendió del vehículo. Un hombre delgado y moreno se sentó al volante. El grupo caminaba ya hacia el monte, en sentido contrario al del poblado de Letrados. Comenzaba a atardecer. El ruido agitado de las aves llenaba los árboles. Muchas volaban en parvadas, ruidosamente. Los pericos irrumpían con fuertes aleteos. Dos de los guerrilleros caminaban al frente, siguiendo el curso de un pequeño arroyo. Se oían ya los grillos debajo de las matas, el croar de ranas. Febronio seguía con la mirada los pasos del guía. Eran pasos firmes, seguros, relajados. Se desviaron de pronto del curso del río y subieron una pendiente que al remontarla se abría a un claro muy amplio, donde destacaba un alto amate de gran follaje. Aunque en la cima podía contemplarse el cielo enrojecido por el crepúsculo, sintió que bajo el árbol entraba en una parte del aire, del mundo, en que ya había oscurecido.

A las ocho de la noche Rubén Figueroa vio que llegaron otros doce hombres armados. Escuchó las voces de saludo, algunas risas. La oscuridad le impedía distinguir lo que hacían. Reconoció la voz de Sabás, que atravesó el claro del monte. También Ramón gritó del lado opuesto, al fondo de la oscuridad. Dos linternas de luz sorda se encendieron de pronto y el grupo se movió hacia los árboles de la izquierda. Una de las lámparas se apagó. La otra siguió iluminando los troncos de dos encinos. Otra sombra se apartó de los hombres. Rubén Figueroa distinguió entonces al campesino que avanzaba hacia él. Cuando lo tuvo enfrente se dio cuenta que otros cuatro lo habían seguido también.

—Llevo días caminando para llegar a esta cita con usted. Imaginamos que estaba ya impaciente.

Rubén Figueroa se incorporó. La mano del campesino era tibia, huesuda. Comprendió.

—¡Lucio, qué gusto de verte! —dijo Rubén Figueroa, abrazándolo.

Sintió que el cuerpo de Lucio olía a sudor, a hierbas; a un olor picante, de algo viejo, de enfermo.

—He pedido que le tiendan una hamaca en el mejor árbol, para que descanse esta noche —comentó Lucio—, porque me han dicho que ustedes ya cenaron.

—Me parece bien Lucio, me parece bien.

Lucio tomó una de las lámparas de mano y la encendió. Rubén Figueroa sintió que la luz le cubrió el cuerpo, el rostro. Sintió deseos de apartarla, de quitar la mano que sostenía la lámpara.

—Pues ahora sí ya nos conocemos —dijo Lucio, quitando la luz.

Luego se volvió hacia uno de los hombres y le entregó la lámpara.

—Préstemela a mí, compañero —atajó Rubén Figueroa.

El campesino dudó un instante y luego se la tendió. Rubén Figueroa dirigió el haz de luz hacia Lucio. Vio el brillo de los ojos pequeños, rasgados. Un bigote ralo y algunos pelos sobre la barbilla. El rostro estaba tranquilo, sin ofuscarse por la luz. Rubén Figueroa pensó fugazmente que había subido a la sierra para hablar con ese campesino común, con ese rostro sin rasgos singulares, idéntico a todos los de la sierra. Apagó la lámpara. Como si hablara para sí mismo, dijo:

—Sí, ya nos conocemos.

Sintió que Lucio lo miraba. Que quizás no necesitaba lámparas para mirarlo.

———————

—Nosotros odiamos en general la clase social a la que usted pertenece —dijo Lucio en la sierra de Letrados el segundo día de conversaciones, en el nuevo campamento al que se habían desplazado—. Pero en lo particular yo no me permito analizarlo todavía. Yo voy a ver. No le he dicho que lo ubico todavía. Yo voy a ver.

—Eso —repitió Rubén Figueroa.

—Yo soy nuevo y no conozco sus raíces. Usted me dice que desciende de Figueroa.

—Sí, mira.

—Ellos fueron revolucionarios, pero ahora el descendiente Rubén resulta reaccionario y conservador.

—A lo mejor soy reaccionario —replicó Figueroa—. Pero realmente, ¿hasta dónde se te ubica a ti? No todos te consideran un revolucionario, Lucio. Porque en esto de lo revolucionario hay muchos grados, como los hay entre los reaccionarios. Hay los muy conservadores, los menos conservadores.

—Los grados son para la lucha —replicó Lucio—, no para los burgueses. Porque la burguesía es algo que nunca puede ayudar a la revolución. Es otra cosa enemiga. Es lo que ha provocado la miseria, la que impide que mejore la vida de estos campesinos.

—Eso. ¿Pero vas a echarle la culpa a todos los que son burgueses? A ver, dime.

—No estamos luchando en contra de personas y ya, sino por algo que no sea como ahora, que sólo ustedes los burgueses pueden hacer lo que quieran, pero no los pobres. Por eso se equivoca usted en creer que estamos luchando contra personas.

—Nada más te voy a decir esto: ¿todos los pobres son revolucionarios por el hecho de serlo?

—No —dijo Lucio, negando también con la mano derecha.

—Porque tú sabes que están denunciando al Partido de los Pobres, ¿y van a denunciarlos a ustedes porque ellos también son revolucionarios?

—No, pero entonces esta cuestión queda bien clara así.

—Queda bien clara.

—Queda bien clara, pero nosotros ahora tenemos problemas —dijo volviéndose a mirar hacia el campamento.

—Bueno, pero no me cierres las puertas —reclamó Rubén Figueroa.

—No podemos nosotros cerrar las puertas en cuanto al trato directo —dijo Lucio, sentándose otra vez bajo el techado oculto en los cafetales.

—Correcto.

—Y los enemigos siempre tienen alguna forma de tratarse —corrigió Lucio—. Nosotros tenemos que tratar con la clase enemiga. Pero tenemos compromiso con las clases explotadas, con el pueblo. Ustedes no se ilusionen de que nosotros vamos a ser alejados del pueblo.

—Correcto, Lucio, correcto. Es tu temperamento. Si has estado siete años en la sierra —aceptó Rubén Figueroa, con cansancio en la voz—. Pero a qué te puede llevar que luches contra el ejército, contra el gobierno, contra gentes que no te han hecho nada pero que te podrían ayudar. Como yo, pues.

—No, porque el problema que estamos discutiendo es sobre la liberación de todos los presos del país. Los demás problemas pueden estar resueltos en cada estado como usted lo plantee. Pero lo de los presos es otro problema. Aparte de que no se ubica nada más como estatal.

—Te dije que a tu hermano te lo voy a tratar de liberar —insistió Rubén Figueroa—. Se lo voy a pedir al presidente como cosa mía, personal. Ten la seguridad que te lo doy ya para este veintitrés de junio. En una semana tendrás informes de que hablé por teléfono con tu hermano.

—Pero nosotros no vemos problemas particulares. Ni estatal, ni geográfico, sino de carácter nacional.

—De acuerdo que sea nacional, pero yo sólo por Guerrero puedo responder —repuso Rubén Figueroa.

—¿Qué consigo con mi tío y mi hermano? Porque nosotros tenemos otro acuerdo sobre esas cosas. Lo hemos venido ventilando y no lo resolvemos. Nosotros vamos a hacer otra proposición. Hemos tomado el acuerdo de que usted nos acompañe hasta que nos liberen los presos.

—¿Cómo? ¡Qué dices! —repuso Rubén Figueroa, poniéndose de pie, irritado—. ¡Te vas a cubrir de deshonor! ¡Eres el que te vas a echar un baldón en tu brillante hoja de servicio! Tú sabes, Lucio, en nada me vas a perjudicar más o menos. Fíjate cómo estoy recibiendo esta noticia.

—Nosotros no lo vamos a perjudicar a usted. Nosotros queremos que nos acompañe mientras nos liberan a los presos, no como secuestrado. Usted no viene aquí secuestrado.

—¡Cómo!

—Es un acuerdo militar de la Brigada en vista de los presos. Ustedes no quedan secuestrados, quedan detenidos. Nosotros a usted no lo amenazamos de muerte como a los secuestrados. Usted dice que estamos tratando de algo que no se podrá obtener.

—No, Lucio. ¡Dame la opción de morirme, fusílame! No creas que tengo miedo a la muerte. Te lo juro por mi madre. ¡Fórmame cuadro y fusílame! ¡Ahora mismo!

Rubén Figueroa tenía la boca abierta, tensa, respirando agitado. Se volvió a mirar a Pascual Cabañas y a Febronio, que también se hallaban bajo el techado. El ruido intenso de la sierra parecía haberse detenido. El campamento era una inmensa zona de tierra húmeda, de lianas, de cafetales.

—Sólo hago la aclaración —interrumpió Lucio.

—Entonces, ¿por qué no dejas que se vayan los demás? —insistió Figueroa, señalando a su secretaria Gloria Brito y a Febronio; los pericos y torcazas rompían el aire caliente y húmedo del campamento—. Ellos que se vayan y me detienes a mí hasta que salgan los presos políticos.

—Ellos tienen compromiso con usted. Ellos que lo acompañaron, lo mismo que la muchacha —contestó Lucio.

—No, no. Mira, la señora es empleada federal, tiene un nombre al lado del general Cárdenas, muy modesto, es una trabajadora social.

—Entonces, ¿a qué vinieron hasta acá? Ustedes se quedan todos por parejo y que no haya sospechas de que aquí Luis preparó esto o que éste preparó lo otro, o que hubo cosas. Nosotros tenemos que recurrir a todo —dijo Lucio poniéndose de pie y soltándose el botón superior de la camisa.

—Yo lo único que te digo es que no te vas a cubrir de gloria —reclamó Figueroa—. Eso sí te lo digo, porque todavía es tiempo, todavía hay tiempo.

Pascual Cabañas trató de intervenir, a un lado de Febronio.

—Aquí vamos a estar mucho tiempo y no te van a dar nada —atajó Rubén Figueroa—. Y te vas a cerrar las puertas de las posibilidades. Tanto tu tío Luis como el profesor Castro me dijeron que no correría riesgo. Todos los demás dijeron que no viniera. El general Cuenca me advirtió que ibas a hacer un atropello. "Jamás puedo pensar que un maestro con la calidad moral de Lucio pueda hacer esa cosa conmigo", le dije.

—Usted puede pensar que es un atropello —repuso Lucio dando unos pasos fuera del techado— sólo porque nosotros quisimos arreglar lo de los presos. Si no se arregla, ni modo. Pero usted lleva la constancia de que lo intentamos.

—Mire, compañero Cabañas, el señor presidente jamás quiso que yo viniera porque me previno de lo que usted podía hacer. Pero yo dije que si usted cambiaba de decisión y cometía conmigo un ultraje, lo único que harían sería poner un nuevo candidato al gobierno del estado. Y eso es ganancia, porque yo soy un reaccionario, ni hablar.

—Pero nosotros no tomamos las determinaciones por equipo de familia —rebatió Lucio—. Y la comisión vino autorizada para tomar todo acuerdo. A nosotros, si cometemos algún error, nos va a sancionar la Brigada ante asamblea. Por eso así actuamos. Si al presidente Echeverría no se le presiona, no nos va a conceder nada. Mire, por la seguridad de usted, Cuenca Díaz debió haber retirado todas las tropas.

—Bueno, ¿y usted cree que no hice la gestión?

—Sí, por eso digo. Usted fue a gestionar el retiro de las tropas. Nosotros con eso tenemos pruebas de que usted tenía buenas intenciones. El mismo profesor nos escribió, el profesor que le ayudó a venir.

—Mira, yo puedo quedar por los suelos, pero que se libere a toda la gente inocente, Lucio. Fíjate la diferencia. Habías planteado un tratamiento de asegurarles sus vidas. Yo he sido el que te ha inducido.

—Nosotros no lo planteamos desde un principio porque vimos que este problema no tiene solución con pláticas, por eso es que no lo planteamos. Pero los muchachos venían diciendo todo el tiempo, "hay que pedirle los presos". Les digo: "no planteemos eso, no nos dan nada".

—¿No te saqué a tus tíos Bertoldo y Luis? Y sé que tienes un primo Manuel y otro tío más presos. Te prometo poner mi empeño.

—¿Y para qué nos sirven dos o tres presos liberados?

—Dicen que de grano en grano llena la gallina el buche.

—¿Y de allí para allá? Todos los que están en Acapulco, todos los que están en Chilpancingo, todos los que están en Chiapas, los de Aguascalientes, los de Sonora, los de Chihuahua, los de Monterrey, los de Guadalajara, de la ciudad de México, las mujeres de Acatitla, todos completamente inocentes que queremos que salgan. Y ésa es la petición de la Brigada. Les dije que este problema no cabía en los escritos, que no lo debíamos plantear porque no lo íbamos a resolver. Pero se lo planteé a usted hace rato.

—Claramente te lo digo: que no tiene facultades el presidente para hacerlo. Porque no tiene facultades, así me fusiles.

—Vamos a hacer la prueba.

—Ándale, pues.

—Nosotros no los estamos fusilando porque no los llamamos para tenderles una trampa y fusilarlos. Los llamamos para plantear las demandas de presos políticos.

—¡No, no, no! Yo te invito a que lo hagas. Es más honroso para ti y para mí. ¡Que me fusilen ahora mismo! ¡Hazme ese honor!

—Estos días que nos sirvan para discutir a fondo un programa de gobierno —propuso Lucio después de contener a varios hombres que gritaban—. Si usted le quiere hacer caso a nuestras opiniones, bien. Y si no, no.

—Pero ¿cómo quieres que discutamos un programa de gobierno en este plan detestable? ¡No! —reclamó Rubén Figueroa.

—¿Por qué. . .? —dijo Lucio, y luego se interrumpió—. O sea, sí. ¿Por qué ustedes cuando encarcelan dicen está detenido y no preso? Para ustedes no es igual un detenido que los que están presos. A los detenidos los incomunican, los golpean, los torturan, a veces hasta los dejan muertos de tanto que los torturan. Los familiares los buscan y nadie dice nada de ellos. Y a los presos nunca los sentencian, pasan meses y años sin que digan qué sentencia tienen para que salgan libres. Pero los tratan peor que a animales. Por eso usted no está aquí detenido ni preso. Para que nosotros los detuviéramos

243

a ustedes como lo hace la policía o el ejército, pues ya los estuviéramos torturando y no estaría usted hablando así, en libertad, conmigo.

—¡Pero no estoy en libertad! ¿Cómo quieres que hable con libertad?

—A los campesinos que detiene el ejército los están matando. No los tratan como nosotros lo tratamos a usted. Los golpean, los torturan, Luego los suben en helicópteros y los arrojan vivos al mar, o a los cerros, o los entierran vivos. Por eso dicen con burla que los mandan de marineros, de aviadores, de mineros. Eso hacen ahora. Y en el cuartel de Atoyac abren zanjas y ahí acuestan a muchos, vivos, atados de las manos, y luego les echan tierra con máquinas y emparejan el piso, para que no se note que todos los que ustedes llaman detenidos los mata el ejército asesino de Cuenca Díaz que usted tanto defiende. Y en otros lugares los meten en sacos y les echan calidra, mientras están vivos, hasta que mueren. Usted no está así. No los tratamos así, pues, como las bestias de los soldados o los judiciales.

—Pero yo te he probado que tengo la mejor disposición, Lucio. Yo te he probado que lucho porque recuperen la libertad, ¿no? Y te sigo insistiendo que ganarás más y ganará más tu Brigada conmigo afuera que conmigo preso el tiempo que quieras, un año, diez o veinte o que me pongas en el paredón a la hora que quieras. Eso, Lucio Cabañas, no te vestirá de gala. Te lo digo con todo sentido de nuestra amistad. Ya te advertí que debieras darle base firme de sustentación popular a tus propósitos que dices realizar en favor de los pobres —Rubén Figueroa tenía el rostro enrojecido, sudoroso—. ¿Qué le dije a usted en la mañana? ¡Dígaselos! —exigió—. Es su deber de comandante. Sea claro y limpio. ¿Qué le ofrecí yo a usted?

—No, que lo sepan todos los compañeros —atajó Lucio.

Rubén Figueroa se acercó a Febronio y habló en voz baja con él. Lucio llamó a los hombres que se hallaban en el campamento, entre los cafetales y los platanares. Cuando todos se habían acercado, Rubén Figueroa dio unos pasos hacia Lucio. Sintió que todos lo miraban. Vio los rostros de campesinos sucios, los cuerpos vestidos con camisas rotas, bajo el sol quemante. En medio de la sierra parecían piedras, seres polvorientos, intraspasables.

—Yo le dije —comenzó a decir buscando en los ojos de los campesinos una mirada de entendimiento—, yo le dije al señor que si él seguía así, con ustedes —repitió—, con sus hombres armados aquí arriba en la sierra —explicó alzando la mano derecha—, que le daríamos fuerza política para que se sostuviera y propagara su Partido de los Pobres. Que ése era el camino, a mi juicio. A través de una alianza que podría beneficiar a ustedes y a mí también, porque un grupo en Guerrero como ustedes, con un sentido revolucionario, es altamente útil para hacer, como pensaba Morelos, a los ricos menos ricos y a los pobres menos pobres. Y lo repito —dijo volviéndose hacia Lucio—: así me pongas en el paredón, no es posible acabar con esto de la noche a la mañana. A menos que cambie el régimen social, eso sí no lo discuto, aunque está por verse.

—Nosotros lo hemos presionado para cambiar el régimen social —replicó Lucio, en medio de los campesinos.

—De acuerdo, de acuerdo.

—Y estamos convencidos de que esta cosa es para rato, que vamos a durar mucho tiempo peleando. Quizás yo ya no alcance a verlo, pero es necesario empezar.

—Por lo menos te pido un servicio —volvió a insistir Figueroa—, deja que la señora, que tiene su hijo pequeño, que ha servido a un hombre limpio como Lázaro Cárdenas, y que es una trabajadora que no tiene nada que ver con esto, sea llevada a su destino. Yo me quedo aquí el tiempo que quieras. Y si en algo me harías un servicio como mexicano, mándame al paredón.

Lucio negó con un movimiento de la cabeza.

—Ella es la secretaria y debe tomar nota de todo lo que pasa —reafirmó—. Algún día se va a pedir constancia del trato que se dio a una personalidad como usted aquí y si esas personas fallan con la grabadora, ella puede tomar nota de otra manera. Y nosotros no le vamos a poner trabas. Nosotros no queremos que las cosas se hagan a escondidas. Si, como dice, es una mancha y es algo que nos echaremos en contra, ni modo. Pero nosotros queremos liberar a las gentes.

—Está bien, Lucio, está bien —concedió Figueroa, irritado.

—Luego esta cuestión, que un secuestrado no tiene derecho ni a voz ni a voto, ni a comunicarse con los demás, ni a ver las caras de los otros; además, están amenazados de muerte. Pero usted habla. Estamos conversando. Usted está diciendo lo que piensa y yo no le estoy tapando la boca ni lo está golpeando nadie para que diga lo que a nosotros se nos antoje, como hace el gobierno a que usted pertenece. A los secuestrados no se les permite ver a sus captores, y usted nos puede ver a todos. Usted está aquí como visita, y así va a ayudar a la revolución a pesar suyo, para que entreguen los presos políticos. Pero a usted no lo estamos tratando como el gobierno trata a la gente cuando la detiene el ejército o la policía judicial, le aclaro.

—¿Cómo dices? —preguntó tensamente, con ironía.

—Porque así el presidente va a sacar a los presos.

—No, hombre, qué, ¿cómo los saca? Pero te digo que para Cuenca Díaz todo mexicano que hace armas contra el gobierno debe recibir el correspondiente castigo. Y lo está confirmando.

—Eso viene a recrudecer la odiosidad de los campesinos.

—Sostuve que debía tenerse diálogo contigo y que se retiraran las fuerzas. "Pero, ¿cómo, señor? ¿Tener un diálogo con un bandido?", así lo decía Cuenca Díaz. "El señor es un bandido que no tiene honor, que no tiene dignidad. ¿Cómo vamos a quitar las banderas de un regimiento que está en Atoyac, a petición de un bandido?" Vas a ver los periódicos y las declaraciones de Cuenca. Y vas a ver las reacciones. Con la lucha armada no van a llegar muy lejos ustedes. Porque el ejército va a meter boinas verdes, perros de caza, expertos antiguerrilleros, todo. Y además me corto el cuello si Estados Unidos permite otro país socialista. Yo es lo único que te digo.

—Mire, es mejor que aflore toda esa política de los militares —interrumpió Lucio—. Con eso se desenmascaran todos los militares. Porque para el cambio social que queremos nadie puede ayudarnos. Nadie que sea como usted. Porque la burguesía es reaccionaria. Quiere seguir defendiendo sus intereses. Por eso los reaccionarios no pueden entender ninguna revolución. No saben qué es y por eso siempre dicen que todos los que hacemos una revolución somos asesinos y ladrones. Así son los reaccionarios. Así atacaban a Hidalgo, a Morelos, a Zapata, a todos. A nosotros también. Por eso los reaccionarios no pueden estar con nosotros.

—Disculpa, ya te he explicado y te reitero: piénsalo, te sirvo más afuera que aquí.

—Es mejor que se desenmascaren esos métodos. Porque los cambios se pueden dar de un momento a otro. Además, nosotros hemos consultado a la Brigada.

—Bueno, correcto, correcto, Lucio.

—Yo les indiqué a los muchachos no plantearlo a usted, porque usted no lo iba a solucionar, y la gente ha insistido que se tratase ese problema. Entonces, ahora le pregunto. . .

—No, no. . .

—Mire, un campesino no va a pedir la palabra y va a andar discutiendo. De por sí tiene que valer el nombre de usted, tiene que valer. Nada más que ahora, a costa de usted quizá se vean libres todos los presos. Pero nosotros tenemos que luchar de diferentes maneras.

—Correcto.

—Nosotros no le privamos del derecho para que sigamos discutiendo como lo hace el gobierno con los campesinos que apresa. Ya se lo dije.

—Si interrumpes el proceso por el secuestro, me descartas como gobernador. Si alguna razón tienes, perfecto. No creas que peleo por ser gobernador.

—Yo creo que si las puertas del régimen están suficientemente consolidadas para ponerlo a usted en la gubernatura, lo pondrán. Además, a nosotros, como Partido de los Pobres, nos da igual que uno u otro de su clase sea gobernador. Y vamos a llegar más adelante. Vamos a suponer que el presidente no deje libres a los presos. Ustedes no son secuestrados, porque si lo fueran, diríamos, "los vamos a fusilar".

—¡Pero ya tenemos aquí dos días, ayer y ahora!

—Y que no le quitan la gubernatura. Usted dice que se la van a quitar.

—No, mira, eso es lo que menos me preocupa.

—Bueno, no le preocupa, pero nos está diciendo usted que el secuestro liquida su situación política.

—Si yo convoco a asamblea a una sección del partido el próximo domingo, no. Si yo no estoy, tiene que declarar a alguien. Ahora a ver a quién. Tal vez pospongan la asamblea.

—Tienen que posponerla o nombrarle a usted en ausencia. Tal vez se lo permitan. Eso, nombrarlo en ausencia.

—Todo mundo sabe a dónde vine. Si no regreso, saben por qué no regreso, obviamente. Mira, haz un ejemplo para los reaccionarios de México. Ordénale a tus hombres que me fusilen. Pero te imploro clemencia para las gentes que me han acompañado. En cuanto a mí, no te preocupes. Yo, ten la seguridad que acepto cualquier contingencia.

—Si nuestra acción fuera adecuada, los pasaríamos por las armas. El hecho de que lo acompañen a una celada no los perjudica, no los perjudica en nada. Lo puede hacer cualquier gente del pueblo, o ustedes que vienen de las oficinas de gobierno.

—Ayer hablamos en otra forma inteligente, Lucio. Hablamos más.

—Pero es que nosotros no podemos así hablar con el pueblo, es que nosotros no sabemos confundir y andarles engañando con palabras.

—Tienes toda la razón, lo acepto, Lucio.

—Nosotros, después de esto, no le vemos cómo. Pues si no se pudo con la detención de usted, ahora usted vaya a gestionar.

—Un error cualquiera lo comete; puedes estar apasionado. Mira, yo, desde que me citaste, y desde hace dos años o tres pensé que era tu actitud de buena fe. Y se lo pregunté al chaparrito, a Castro. Le dije "es extraño que me cite sin que yo se lo haya solicitado", y me contestó: "Lucio es así". Lo mismo me reiteraron tus primos a quienes yo les pregunté cómo eras. Pero si me hubieran dicho Genaro Vásquez, a Genaro lo conocí mucho.

—Primero le dijimos hace dos años que no, cuando usted envió una carta de parte de usted y de Echeverría con el profesor Castro, a otro campamento de aquí, de la sierra. Y estaban compañeros de otras organizaciones armadas y todos dijeron que no, que no contestáramos. O que sólo contestáramos poniéndole una bomba y que así sí. Y también nos negamos cuando usted envió a mis tíos a pedir que habláramos con usted. Pero ahora sí aceptamos, y le llamamos. Porque usted nos pidió primero entrevistarnos, pero no podíamos responder sino hasta que la gente lo acordara, hasta que todos estuvieran de acuerdo.

—Pues paguemos justos por pecadores.

—No. Nosotros tenemos que plantear cómo hacer las cosas. Si nosotros hubiéramos tenido un plan premeditado hubiéramos declarado todo al llegar ustedes, ayer mismo o esta mañana. Pero nosotros apenas ahora vamos a mandar un comisionado a que avise que queda detenido el senador mientras nos dan los presos y mientras no se retiren las tropas y las policías de toda la sierra. Y que saldrá usted de aquí hasta que salgan los presos. Así vamos a hacer las cosas.

———————————

—¡A mí no me importa lo que diga ningún comunicado! —exigió por el teléfono el general Cuenca Díaz—. ¡Ordene usted de inmediato la movilización de las tropas!

—¿En el área del secuestro? —preguntó el general Rangel Medina.

—¡Todos los batallones, general! Esos delincuentes se mueven por toda la sierra. Necesitarán enviar comunicados, buscar contactos con la familia Figueroa, conseguir alimentos para ellos. Me refiero a todos los puntos de la sierra que hayan sido identificados como focos de apoyo. ¡Movilice a todas las tropas!

—Pero en este momento se encuentran en Tecpan —repitió el general Rangel Medina—. Tengo informes muy precisos del movimiento de los secuestrados en los cafetales de los Mata, general, en la sierra de Pitales y Letrados.

—Usted no sabe quiénes se encuentran en este momento en Acapulco, y aquí en México, y en Coyuca de Benítez, y afuera del cuartel mismo de Atoyac. Se trata de todos los rebeldes, no solamente de los secuestradores.

—La Federal de Seguridad y la policía judicial han puesto nuevos retenes en todas las carreteras, general.

—¡Los retenes que me interesan son los nuestros! Se trata de nuestros regimientos. Y usted debe seguir actuando en función de su Zona Militar.

El general Rangel Medina guardó silencio un instante.

—¿Bueno? ¿Me escucha? —gritó el general Cuenca Díaz.

—Sí, general. Por supuesto —respondió rápidamente—. Pero los cuerpos policiacos pueden entorpecer algunas áreas.

248

—Los cuerpos policiacos no pueden entorpecer nada. Entiéndalo, general Rangel Medina. Nuestros batallones deben cubrir todas las zonas.

—El hijo del senador da la impresión de pedir ayuda en todos niveles. Hay muchos elementos de la Federal de Seguridad con él. Incluso un sacerdote de Veracruz que busca contacto con los guerrilleros. Y el gobernador Nogueda Otero declaró que ha retirado de los municipios de la sierra a todas las policías del estado para salvaguardar la vida del senador.

—Que el hijo haga lo que quiera. Pero no me importa que esos bandoleros pidan en su comunicado que retiremos las tropas de la sierra, porque no podemos estar supeditados a caprichos de bandidos ni de policías. No es momento de disculpar a nadie, ¿entiende, general? Y toda la información fundamental debe estar en nuestras manos.

—Perdóneme que insista en que tenemos marcada la concentración de los secuestrados. Falta identificar el número de grupos en que se han desmembrado los rebeldes, aunque consideramos que ya son cuatro.

—Aíslelos —interrumpió Cuenca Díaz—. Cérquelos. Refuerce el control en las Zonas.

—Pero en este momento los grupos están localizados. Podríamos concentrar refuerzos y evacuar poblados, bombardear. Acabaríamos con ellos.

El general Cuenca Díaz guardó silencio. Por el teléfono alcanzó a escucharse el roce de la respiración.

—Debo todavía acordar con el presidente —dijo—. Pero quiero que actúe a fondo. Que se eliminen todos los apoyos posibles de los pueblos.

—Sí, general —respondió Rangel Medina, con desaliento.

—El asalto a la Universidad de Guerrero lo encabezó el coronel Emilio Salgado, el jefe de la policía judicial del estado —continuó informando Gutiérrez Barrios en el despacho del secretario de Gobernación, en la ciudad de México—. El rector Wences Reza se ha comunicado con casi todas las universidades de los estados pidiendo que se solidaricen ante este ataque a mano armada. Se trata de veintiséis universidades y de veintidós institutos tecnológicos —dijo mirando las notas que tenía ante él—. Accedieron ya las universidades que tienen problemas de radicalismo, como Puebla, Oaxaca y Sinaloa; también las de Veracruz y Zacatecas y varias facultades de la Universidad Nacional, pero habrá un apoyo mayor en las próximas horas. En cuanto al gobernador, varios periodistas lo escucharon ordenar a gritos al coronel Salgado que eliminara los altavoces en la universidad, pero Wences Reza lo ha magnificado. También la violencia con que entraron en el edificio de la rectoría los agentes judiciales. Aunque permanece el problema de que el coronel Salgado encabezara abiertamente la toma del local. No ha descansado el rector Wences, por otra parte —continuó después de revisar otras notas—, aunque parece haber desistido de exigir el desconocimiento de poderes en el estado; la sesión del Consejo Universitario pidió ya la destitución del gobernador.

Fernando Gutiérrez Barrios hizo una pausa para mirar al secretario de Gobernación, que lo escuchaba atento; Mario Moya Palencia hizo un movimiento con la cabeza, invitándolo a proseguir.

—Hay algunos detalles adicionales —dijo.

—¿Sobre la manifestación en Acapulco? —preguntó el secretario.

—No, de la información que insiste en manejar Wences Reza sobre la participación del gobernador en el allanamiento a la universidad. Y por supuesto, del segundo comunicado de Lucio Cabañas.

—¿Algo nuevo del rector?

—Ha insistido en la comunicación telefónica que sostuvo durante la ocupación judicial con el gobernador Nogueda Otero y en la abstención que mostró ante el caso. Es decir, elude insistir en las instrucciones directas que diera para la ocupación policiaca y se centra en la abstención del gobernador, que califica de permisiva y cómplice.

—¿Qué quiere el Partido Comunista con esto?

—Creo que les preocupa demostrar que no tiene línea directa con Lucio en el secuestro del senador Figueroa. Incluso pueden asegurarnos su ayuda en muchos aspectos del caso. O al menos en el principal. Por otro lado, mañana aparecerá en los diarios el segundo comunicado, como le he dicho.

—Pero ahora se trata de un gobierno civil que no puede cuestionarse. Imposible —dijo, de modo terminante.

—El mismo rector expuso a la prensa hace unos minutos que no veía el caso de pedir la destitución de un gobernador que está a punto de concluir su mandato.

—Ellos no le ven el caso a nada cuando no quieren.

—La cuestión militar es otro aspecto.

—Me interesan los planes inmediatos del profesor Wences —subrayó Moya Palencia.

—El Consejo Universitario estuvo en su mayoría coaligado para la desaparición de poderes o la destitución del licenciado Nogueda Otero. Esperan posiblemente el cambio a nivel de jefe de la policía judicial del estado. El procurador de justicia parece estar de acuerdo con esa posibilidad; descargaría de presión al gobernador y además sería el cambio de un militar. Podría ser otro aspecto.

—¿Lo sabe Wences?

—Critica de antemano el cambio a que se llegue.

—Pero hay rumores. Él contesta a rumores, ¿no es así? —replicó—. Y la destitución debe ser anterior a la marcha que programó la universidad.

—Será esta misma noche, señor.

—Ayúdelos en la decisión. Es importante. Aparecería como una concesión por las presiones. Debe ser un acto de gobierno. Una decisión de gobierno.

—La manifestación de la universidad está programada para mañana, en Acapulco, pues la ciudad de Chilpancingo está patrullada por el ejército. No hay duda de que ahí se abstendrán de cualquier manifestación en las calles. Los destacamentos protegen los principales edificios de gobierno del estado y del municipio, el Tribunal Superior de Justicia y el edificio del Congreso local. El comandante de la Zona Militar de Chilpancingo volvió a declarar que se trata de una coincidencia con programas previos de prácticas militares.

—¿No sabe de otras presiones al gobernador? —interrumpió el secretario—. Digo, de los grupos que postulan al senador Figueroa.

—Creo que hasta la próxima semana no habrá problemas. Me refiero a la convención del PRI, para la postulación, justamente.

—¿Y qué piensa usted del nuevo comunicado?

—Se efectuaron las revisiones periciales y es positivo el dictamen. Es seguro, pues, que el senador está vivo aún, a pesar de que Lucio Cabañas denuncia los nuevos movimientos del ejército.

—Tienen una esquizofrenia muy peculiar, ¿no le parece? Al señor presidente y a mí nos sorprende que secuestren a Figueroa casi como una venganza por la muerte de Zapata. No se dan cuenta de la época en que viven. Parecen creer que Emiliano Zapata y Rubén Jaramillo murieron en este régimen. Es un alegato de enfermos. Por eso debemos ayudar a que disminuyan las presiones en este momento. Ayudar en todo. Y a que no se confundan las intenciones del gobernador en la postulación del partido. Sobre todo en este aspecto, que es muy delicado. El secuestro del senador no debe confundirse con ninguna de las posiciones que deben asumir el señor presidente de la República ni el gobernador Nogueda Otero. Debemos ayudar en esto, ¿entiende? El caso de Lucio sigue en manos del ejército, y falta poco para que termine. Pero mientras el senador siga vivo, habrá tiempo para actuar en varios frentes.

Fernando Gutiérrez Barrios cerró una de las carpetas y extrajo papeles de una segunda.

—Tenemos también preparadas ya las primeras relaciones para el presidente sobre los chilenos que recibirán asilo en nuestro país y sobre su posible ubicación en varios sectores, señor secretario.

Mario Moya Palencia se inclinó a revisar los papeles que le extendían en ese momento.

—Esto urge —murmuró—. La represión aumenta en Chile.

—Nosotros continuamos con nuestro trabajo normal, señores —dijo el general Rangel Medina a los periodistas que lo rodeaban en el Fuerte de San Diego, en Acapulco.

—¿Pero no hay un despliegue especial para rescatar al senador Figueroa de manos de Lucio Cabañas?

—Yo no he recibido ninguna indicación al respecto —contestó ajustándose las gafas oscuras sobre el rostro quemado, enrojecido.

—¿Quiere decir que no tiene órdenes de aprehender a Lucio Cabañas? —preguntó otro periodista de Acapulco.

—Yo acostumbro cumplir con todas las órdenes que recibo —contestó.

—Pero si le pidieran aprehenderlo, ¿qué haría, general? —insistió el mismo periodista.

—Ya dije que yo cumplo siempre con las instrucciones que recibo —repitió.

—¿Sería fácil aprehenderlo? ¿Está diciendo eso?

El general se sonrió.

—No sé si fácil o difícil. Pero si la Secretaría de la Defensa Nacional me lo ordena, lo haré.

El general miró a los periodistas. Parecía estar a punto de despedirse.

—Hay quienes dicen que tiene treinta hombres —comentó después de un momento—; otros, que sesenta y algunos más que sólo tiene diez. Pero eso no importa, pues desde hace meses no ha habido enfrentamientos entre el ejército y los grupos de Lucio Cabañas. Lo que sí ha aumentado es el número de campesinos que llegan al cuartel a pedir consejo o ayuda, y esto lo veo como algo positivo para nosotros, porque es señal de que los pueblos se están dando cuenta de que somos un apoyo para ellos, una garantía legal.

—¿Es cierto que Lucio Cabañas tiene tratos con sembradores de marihuana y de amapola en la sierra, general? —preguntó uno de los periodistas viejos.

—De eso nada puedo decir. No sé nada.

—¿Pero hay zonas de la sierra donde no puede penetrar el ejército? —insistió.

—El ejército entra en cualquier lugar —respondió con rapidez; una ligera molestia pareció reflejarse en su voz—. Los hombres bajo mi mando recorren la sierra en todos sitios. No hay lugares a donde no pueda penetrar el ejército, señores.

—¿Por qué entonces no se ha podido capturar a Lucio Cabañas?

—Pienso que muy pronto el propio campesino lo rechazará. Lo estamos viendo ya. Y consideren que el área es muy grande. Son miles de kilómetros —dijo moviendo los brazos.

—¿Qué problemas ha representado Lucio Cabañas para usted? —preguntó otro periodista.

—En mi área no ha representado ningún problema.

—¿Le han ordenado que retire al ejército de las poblaciones mencionadas en el comunicado de Lucio Cabañas?

—No he recibido indicaciones en ese sentido —replicó.

En la ciudad de México, en el vestíbulo del Campo Militar número uno, respondió secamente el general Hermenegildo Cuenca Díaz, después de la ceremonia de abanderamiento de cuatro batallones:

—El general Rangel Medina se arrogó funciones que no le corresponden. Sólo la Secretaría de la Defensa Nacional o la Presidencia de la República pueden opinar sobre asuntos de tal naturaleza.

—¿Pero entonces hay cambios, general? —preguntó otro periodista de la ciudad de México.

—El ejército en Guerrero sigue actuando como en todo el país —agregó, sin dejar de caminar por el vestíbulo—. Su misión principal es realizar obras de acción social en beneficio de la población. No hay una concentración especial de fuerzas en esa entidad.

—¿Qué opina ahora del secuestro de Rubén Figueroa?

El general se detuvo un momento, para responder.

—Lo que destaca es el gran interés del senador Figueroa por poner fin a la intranquilidad de su estado. Considero que actuó con la mayor buena fe para conciliar intereses y llegar a un entendimiento con Cabañas. Esto es digno de elogio, máxime que conocía el peligro de un encuentro como éste.

—¿Cree usted que pierda la vida Rubén Figueroa? —alcanzó a decir otro periodista cuando el general caminaba seguido de varios oficiales.

—No se puede prever nada —contestó sin detenerse.

Wilfrido Castro leyó los documentos que los agentes le extendieron.

—¿Dónde lo interceptaron? —preguntó sin levantar la vista de los papeles.

—En Coyuca de Benítez, mi comandante.

—Se le interrogó a fondo —dijo el otro agente.

Wilfrido Castro levantó la vista de los papeles y los extendió en el escritorio de su oficina.

—¿Han comprobado si es letra del senador Rubén Figueroa? —preguntó.

—El detenido asegura que este mensaje es de puño y letra del senador Figueroa y que el otro es de Lucio Cabañas, mi comandante.

Wilfrido Castro se había puesto de pie.

—¿Quiere ver al detenido, mi comandante?

—¡Claro que quiero verlo! —exclamó—. Pero esto le interesará al ejército. Es para la ciudad de México, para el Campo Militar número uno.

Volvió a tomar los papeles en las manos.

—Quiero que reproduzcan este comunicado y el mensaje del senador Figueroa —le dijo a uno de los agentes mientras salía de su oficina—. Pero llamen antes a don Miguel Nazar. Búsquenlo en Las Brisas, con el hijo de Figueroa. Antes del ejército. Esto es delicado —ordenó, tosiendo nervioso.

Dejaron atrás la sierra de Letrados y se detuvieron ante el río Tecpan. La fuerza de la corriente disminuía en el recodo del vado. Comenzaron a cruzarlo hacia Río Chiquito, hacia el sur. Al ruido de las aguas se sumaba el de la tormenta y el viento, que no habían cesado durante los dos últimos días. En el río la lluvia se tornaba menos fría. La tormenta parecía pertenecer a la sierra de una manera antigua. Los árboles, la tierra, las aguas del río, parecían tan fuertemente unidos, enlazados con la tormenta, que los ojos mismos se habituaban a mirar entre la lluvia un solo paisaje de lianas, de arroyos, de árboles. De la parte norte, del rumbo de El Cacao, aparecieron dos campesinos con una recua de mulas. Sabás y Heraclio hablaron con ellos. Los campesinos prestaron las mulas para que atravesaran la corriente del río. Asustados, con desconfianza por las armas, los acompañaron durante varios kilómetros más abajo, hacia Río Chiquito, para recuperarlas. Horas después, cuando la lluvia pareció amainar, desmontaron Rubén Figueroa y la secretaria. Los campesinos recibieron de nuevo las mulas y no quisieron esperar a que descansaran. Se marcharon, desandando el camino. A los pocos minutos la tormenta volvió a arreciar. Los campesinos intentaron atravesar los cafetales que estaban junto a un arroyo. Una de las mulas reculaba. Cuando lograron incorporarla a la recua, en los linderos de la huerta, se vieron rodeados por otro grupo de hombres armados. Los campesinos creyeron que se trataba de soldados. Se quedaron quietos, sujetando las mulas. Lucio se acercó a ellos, alzando la mano derecha.

En la Cámara de Diputados, en la ciudad de México, el líder de los diputados priístas, Carlos Sansores Pérez, respondió a la pregunta:

—Nuestro partido ha seguido la costumbre de que sus candidatos protesten durante la misma convención que los postula sólo por economía de tiempo —explicó; luego se apartó para escuchar a un asistente suyo, que hablaba en voz baja y le mostraba un documento impreso; después se volvió hacia el periodista que lo había interrogado—. Pero en realidad mucho después de postulado el candidato debe rendir su protesta en un acto especial del partido, como se hace con los candidatos a diputados. Y esto vale para todos, para alcaldes o gobernadores. Por eso los sectores campesino y popular de nuestro partido pueden postular la precandidatura del senador Rubén Figueroa.

—¿Pero podrían postular en ausencia a Rubén Figueroa como candidato a gobernador? —le preguntó otro periodista cuando Sansores Pérez intentaba retirarse.

—¡Nada tiene que ver la convención priísta con la protesta del candidato que postulen, por supuesto! —repuso moviendo las manos—. Pero no hay que confundir las cosas, señores. No es lo mismo una candidatura en ausencia que una elección en ausencia. El registro constitucional de un candidato marca su término último. En este caso, del quince al treinta de octubre de este año, porque es el límite del registro.

—¿Y si no se presentara aún para entonces? —insistieron.

Carlos Sansores Pérez tardó un momento en contestar.

—Si el senador no se presentara antes de octubre, creo que el partido podría considerar la posibilidad de registrar a una persona que realmente estuviera presente y las circunstancias serían otras. Pero ahora lo importante es que la convención del partido en el estado de Guerrero sabe a qué hombre quiere postular como su candidato a gobernador. Eso es lo que importa.

Otro periodista se adelantó a detenerlo cuando volvía a caminar.

—¿Cree que aún viva Rubén Figueroa? —preguntó.

Carlos Sansores volvió su rostro redondo y moreno hacia el periodista. Pareció ajustarse el traje con un movimiento de la espalda, imperceptible, y luego movió en el aire una de sus gordas y oscuras manos.

—Yo creo que el senador Figueroa aún vive, porque sería un grave error de quienes lo tienen secuestrado privarlo de la vida —comentó—. Aun en las guerras más sangrientas se respeta la vida del que lleva la bandera blanca del diálogo. Claro que también hay los que se han atrevido a manchar sus causas matando a los enviados de la paz, como Emiliano Zapata. Pero si no valieran para ellos razones de orden moral —agregó cruzando los brazos y llevándose una de las manos a la barbilla, en señal de compartir la reflexión—, sí sabrán distinguir que la vida del senador Figueroa les es muy valiosa. Figueroa vivo les es útil; muerto, ya no lo sería. Ellos lo saben bien.

—¿Qué consecuencias tendría que Lucio Cabañas asesinara al ingeniero Figueroa?

—Se dañaría inútilmente al pueblo de Guerrero —contestó con rapidez—. En nada ayudaría a fortalecer los lazos de la familia guerrerense. Y respecto a los secuestradores, les aseguro que nadie querría jamás tratar con ellos. Nadie creería en la palabra de ellos.

Carlos Sansores Pérez sonrió ligeramente, al tiempo que empezaba a retirarse del grupo.

—¿Sale hoy de viaje a Italia, licenciado Sansores? —preguntó el mismo periodista.

—Así es, señores —contestó, deteniéndose brevemente—. Pero se trata de un viaje privado. De un asunto personal.

—¿Es cierto que el motivo de su viaje es asistir a las finales del Campeonato Mundial de Futbol en Alemania?

—Es un viaje privado —repitió con molestia.

En el cine Guerrero, en la ciudad de Chilpancingo, tres mil personas vitoreaban a Rubén Figueroa como candidato a gobernador del estado. Una fotografía amplificada lo mostraba de perfil mirando hacia su izquierda, sonriente. Miguel Ángel Barberena entregaba los votos de los sectores campesino, popular y de trabajadores del PRI a favor de la postulación como candidato de Rubén Figueroa, y María Lavalle los sancionaba ante el presídium, donde se encontraba el gobernador Nogueda Otero. En medio de los vitoreos para el nuevo candidato se puso de pie el presidente nacional del PRI, Jesús Reyes Heroles. Miró la multitud que colmaba las butacas y los pasillos del cine; sabía que afuera, en el vestíbulo, en la calle, había más contingentes sosteniendo pancartas en favor de Rubén Figueroa. Bajó un instante el rostro, preparándose para hablar. Sostenía las hojas de su discurso con la mano izquierda. Trató de levantar la voz por encima del clamor que inundaba la inmensa sala.

—Una acción de buena fe —comenzó a decir—, una acción de buena fe —repitió— por parte de Rubén Figueroa y una serie de acciones de mala fe por parte de sus secuestradores, explican la ausencia de quien nuestro partido ha postulado hoy como su candidato para la gubernatura del estado de Guerrero.

La multitud volvió a interrumpir, con un clamoreo que ascendió en el calor, en la pesantez del aire caliente y viciado, como algo vivo que tocara pasillos, muros, techos. Jesús Reyes Heroles aguardó unos segundos para continuar.

—Es discutible lo acertado o lo equivocado de la conducta de Rubén Figueroa al aceptar esa entrevista. Pero es indiscutible su noble intención. Conociendo esta disposición de ánimo, esta actitud espiritual, Lucio Cabañas ha cometido un acto de felonía, desleal y sucio. Rubén Figueroa cayó en la trampa pensando en Guerrero, pensando en su pueblo. En contraste con ello, es evidente la traición y la mala fe de sus secuestradores.

Reyes Heroles levantó en alto el dedo índice de su mano derecha.

—Entendemos la vía violenta contra un Fulgencio Batista; no la comprendemos contra un Salvador Allende. En un caso se ejercía un poder violento sobre el pueblo; en el otro, el pueblo mandaba y podía rectificar o ratificar su mandato. El golpismo y el terrorismo son dos caras de la violencia con instrumentos similares y con propósitos análogos. Y culpables de felonía, estos secuestradores de un hombre íntegro que sólo buscaba el bien de su pueblo, engañosamente se pretenden erigir en revolucionarios. Pero si Carlos Marx leyera las paparruchas y viera el elementalismo de estos delincuentes comunes, clamaría: "Frente a ellos, yo soy antimarxista".

Guardó silencio un momento. Miró hacia la multitud que esperaba con una atmósfera tensa, agitada.

—El gobierno actual de la República sabe que en el estado de Guerrero se necesita un auténtico desarrollo económico para los más, no para los menos. Y no ha escatimado esfuerzos en carreteras, comunicaciones telefónicas, energía eléctrica, educación, salud, protección a los precios del café y a la copra. ¡Sabotear este desarrollo de Guerrero es encubrir o disfrazar bajos propósitos en seudoideologías trasnochadas!

Los aplausos y vítores despertaron de nuevo, cimbrando los altos muros. Reyes Heroles sudaba profusamente de la cara; la guayabera marrón estaba ya oscurecida de los sobacos, mojada por el sudor. En uno de los bolsillos de la guayabera, junto a las plumas doradas, se veían dos puros habanos envueltos en papel de celofán. Volvió a levantar el índice de su mano derecha, para continuar.

—Pero la historia es implacable en su juicio: ningún mexicano olvida su deuda con Vicente Guerrero, al igual que no olvida la traición de Picaluga. La historia es implacable: enaltece a Zapata y condena la felonía que con él se cometió. Y ante este secuestro de mala fe, pregunto, señores, compañeros de partido: ¿se puede invocar un credo revolucionario cuando se comete felonía? Porque la intransigencia exacerba los ánimos y nos lleva a la contienda, buscando un México bárbaro; nos arrastra a ser fácil pasto de la intervención extranjera; nos vuelve al punto cero. Frente a la intransigencia y la violencia invocamos el derecho. Pedimos al Estado mexicano que no se aparte del derecho, porque un gobierno que no aplica el orden jurídico de que proviene y en que se funda, está perdido. Un gobierno que se separa de la legalidad expone su legitimidad.

Volvió a levantar la vista hacia los pasillos del cine Guerrero. Con un pañuelo blanco empezó a limpiar el abundante sudor de su rostro.

—¡Pero es nuestra responsabilidad revolucionaria en este momento! —replicó Manuel, el Chupachencas—, no actitudes demagógicas como pedir que liberen a todos los presos comunes o defender a obreras de Monterrey, que no conocemos.

—¿Pero por qué no apoyar una huelga de trabajadores? —atajó Lucio—. Ya despúes tendrán relación con nosotros.

—¡No estamos de acuerdo! —insistió Manuel—. ¡Que quede claro que no nos parecen los términos de este comunicado ahora que está cercándonos el ejército! Debemos cuidar a nuestra gente; me parece equivocado olvidar esto. Hemos secuestrado a Figueroa como una estrategia de nuestra lucha, no para cosas que quedan fuera en este momento. Y si nos dispersamos tanto, sólo nosotros vamos a salir perjudicados. Y que conste que es lo mismo que cuando me opuse a que todos conocieran a Figueroa, porque era ponernos en peligro. Y tú insististe, Lucio, pediste que lo vieran. Aunque se embadurnaran con lodo la cara para no ser identificados, esa medida sólo hizo peligrar su seguridad. Como ahora, con este comunicado que exige cosas que no tienen que ver con nosotros.

—Yo entiendo, entiendo lo que dicen —repitió Lucio—. A ustedes les consta que prefiero decidir todo en grupo. Pero ninguno de ustedes quiso elaborar el comunicado, así que fue mi responsabilidad. Y dos peticiones así no debilitan nada. Porque en las cárceles de Guerrero sólo hay gente pobre, arrestada injustamente y ahí la olvidan. ¿Por qué va a estar fuera de la lucha ayudarlos, díganme? ¿Y no ustedes mismos están diciendo que debemos diversificar más nuestras posiciones, nuestros contactos? ¿No están pidiendo que nos movilicemos hacia otras partes del país?

Hortensia intervino.

—Se ha discutido mucho este punto —dijo—. Lo que nos proponíamos era aclarar nuestra postura de desacuerdo. Y ya es muy tarde. Creo que ya no hay que seguir con esto.

En el campamento de Río Chiquito la noche era muy cerrada. El viento húmedo a veces sonaba entre los árboles de cayaco, de amates, de platanares. El ruido de insectos era intenso. A lo lejos se oían ladridos de perros.

—El análisis coincide con los dos anteriores comunicados —dijo Fernando Gutiérrez Barrios en la oficina del secretario de Gobernación, en la ciudad de México.

—Pero están desbordados —comentó el secretario—. Parecen condiciones de guerra, no de secuestradores —insistió.

—Hay confusión en las peticiones al gobierno federal —continuó el subsecretario Gutiérrez Barrios—. Primero, aún no saben a cuáles presos políticos pedir. Nos inclinamos a suponer que en este momento se encuentran aislados, particularmente incomunicados, y que no disponen de una información suficiente sobre las aprehensiones de sus propios partidarios y mucho menos de los de otras organizaciones radicales. Así que siguen aplazando lo que parece el principal objetivo del secuestro: la liberación de activistas presos. Pero su primer reclamo no se ha cumplido y es justamente lo que los está sofocando: el retiro del ejército. Por eso es notable cómo han acrecentado las peticiones de otro orden, incluso ilógicas.

—A menos que lo que se propongan sea justamente provocar la negativa del gobierno —añadió el secretario Moya Palencia.

Fernando Gutiérrez Barrios extrajo otros documentos de su carpeta.

—La familia del senador Figueroa sigue tratando de establecer contacto con Lucio Cabañas. Insisten en que se transmita un mensaje por varias radiodifusoras de Acapulco para facilitar la intermediación del sacerdote de Veracruz. Éste es el texto que proponen transmitir. La radiodifusora a la que acudieron en Acapulco se negó, obviamente, a transmitirlo sin autorización.

El secretario comenzó a leer el documento.

—¿Qué opina usted? —dijo mientras lo leía.

—Útil para deslindar las gestiones particulares de la familia y la respuesta oficial del gobierno mexicano.

—Pero que se transmita después de que se dé a conocer la decisión del señor presidente. Días después. Que no se confundan las decisiones.

—Pero mañana se dará a conocer por la prensa el nuevo comunicado.

—No creo que se demore la decisión.

El procurador general de la República hizo una pausa. La rueda de prensa se desarrollaba en la ciudad de México. La luz potente de las lámparas que rodeaban a las cámaras de televisión caían sobre él y sobre la mesa donde comenzaba a anunciar las declaraciones oficiales. Después de la pausa ladeó ligeramente la cabeza y explicó.

—Para liberar exclusivamente al senador Rubén Figueroa, sus plagiarios presentaron al gobierno federal y al estado de Guerrero una serie de pretensiones absurdas e inaceptables, como las que se refieren, entre otras más, a la excarcelación y el traslado a la sierra de un número indeterminado de presos federales, la de todos los presos comunes de la entidad, así como la entrega de armas y de cincuenta millones de pesos. Esas peticiones están contenidas en el tercer comunicado que hemos recibido de los plagiarios. Se han comparado entre sí los documentos y son coincidentes en su redacción y en las firmas que los calzan.

A pesar de las luces que lo cegaban, Pedro Ojeda Paullada podía distinguir, sentados en la sala de prensa de sus oficinas, a varios periodistas extranjeros. Hizo otra pausa. Luego prosiguió.

—Pero la opinión pública no se engaña con las falacias de los cómplices de Lucio Cabañas, que se quieren presentar como luchadores sociales. Han cometido un sinnúmero de secuestros, asesinatos y robos, y no se les conoce ninguna acción o programa que haya beneficiado a quienes dicen que se proponen defender. Por el contrario —puntualizó, levantando por un instante la vista—, el grupo de delincuentes de Lucio Cabañas se duele en sus comunicados anteriores de que en la sierra guerrerense el régimen del presidente Luis Echeverría esté construyendo carreteras, abriendo escuelas, ampliando los beneficios de la salubridad y la seguridad sociales, así como que la banca oficial y el Instituto Mexicano del Café hayan liberado a los copreros y caficultores de la sierra de manos de los acaparadores y explotadores. Con esto demuestra —agregó, después de otra pausa—, con esto demuestra este delincuente —repitió— sus deseos de que esa región permanezca en el atraso, el marginalismo y la incomunicación, para seguir medrando con sus crímenes.

Pareció acomodar los papeles que tenía ante él. Guardó silencio. Luego prosiguió, con firmeza.

—Más que su falsa autodesignación de luchadores sociales, la actitud de estos delincuentes comunes parece obedecer a fuerzas disgregadoras y antinacionales. El gobierno de México no pactará con tales delincuentes ni aceptará ninguna de las peticiones absurdas que contiene el reciente comunicado. El gobierno de México no pactará con Lucio Cabañas. No puede pactar con quien es incapaz de pacto alguno y de legalidad alguna. Con quien es incapaz de corresponder a la buena fe de quien se acerca a dialogar con él. Pues el grupo que encabeza Lucio Cabañas ha respondido a un acto de valor con una clara muestra de primitivismo y cobardía. Imposible para el gobierno de México pactar con delincuentes cuya única bandera es el delito y la cobardía. Actuar de otra manera sería dejar de cumplir las normas jurídicas que nos hemos dado y propiciar el retroceso de México. Por ello, el señor presidente de la República ha dado instrucciones a la Secretaría de la Defensa Nacional para que proceda a rescatar de manera inmediata al senador Rubén Figueroa y a los acompañantes que han sufrido la misma agresión cobarde y primitiva de este secuestro.

———————

—No importa —corrigió Lucio—. En poco tiempo volverán a llegar bastimentos de Río Chiquito y de El Cacao. Ahora podemos comer la raíz de palma. Eso no faltará. Tenemos todas las palmas de la sierra. No importa.

—Pero ya no tenemos maíz ni sal —insistió Herón.

—Hay un control más estricto en toda la sierra, Lucio —dijo Ramiro—. El ejército y la policía judicial han bloqueado la carretera de Atoyac a El Paraíso. Nadie puede salir de los pueblos más que una hora. Hay enfermos que no pueden recibir medicinas. O que si bajan a Atoyac, ya no pueden regresar. Y el ejército está ocupando los cerros, ya no está en los cuarteles.

—¿Y por qué no damos de comer al viejo lo mismo que nosotros?

Lucio negó moviendo la cabeza.

—El viejo Figueroa es un caso aparte. Me ha enviado un mensaje para que lo deje salir o para que lo vea un médico. No está acostumbrado a comer como nosotros. Es un hombre débil. Por eso cuando haya caldo de gallina o huevos, que él se los coma. Que no le quede duda de que él es el que come mejor aquí de todos nosotros. Eso es una orden. Y lo que él coma no nos va a hacer falta. Por eso te dije a ti y a Hermilo que vean que siempre coma él los caldos o las tortillas que haya.

—Pero no es sólo por los bastimentos sino por el ejército que debemos desplazarnos —interrumpió Ramiro.

—En dos días —respondió Lucio—. En dos días lo haremos.

———————

—Fueron los cuerpos de salvamento, general. De ahí salió la información de nuestras bajas a la prensa —repitió el asistente en el despacho del general Cuenca Díaz.

Una fuerte luz de sol entraba por los ventanales.

—Le aseguro que a estas alturas esto ya no me interesa saberlo, coronel.

—Perdone usted, general, pero está confirmado que ése fue el sitio donde estuvieron los grupos de rebeldes. En el cerro que los campesinos del lugar llaman El Barandillo. Ahí estuvieron más de quince días, con los secuestrados.

—¿Qué quiere decir, coronel?

—El cerro bombardeado fue El Mojileca, que se halla junto a El Barandillo.

—¿Y los otros?

—Los rebeldes se habían retirado hacía más de una semana, general. Y nuestros soldados fueron los bombardeados. Más de treinta elementos.

—¡Explíquese!

—Que otro grupo, llamado Brigada Dieciocho de Mayo, había permanecido por los alrededores de El Mojileca. Trataba de unirse con los que conduce Lucio Cabañas, señor. A este grupo se debió la confusión. Porque en las horas de la mañana en que los rebeldes preparan su comida, causan grandes humaredas, o sea, de las nueve a las diez de la mañana. Y los rebeldes de esa brigada estaban huyendo de nuestra avanzada. Los helicópteros detectaron fogatas y dieron parte al cuartel de Acapulco para bombardear la zona. Al atardecer de ese día se reconoció el error, general. Pero también los rebeldes están destruidos. Suponemos que de treinta y cinco rebeldes sólo quedan cuatro prófugos en la misma área bombardeada. Eso es todo de este caso, general.

—¿Acaso hay otro problema?

El asistente dudó un instante.

—Pero desconocemos aún las circunstancias. El helicóptero en que viajaba el general Eliseo Jiménez Ruiz cayó hace una hora en Zumpango del Río.

—¡Cómo que cayó! —exclamó el general Cuenca Díaz, poniéndose de pie.

—En la Zona Militar de Chilpancingo desechan la posibilidad de un sabotaje o de un ataque armado.

—¡Comuníqueme con el jefe del Estado Mayor en Chilpancingo!

—Iba también en el helicóptero, acompañando al general Jiménez Ruiz.

—¡Comuníqueme ahora mismo con la Zona Militar de Chilpancingo!

—Tengo ya la información de las patrullas que acuden a la zona del accidente, general —atajó el asistente revisando sus notas—. Son trescientos elementos para recorrer las zonas de Filo de Caballo, Miramar y Huizitepec.

—¡Le estoy diciendo que me comunique con la Zona Militar de Chilpancingo, coronel! —repitió Cuenca Díaz.

—¡Cómo son pendejos! —gritó uno de ellos—. ¡Dejarlo escapar! ¡En verdad que necesitan ser muy pendejos para que se les escape el viejo!

—¡Después nos fusilan, si quieren! —replicó gritando Francisco—. Ahora lo que necesitamos es buscarlo. No puede ir muy lejos de aquí.

—¡Pero claro que no puede escapar de aquí, y menos a las cuatro de la mañana y lloviendo! ¡Pero puede matarse en una barranca! ¡Eso es lo que puede pasarle, que se mate el viejo!

—¡Necesitamos equipos de rescate! —insistió gritando otro de la comisión—. Cinco grupos de compañeros que recorran la zona antes de que amanezca. No puede seguir subiendo. Tendrá que haber tomado el rumbo de la costa. Así que empecemos.

En el campamento, bajo la lluvia, la oscuridad era densa, cerrada.

Volvió a resbalar en el lodo. Seguía lloviendo. Escuchaba el ruido de la lluvia como una numerosa voz monótona que se repetía en la tierra, en los matorrales, en los árboles, en las rocas. Se incorporó con dificultad. Se apoyó en una piedra y se puso de pie. Se ajustó la cobija empapada sobre la espalda. La bolsa de galletas se había roto y habían caído algunas al suelo. La oscuridad era total. "Deben ser las tres de la mañana", pensó. Se quedó quieto. Llevaba mucho tiempo de caminar. De caer, de resbalarse. Buscó con la mirada alguna rama que pudiera servir. Pensó regresar de nuevo a buscar el bordón que se le había caído hacía una hora. "No avanzo desde que lo perdí", pensó. Necesitaba un apoyo, para sujetarse en el lodo, para sujetarse en las pendientes. Seguía temblando. Sentía frío. Trataba de escuchar ladridos de perros de algún poblado. Se frotó una de las manos en la cobija, limpiándose el lodo. Caminó unos pasos. Se apoyó un instante en el tronco de un árbol. Bajó la cabeza. Escupió. Respiró profundamente. Volvió a mirar la bolsa de galletas. Pensó en comer otra. "Deben alcanzarme hasta que llegue a la carretera", se dijo. Pero sintió un dolor en las piernas, un fuerte dolor que lo hizo quejarse. "La carretera", pensó. La carretera era algo lejano, una forma lejanísima de vida, una razón improbable, una forma de nostalgia, de irrealidad, bajo esa lluvia, bajo esa oscuridad. Levantó la vista hacia las ramas del árbol en que se hallaba. Trató de recordar el camino por el que habían subido días atrás. Hacía cuatro o cinco días, no recordaba bien. "Subimos desde Río Chiquito", se repitió por centésima vez en esa noche. Habían subido por una pendiente rocosa. "Y con mucha lentitud", recordó. Debía tomar el mismo camino. Y luego hacia oriente, hacia lo que él sintiera que era el oriente, hacia Acapulco. Si amaneciera de una vez podría orientarse mejor. Podría ver incluso un poblado, o una carretera. O la costa, el mar. Deseaba la luz, deseaba profundamente la luz. No le importaba la lluvia, no le importaban las heridas con matorrales, con piedras, las caídas en el lodo, no, nada importaba. Sólo un poco de luz. Que amaneciera otra vez, ya. Trataba de escuchar entre la lluvia el rumor de algún arroyo, de aguas cayendo, precipitándose en la noche. Si encontrara el arroyo podría orientarse mejor. "Podría llegar a la brecha del pueblo", pensó. Sabía que los campamentos militares estaban cercanos. "Heraclio dice que nos estamos moviendo entre destacamentos militares", le había explicado Febronio cuando dejaron el primer campamento. "Nos llevan más arriba de Río Chiquito porque los están cercando", le decía Febronio. Los helicópteros hacían un recorrido diario por esa zona. Muchas veces pasaron cerca, encima de ellos, del campamento mismo, incluso. "Si no lloviera, tan sólo eso", se dijo. Si no siguiera esa lluvia potente, interminable, que inundaba de lodo y de un gigantesco rumor la sierra, los montes, los árboles, la hierba, si no estuviera ensordeciendo el mundo esa lluvia incansable podría quizás oír ruidos, perros de pueblos, o ver alguna luz de campamentos. O podría ver la luna, y orientarse. Habría avanzado ya, habría llegado ya quizás a algún sitio seguro. Pero sólo necesitaba luz, un poco de luz. Era todo lo que necesitaba. Qué extraño era en ese momento que existiera una ciudad. Qué extraño todo lo que él sabía que antes era suyo. Su oficina de la Comisión del Balsas, su sillón del Senado en la calle de Donceles, su hijo en Acapulco. Todo era extraño, como sin raíz, sin un asiento fuerte, consistente, en esa lluvia, en esa noche, en ese lodo. Se abrió la cobija y miró sus zapatos enlodados, sus pantalones empapados, cubiertos de lodo. "Soy yo", se dijo. "Soy yo", se repitió. Veía su cuerpo como si fuera otra cosa, no él mismo. Él era otro, ajeno a esas piernas llenas de lodo, a esos zapatos irreconocibles. "Soy yo", se repitió. Trató de recordar su casa en México. Trató de recordar una calle en Chilpancingo, de recordar la Costera iluminada en Acapulco. "Qué extraño", se repitió. No lograba recordar con precisión la calle que buscaba. Todo se diluía en ese momento, bajo la lluvia que seguía cayendo sobre su cuerpo como si cayera sobre otra yerba, sobre otro matorral, sobre más lodo. No le importaba ya que siguiera cayendo la lluvia, que continuara lloviendo así, interminablemente. Pero todo era irreal. Todo comenzaba a ser irreal. "Acapulco existe", se oyó decir en voz alta. Se sorprendió otra vez al oír que repetía esa voz que era suya, que él había oído como suya innumerables años. "Acapulco existe." Pero escuchaba su voz como parte de una piedra, como parte de los charcos o como el eco de la lluvia entre las ramas del árbol en que se hallaba olvidado, apoyado. "¡Quiero llegar a Acapulco!", repitió esa voz suya. La oyó sonar bajo la noche, bajo la lluvia, entre el rumor inagotable de oscuridad, de bosque, de lodo, Por un instante volvió a sentir que era inútil seguir, continuar bajo esa lluvia. Que jamás amanecería, que jamás volvería a mirar el sol, el alba. Que el sol no existía más, que se había desecho en el lodo. "¡Febronio!", volvió a gritar, supo que seguía gritando sin oírse, sólo sintiendo el grito en el ardor de la garganta, en el desgarramiento de la garganta. Sabía que estaba llorando. Que otra vez estaba llorando. Abrió la cobija nuevamente y vio su cuerpo, su pecho agitándose con el llanto, sus piernas dobladas, llenas de lodo. Pensó que la tierra lodosa se acercaba a su cara, que el olor de la tierra ascendía como algo viviente hasta él, hasta su voz, hasta su boca, hasta su rostro. Creyó que toda la tierra, el agua, la hierba, la tierra enlodada se alzaban hasta él. Luego, por un instante, pensó que se había caído. Pero la tierra estaba resbaladiza. Sintió que su mano se hundía en una tierra blanda, en el lodo frío. Luego pensó que las galletas se habían caído. No tenía la bolsa en sus manos cuando se incorporó de nuevo. No buscó la bolsa de galletas. Sabía que había vuelto a caminar. Trató de alcanzar con la mano el tronco del árbol donde había estado apoyado. No lo encontró. Sólo había una masa de oscuridad y de olor a hierba podrida, a raíces, donde caía la lluvia. Trató de asirse a esa oscuridad. "Tengo fiebre", pensó. O creyó que se estaba diciendo. "Tengo fiebre", se repitió, intentando llevarse una mano a la frente, al cuello. La cobija pesaba por el agua, parecía un pedazo de monte que llevaba a cuestas, que lo abatía, que lo despedazaba. "No quiero perderla", pensó. Volvió a oír el grito con su voz diciendo que no perdería la cobija. "¡Hijos de la chingada!", volvió a gritar su voz. "¡Hijos de la chingada!", oyó que decía nuevamente su voz, que gritaba su voz, que lo ensordecía su voz bajo la lluvia, en el corazón de la noche. Volvió a sentir el lodo, y su cuerpo tendido sobre el lodo. Ahora sintió a su lado un tronco de cayaco. O de encino. Sabía que había entrado en una zona de cafetales. El olor a raíces le hizo creer que estaba cerca de un arroyo. La cobija caía sobre él con su peso enorme, inmenso, como una cascada más de la noche increíble. Recordó a Abarca Alarcón. "Pero él ya está muerto", se dijo. Recordó el despacho. "Pero ya está muerto el gobernador", volvió a pensar. Pero Abarca Alarcón se había negado, moviendo la cabeza con fuerza. "A ese hijo de la chingada lo voy a acabar. Eso es lo que te digo. Dícelo si quieres. Que conmigo no va a andar como con Caballero Aburto. Que a mí me pela los dientes. Que conmigo se va a chingar", había gritado Abarca Alarcón. Recordaba que insistió. "Te echas el alacrán en la espalda, Raimundo", le había contestado. "Allá tú. Deberías hablar con Genaro y terminar por las buenas con los problemas. Pero que conste que te lo advertí a tiempo." "Pero ya está muerto", volvió a decirse. Y Genaro también. "¿Dónde está?", se preguntó. Se apoyó en algo tibio. Era un tronco de árbol. O era la cobija empapada, sobre el suelo.

Trató de concentrarse en lo que miraba. Supo que se había puesto de pie. Que caminaba nuevamente, porque sintió que tropezaba con una raíz, que otro grito suyo quedaba atrás, se iba atrás de él, como una rama, como un árbol, como un poblado. "¡Hijos de la chingada!", oía que su voz gritaba detrás de él, llorando, gimiendo ronca, ya sin voz, sólo un gemido gutural que salía con el llanto, que lo perseguía como el rumor ensordecedor de esa lluvia en la noche. Volvió a sentir otra raíz. Un charco inmenso en que sus pies se hundían. Se inclinó un poco hacia adelante y sus manos tocaron el agua. Luego una hierba alta, rasposa. Luego pensó que amainaba la lluvia. Sintió también una sombra inmensa, fría. Quiso otra vez recordar una calle. Parecía que estuviera buscando una calle ahí, en medio de la noche, bajo la lluvia. "Por aquí está la calle", oyó que su voz decía junto a él, como cerca de su oído, "aquí está la calle, por aquí debe estar", siguió escuchando esa voz extraña que reía cerca de su oído, que lloraba, que a veces gemía dolorosa, desgarradamente. Y la calle se disolvía bajo sus pasos, bajo la lluvia. Parecía no existir, o no haber existido. "¡Amalia!", se oyó gemir. "¡Amalia!", volvió a oír su grito y se sorprendió del nombre. Quiso recordar esa noche en Chilpancingo, cuando la mujer lo encontró. Volvió a creer que pensaba para sí mismo. "Necesito que ustedes me apoyen", había dicho a sus hermanos. "Yo seré gobernador", repitió. "Pero no invites a los Betancourt. Vas a perjudicar a todos, Lucio te hace caso a ti, no a ellos", le decía su hijo. Se detuvo. Comenzó a reírse. Se aferró a la cobija empapada, que pesaba cada vez más. Sintió que caía. Volvió a reírse. Caía, resbalándose nuevamente. Creyó que se golpeaba en un brazo, pero no sintió dolor. Quizás la lluvia había producido ese ruido. Cerró los ojos. Todo era oscuro. Afuera y adentro, se dijo. Y de pronto sintió que había dejado de caer. El olor era muy penetrante, a viejo, a animal muerto, a raíces podridas. El suelo ahí era fuerte, sólido. La lluvia proseguía, pero con más suavidad. Oyó menos fuerte el rumor de la noche. Volvió a desear que amaneciera. Cerró los ojos con fuerza. No quería oír la lluvia. No quería seguir viendo esa oscuridad. Las piernas le dolían, le dolían intensamente. Un brazo quedó adolorido también. La cobija estaba empapada. Sentía el agua que pesaba en la cobija, que le pasaba a la carne, a la espalda. Se recargó en algo duro. Levantó la vista después, con mucho esfuerzo. Tocó con las manos aquello duro. Era tierra. Era tierra y raíces y piedras. Volvió a apoyarse. Cerró los ojos otra vez, con fuerza. Sentía calor, sentía sudor. Un sudor que se confundía con el agua. Pero había dejado de llover. Se dio cuenta que desde hacía tiempo no escuchaba la lluvia. Algo resultaba extraño. Podía ver entre las cosas, entre el aire. Todo estaba húmedo. Delante de él había piedras, lodo, matorrales. Arriba estaba la voz. Muy arriba. Levantó la vista y miró a los hombres que le gritaban. Supo que desde allí venían las voces que había estado escuchando. Se miró después a sí mismo. Estaba muy abajo, en esa barranca. Estaba acurrucado. Vio su cuerpo acurrucado. Era una cosa llena de lodo, con frío. Arriba volvieron a gritarle. Distinguía ya los fusiles de los guerrilleros otra vez. Sintió que uno de ellos lo ayudaba a incorporarse. Que le quitaba la cobija, que lo tocaba en las ropas. Luego sintió que sus piernas caminaban. Volvió a oír la mañana. Estaba escuchando el ruido de la mañana. El hombre que estaba arriba de la barranca volvió a gritar.

—En la ciudad de México también están de acuerdo —dijo el procurador—. Este ultimátum proviene de la guerrilla.

El gobernador se dispuso a leer la transcripción mecanográfica del comunicado que le extendía el procurador Francisco Román.

—Han comparado las firmas y la caligrafía con otros anteriores y no hay duda —siguió explicando el procurador Román—. Así que el sacerdote Bonilla Machorro estableció ya contacto con la guerrilla, señor gobernador.

—¿Con Lucio?

Francisco Román negó moviendo la cabeza.

—Lucio está ahora en la sierra, sitiado en los alrededores de Río Chiquito. El ejército mantiene un control muy firme en la zona. El sacerdote se ha entrevistado con otros guerrilleros en Zihuatanejo o Tecpan, no más lejos. Se le mantiene vigilado y no ha subido a la sierra. Pero sí conoce varios enlaces. En el caso de ahora, se trata de un profesor cuyo alias es Ranmel.

El gobernador Nogueda Otero terminó de leer y levantó la vista hacia Francisco Román.

—¿Cree que lo maten?

—No sé —contestó el procurador—. Quizás lo han matado ya.

El gobernador guardó silencio un momento. Luego habló.

—Acaba de llamarme el general Eliseo Jiménez Ruiz, por cierto —comentó—. Su helicóptero aterrizó de emergencia en Jaleaca, por el mal tiempo. Ya se encuentra aquí, en Chilpancingo.

Escuchó ruido afuera de la casa.

—¿Oíste? —le preguntó a su mujer.

Se levantó de la silla donde se hallaba sentado y abrió la puerta. Algo demoledor, oscuro, estalló en su cara, en el suelo que se abrió bajo los gritos de su esposa y de los hijos.

—¡Contesta! —volvió a escuchar— ¡Contesta!

Tres soldados empujaron a su esposa y a sus hijos hacia el fondo de la casa. Miró la culata oscura del fusil que pendía otra vez sobre él.

—¿Eres Tomás Barrientos? —volvieron a preguntar.

Trató de responder en el suelo, ensangrentado. Sintió una patada en las costillas. Se contrajo en el suelo, gimiendo de dolor.

—¡Contesta, hijo de la chingada! —vociferó otro soldado.

Sintió que por su boca abierta entraba suavemente el olor a tierra húmeda del suelo de su casa. La sangre se le metía en los ojos, manchaba las botas que lo seguían golpeando.

—¡No! —gritó con una voz ahogada—. No tengo nada que ver.

Trató de incorporarse, de quedar al menos sentado en el suelo, pero sintió que una mano enorme lo tomaba de los cabellos violentamente. Otro soldado lo asió de un brazo y tambaleante lo dejaron de pie frente al mayor.

—¿Así que ahora no eres guerrillero? —preguntó el mayor.

Miró al militar tratando con una mano de frenar la sangre. Se dio cuenta que lloraba. Que algo parecido al llanto tenía en la cara.

—¡Pues Inés Serafín te conoce! —gritó el militar—. ¡Ella sabe que ayudas a Lucio cuando pasa por aquí, por El Fortín!

Quiso negar con la cabeza; trató de hablar, pero el dolor lo impedía.

—¡Que declare en el cuartel de Atoyac! —espetó secamente—. ¡Llévenselo al camión! —ordenó.

Gritó después a los soldados que habían ocupado la otra habitación de la casa.

—¡Y saquen también a su vieja! —gritó—. Y a sus hijas. Y a ese chamaco también. ¡Pero pronto!

El hombre recibió otro culatazo en la espalda cuando lo arrojaron al camión militar. Sintió que la oscuridad del camión era mayor, que había caído en otro espacio más oscuro, más vasto. Por vez primera sintió que su sangre estaba caliente, que su ropa se iba empapando de sudor, de sangre; que el dolor comenzaba a cambiar, que era sólo una punzada gigantesca que ya le golpeaba rítmicamente la cabeza, el pecho. A lo lejos oía los gritos de su familia, las voces de los soldados. Luego sólo el ruido del motor del camión que alguien echaba a andar.

—Ese cabrón no va a necesitar casa —gritó el mayor—. ¡Acaben ya de rociarla! ¡Que escarmienten!

La casa pronto comenzó a arder con una explosión de gasolina. Las llamas producían un ruido sordo, grave. La pequeña casa de bajareque se iba doblando lentamente, como un cuerpo que se arrodillaba sobre la tierra, en la noche, donde los perros ladraban enloquecidos, donde la mujer del campesino y sus hijos quedaban sentados en la tierra, como pequeños montones de trapos, de hojas, como quietos montoncitos de basura, hipando. Los dos últimos soldados corrieron hacia el camión, que maniobraba en reversa para salir del ejido.

———————————

—¡Perdí uno de mis cargadores! —exclamó el Chango, preocupado.

Se hallaban cerca del campamento donde esperaba Lucio, ya en el cerro El Plateado. Revisó su morral, la ropa. Sus ojos rasgados, oscuros, parpadeaban nerviosamente.

—Voy a regresar a buscarlo —gritó al tiempo que a grandes zancadas descendía por la pendiente.

Cuando llegó a la brecha se detuvo. Sus huaraches se habían enterrado en el lodo húmedo. Alzó los hombros. Sus ojos rasgados miraron a Estanislao. Por la boca abierta, por los gruesos y húmedos labios, se veía una hilera de grandes dientes blancos.

—¿Juan?

—Lo recogió en el arroyo cuando saltaste, Chango. ¡Pensamos que te darías cuenta mucho antes!

El Chango ya corría otra vez, ascendía por la pendiente con prisa. El Fal golpeaba contra su espalda, colgado al hombro. Llegó con Juan.

—¿Es cierto que recogiste mi cargador?

Juan tardó en responder.

—Aquí lo traigo. Es sólo por disciplina. Cada quien debe cuidar su equipo.

—¡Su equipo, madre! ¡No soy tu pendejo!

Juan le miró la camisa sucia de manta, los ojos aindiados, las manos callosas, los pantalones viejos y remendados, los pies oscuros y llenos de lodo calzando los huaraches de tres agujeros. Vio que el Chango estaba a punto de descolgarse el arma del hombro.

—¡Te voy a quitar lo cabrón! —gritó el Chango.

Pero Juan vio cómo empalideció. Miró el brillo de pánico en los ojos, en el temblor de los gruesos labios. Vio que el Chango tragaba saliva. Juan sintió alrededor el silencio de los compañeros. Sintió el peso de su M-2, que había descolgado más rápido que él. Oyó los pasos de Daniel, a su lado. Escuchó su propia respiración, acompasada. El Chango seguía quieto, encañonado por el M-1. Distinguió en sus ojos una lucecita extraña, como de llanto. Los gruesos labios del Chango se abrieron. A Juan le pareció que la boca del Chango se tornaba más grande, más ancha, como si no fuera humana. Sintió lástima.

269

—Jálale —dijo el Chango, pálido aún, en voz baja—. ¡Jálale, te digo! ¡Dispárame! —repitió ahora con voz más clara.

—¡Tú eres el de la bronca! —contestó, sin dejar de apuntarle.

Juan oyó el movimiento a su alrededor. Sintió una mano de Daniel sobre su hombro. El Chango había bajado la vista. Seguía con la boca abierta, mirando el arma con que le apuntaban.

—Ya calma, Juan —le dijo Daniel—. Calma, ya.

A lo lejos se escuchaba aún ladrar a los perros de El Guayabo. El ejército seguía rodeando el poblado. Arriba del arroyo, en el cerro, quedaban los dos grupos reducidos de la Brigada, con Lucio, esperando alimentos.

El campesino permanecía de pie, junto a la mesa. Los soldados habían comenzado a registrar su casa.

—¿Y tu mula? —preguntó el sargento.

—¿Qué quieren ustedes? —preguntó asustada la esposa del campesino, tratando de interponerse.

El campesino vio en la puerta de su casa a varios soldados que miraban hacia él, o que hablaban de algo que no lograba distinguir. Trató de hablar, pero sintió un estallido en su cara. El dolor reventó la boca, dientes, sangre.

—¿Diste tu mula para que secuestraran a Rubén Figueroa? —gritó el sargento inclinándose sobre el campesino golpeado—. Tú eres Zenón Zamora Hernández, ¿verdad?

—¡Lo obligaron! —gritó la esposa—. ¡Si no prestaba la mula lo iban a matar! ¡No tiene nada que ver, se lo juro! ¡No lo golpeen!

Uno de los soldados sujetó a la mujer. El sargento gritó a los soldados que seguían golpeando a culatazos al campesino.

—¡Que se dé cuenta de lo que hace! ¡Que le vuelva a prestar sus mulas a Lucio Cabañas! ¡Que se dé cuenta!

La mujer gritaba, llorando. El campesino gimió roncamente bajo los golpes, levantando los brazos. Estaba ya ensangrentado de la cara.

—¡Nos vas a decir cuáles son tus cómplices aquí, en Río Chiquito, o te mueres! —gritó el sargento.

El campesino pareció convulsionarse de pronto. Su pantalón viejo comenzó a humedecerse, manchado por la orina y la sangre. El cuerpo no reaccionó a las patadas, a los golpes. Un soldado trató de levantarlo de los cabellos pero el cuerpo del campesino continuó lacio. La esposa lloraba, roncamente.

—¡Llévenselo! —gritó el sargento, moviendo la mesa—. ¡Llévenlo afuera, hasta que venga el helicóptero!

—La propuesta de la nueva dirección —dijo Lucio otra vez, levantando la voz para pedir silencio en el campamento— es porque
hemos considerado, compañeros, que en las condiciones actuales ya
logramos la captura de Rubén Figueroa; también, que nos oigan en
radio, en televisión, en periódicos. Eso está bien, podemos decir. Pero
el ejército sigue en la sierra, aquí mismo, no ha disminuido, pues. Mata,
tortura, apresa, destruye casas, destruye pueblos enteros. Y nosotros no podemos seguir con la misma táctica. Por eso la propuesta
es organizarnos para que podamos también atacar al ejército. Y
esto no podemos hacerlo todos, pues peligraría la custodia de Figueroa. Por eso proponemos dividirnos en dos grupos. Uno, que por
seguridad debe ser el más numeroso, que avance hacia oriente, con
los secuestrados, y que mantenga las negociaciones para el rescate.
Otro grupo, más pequeño y con el mejor equipo de armas posible,
avanzaríamos en sentido contrario, hacia Tecpan, hacia la sierra de
San Luis, quizás, tendiendo emboscadas al ejército y desorientándo-
lo así, para facilitar los movimientos del grupo mayor con los secuestrados.'
Había silencio otra vez en el campamento. Lucio movió su
mano derecha para espantarse los mosquitos que lo acosaban
en la cara. René le señaló a Lucio que Lázaro estaba pidiendo
la palabra.
—Va a hablar el compañero Lázaro —dijo Lucio.
Lázaro se puso de pie.
—Yo veo bien lo que proponen los compañeros de la dirección
—comenzó a decir Lázaro—. Porque me parece correcto que pasemos a una ofensiva en estos momentos. Así que apoyo la propuesta.
Es correcta. Sólo que el problema es acordar quién irá en ese grupo
pequeño, para el cual yo me propongo, porque yo quiero participar
así, atacando.
Lucio levantó su mano derecha, para pedir silencio ante el rumor que se elevó en el campamento.
—¡Necesitamos orden, compañeros! —gritó—. ¡Orden, compañeros! Primero definamos que en el grupo pequeño no pueden ir más
de doce, porque entonces no podría desplazarse con facilidad y sería contraproducente. Así que debemos tener en cuenta esto y no
sólo decir que los que quieran ir, vayan. No, no se puede hacer así.
Y segundo, necesitamos que ese grupo se forme con compañeros

que tengan experiencia en emboscadas, en enfrentamientos, en armas. O sea, que tengan una preparación militar mayor, para que pueda ser efectivo como un comando y no salgan corriendo asustados ante un peligro o ante una falsa alarma, como ocurrió en el camino a Los Triángulos, que muchos compañeros decían que eran muy valientes y nada más oyeron disparos a lo lejos y salieron corriendo como conejos, y hasta tiraron en su huida las dos gallinas que nos habían regalado los campesinos de El Coco. Por eso tenemos que tomar en cuenta estas cosas, compañeros. Así que todos tendremos que votar para que se integre ese grupo con gente probada, capaz.

Heraclio se acercó a Lucio cuando las voces volvieron a surgir desordenadas en el campamento. Lucio parecía más flaco, más pálido. Heraclio le dijo algo al oído. Se volvió a mirar a los grupos que discutían. El aire era fresco, húmedo. Los mosquitos acosaban en la cara, a través de la ropa, se metían en las orejas, en las narices. Lucio quedó un momento callado, como si no mirara a ninguno, como si tratara de recordar algo, o a alguien. Heraclio levantó los brazos para pedir silencio.

—¡Compañeros! —gritó—. ¡Compañeros! ¡Silencio, por favor!

Entre el ruido de la tarde, entre el viento que agitaba los árboles con una advertencia de lluvia, con una humedad que arrastraba un aroma de raíces, de tierra mojada, las voces se confundían en el campamento con el ruido de pájaros, de loros. Parecía que una euforia cundía en todos sitios, en los hombres, en las aves, en los enjambres de mosquitos, en el ruido de viento y de tarde que se extendía antes de la lluvia.

—¡Compañeros! —volvió a gritar Heraclio—. ¡Una aclaración, compañeros!

El silencio fue abriéndose paso entre los grupos. Pronto quedaron todos callados. Sólo se escuchaba la euforia de las aves que empezaban a concentrarse en las copas de los árboles.

—Los compañeros de la nueva dirección tenemos que dividirnos —dijo en voz alta—. La mitad tendrá que ir con un grupo y la otra con el pequeño. Así que de los cinco que integramos la dirección, tres, que es la mitad mayor, iremos con el grupo de los que custodiaremos a los secuestrados, y seremos Ramón, Gorgonio y yo. Y Lucio y René irán en el pequeño. Así todas las decisiones que deban tomarse podrán tener el respaldo de la nueva dirección que hoy se ha nombrado. Por eso mismo, en el grupo pequeño, debemos votar ahora sólo diez compañeros más. Así que empecemos por las propuestas de nombres y luego votemos. Allá, sí, empiecen por proponer, los que están cerca de Roberto y de Lázaro. Sí, ustedes, compañeros, ustedes —dijo señalando con la mano.

—Aquí el compañero Heraclio leyó los nombres de los que quedaron en el grupo de ofensiva, compañeros —dijo Lucio, en el campamento, una hora después.

Estaba ya atardeciendo. La lluvia comenzaba a caer de pronto; sólo caían algunas gotas, como si llegaran furtivamente, buscando un camino. Lucio volvió a gritar, pidiendo silencio. La risa comenzó a extenderse en todos.

—¡Compañeros! —gritó—. ¡Compañeros, silencio, por favor! Falta otra cosa. Necesitamos ahora que este grupo vaya bien armado. Necesitamos que las armas no sean defensivas, sino ofensivas, para cumplir mejor con la responsabilidad de atacar y distraer al ejército. Así que le pedimos a la comisión que haga los cambios de armas que considere mejor para este grupo.

René avanzó hacia el frente.

—Ya tenemos la lista, Lucio —dijo René—. Tenemos seis M-2 en muy buen estado para nosotros y para Arturo, Ricardo, Eusebio y Edi-Carlos. También cuatro M-1 para Martín, Roberto, Leoncio y Juan. Un Fal para Rutilo, un R-18 para Lázaro y un 7.62 para Gabriel. Tenemos también 400 cartuchos para cada uno, con dos cargadores grandes y uno chico para los M-2, y uno grande y dos chicos para los otros. Tienen que pasar ahora con los compañeros Ramón y Antonio, para hacer el cambio de armas. Ahí, bajo el tendido —agregó, señalando con la mano hacia la izquierda, mientras los aplausos y las voces volvían a escucharse.

—¿Alberto Mesino Acosta? —repitió en voz baja el soldado, revisando las listas que tenía en las manos, moviendo de un lado a otro la cabeza.

—Lo detuvieron en Agua Fría —insistió la mujer—. Lo tuvieron muchas horas en la escuela, hasta que llegó un helicóptero y vi que lo subieron atado de las manos.

El soldado volvió a revisar los papeles, en el cuartel de Atoyac. Acababa de llover; un aroma de lodo, de raíces podridas, invadía el aire. De las altas palmas de copra escurrían aún gruesas gotas detenidas.

—Aquí en el cuartel no tenemos a nadie con ese nombre.

—Yo soy la madre —insistió la mujer—. Me llamo Juana Acosta de Mesino. Los soldados comieron en mi casa ese mismo día que apresaron a mi hijo. Fue el dieciocho de julio. Con los soldados venía un capitán. Yo le pregunté por qué lo detenían y me dijo que para unas investigaciones, pero que después me lo iban a regresar. Que lo traían acá, al cuartel de Atoyac.

La mujer había comenzado a llorar. Un débil ruido de dolor

parecía escapársele cada vez que respiraba. Sus ojos estaban secos, hundidos en unas ojeras profundas. Traía un vestido muy desteñido, que había sido azul, y unas sandalias amarillas de plástico. Sólo sus manos temblaban, nerviosas.

—Aquí no tenemos a nadie con ese nombre —repitió el soldado.

Aparecieron dos helicópteros y se suspendieron en el cielo, brillando frente al fortísimo sol de mediodía. Sobrevolaron las milpas y aumentó el ruido. Detonaron las primeras descargas. Del lado opuesto escucharon ráfagas de M-2 y de Fal. "¡Rodéenlos!" gritó con la boca llena de polvo. En el centro de la milpa seguían las explosiones. Los helicópteros se acercaron a la parcela y se suspendieron un momento. Un soldado apareció entre la maleza quemada. Corrió sosteniendo su M-1. El mayor escupió, se volvió a mirar hacia la milpa; no oía. El cabo insistió. Un ligero viento empezaba a soplar, como si no quisiera atravesar por la maleza, por el lugar. A lo lejos volvían a volar dos pericos; cruzaron ruidosos el cielo. Sentía la boca seca. Escupió otra vez. "Le dimos en la madre al rebaño, mi mayor." Se volvió a mirar hacia la milpa quemada y quieta. Levantó la vista hacia el cielo, hacia el sol. "Eran los chivos." Al fondo, hacia el sur, las nubes se agolpaban blanquísimas, pero con una base gris, tumultuosa. Volvió a escupir. "Mi mayor, pero dos niños los pastoreaban." No escuchó. "Eran dos niños." Trató de distinguir el sonido del eco. "A fuego cruzado los acribillamos." A la distancia. Era un ruido que procedía de la distancia, que rodeaba a los árboles, a la maleza. El cabo volvió a preguntar. No parecía escuchar. "Mi mayor", preguntó de nuevo el soldado. El mayor caminó unos pasos, sin volverse a mirarlo. "¿Qué hacemos con los chivos?", insistió. Sacó un pañuelo y se sonó la nariz. El cabo no se movía. Ordenó de nuevo. "¿No oyó?", volvió a decir.

—¡Aquél, ése de atrás! ¡Sí, ése! ¡Usted!

Un hombre como de cincuenta años se adelantó en el retén de San Luis. Traía la camisa amarilla desabotonada. Calzaba huaraches de cuero, anchos, y un limpio pero gastado pantalón azul. Dio unos pasos sobre la carretera, hacia el oficial que lo llamaba. A su espalda escuchó las voces de otros dos soldados que seguían dentro del autobús, revisando equipajes.

—¿Es tuyo ese maíz?

—Sí, es mío.

—¿Cómo te llamas?

—Toribio.

274

—Pero tu apellido.

—Benítez. Toribio Benítez.

—¿De dónde?

—De la Meseta.

—¿Por qué llevas tantos kilos?

—Para gente cristiana. Para una congregación de Dios.

Uno de los soldados se acercó al oficial a hablarle en voz baja. El oficial se retiró a la caseta del retén. El hombre sacó un paliacate rojo de su bolsillo y comenzó a secarse el sudor del cuello y de la cara. El oficial regresó, acompañado del soldado.

—¿Quién es usted?

—Soy misionero.

—¿Qué?

—Misionero de Dios.

Un soldado descargó un golpe de macana sobre el hombre, que se derrumbó en la tierra, junto a la carretera.

—¡Ahora nos vas a decir dónde está tu dios Lucio encaramado en la sierra, para que lo bajemos a golpes, misionero hijo de la chingada!

El hombre gritó mientras los soldados trataban de obligarlo a levantarse del suelo a patadas. A un soldado se le cayó el casco cuando estaba inclinado tratando de sujetar al hombre que luchaba por seguir tendido en el suelo y seguir gritando. El hombre redobló sus gritos. Dos soldados que se hallaban en la caseta bajaron corriendo para ayudar. Entre cuatro soldados lo sujetaron de brazos y de piernas. El hombre pataleaba, se retorcía, mientras lo llevaban hacia la caseta.

—¡Al camión! —gritó el oficial—. ¡De una vez al camión! ¡Arrójenlo a la fuerza, pero ya!

Los soldados balancearon al hombre que seguía gritando para tomar impulso y lo lanzaron hacia el camión militar. El hombre gritó de dolor cuando cayó arriba. Se levantó con rapidez, pálido.

—¡Ustedes son el vivo Satanás! —gritó a los soldados con los ojos muy abiertos.

—¡A ver quién te ayuda cuando llegues al cuartel! —exclamó un soldado en medio de carcajadas—. ¡Misionero de putos! ¡Viejo pendejo!

El hombre sudaba. El sol del mediodía caía aplastante sobre la carretera. El hombre empezó a llorar.

Lucio se meció suavemente en la hamaca, espantándose los mosquitos con un movimiento lento de la mano. El campamento se hallaba casi vacío. Al fondo estaban Arturo y Lázaro, sentados en la tierra, al pie de un cayaco. No alcanzaba a escuchar las voces pero los veía señalar las armas, revisarlas entre los dos. Más cerca, Gabriel y Martín calentaban comida. El grupo mayor se había marchado al amanecer, con los secuestrados. Un silencio distinto, un olor diferente brotaba de esa calma, de esa nueva soledad. Escuchó la risa de Juan a lo lejos, cerca de la brecha. No quiso volverse a mirar. Se hundió más en la hamaca. Una ligera sensación de sopor lo detenía ahí, quieto, a solas, escuchando la mañana. El sol ya había comenzado a calentar. Una sensación de vapor ascendía de la tierra húmeda y envolvía los troncos de los árboles, el follaje, haciendo más grave el ruido de la sierra, de los pájaros. Cruzó su M-2 sobre el pecho. Cerró los ojos. Trató de oír la vida, la mañana. Lo primero que oyó fue su respiración y el ruido de la hamaca, meciéndose. Luego los pájaros que revoloteaban cerca del amate donde él descansaba. Luego la risa de Juan, otra vez, lejos, y el zumbido de los mosquitos que trataban de trasponer su sombrero y encontrar su cara.

Abrió los ojos otra vez. El sol, el calor, el vapor ascendiendo por la tierra, volvieron a rodearlo, casi a llamarlo, a encontrarlo ahí, solo, tratando de pensar. Se volvió para mirar, acostado como estaba, hundido en la hamaca, hacia el campamento. Lázaro y Arturo seguían conversando solos, al fondo. Había una inmensa ausencia. Sentía la tierra misma del campamento como si advirtiera de algo, como si pensara ella también. Volvió a escuchar la risa de Juan, que se acercaba a Lázaro y a Arturo. Se preguntó si ellos sentirían lo mismo. Durante la noche los pensamientos se habían agolpado en su dolor de cabeza, como otro enjambre de mosquitos, acosándolo con un eco subterráneo, un temor, una idea fija. Ahora estaba cansado. ¿Por qué dudaba incluso ahora? ¿Por qué, si la mayoría estaba de acuerdo? Sentía que era otro tiempo, que esa oportunidad se le escapaba. Que debió decidirlo antes, cuando no se replegó el ejército. Querían que lo matara, tal vez. No lo entendía bien. Pero eso mismo quizá lo había detenido, lo había desconcertado. No era miedo de matar a Figueroa, no. Pensó que el secuestro provocaría algo más importante. Y no fue así. El ejército continuaba fuera de su alcance. No dependía de Figueroa, de ese viejo que lloraba, que se asustaba, que pedía a los otros secuestrados que velaran su sueño, cada dos horas, toda la noche. No ocurrió con el secuestro lo que había esperado. "Es mejor matar al viejo, Lucio", todavía ayer insistió Gorgonio. "Es mejor para luchar y acercarnos a los barrios con confianza", había insistido, apoyado por Heraclio, por Ramiro, por otros. "Pero si las represalias ya están aquí, Lucio", insistía, "aquí está el ejército, pisándonos los talones. Matar al viejo será en parte responder a las represalias". Pero Lucio pensó en otra cosa. "Me refiero a otras represalias, Gorgonio. A las del futuro, en las ciudades, a las que provocaría." "¡Provocaríamos qué! ¡Tú estás manipulado por los del Partido Comunista, que les da miedo todo! Te piden que no lo ejecutes porque les iría mal a ellos. Pero a ellos nunca les va mal. ¡Nosotros luchamos, nosotros nada más, Lucio! ¡Y no tenemos manos libres para defendernos mejor!" Pero quería convencerse de que sí, de que era necesario, de que era correcto. "Vamos a esperar, Gorgonio. Lleguen a Coyuca, cerca de allí decidiremos. Quizá soltemos a todos, menos al viejo. Pero vamos a esperar todavía."

Ahora, en la hamaca, con los ojos otra vez cerrados, pensaba que se había equivocado. Que ya era el momento de terminar. Que en el fondo todo lo que ahora estaba haciendo era luchar por salvar al viejo, por ocultarlo, por defenderse del secuestro mismo sin hacer otra cosa, sin poder actuar con fuerza, con libertad. Tenía la sensación desagradable de sentirse parte de lo secuestrado, parte del mismo peso que lo asfixiaba, que lo inmovilizaba.

Lucio abrió los ojos. Descubrió de pronto que se había dormido. Tuvo la sensación de haber olvidado algo muy importante en el momento de despertar. Se incorporó en la hamaca. Juan estaba ante él.

—¿Cómo? —preguntó Lucio, con voz ronca, sin despertar aún totalmente.

—Que César no quiere regresarse. Que se escapó del otro grupo.

Lucio se levantó de la hamaca. Sintió calor, un vigoroso calor de la mañana que envolvía todo el campamento, que lo tornaba más limpio, más claro.

—¿Vino solo? ¿Se lo dijo a Gorgonio?

—No le avisó a nadie y trae un M-2. René le hizo una fuerte crítica y nada más le falta golpearlo. César ni siquiera contesta, sólo repite que quiere estar aquí, con nosotros.

Juan quedó callado y Lucio se rió.

—Ya no se puede hacer nada. Ya está aquí, pues —dijo.

—¿Vas allá, con ellos? —preguntó Juan.

—Cuando termine René de hablar con él.

Juan comenzó a retirarse, pero Lucio lo detuvo.

—Oye, ¿qué cocinaron?

—Un caldo con jitomates. Pero nos quedamos sin sal.

VIII

Agosto a noviembre de 1974

—Se retrasarán los otros en descender por el arroyo —comentó Solín.

Ramón asintió. Se ovilló junto al tronco en que estaba apostado. Eran las once de la mañana. Sentía la lluvia fría, la abundancia de la lluvia oscureciendo la tierra, cubriéndola de pequeños charcos.

Dos horas después se encaminaron hacia el arroyo, donde podían descender con mayor seguridad la zona pedregosa. Casi no había pájaros; de vez en cuando volaba un chicurro o alguna tórtola, más bien como si se hubieran perdido de ruta y anduvieran desconcertados por la lluvia que había cesado de pronto. Los otros, con Figueroa, tardarían en descender aún más. Se detuvieron entre los matorrales y los árboles del camino que lleva a San Juanito y al Plan de los Metates.

—Vamos a atravesar por aquí —les dijo Ramón en voz baja—. Ustedes dos vayan juntos hacia allá, rumbo al sur —indicó al Gato y a Juan—. Muy cerca del camino hay una brecha por la que debemos continuar después. Solín y yo la buscaremos de este lado —dijo señalando con la mano derecha un alto manglar.

El Gato escuchó disparos de M-1. A su lado, Juan se había vuelto, de inmediato, atento. Sintió una presión súbita en la boca del estómago. Era miedo. Sonaron más detonaciones y ráfagas de Fal. El Gato sintió que no podía moverse, que las piernas le pesaban, que se le habían endurecido como piedras. Tenía las manos empapadas de sudor. Vio que Juan avanzaba ya hacia el camino, empuñando su M-2. El Gato hizo lo mismo pero con un intenso dolor; un calambre recorrió sus piernas, su espalda.

Venían corriendo varios soldados poseídos por el pánico, dos ya sin armas. Corrían desesperados, sin ver a Juan, que ya les apuntaba. El Gato escuchó la ráfaga y vio al soldado bajito, sin casco, caer a unos pasos de él, sangrante. Otra ráfaga y el soldado que arrojaba en ese momento su fusil a la orilla del camino gritó y se trató de sacudir el dolor que le destrozaba la espalda.

El Gato oyó después el silencio. Sintió que la quietud caía de pronto, inmensa, sobre el camino mojado, lleno de charcos, sobre el aire donde aún vibraba la frescura de la lluvia reciente. Miró los cuerpos de los soldados abatidos, ensangrentados. Uno de ellos aún se movía en la orilla del camino. Alcanzaba a oír el ronco estertor del cuerpo que se convulsionaba en el lodo.

Juan corrió a ocultarse del lado opuesto del camino, tras los matorrales, disparando aún. El Gato pensó en huir, en reunirse con Juan, con Ramón, al otro lado de la brecha. Tenía las manos sudadas. Sostuvo con fuerza el M-2 y se decidió a correr. Cuando lo hizo, sintió que dejaba atrás un mundo de lianas, de lluvia, de árboles, y que la luz producía un ruido de cascada, de tablas rompiéndose. Luego sintió terror; varios soldados disparaban desde el camino. Cayó en el lodo y el dolor le ardió en las piernas, en el estómago. Trató de disparar, de escapar, pero sólo distinguió fugazmente el cielo, y una luz atenta, quieta, que lo cubría antes de la sombra, que le acosaba encima, desde la luz.

—¿No es intempestiva su renuncia? ¿No se trata de una remoción?

—El general Salvador Rangel Medina renunció por motivos de salud desde hace tres días, señores —respondió el general Eliseo Jiménez Ruiz momentos después de asumir el mando de la Zona Militar 27, en Acapulco.

Trató de retirarse de los periodistas y se dirigió a su despacho.

—¿Pero la forma en que usted recibió este mando no es señal de una profunda molestia con el general Rangel Medina? —preguntó el periodista de *El Trópico,* caminando tras el general.

—De ninguna manera —replicó deteniéndose en el vestíbulo del despacho—. El cambio de mando se ha hecho sin ceremonia por el trabajo, por la responsabilidad social del ejército. Pero vino en representación del general Hermenegildo Cuenca Díaz el comandante de la Zona Militar de Cuernavaca, el general Francisco Andrade Sánchez.

—¿Lo nombraron a usted para modificar objetivos estratégicos de esta Zona?

—Lo único que le puedo decir —contestó lentamente, después de una pausa— es que seguiré las órdenes y la línea de disciplina marcada por el presidente de México.

Otro de los periodistas intervino. El general se volvió a mirarlo.

—¿Tiene instrucciones nuevas sobre el secuestro del senador Rubén Figueroa? —preguntó el periodista— ¿Cree que aún siga vivo?

—En relación con ese caso no hay nuevas informaciones, señores —contestó—. Pero puedo decirles que yo también creo firmemente, al igual que el Secretario de la Defensa Nacional, general Hermenegildo Cuenca Díaz, que don Rubén Figueroa está vivo y que pronto espero obtener resultados positivos.

—¿Es cierto que una de las causas de la renuncia del general Rangel Medina —preguntó el mismo periodista— fue su contraorden para desalojar los ejidos madereros de Letrados, Pitos y Pitales y del pueblo del Aguacatoso, donde se planeaba efectuar maniobras aéreas de bombardeos?

El general Eliseo Jiménez Ruiz había comenzado ya a caminar. Se detuvo sin mostrar la menor señal de impaciencia y con voz tranquila contestó:

—Le aseguro que no sé de qué me habla.

—Lo apresaron en un retén de Atoyac. Traía la pistola del senador.

—Pero el ejército tiene razones para no aceptarlo, ¿no es así? —replicó el secretario Mario Moya Palencia—. ¿Están en su despacho todavía?

Fernando Gutiérrez Barrios asintió con un movimiento de cabeza.

—Están los dos —respondió—. El sacerdote y el licenciado Figueroa Alcocer. Insisten en que esto significa la muerte para el senador.

—¿Cómo se llama?

—Ranmel. Alias Ranmel. Era el enlace. El sacerdote convino con él las condiciones para la entrega del dinero y para la liberación del senador. También trajo la carta y las fotografías de familiares identificados por Figueroa que prueban que el senador está vivo. El licenciado Figueroa cree que la liberación de su padre estaba asegurada y que esta aprehensión la cancela. Porque la guerrilla dirá que la intención del gobierno fue impedir el acuerdo con la familia.

—¿Pero está localizado? —preguntó Moya Palencia.

—El ejército dijo que lo tenían detenido las corporaciones policiacas del estado. Pero se encuentra aquí, en la ciudad de México, en el Campo Militar número uno, como le he dicho.

Fernando Gutiérrez Barrios guardó silencio. Respiró profundamente. Miró su reloj. Pasaban ya de las siete de la noche.

—Primero matarán al sacerdote —siguió explicando—, pues creerán que es delator. Después será imposible reestablecer contacto con ellos, ya que no tendrán confianza en otro arreglo. Ejecutarán al senador justificándose con la intervención del ejército y del gobierno, lo cual haría sentir que había una intención por parte nuestra de que no saliera con vida el senador, como usted sabe que se ha estado diciendo en varios sectores del estado de Guerrero. Políticamente creo conveniente incluso la liberación de este detenido como una garantía de la vida del senador Figueroa.

Mario Moya Palencia guardó silencio largo rato. Jugaba entre las manos con un lapicero dorado. Luego levantó la vista hacia la ventana.

—Ayúdelos —dijo después.

Estaba cansado, pero inquieto. Los cabellos sin peinar, sucios, agrandaban la cabeza lastimada, de lentos movimientos. Trató de responder, pero sólo hizo una mueca de dolor en la fría sala del Campo Militar número uno, en la ciudad de México.

—Perdóneme, padre, pero aún no me repongo de los golpes.

El sacerdote vio los blancos dientes del costeño. Los labios gruesos y oscuros, resecos. Asintió moviendo lentamente la cabeza.

—El ejército negó en Acapulco haberte detenido —agregó el sacerdote Bonilla Machorro.

—Pero Valerio me vio —repuso despacio el costeño—. Me vio cuando me detuvieron. En el retén militar de El Paraje.

Ranmel bajó la vista. Luego miró hacia una de las puertas cerradas de la sala.

—¿Cómo está usted aquí? —preguntó.

—Hablaron personalmente con el subsecretario Gutiérrez Barrios. Por eso estoy aquí, para pedirte ayuda.

—¿Que yo le ayude? —repitió Ranmel.

—Primero a mí, porque Lucio debe creer que yo te entregué, ¿no es así?

—Primero se cercioraría entre los compañeros que están en Tecpan y luego haría algo contra usted.

—Sería un error que me mataran, Ranmel. Porque yo no te traicioné. Y además ya está el dinero reunido. Y también a cambio de la vida del senador Figueroa respetarán ahora la tuya y la de Inocencio.

Ranmel volvió a mirar hacia las puertas cerradas, sin responder.

—¿Qué quiere que haga? —preguntó después.

—Que le escribas a Lucio explicando que cuando libere al senador recibirán otros veinticinco millones de pesos y que tú mismo regresarás con ellos. Que la familia está dispuesta a entregar la primera parte del rescate ya, hoy mismo.

Ranmel guardó silencio. En sus ojos oscuros, enrojecidos, había inquietud.

—Ayúdeme a escribirla —pidió luego—. Yo no puedo pensar muy bien ahora.

El sacerdote extrajo de su chaqueta papel y lápiz. Ranmel se apoyó sobre la fría mesa de metal.

—¿Te lastimaron? —volvió a preguntar el sacerdote.

—¿Sabe usted que aquí, en este campo militar, hay varias clases de detenidos? —contestó Ranmel después de un momento, despacio—. En un piso están a los que nada más se les interroga y se les incomunica. Pero en otro piso están los que oficialmente son desaparecidos, aunque no para el ejército. O sea que ya nadie de afuera puede intervenir; sólo el ejército determina qué hacer con ellos. Pero hay celdas en otra parte, abajo, cerca de unas máquinas o unos hornos, algo así, porque hacen ruido todo el tiempo. Sólo se escucha ahí ese ruido y se está con mucho calor, con una luz muy débil, como en una especie de humo. Ahí van los que considera desaparecidos el ejército mismo. Siempre hay ruido de máquinas y gritos de los presos que fueron arrojados ahí, torturados. Los soldados le llaman a esas celdas "el infierno". Ahí estaba yo.

Comenzó a amanecer. Suave, lentamente, los contornos de las cosas, del cerro, de los árboles, fueron emergiendo. El camino de El Arrocito y El Carrizo iba surgiendo también, con una calma blanquecina, del fondo oscuro. El cielo empezó a abrirse con un suave algodón rosado que iba manchando el aire. Comenzaron a estremecerse las copas de los árboles; un ruido gigantesco de loros, de pájaros, de ardillas voladoras, crecía con el amanecer, con el rumor de ramas desgajadas, con la luz que trataba de atravesar, haciendo ruido también, la oscuridad de la sierra. Pronto se hicieron visibles las pequeñas brechas del caserío de Monte Alegre. Lucio se incorporó, en medio del aire enrojecido que lentamente empezaba a aclararse y gritó a los que se hallaban del otro lado del camino.

Eusebio y Gabriel se incorporaron enseguida, entre las matas y los árboles. Contestaron con señas. En esa parte donde se hallaban todo parecía más oscuro, como si ahí no empezara a amanecer todavía.

—Es mejor que estén acá —explicó Lucio—, del mismo lado que nosotros. Allá no ven bien —agregó inclinando el arma hacia el camino—. Es mejor que todos estemos de este lado.

—¿También Rutilo y Roberto? —se escuchó la voz de Eusebio desde abajo, desde la noche.

—Todos —contestó Lucio, indicando con el movimiento de sus manos que ya se desplazaran—. Vénganse todos.

Salieron las sombras de sus trincheras y corrieron por el camino, hasta la orilla. Eusebio esperó a que cruzaran los demás.

—Ustedes dos allá, por donde está René —explicó Lucio a los primeros—. Quédense ahí, por si los soldados vienen desde El Carrizo.

Eusebio subía por la pendiente llena de matorrales y cafetales, con el arma colgada al hombro.

Empezaron a escuchar el ruido, lejos, hacia el sur. Luego aparecieron, quietos, como juguetes. Bajó la vista. Miró su arma. Los mosquitos lo acosaban. Se incorporó ligeramente. No alcanzaba a distinguir a Lucio. Hacia el sur volvieron a surgir los dos helicópteros, brillantes ahora, blancos y azules. Los vio acercarse y quedar suspendidos un momento, hacia el oriente. Luego trazaron un recorrido en círculos hacia el cerro del Plateado. Rutilo pensó que los estaban cercando, que revisaban los contornos de Monte Alegre. Uno de los helicópteros se desprendió de pronto hacia el rumbo donde ellos estaban apostados. El eco sofocado de las hélices se notaba con nitidez. Los vidrios brillaban al sol, destellaban sobre los cafetales. Rutilo pensó que no eran aún las doce del día, mirando el brillante helicóptero que se alejaba hacia el poniente. Luego lo vio suspenderse un instante sobre el camino, cerca del paredón en que se hallaban escondidos. Sintió que lo miraban desde el aparato. Oyó de pronto el movimiento de René, tras los matorrales cercanos. Los mosquitos volvieron a acosarlo, parecían insistir en cubrir su cara, en introducirse por las narices. El helicóptero comenzó a alejarse con su figura vítrea, brillante bajo el potente sol de la mañana; sobrevoló el poblado y quedó otra vez suspendido; luego giró hacia el cerro del Puerto del Pato y enfiló suavemente hacia el poniente. Minutos más tarde pasó cerca, pero más hacia el sur. Rutilo ya sólo escuchó un helicóptero; el otro parecía no oírse ya. Pero suavemente se alejaba también este ruido, se hacía más tenue, más inofensivo.

Lucio miró el reloj. Eran ya las doce y diez. Miraba el camino de El Arrocito. Habían pasado durante la mañana varios campesinos. Ahora estaba el camino otra vez desierto. El calor era agobiante.

Los mosquitos abundaban. El brazo izquierdo comenzaba a dolerle bajo la tensión con que sostenía el M-2. Se incorporó. Se volvió a mirar hacia el camino, una vez más. Nada. Tampoco ruido de motores. Sólo el ruido del viento que suavemente atravesaba entre los árboles y matorrales. Salió de la trinchera y caminó a lo largo de la pendiente. Leoncio lo vio acercarse.

—Ese bejuco, el del árbol —le dijo a Leoncio—. Cada vez que te matas los zancudos lo mueves.

Leoncio se puso de pie y comenzó a arrancar el bejuco. Lucio se inclinó para pasar debajo de una fuerte rama de encino. Se ajustó el sombrero. La sombra protegía del ardor del sol. Revisó la trinchera de Martín.

—Necesitas cubrirte más por la parte izquierda —le dijo a Martín después de revisar la trinchera—. Si vinieran de El Carrizo te podrían ver.

Lucio se inclinó para mover las matas que Martín había puesto frente a él. Su arma se deslizó del hombro y golpeó las ramas bajas del cayaco.

—Necesitas ramas aquí, Martín —repitió señalando la tierra—. Pero mejor ve a mi trinchera a cortarlas, porque aquí están muy ralas.

Martín corrió hasta el lugar que le indicaba Lucio y de un árbol empezó a jalar las ramas bajas. Mientras tiraba de las ramas se sacudía la fronda en lo alto, con su murmullo de hojas, de agua, de viento.

Lucio avanzó hasta las posiciones de Juan y Gabriel, escuchando el ruido que producía Martín al arrancar las ramas. Lázaro y César conversaban en voz baja. Lucio brincó sobre una piedra para acercarse a ellos. Cuando llegó a la trinchera de César empezó el ruido en el camino.

———————————

Se arrojó al suelo tratando de esconderse tras las matas y los bejucos. Oyó las risas de los soldados, abajo, en el camino. Aparecieron en la curva. Un oficial que caminaba con ellos elevó la vista hacia los árboles donde Martín seguía tratando de arrancar ramas. Otros soldados comenzaron a mirar también hacia la parte donde las ramas se movían. Juan apuntó su M-2 hacia ellos; respiraba agitadamente, con la boca abierta. Por un momento sintió frío, aunque el calor era agobiante. Escuchó que un soldado gritaba a los demás. Le pareció imposible contener por más tiempo el arma, la respiración. Nada se movía. No oyó siquiera el ruido de las ramas que jalaba Martín. Fue sólo un vacío, algo remoto que trataba de incorporarse, pero que lo hacía lentamente, como por miles de años. La ráfaga sorda, inmensa, rodó con un innumerable eco por el camino, los cerros, el día, la luz. Sintió el arma trepidante, la avalancha de ráfagas que de todas las trincheras se sucedían destrozando ramas, troncos, soldados que corrían. Sintió de pronto que Martín estaba ya cerca de él, en su trinchera, también disparando. El polvo, el olor de pólvora, los gritos, el arma caliente ya como un cuerpo, lo envolvieron otra vez durante un vacío que se agigantaba, que hacía correr a los soldados, que hacía gritar a la tierra misma, que llenaba a la sierra de su eco. Oyó a Eusebio gritando a los de la tropa que se rindieran.

Arriba, en las matas, un hombre gritaba detrás de los arbustos, arriba de la cuesta. Trató de distinguirlo pero estaba muy a cubierto entre los bejucales del promontorio. O quizás aún más atrás de la zona que podía divisar desde ahí. Se arrastró por la orilla, atento al movimiento posible de los matorrales. Se deslizó después por una depresión del terreno y se incorporó levemente, para correr por una pequeña brecha. Ahí encontró al teniente, tras una piedra; respiraba por la boca y el sudor le cubría la cara. Cerca había un cuerpo caído, pero la cabeza le había estallado y sólo se veía una masa de nervios y tierra, sin cráneo. Podía distinguir toda la recta del camino hasta una curva donde otro soldado empuñaba también su arma.

Lucio aguardó la respuesta de los soldados emboscados un momento más. Tres urracas volaron ruidosamente desde un encino y cruzaron el camino. Luego dos loros. A lo lejos, por el sur, desde el Monte del Pato, un contingente distante de soldados disparaba hacia el monte, o hacia el aire, porque se escuchaban las ráfagas de Fal y de M-2 y también detonaciones de granadas. Bajó la cabeza y se ajustó el sombrero de palma. Revisó serenamente el cargador grande de su M-2. Otra urraca voló cruzando el camino como un renglón negro que se perdía, que se adelgazaba. Ningún soldado había contestado. Respiró profundamente. Sintió el aroma salado de su cuerpo, de su ropa.

Tiró del llamador de su arma. Las ráfagas se repitieron a lo largo de las trincheras, de los matorrales, elevándose su estruendo inmenso sobre las parvadas de loros y de pájaros que volaron espantados hacia lo alto de los cafetales. Lucio escuchó un eco distinto, detonaciones que llegaban a agitar sobre él las ramas, los bejucales. Respondían del lado opuesto del camino, con pocas armas, quizás dos o tres. Hacia el sur habían cortado ya la huida de los soldados heridos, que empezaron a gritar que se rendían; oyó voces desde el camino. Sintió otra vez impactos muy cercanos. A su lado vio saltar el polvo por una nueva ráfaga. Lázaro gritó de dolor y se contrajo; su ropa se manchó de sangre. Lucio se incorporó; los proyectiles pasaban cerca de él, silbaban. Descubrió a César detrás de la trinchera, disparando y tratando de controlar en vano el golpe ascendente de su M-2 en cada ráfaga.

—¡César! —le gritó—. ¡César! —volvió a gritarle con fuerza—. ¡Ya no tires! ¡No tires! Ya le diste a un compañero y me rozaste a mí. ¡No tires! ¡Ya no tires!

Eusebio y Leoncio bajaron del promontorio, con sus armas preparadas y se acercaron a los soldados, rodeando a los heridos.

—¡Son seis muertos! —gritó Eusebio vuelto hacia el paredón, buscando con la mirada a Lucio, en lo alto de los bejucales.

Se acercaron al teniente y al soldado que había estado atacando desde un encino. Les quitaron las armas y las fornituras.

—Soy teniente.

—Te estamos preguntando quién eres. Ya sabemos que eres teniente.

—Yáñez. Ricardo Yáñez.

El soldado vio a uno de los heridos con las piernas destrozadas. Seguían oyéndose los disparos al aire, a distancia, detrás del cerro. El sol era aplastante. Había muchos heridos.

—Denme agua —oyó que pedía el teniente, sudoroso—. Necesito un poco de agua —lo oyó repetir, con voz apagada.

El hombre al que llamaban Leoncio lo estaba mirando.

—A nuestros presos ni agua les das, hijo de la chingada —espetó el hombre, disparando.

El teniente se llevó las manos al pecho y a la garganta, con los ojos desorbitados, con un gemido ronco. Otra detonación hizo saltar en pedazos su cráneo y los dientes; la sangre cayó a borbotones sobre la tierra. El soldado sintió el calor del sol en la cabeza, en el pelo crespo, en los hombros. Las piernas le temblaban. Las manos le dolían como si hubiera estado deshojando ramas toda la mañana, o desgranando maíz. Las tenía dormidas, punzantes, endurecidas. Vio que los hombres recogían del suelo dos mochilas y corrían rápidamente hacia el promontorio.

—Yo también me inclino a creer que se trata de los mismos grupos, pero con distinto desplazamiento —dijo el teniente coronel Zuloaga.

—A mí no me importa lo que se incline a creer ahora, teniente coronel —replicó molesto el general Eliseo Jiménez Ruiz—. Lo que me importa es el avance de estos asesinos.

—Pero es que coinciden las informaciones de los últimos apresados —insistió el teniente coronel.

—Sólo uno de ellos ha dado una información nueva —intervino el coronel Campero—, aunque aún no sabemos si nos será útil. Se refiere al movimiento de los dos grupos que escoltan al senador Figueroa. Que se dirigen hacia la carretera nacional para liberar a los secuestrados y ejecutar antes al senador. Pero hay contradicciones.

—¿Se trata de un guerrillero?

—De un muchacho muy joven. Sobrino de Lucio.

—Lo que importa es que ha cambiado la ruta el ataque en Monte Alegre y que siguen atomizados en tres pequeños grupos —volvió a argumentar el teniente coronel.

—No me importa este viraje —interrumpió el general Jiménez Ruiz levantándose de la mesa y dirigiéndose hacia el mapa de la pared—; quiero que reduzcan al máximo el número de rutas alternativas que los dos grupos mayores sigan hacia la zona de Coyuca de Benítez. Porque están estudiadas ya por los asesores, ¿no es así?

Los militares veían desde la mesa el enorme mapa; el general revisaba otra vez en la mesa uno de los reportes, buscando identificar un área, nervioso.

—Aquí está —dijo encaminándose de nuevo hacia el mapa, con firmeza—. Recorren estas rutas que tenemos identificadas en la zona de El Quemado. En la ruta que siguieron el año pasado. Ocupen todos los puntos que solían apoyarlos. Hay que evacuar poblados, detener el suministro de alimentos, medicinas, ropa. Cerrar el paso a cafetales y a arroyos. Porque no podrán sostenerse por mucho tiempo, si como sabemos, se trata de cuarenta hombres.

—Son dos grupos de escolta —intervino otro de los oficiales—. El grupo central lleva a los secuestrados y los otros los cubren.

—Es indiferente la defensa de su desplazamiento —opinó un oficial de la guarnición de Petlala—. Sobre todo porque la alimentación de cuarenta hombres los obliga diariamente a concentrarse.

—¿Pero en esos grupos está Lucio Cabañas? —preguntó el primer oficial.

El teniente coronel se volvió a mirarlo, al extremo de la mesa.

—No —repuso—. Sabemos que está en el comando que se desplaza hacia Tecpan, desde Monte Alegre.

—¿Hacia Tecpan?

—El sacerdote que ayuda a la familia del senador ha establecido sus contactos en la zona de Tecpan. Lucio buscará desplazarse hacia esos apoyos. Especialmente ahora, que han entregado el dinero de la primera mitad del rescate. Hay lógica en esto.

—¿Y el ejército mismo? ¿Qué hacemos con nuestro ejército?

—El ejército debe seguir penetrando más en la sierra —respondió tajante el general Jiménez Ruiz, sentándose de nuevo a la mesa.

—Es que para muchas de nuestras patrullas el enemigo ya no son los rebeldes, sino la sierra misma —replicó el coronel—. Ya varias se han perdido durante días. Los helicópteros son insuficientes. Muchos se han llagado de las partes blandas y de las piernas o han regresado palúdicos. No toda la penetración en la sierra es igual que la ocupación de algunos poblados o el desplazamiento por la carretera de Atoyac a El Paraíso.

—¿Qué quiere decir, coronel? —interrumpió, molesto.

—Que algunas guarniciones necesitamos tropas de refuerzo, general. Más apoyo.

—¿No hacen falta comandantes con mayor disciplina y con más responsabilidad? ¿No lo diría usted?

—Como usted ordene, general —respondió, turbado.

—Los únicos que no deben tener miedo en todo Guerrero son nuestros soldados, coronel.

—No tienen miedo, general, perdone que lo aclare. Muchos están enfermos. Por piquetes de víboras o alacranes, por disentería, por noches y días enteros bajo la lluvia, por llagas en el ano y en los pies.

—Los que sólo quieren cuidar cuarteles no son los soldados que ahora necesitamos, coronel, yo también me permito aclarárselo. Estamos en guerra. Es tiempo de guerra. Quien no combate, se muere o se da de baja.

El coronel bajó la vista hacia sus papeles. Luego carraspeó.

—¿Me permite retirar lo que he dicho, general?

—Se lo ordeno —espetó.

———————————

—*¡Alto! ¡Detente!* —*gritó un soldado apuntando con el Fal.*

El hombre se detuvo. Traía un haz de cañas al hombro. Estaba descalzo y con la ropa sudada y rota.

—*¿De dónde vienes?*

—*Del barrio —contestó el hombre.*

—*¿De qué barrio?*

—*De más acá del Bajo.*

—*¿Pero de qué pueblo? ¡Contesta!*

—*Es que ya no existe.*

—*¿De dónde?*

—Ya no hay casas. No está el pueblo.

—¿Así que ya no encuentras ahora tu barrio? ¿Cómo te llamas?

—Gervasio.

—Gervasio qué.

—Gervasio Vidal.

—¡Todos tus apellidos!

—Vidal Benítez.

—¿Eres guerrillero?

—No. Yo sólo trabajo en Acapulco.

—¿Trabajas en Acapulco?

—Sí.

—¿Trabajas así, descalzo? ¿Con esa ropa vieja?

—Es que tuve que venir a pie.

—¿A quién buscas aquí?

—Mi abuelo vive en este pueblo. Pero más allá, al fondo, por el río.

El militar que hablaba se acercó más a él. Varios soldados lo rodeaban en la calle, a la entrada del pueblo. Las casas de enfrente y los patios estaban ocupados por soldados. No había familias. A lo lejos ladraban los perros, muy distantes, como afuera, en lo profundo de los cerros, de los cafetales.

—¿Cuántos años tienes?

—Veinticuatro.

—¿Conoces a Lucio?

—No.

—¡Ah, cómo te haces pendejo!

El soldado se retiró unos pasos. Se volvió a mirar a la derecha y llamó a un cabo.

—Ve por el teniente —le ordenó.

El hombre cargaba aún sobre los hombros el haz de cañas. El teniente le vio los pies descalzos, heridos por las espinas, casi morados por la tierra y los golpes. La camisa parecía no habérsela quitado durante muchas semanas.

—¿De dónde tomaste esas cañas?

—De nuestra tierra. Del chilar de mi padre.

—¿Dónde está el chilar de tu padre?

—Ya no existe el barrio. Quemaron todas las casas del pueblo. Ya no existe.

—¿Eres de La Cascada? ¿De El Mezcalito?

El hombre tardó en contestar. El teniente siguió mirando las ropas andrajosas del hombre.

—Llévenlo al otro lado. Al fondo, allá —ordenó a los otros.

290

Caminaron por el patio de una casa vieja, pero tres soldados permanecieron en la calle. La casa estaba vacía. Se detuvieron en un corredor, donde había un alto techo.

—Desnúdate.

El hombre depositó en el suelo el haz de cañas. Comenzó a desprenderse de su camisa deshilada; luego de su pantalón roto. Quedó de pie, en calzoncillos. El abdomen del hombre se contraía con rapidez, con nerviosismo. Los soldados comenzaron a revisar el haz de cañas y la ropa. En un pequeño morral que venía oculto entre las cañas, encontraron un foco, tres dulces y cuarenta centavos; también un pedazo de soga. El teniente la pidió. La empezó él mismo a desenvolver y a oler tramo por tramo.

—Te servía este mecate de piola para limpiar tu M-1, ¿verdad? —dijo el teniente—. Eres guerrillero. No me cabe duda. ¿Verdad que eres guerrillero?

—No. Yo trabajo en Acapulco, en una mueblería.

—Te ha de haber mandado Lucio a vigilarnos, para después venir a emboscarnos.

—No. Yo no vigilo nada.

—¿Sabes quién soy yo? Te lo voy a decir. Soy experto en contraguerrillas y no te creo que vengas de Acapulco y que allí trabajes. A mí no me engañas y vas a comenzar por decirme tu verdadero nombre.

—Me llamo Gervasio.

—Tu nombre de verdad.

—Soy Gervasio. Gervasio Vidal Benítez.

—¡Gervasio tu chingada madre!

Lanzó la soga que tenía en la mano por encima de la viga central del corredor y la recibió al otro lado. Formó un nudo corredizo con mucha rapidez. Dos soldados maniataban al hombre con las manos a la espalda. Luego le colocaron la soga al cuello.

—Vamos a ver si así contestas.

El teniente pidió ayuda a otro soldado y comenzaron a tirar de la soga. El hombre quedó colgado, agitándose. La lengua comenzó a asomar, inmensa. Cuando el cuerpo cesaba de sacudirse lo bajaron. El teniente esperó a que el hombre respirara otra vez, gimiente, con un ruido ronco, de estertor.

—¿Cómo te llamas? —volvió a preguntar.

El hombre movía la cabeza de un lado a otro, sintiendo que algo le llenaba la boca, que no lo dejaba hablar.

—Gervasio. Me llamo Gervasio Vidal Benítez —contestó con voz ronca.

—¡Traigan al que vende los refrescos, el de La Cascada! —ordenó el teniente—. Al que vende tortillas, el que conoce a todos.

El teniente apareció al fondo de la casa. Caminaba de prisa, haciendo sonar los tacones de las botas en las piedras del corredor de la casa.

—¡Cuélguenlo de nuevo! —ordenó a los soldados que lo custodiaban—. ¡Y déjenlo más tiempo!

Los soldados obedecieron. El hombre apretó las quijadas y cerró los ojos; parecía estar llorando. Echó hacia adelante la cabeza cuando lo elevaron. Con la boca cerrada produjo un ruido ronco, de animal, y pareció vomitar por la nariz. Cuando abrió la boca apareció la lengua, entre los dientes. Comenzó a estremecerse. Los pies se agitaban en el aire, como si bailaran, como si fueran seres distintos del hombre.

—¡Manténganlo así! —gritó el teniente—. ¡Así!

El hombre se sacudió con fuerza, como si su cuerpo se fuera quebrando. Se empezó a doblar hacia atrás y quedó tenso, duro como una rama, balanceándose. Los soldados soltaron la soga y el cuerpo cayó con un ruido sordo. El teniente se inclinó sobre el hombre y le soltó el nudo de la soga. La parte derecha del cuello estaba sangrando. El teniente puso el oído en el pecho.

—Está vivo. Traigan agua. Una cubeta con agua. Tú —dijo a otro soldado—, haz que despierte.

El hombre movió la cabeza de un lado a otro, derrotado, como un pedazo de algo.

—¿Cómo te llamas?

—Gervasio —dijo con voz pequeña, inaudible, como si hubiera cambiado súbitamente de voz.

—Quiero saber tus apellidos —exigió el teniente.

El hombre quedó callado. Seguía con las manos atadas en la espalda. Los soldados lo habían puesto de pie otra vez.

—Soy Iturio —contestó—. Soy Gervasio Iturio Barrientos.

El teniente sonrió.

—¿Por qué negaste tu apellido? También tu familia dice que no se apellida así.

El hombre respiraba con un ruido ronco, moviendo la cabeza, con la nariz sucia, sin contestar. El teniente le dio una patada en el estómago. El hombre fue doblándose por el dolor y cayó al suelo.

—¡Contesta! —gritó.

El hombre tenía los ojos enrojecidos y llorosos. Asintió con la cabeza, lentamente, caído en el suelo, desesperado.

—Es que ustedes —comenzó a decir lentamente, respirando con angustia— nos obligan a confesar cosas que no sabemos.

—¿Lo que no saben?

El teniente caminó alrededor. En el suelo estaba un charco de agua rodeando al hombre.

El helicóptero continuó con el motor encendido, a cien metros del pueblo. El ruido se extendía sobre el vuelo de los pájaros asustados, sobre las ramas de los árboles agitadas por la fuerza de las hélices. El teniente se acercó a la cabina; detrás corrió el hombre con dos soldados.

—Se los recomiendo mucho —gritó el teniente—. Está muy comprometido con la guerrilla. Tengan cuidado. Dice que viene de Acapulco, pero estoy seguro que viene de Tecpan.

Cuando despegaron, uno de los militares le habló. Trató de volverse, pero movió la cabeza, negando. El militar se dirigió luego al que lo flanqueaba.

—Sí es el del Camarón, ¿verdad, coronel?

El coronel Campero venía observando al hombre. Estaba sentado a su izquierda, con una chamarra negra y anteojos oscuros.

—¿Dónde te detuvieron? —preguntó después de un rato de silencio.

—Allí, en ese mismo pueblo —contestó el hombre.

—¿De dónde venías?

—De Acapulco.

—Te apellidas Iturio, ¿verdad?

El hombre tardó en contestar. El ruido del motor y la altura parecían aturdirlo.

—Sí —dijo tratando de mirar hacia afuera.

El coronel Campero lo siguió observando.

—A ti te detuvieron hace un mes —dijo después de un rato—. A nosotros también nos tocó trasladarte, así que ya nos conocemos. Te llamas Roberto Iturio.

El coronel se ajustó los anteojos oscuros y con una señal de la mano impidió que los otros hablaran.

—No, soy Gervasio. Pero yo no he hecho nada. Me llamo Gervasio Iturio Barrientos —dijo el hombre cerrando los ojos, con miedo por la altura.

—Me parece muy bien que nos hagamos amigos y colabores con nosotros —explicó el coronel—. Al ejército no le interesa perjudicarte. Ni engañarte tampoco. Nada más di el lugar donde está Lucio Cabañas. Nosotros nos encargamos de lo demás.

—Yo no sé —repitió el hombre.

El coronel no respondió. Se volvió a mirar por la ventanilla. La sierra se extendía inmensa, verde, en un deslizamiento de montañas oscuras y potentes. Más adelante se veía el horizonte luminoso, una inmensa franja de luz y nubes que se confundían con el mar, con el sol potente de las dos de la tarde. Se inclinó hacia el piloto y le ordenó que siguiera hasta el mar. Luego se volvió hacia el hombre. Lo miró mucho rato.

—¿Así que no quieres hablar?

—No sé nada. Yo no tengo nada —contestó el hombre.

—¡Por las buenas no saben nada! ¡Pero sólo llegan al cuartel y resulta que están más cagados que un palo de gallinero! ¡Así que nos vas diciendo todo lo que sepas!

Uno de los soldados abrió la portezuela del helicóptero. Un viento frío entró de golpe a la cabina. El mar se veía oscuro, muy azul, quieto, inmenso, como si nada se moviera en él.

—¡Arrójenlo! —ordenó el coronel.

Los tres soldados alzaron al hombre por los brazos y lo arrastraron a la portezuela abierta. El hombre se resistió, enloquecido, gimiendo roncamente como un animal. Torcía la cabeza, se doblaba de la espalda. La camisa vieja y sudada del campesino se rompió de una manga y al soldado se le zafó el brazo del hombre. Quedó colgado de la ventanilla, gritando aterrado.

—¡Súbanlo ya! —ordenó el coronel.

El hombre respiraba con un ruido ronco y lloraba; el estómago se le contraía apresuradamente.

—¿Ahora sí vas a decirnos lo que sabes? —volvió a preguntar el coronel.

La puerta de la cabina seguía abierta. El aire entraba con fuerza, con ruido.

El oficial se aproximó al helicóptero en la pista de aterrizaje del cuartel de Atoyac.

—¿Cómo está el reo? —preguntó mientras firmaba el papel que le tendió el coronel Campero.

—No quiere colaborar.

Tres helicópteros estaban estacionados en la pista. Un pelotón estaba hacia el sur, aguardando. Un ruido de pájaros llenaba la tarde. Se encaminaron con el hombre escoltado hacia el norte del cuartel y entraron en las barracas. Después de atravesar dos puertas lo llevaron por un pasillo estrecho, húmedo, que tenía piso de tierra. El hombre sintió en los pies descalzos la tierra fría. Tuvo una sensación de calma, de quietud. Siguieron hasta el fondo del pasillo y lo hicieron entrar en un túnel. La humedad y el calor aumentaron. El hombre sentía al respirar el aire pesado. Lo detuvieron ante una puerta. Estaba sudando. Sentía el sudor en la nariz, alrededor de la boca, en los sobacos, en los muslos. Uno de los soldados sacó una madeja de cordón de cáñamo.

—¡Las manos atrás! —le ordenó secamente.

Obedeció. Sentía las manos húmedas, sudorosas. El cordón resbalaba en las muñecas mientras lo ataban.

—¡Ahora los pies, júntalos!

El hombre sintió que el cordón rodeaba sus tobillos con fuerza, resbalando por el sudor y por el lodo. Trató de mover las manos; el cordón de cáñamo empezó a lastimarlo. El soldado se incorporó; hasta ese momento no sintió el olor y la ropa del soldado, un olor caliente, a manta, como a aceite. Trató de mover la cabeza pero se la sujetaron con un trapo que le tapaba los ojos y parte de la nariz. Abrieron una puerta y lo arrojaron a una nube de calor que ardía en la garganta como si pesara el olor a basura, a orina, en que caía lastimándose los hombros y la cara, sintiendo en la boca una tierra caliente. Los soldados lo obligaron a doblar las piernas hacia atrás, contra la espalda, para que sus pies y sus manos se tocaran, y con el mismo cordón de cáñamo los ataron con fuerza. Escuchó entonces un rumor hueco, subterráneo, en ese hedor caliente y húmedo, un ruido de voces, de respiraciones, que parecía confundirse en el lodo, agitar el olor acre. Sintió que el cordón de cáñamo se hundía en la carne de sus manos, que se tensaba con el dolor de las piernas y la espalda.

El hombre quedó bocabajo, inmóvil. A pesar de las voces que oía a su alrededor le comenzó a brotar un silencio desde el dolor de las piernas y las manos. La manta cruda con que le habían vendado la cara comenzaba a lastimar, a parecer una piedra. El cáñamo penetraba en la carne como si fuera un cuchillo. Los brazos y las piernas comenzaron a acalambrarse. El dolor lo invadió desde las entrañas, como si le estuvieran amputando los pies, los brazos. Detenido en un solo instante, mucho tiempo, pensó que iba a morir. Luego temió que no. Luego, todo en él pareció aquietarse. Pareció caer en su dolor un peso profundo, como de una montaña, como si dejaran de ser suyos los miembros inertes, adormecidos, a los que seguía atada su vida, su oscuridad.

Estaba amaneciendo. Alcanzaban a escuchar los distantes ladridos de los perros del caserío. Un viento frío recorría la sierra que comenzaba a tornarse más transparente. Se apartaron de la brecha de Río Chiquito y se internaron, bordeando una pequeña cañada, en la maleza del cerro que se elevaba al poniente. Durante la noche habían cargado a Lázaro por turnos. La herida en el pie le punzaba, supurando. La bala había penetrado por la planta del pie y había salido por el empeine. El dolor ascendía en los latidos de las sienes, como si fuera un eco el que recorría dolorosamente desde el pie adormecido hasta la frente. Lo acostaron en la primera hamaca que tendieron. Cuando terminaron de levantar el campamento, repartieron once tortillas y destaparon dos latas de jamón enchilado que habían encontrado en las mochilas que Leoncio y Eusebio recogieron de los soldados muertos en la emboscada.

Ese día no llovió. Lázaro pasó la mañana y la tarde dormido, con una ligera fiebre que le hacía laborioso el sueño. Despertó al atardecer, creyendo que apenas llegaban a Río Chiquito y que aún amanecía. Se incorporó en la hamaca y quiso bajar, pero el dolor del pie lo hizo que despertara. Comenzó a sudar. César le dio de beber agua, pero Lázaro parecía no sentir el líquido. Soñó que iba subiendo desde hacía mucho tiempo por un cerro y que el pie se le hundía en la tierra. Trataba de cavar con el fusil pero su pie estaba muy hondo. La tierra se cerraba y él comenzaba a sentir un frío que le adormecía el pie. Muy cerca de donde estaba detenido había un alto amate. En las copas del árbol apareció el sol, rojo e inmenso. Fue dorando lentamente las ramas que luego se doblaron hacia donde él estaba. Se asió a las ramas calientes, pero no quería soltar el fusil. Entonces una rama se encajó en su mano. Sintió alivio, pensó que podía quedar unido a las ramas del amate sin esforzarse con la mano. La rama caliente comenzó a crecer en su brazo y pudo ya sostener su fusil. Luego otras ramas del mismo árbol se hundieron en la tierra y sintió el calor de las ramas cuando penetraban en el suelo y rodeaban su pie. Entonces miró que la tierra se abría, que la tierra se apartaba de su pie y se tornaba roja, transparente como el fuego, como una llama que lo hubiera estado apresando; la tierra se ablandaba como el fuego y su pie emergía, caliente, desde el fondo de la tierra, envuelto en las ramas del amate. Las ramas crecían y se dio cuenta después que ésos eran ahora sus pasos. Que su otro pie, el que no se había hundido, se retrasaba ahora y que debía apoyarse en el fusil para avanzar y dar alcance a las ramas del árbol. Entonces vio el arroyo. En la otra orilla estaba mucha gente y oía las voces. Reconoció en un grupo a Lucio y a Gorgonio. Se reían. Trató de decirles que ahí estaba. Quiso brincar hacia ellos, pero las ramas lo impulsaron mucho más lejos. Cuando cayó sentía que las ramas se alejaban y que él quedaba solo. Miró el terreno. Ya no estaba cerca del arroyo, ahora había una cuesta de milpas quemadas. En ese momento sintió que alguien lo esperaba, que le urgía, sin gritarle, a que se apresurara. Trató de correr, pero recordó que antes su pie se hundía. Entonces decidió correr pensando en otra cosa, para engañarlo, para que el pie no se diera cuenta que él iba corriendo. Logró subir la pendiente, pero en cuanto llegó al otro lado del cerro no había nadie, sólo una mujer sentada, comiendo arroz. Ella sonrió. Él sintió que su pie volvía a hundirse. Cayó, soltó el fusil para aferrarse de una piedra, pero estaba caliente y era muy blanda. Temió hundirse también, pero algo brilló en la piedra, que se alargaba como una manta blanca. La mujer le señaló con una mano un punto brillante en la piedra. Él miró con atención y vio que ahí estaba el sol, otra vez inmenso, encima de un viejo árbol de amate que iba incendiando, dorando con su luz, con su calor, doblegándolo hacia la tierra, hacia el suelo. Y vio que el árbol, inmenso y encorvado, al entrar en la tierra parecía una raíz. "Es una raíz", pensó, "no me había dado cuenta". Y en esa raíz estaba otra vez el arroyo donde hablaban Lucio y Gorgonio. La mujer le señaló otro lugar de la piedra. Dirigió la mirada hacia ese sitio y vio que Rutilo y Leoncio lo estaban mirando. Se sorprendió de ver los ojos de Leoncio. Luego sintió que por la boca el agua fresca comenzaba a retirarlo de la piedra. Quiso aferrarse a ella, sintió la rugosidad de la hamaca. "Bebe más", oyó que le decía la voz de Rutilo. Volvió a beber. Se incorporó ligeramente, ayudado por Leoncio, en la hamaca. Vio el cielo lleno de estrellas, mientras bebía.

—Son las ocho de la noche —dijo Rutilo.

—¡Nadie se lleva animales! —gritó de nuevo el capitán, señalando entre los soldados a dos campesinos que arreaban un becerro—. ¡Sólo ropa o comida! ¡Lo que puedan cargar, sólo eso!

Los soldados vigilaban las calles enlodadas del poblado. Habían evacuado desde el amanecer dos barrios más, desde El Mezcalito. Hombres y mujeres pedían a los soldados que les dejaran llevar un borrego, o gallinas. Algunos cargaban en las mulas o en burros bultos y objetos. Los niños caminaban silenciosos junto a los adultos con bolsas de ropa.

—¡Todo se queda aquí! —gritó de nuevo el capitán—. Nadie va a tocar nada de lo que está aquí. ¡Nada! ¡Rápido! Allá, los del fondo —señaló hacia las casas donde dos vehículos militares se hallaban con los motores encendidos.

Un campesino seguía al capitán. Junto a él se hallaba un muchacho muy joven, quizá de trece años, con la camisa rota de una manga. El campesino intentó explicar, sosteniendo en una mano la soga con que venían atados un par de chivos.

—¡Usted, cabo! —gritó el capitán—. ¡Que se larguen ahora mismo! Nadie regresa ni a buscar un solo calzón a sus huertas; ¡Que salgan ahora mismo! ¡Llévense a éstos!

Los soldados numerosos producían un ruido sordo en la tierra enlodada. El viento húmedo olía a lluvia. Nubes inmensas, grises, parecían irse desplomando lenta y pesadamente sobre la tierra, sobre las casas, sobre el calor enrarecido del mediodía. Dos cerdos negros, pequeños, hurgaban junto a los perros en los charcos, entre desperdicios y lodo.

Entraron por la mañana en Río Chiquito. El sol apenas comenzaba a calentar. Se acercaron a una de las casas deshabitadas. Lucio y Rutilo introdujeron a Lázaro, cargándolo. Afuera ladraban dos perros amarillos y varias gallinas pasaban junto a la cerca. Detrás del patio se asomó un hombre. Era grande ya, quizá de cincuenta años.

El hombre vio a un joven delgado, pálido, con la ropa sucia, rota, y casi descalzo. Unas tiras de cuero que hacía mucho tiempo habían sido botas, seguían bajo sus pies. El rostro era sereno, quieto. Los ojos rasgados, brillantes, pero con un brillo extraño, que le parecieron ajenos a esta figura humana misma; un brillo distante, como sin darse cuenta de lo que hacía, de lo que era. La palidez lo cubría. Era tan pálido como si su piel se estuviera deshaciendo, o se transparentara, sin sangre, incluso amarillenta, como de papel deslustrado. Sintió una ligera inquietud ante ese joven cuya voz contrastaba por su calma, por su suavidad.

—Buenos días —dijo Lucio—. Tenemos un problema.

El hombre no contestó. Lucio advirtió que detrás del hombre había alguien más en la casa.

—Buenos días —contestó el hombre después de mucho rato.

—Tenemos un problema —repitió Lucio—. Traemos un compañero herido.

—¿Son ustedes del monte?

Lucio vio que detrás del hombre asomaba una mujer, quizá la esposa.

—¿Son del mentado Cabañas?

Lucio asintió moviendo ligeramente la cabeza.

—Nuestro compañero está herido. No puede caminar. Necesita reponerse de la herida durante unos días. Queremos permiso para dejarlo ahí. Que lo ayuden, pues.

La mujer salió al patio. Era gorda, canosa. Traía un vestido amarillo, muy viejo.

—¿Qué clase de herida trae? —preguntó la mujer.

—En un pie. Ayer lo curamos con agua hervida con sal. Está mejor. Pero necesita cuidado. Mandaremos ayuda, comida, lo que ustedes pidan.

La mujer atravesó el patio y entró en el cuarto. Vio a Rutilo sentado junto a Lázaro y se inclinó a ver la herida. Lázaro miraba los ojos de la mujer. Lucio oyó un ruido a su espalda. Se volvió. El hombre estaba en la puerta del cuarto.

—Llévenselo. No quiero problemas con el ejército —dijo.

Lázaro pareció no oír. Seguía mirando a la mujer.

—No quiero problemas con el ejército —repitió el hombre—. Hay muchos soldados recorriendo la zona. Atrapan a cuantos quieren y le preguntan a uno si anda ayudando a ustedes. Llegan a preguntar muchas cosas, hasta que sacan el hilo que buscan. Y yo no quiero tener problemas con ellos.

La mujer se incorporó, negando con la cabeza y las manos.

—¡Pero lo descubrirán los soldados! —exclamó el hombre—. Y nosotros vamos a pagar las cuentas por ellos.

—No tienen por qué descubrirlo —repuso la mujer, con vehemencia—. No tienen por qué entrar aquí. Ya cuando esté sano se podrá ir él solo.

Lázaro miraba ahora al hombre. Lucio hizo una señal a Rutilo.

—Déjenlo aquí, muchachos —volvió a decir la mujer—. Yo lo cuidaré, no se preocupen. Los soldados no tienen por qué meterse aquí.

—Pero fue hace dos días —repitió la mujer—. En Los Cajones de Río Chiquito. Ahí aprehendieron a nuestros maridos.

El sargento miraba a las mujeres. Llamó a un soldado que se hallaba lejos del escritorio, en la entrada.

—Busca en las otras listas estos nombres —ordenó—. Son esposos de las señoras. Les dijeron que los transportarían a este cuartel. Herón Serrano Abarca y Nicolás Noriega Tovar.

—Tabarés —dijo la otra mujer—. Nicolás Noriega Tabarés.

El soldado se retiró con los nombres apuntados en un papel.

—Espérense —dijo el sargento a las mujeres—. Retírense más para allá, por la puerta.

Las mujeres vieron después que el otro soldado regresaba para hablar en voz baja con el sargento, sin mirar hacia ellas. El sargento pareció responder algo y luego miró el papel que le extendió el soldado. Luego las llamó.

—En el cuartel no hay nadie que se llame así —dijo—. No fue el ejército.

Las mujeres no se movían. Miraban al sargento. Una de ellas había comenzado a gemir.

Lázaro volvió a gritar de dolor, caído en el suelo.

—¿Creíste que no te delataban? —volvió a preguntar el soldado—. ¿Creíste? ¡Pues ya te equivocaste, pendejo!

Otra vez un soldado lo levantó de los cabellos.

—¡Camina! —le gritó.

Lázaro pudo incorporarse pero el dolor del pie ascendió por todo su cuerpo como si una navaja lo atravesara hasta la frente. Otro soldado lo empujó hacia la puerta. Lázaro sintió que el pie se le rasgaba, que la pierna se le abría a tajo, como si muchas espinas lo inundaran por dentro.

—¡Camina, te digo!

Lázaro se sujetó del marco de la puerta. Sudaba. Respiraba por la boca abierta. Se oía respirar con un sonido ronco, que lastimaba su garganta. Reconoció al hombre viejo frente a él, en el patio. Lo miró a los ojos. Alguien lo golpeó en el pie herido. Sintió que una hoguera lo quemaba por dentro, hasta las quijadas, que el pie se le había cortado.

—¡Llévenlo caminando hasta el centro del pueblo! ¡Amárrenlo ahí hasta que venga el helicóptero!

———————————

Vendado de los ojos, con las muñecas insensibles e hinchadas por la presión del cáñamo, lo arrastraron fuera del subterráneo. Le desataron luego las piernas y los pies. Los soldados trataron varias veces de incorporarlo, pero los pies y las piernas del hombre seguían tensos, endurecidos como ramas. Lo llevaron arrastrando a otra sala. El hombre reconoció el ruido del motor que en ese momento echaron a funcionar, un ruido agudo que cubría los gritos que había oído varias horas. Un calambre le desgarró la pierna derecha y ascendió hasta la espalda con un dolor que tornaba distinto a su cuerpo, a sus piernas duras.

—Dinos dónde está Lucio, nada más —alguien preguntó junto a él.

El hombre percibió dentro de su cabeza, dentro de sus ojos lastimados, una ancha franja enrojecida que debía ser una huella de luz. Volvió a sentir calor en los pies y en las piernas. Un calor doloroso, punzante. Un calor que no era suyo, que parecía de algo distinto y muy lejano.

—Yo no sé nada —contestó—. No sé nada de esto.

—Queremos que nos digas dónde está Lucio —repitió la voz junto a él.

El hombre sintió que levantaban un poco la venda que tenía en la cara y que dejaban libre la nariz.

—Abre la boca —le ordenó otra voz.

El hombre pareció no oír. Estaba envuelto en el dolor de los pies que se comenzaban a flexionar.

—Abre la boca —ordenó la misma voz.

El hombre sintió un metal frío en los labios. Unas manos calientes y sudadas sobre la cara. Sintió que en su boca abierta introducían un trapo. Algo frío pareció de pronto desgarrarle la nariz. El hombre sintió una luz cegadora que estallaba en sus oídos, en su cerebro, en el vacío.

———————————

Estaba contraído, con una fuerte punzada en la frente, sobre una plancha de cemento. No quiso contestar. El dolor era más fuerte.

—Ya no sabe hablar —alguien dijo, riéndose.

Lo tomaron de los brazos. Lo incorporaron y lo arrastraron otra vez. Lo sentaron de nuevo. Sintió las pinzas frías entrando en su boca, luego el trapo, luego el silencio, luego la fuerza del agua gasificada que entraba por su nariz destrozando su cabeza, estallando su cráneo, su dolor mismo, todo lo que podía sentir hasta el silencio, la oscuridad.

Despertó. Tras sus ojos vendados el hombre supo que había despertado otra vez. Uno de los soldados soltó una carcajada.

—Pero tienes una memoria muy mala —oyó que decían—. Tenemos que ayudarte a recordar, a ablandar esa memoria tan dura.

Alguien le pasó una soga al cuello y lo ayudó a incorporarse sobre un banco. Cuando quedó colgado, las piernas volvieron a tener vida; se contraían nerviosas, queriendo correr, avanzar en el aire, en el vacío. La soga se aflojó de pronto y el hombre cayó al suelo.

—Vamos a ver si ahora se acuerda —escuchó que decían.

El hombre logró emitir un débil quejido, como un rumor que produjera el paso del aire por la garganta lastimada. Volvieron a sujetarle con violencia y a colgarlo. La lengua crecía, la soga parecía crecer también alrededor de su cuello. Pero ahora no sintió dolor. Tenía la sensación de flotar en el aire, sin peso, como si todo estuviera elevándose y girara a su alrededor. Muy lejos de ahí, muy distante, mucho tiempo después, pensó que iba a morir. Después oyó un zumbido extraño, monótono, del que iban surgiendo voces, ruidos, con una lentitud envuelta de oscuridad.

—Sí, doctor —dijo alguien.

—Ya no resistiría otra dosis —dijo otra voz—. Llévenlo a su lugar.

Luego, no supo cuánto tiempo después, el hombre reconoció la vaharada de calor, de fetidez, del subterráneo. Sintió que lo arrojaban, que caía, que su cuerpo se golpeaba sin sentir dolor. Que la cabeza vendada caía hacia atrás, se hundía suavemente en la tierra. Y otras voces brotaban de esa tierra húmeda y caliente. No sabía si eran suyas o de otros, pero sintió paz, una seguridad que fue cubriéndolo como un calmante, como si un hisopo fuera lavando su cuerpo, sus heridas, para morir, pensó, y sintió que lo reconfortaba ese abandono a algo seguro, a algo inconquistable.

—De ninguna manera —replicó Ramiro—. El cerco militar no explica los errores que cometemos aquí, en la Brigada. De eso se trata, y no como David o tú quieren aparentar ante los compañeros nuevos, que son mis problemas con Lucio.

—¿Y por qué a Manuel y a Estela —atajó Ramón— tuvimos que buscarlos a más de cuatrocientos metros cuando bajó la patrulla militar de Cerro Grande?

—Eso ya se discutió —gritó Estela—. El Guacho nos ordenó replegarnos y eso fue lo que hicimos. Que el Guacho no entendiera lo que tú ordenaras no es un problema nuestro.

—Replegarse no es ocultarse hasta de nosotros —intervino David—, porque tuvimos que buscarlos casi durante una hora.

—¿No será que ustedes tratan de disimular sus diferencias ideológicas con problemas personales? Eso es lo que pasa, pero no lo quieren reconocer.

—Nunca encubrimos decisiones de ninguna especie —volvió a intervenir Ramiro—, desde que Lucio y ustedes han mostrado que es más importante ser pariente que ser un militante de la Brigada. Porque los hechos nos dan la razón. Propusimos fusilar a los traidores que robaron las armas, a Hipólito y a Venustiano, pero Lucio manipuló a todos los compañeros hablando del parentesco entre las familias de la sierra y luego Hipólito se fugó en el Cerro del Interior, cuando íbamos a Río Escondido, y se dio de alta en el ejército.

—Si se trata de errores, pues ustedes mataron a don Leovigildo Fonseca y ahora esa región ya no nos apoya —dijo el Chango—. Y también reconoce que se fugó el viejo el mes pasado por descuido de Francisco.

—Esperen, compañeros, cálmense —intervino Jorge.

—Sobre todo porque esto ya está decidido —apoyó Ramón.

—Se trata de una renuncia formal —corrigió Ramiro—, no de discrepancias personales. Queremos dejar en claro nuestra postura. Eso es todo.

—Lo que hemos dicho tiene que molestar, lo sabemos —volvió a decir el Chupachencas, moviendo las manos con sus ademanes nerviosos—. Pero queremos insistir en que no se trata de ir contra la lucha. Porque todos ustedes recuerdan que cuando se nombró al grupo que realizaría el secuestro del viejo Figueroa, muchos elementos que fueron escogidos apenas llevaban dos meses de haberse incorporado y por eso mismo no tenían preparación ideológica ni militar, como el Coyote, la Garza, Carlos, Catalino y otros que no podían decir que tuvieran una militancia de años y de tiempo completo en la Brigada. Por eso se vio mal que se apartara de esa acción a los que realmente tenían el derecho por ser compañeros permanentes que desde hacía muchos años realizaban tareas para el Partido de los Pobres. Y en muchos otros casos ocurre así, pues tampoco toma Lucio en cuenta nuestras opiniones y decide otra cosa, como el comunicado para el rescate del viejo Figueroa que no ha ayudado estratégicamente para la lucha de la Brigada, como lo estamos viendo ahora. Y por eso aclaro que no queremos dejar de luchar, pero que pensamos que si todas las organizaciones armadas no se han unido en un solo frente, pues significa que aún no está formando realmente el partido que va a dirigir la revolución. Y que el que nosotros renunciemos aquí y nos propongamos seguir luchando de otra manera, en otro grupo o en otras condiciones, pues insisto que se trata entonces sólo de una contradicción, pero no de antagonismo, no de abandonar la revolución.

—¿Cuántos son los que presentan la renuncia? —preguntó Ramón, dirigiéndose a Ramiro.

—Aquí están nuestras firmas, en este documento —contestó Ramiro—. Somos Manuel, Estela, Víctor, Francisco, Hortensia, Nidia y yo.

—Pero los otros compañeros de la dirección tienen que participar —aclaró Ramón—. Y todavía están en la escolta de Figueroa.

—Ya hablaron con ellos —aclaró el Chango.

Ramón se volvió a discutir algo en voz baja con el Chango. David y Jorge se acercaron a él. Luego Ramón se retiró del campamento, acompañado de Jorge, del lado opuesto al camino que llevaba al pueblo de San José. Media hora después apareció, con molestia aún.

—¿Cuándo quieren salir? —preguntó.

—Mañana mismo. O pasado mañana. Es igual —contestó Manuel.

—Que el compa Leonardo los guíe mañana —dijo Ramón después de un momento—. Pero no deben acercarse al pueblo de San José. Tienen que regresar por el cerro de La Floresta y bajar hasta El Zorrillo. Ya por ahí Leonardo los llevará hasta la carretera. Pero será después de la mañana, cuando lo autoricen también Solín y Heraclio.

Había oscurecido en el campamento de San José. Empezaba a llover. Un ruido de insectos y de moscos parecía brotar con el sonido creciente de la lluvia.

Despertó, de pronto, o creyó haber despertado. Una tenue lluvia volvía a caer. Sentía el paso limpio de la lluvia atravesando la oscuridad de los árboles, de cafetales, de frío. Quiso bajarse de la hamaca, pero creyó sentir que algo más que la lluvia se había estado acercando. Percibía el olor acre de su aliento, el sabor sucio de la boca. Un olor de hambre, de mal sueño. El cielo nublado ocultaba las estrellas. La noche parecía densa, al acecho de algo. De alguien. Una sensación de alarma en la oscuridad de la lluvia. Rubén Figueroa se dio cuenta que tenía frío desde hacía rato. Que había despertado de pronto por el frío. Por la sensación de terror en la boca del estómago que se asemeja al frío. Trató de distinguir los contornos del campamento. Pero sólo la oscuridad se amontonaba, como sombras agitándose. Sólo una oscuridad opaca que la lluvia iba cubriendo suavemente, insistiendo como los instantes lentos de una enfermedad, de una espera. Al fondo, hacia donde se hallaban las hamacas de los guerrilleros, le parecía ver el brillo de los pliegos de plástico con que se cubrían bajo la lluvia. Incluso le parecía escuchar el golpe de la lluvia sobre ellos. Pero sentía peligro en esa lluvia. El peligro que llegaba así, como una oleada de frío por la espalda, por el estómago. Se incorporó en la hamaca. Contuvo la respiración. La llovizna seguía produciendo un ruido monótono en medio de la noche, atravesando las cosas. Se bajó de la hamaca y caminó unos pasos. Se detuvo de nuevo. Una desesperación lo impulsaba. Una angustia por mirar a través de la noche cerrada, a través de la lluvia que seguía cayendo. Por distinguir la silueta que presentía cercana, vigilante. Levantó la vista hacia el pequeño techo de ramas y hojarasca del jacal en que se hallaba: la llovizna parecía producir un ruido sordo, de insectos moviéndose entre las ramas, de termitas. Volvió a mover a Febronio, que se hallaba dormido.

Febronio lo miró sin entender. Parecía estar dormido aún.

—Me quieren matar —dijo Figueroa en voz baja, inclinándose.

Rubén Figueroa lo tomó de un brazo, con fuerza. Febronio sintió otra vez que en esa fuerza había miedo. Se puso de pie. Rubén Figueroa no le soltaba el brazo.

—No puedo dormir —dijo volviendo a sentir el ligero temblor de frío y miedo que le recorría la espalda; se apoyó en su hamaca, nervioso.

Febronio miró hacia afuera del jacal. Sintió la lluvia fría cayendo sobre el campamento, sobre él, haciendo un ruido de árboles, de oscuridad viviente. Todo parecía más intenso con la lluvia. Como si la lluvia fuera el único contacto con el mundo, lo único que era igual a lo que antes había vivido. Lo único que le recordaba el mundo de afuera, el que ahora parecía remoto, imposible de recuperar. Volvió a oír la voz.

—Sí, ya entregaron el dinero —respondió Febronio.

—¿Y Lucio? ¿Lo sabe Lucio?

—Tiene que saberlo.

—¿Te han dicho qué decidió Lucio?

En la oscuridad Febronio negaba con un movimiento de la cabeza.

—No, por supuesto —respondió—. Desde hace meses no sé nada. Igual que tú.

—Yo creo que sigue aquí —insistió Figueroa—. Yo creo que sigue aquí, vigilándome y que quiere matarme.

Febronio miró nuevamente la lluvia.

—Tú crees que no corres peligro.

—Aquí nadie está seguro, Rubén.

—Pero a ustedes no los van a matar, sólo a mí —repuso desde la oscuridad de la hamaca.

—Te repito que no eres el único enfermo. También lo está Luis.

—Sólo a mí —volvió a decir.

Febronio lo vio en la hamaca, sucio, como un anciano enfermo. Los ojos muy abiertos, llenos de locura y miedo. O de hambre.

—No, para mí está bien —dijo Leoncio—. Mis zapatos están mejor que los de Eusebio. Mira, miren —explicó levantando los pies para que se vieran las suelas.

—Está bien —dijo Lucio.

Ricardo terminó de calzarse los zapatos de Arturo.

—Listo —dijo, poniéndose de pie y dando unos pasos enmedio del grupo.

—Bueno, tienen ya los mejores zapatos —agregó Lucio—. Si por algún motivo caen presos y son torturados, aguanten nada más tres días y después traigan a los guachos hasta aquí, si quieren.

Lucio se puso de pie, con un pedazo de tortilla aún en la mano izquierda, una de las tortillas que Roberto y Juan habían traído del caserío de Caña de Agua. Saludó a Leoncio y después a Ricardo.

—Nos cuidan estas criaturas, por favor —dijo Ricardo, sonriente, señalando con una mano las armas recargadas junto a Eusebio.

—Permanecen bloqueadas todas las salidas de la ciudad de Guadalajara, señor secretario. Los retenes militares y policiacos están efectuando desde ayer en la mañana un control de todos los vehículos que salen de la ciudad y también hay vigilancia en todas las terminales de autobuses, de ferrocarriles y en el aeropuerto. Se encuentran en la ciudad. No es posible movilizar a un anciano de ochenta y dos años tan fácilmente.

—¿Hay identificación de los escritos? —preguntó el secretario.

Fernando Gutiérrez Barrios negó con la cabeza.

—Varios grafólogos aún revisan las listas de empadronamiento y documentos de reos, para ver si algunos rasgos son identificables. Pero aún no terminan.

Fernando Gutiérrez Barrios guardó silencio.

—Ya están todos los cuerpos policiacos trabajando en el caso —añadió después—. La Policía Judicial Federal, la Policía Militar, la Federal de Seguridad y por supuesto el ejército mismo y las policías del estado de Jalisco y del municipio. Hoy el general Amaya, como jefe de la Zona Militar, explicará a la prensa la participación coordinada en las investigaciones que seguimos.

Mario Moya Palencia asintió con un movimiento de cabeza.

—El señor presidente Echeverría y toda la familia Zuno decidieron no negociar con los plagiarios —dijo.

—Tenemos autorización del presidente Echeverría para actuar libremente. Con esas instrucciones viajó a Guadalajara ayer en la noche Miguel Nazar.

—¿Por dónde iniciará las investigaciones?

—Por la cárcel.

—¿Con los que intervinieron en el secuestro del cónsul Leonhardy?

—Y con cualquier persona vinculada con los terroristas del FRAP.

—¿Suponen alguna relación con Lucio Cabañas?

—No, de ninguna manera —respondió—. Pero hay otro problema. El licenciado Vicente Zuno Arce declaró en Guadalajara que el secuestro de su padre era una maniobra de la CIA, que se trataba de una agresión norteamericana. El embajador John Jova está irritado y va a tildar públicamente de impertinente la afirmación de que la CIA haya tenido algo que ver con el secuestro del suegro del presidente de la República.

—Es difícil controlar esto —dijo.

—La Secretaría de la Presidencia emitirá un comunicado para deslindar que las declaraciones de cualquier familiar no representan de ninguna manera la opinión oficial del gobierno.

Leoncio alcanzó a mirar que Ricardo se perdía en el río Atoyac, corriendo bajo los disparos de tres soldados.

—¿Quién eres tú? —volvió a preguntarle el sargento.

Leoncio se mantenía con las manos en alto, sin moverse. Dos soldados seguían revisando los bultos. Habían encontrado diez mil pesos en efectivo, varios pares de botas, sal, carne, cajas de fósforos.

—¿A quién le llevas esto? —preguntó el sargento.

Leoncio cayó en el suelo, tratando de respirar, con la boca abierta y amoratada. El pelo se le llenó de tierra.

—¡Dime, cabrón! —gritó golpeándolo de nuevo con la culata del fusil.

—Es para unos compañeros —trató de decir Leoncio, con voz sofocada, caído aún en la tierra.

—Eres guerrillero, ¿verdad? —preguntó con desprecio el sargento—. ¡Llamen al teniente, que vea esto! —ordenó a uno de los soldados.

La anciana caminó hacia la puerta. Vio a su esposo en la hamaca, dormido aún, sin encender la luz. Fugazmente, sintió miedo. Pasaban ya de las once de la noche.

—¿Qué pasa, María? —preguntó el esposo, desde la hamaca.

La anciana estaba inmóvil. Vestía un fondo viejo, desteñido, y un chal sobre los hombros. Su esposo seguía acostado en la hamaca, en calzoncillos y camiseta; se incorporó con dificultad; a los setenta y dos años de edad le resultaba difícil moverse con rapidez. Pero todo fue repentino. La madera se rompió y la vieja cerradura saltó destrozada por una ráfaga; la puerta se abrió, cayendo en pedazos en el calor humano, viejo, de la casa. Entraron varios hombres vestidos de civil, armados. Uno de ellos gritaba al anciano. Tres hombres más revisaban la pequeña casa de adobes y tejas.

—¡Contesta! ¿Eres Miguel Onofre? ¡Contesta! —repitió a gritos el hombre, golpeando con la culata del fusil al anciano que aún estaba en la hamaca.

—¡No! —gritó enloquecida la anciana, tratando de detener al hombre que golpeaba a su marido—. ¡No lo haga! ¡No lo haga! ¿Qué pasa? ¿Qué quieren que hagamos?

—¡Dónde están tus hijos! ¡Y las armas! ¿Dónde están? —gritó el hombre golpeando de nuevo al anciano que trataba en vano de cubrirse con las manos.

El anciano comenzó a hablar, pero sólo un ronco gemido de dolor salía de su garganta. Su rostro sangraba y el brazo izquierdo, roto ya por los golpes de la culata, colgaba como un pedazo de madera podrida, oscura, sangrante también. Brotó un ruido sordo al quebrarse la cabeza del anciano y brotar oscura y fuerte la sangre entre el pelo blanco. Un segundo golpe rompió dientes, ojos, nariz y un pedazo de la masa encefálica quedó adherida sobre la vieja y sucia hamaca. Los gritos de la anciana se hacían más roncos, enloquecida como una niña, sin habla, caída nuevamente en el suelo por un golpe de fusil, congestionada la cara, sangrando por la nariz.

—¡Ese dinero es de limosnas! —dijo la anciana a otro de los hombres, que sacaba un frasco lleno de monedas y billetes sucios—. Se juntó en el velorio de un pariente de mi esposo —decía la mujer, desde el suelo, gimiendo.

El hombre que parecía ordenar a todos gritó que terminaran. La casa estaba destrozada, la mesa, los platos de peltre caídos en el suelo, las sillas rotas. Uno de los hombres soltó una ráfaga sobre el cuerpo del anciano, caído en el suelo, bajo la hamaca. El cuerpo se movió como si se estremeciera, como si una nueva vida lo hiciera temblar entre la sangre. Luego el hombre dirigió la metralleta hacia la señora, insultándola.

—¡Para que entiendan lo que pasa cuando le dan de comer los ejidatarios de El Porvenir a los perros de Lucio Cabañas! —gritó.

La anciana trató de hablar, de incorporarse, hipando, mojada por la saliva y la sangre. A gatas llegó a la puerta derribada de su casa, llorando. La noche estaba oscura, nublada, enrarecida por un calor húmedo, sofocante. Vio entre las lágrimas que dos vehículos negros se alejaban. Más allá, a medio kilómetro se distinguían las luces potentes del cuartel de Atoyac.

—Ningún grupo, por poderoso que sea o por apoyado que esté en las grandes metrópolis económicas, puede erigirse en dueño de los destinos nacionales —dijo el presidente de la República ante el Congreso de la Unión, durante su informe presidencial—. Nadie, por más que diga defender causas populares, tiene derecho a vulnerar las instituciones que el mismo pueblo se ha dado.

El aplauso volvió a irrumpir en el recinto del Congreso, respaldando vigorosamente las palabras firmes, claras. Cuando los aplausos cesaron, Luis Echeverría, con la franja nacional en el pecho, se dispuso a continuar.

—Recientemente un senador guerrerense, el ingeniero Rubén Figueroa —volvió a decir—, fue víctima de una cobarde celada. Y cuando los secuestradores plantearon inadmisibles demandas a cambio de su libertad, los senadores de la República expresaron su viva preocupación por la suerte de su compañero de Cámara, pero ratificaron su convicción de que por encima de todo está salvaguardar las instituciones nacionales. Honra al Senado esta actitud responsable y patriótica. Porque el orden público es presupuesto de todas las realizaciones del país y lo defenderemos con determinación e invariable apego a la ley.

Nuevamente resonaron los aplausos vigorosos en el recinto de la Cámara. Esta vez el presidente de la República los compartió con los senadores que atestiguaban la euforia parlamentaria de las curules del recinto del Congreso.

—Hace cuatro días —continuó momentos después—, un distinguido mexicano, el licenciado José Guadalupe Zuno Hernández, anciano de ochenta y tres años de edad, de muy precaria salud, fue sometido a la fuerza por cuatro hombres vigorosos y armados, que seguramente ignoran que a lo largo de sesenta años ha servido rectamente a su estado y a la nación. Pero ni en éste ni en cualquier otro caso accederemos a las pretensiones de los plagiarios. Porque las autoridades competentes ya han declarado, y hoy lo reitero, que el orden público no es negociable y que el pueblo y el gobierno no pactan con criminales.

Los aplausos volvieron a irrumpir, con energía. Fueron poniéndose de pie diputados, senadores, ministros, gabinete, fuerzas armadas, invitados. El presidente escuchaba los sonoros aplausos con gravedad, con una alta dignidad.

—Es útil para todos —continuó segundos después—, que reflexionemos algo sobre estos pequeños grupos de cobardes terroristas. Surgidos de hogares generalmente en proceso de disolución; creados en un ambiente de irresponsabilidad familiar; víctimas de la falta de coordinación entre padres y maestros; mayoritariamente niños que fueron de lento aprendizaje; adolescentes con un mayor grado de inadaptación en la generalidad; con inclinación precoz al uso de estupefacientes en sus grupos, con una notable propensión a la promiscuidad sexual y con un alto grado de homosexualidad masculina y femenina; víctimas de la violencia; que ven muchos programas de televisión que no solamente patrocinan empresarios privados, sino también directores de empresas públicas; víctimas de diarios que hacen amarillismo a través de la página roja y de algunas revistas especializadas que hacen la apología y exaltan el crimen, son estos grupos fácilmente manipulables por ocultos intereses políticos, nacionales o extranjeros, que hallan en ellos instrumentos irresponsables para acciones de provocación en contra de nuestras instituciones. Y a veces se piensa que obedecen, para decirlo con palabras sencillas y pronto, a grupos de extrema izquierda. Pero cuando se ve su impreparación ideológica, y que tratan en realidad de provocar la represión, de inmediato se aclara su verdadera naturaleza: pretenden detener la marcha de nuestras libertades cuando apenas se inicia una política de nacionalismo económico en nuestra patria. Golpes de Estado en algunos países latinoamericanos han sido precedidos por las campañas de rumores que se originan en algunos círculos empresariales irresponsables o que fomentan estos actos de terrorismo. Pero estamos apercibidos. No cederemos con concesiones del gobierno ante estas provocaciones. Y aún lo sabe todo México: en un caso extremo hay un claro procedimiento constitucional para que de ninguna manera se interrumpa la marcha institucional de la nación. Que quede bien claro.

Nuevamente el Congreso de la Unión estalló en aplausos. Todo el recinto oficial vibró con la ovación vigorosa. El presidente levantó con gravedad los brazos, recibiendo la decidida adhesión de todos los poderes oficiales del país.

—Si en México o fuera de México —dijo después, con lenta solemnidad—, hubiera interesados en dividir a los mexicanos y en provocar algún día la intervención de cualquier forma de cualquiera de las potencias, que sepan que tenemos plena conciencia histórica de lo que en México ha ocurrido; que forman parte de nuestra educación, de nuestra formación cultural, de nuestra tabla de valores morales, políticos y cívicos, dos grandes enseñanzas históricas: primero, en 1848, después de una injusta guerra con Estados Unidos de América, la pérdida de la mitad del territorio que nos legaron nuestros padres indígenas y españoles; después, la de los malos mexicanos que engañados o traidores fueron a Europa a buscar y traer un príncipe extranjero que fue derrotado por Juárez. La Revolución Mexicana trata de que se resuelvan los grandes problemas de ahora o del futuro dentro de la unidad de los mexicanos. ¿Cuándo no ha habido problemas? ¿En qué país no los hay o no los habrá? Pero que en los próximos días y en los próximos sexenios y en los próximos siglos, todo nos encuentre, compatriotas, unidos en lo esencial.

Los aplausos estallaron, pero luego, puestos de pie, todos los asistentes comenzaron, con vigor, a entonar el Himno Nacional. El presidente de la República se unió también al fervor patrio.

El campamento estaba vacío. Enjambres de moscos los acosaban en las caras y los brazos, parecían penetrar a través de la ropa. Un enorme charco se extendía al fondo, entre los encinos. La hierba estaba aplastada. En los árboles había señales de humo y marcas de lazos de hamacas.

—Tienen poco de haber abandonado el lugar, mi capitán.

—Dos días, posiblemente —dijo otro.

El capitán se volvió a mirar a Leoncio, que estaba flanqueado por soldados, vestido como militar y con las manos atadas tras la espalda. Dio unos pasos hacia él. Leoncio trastabilló. Un soldado lo detuvo de un brazo, por detrás.

—Enterraron equipo, capitán —interrumpió otro oficial, señalando hacia la derecha del área, donde los soldados amontonaban lámparas, ropa, mochilas vacías—. Necesitamos helicópteros que sobrevuelen el área. No pueden estar lejos. Es imposible salir de la zona en dos días.

El capitán se acercó a los soldados que estaban excavando.

—Junten todo ahí, al centro —dijo otro oficial, indicando un claro de hierba.

—¿Cuántos contingentes hay en la zona ahora, sargento? —preguntó el capitán.

—Tenemos dos más hacia el rumbo de Caña de Agua —repuso—. Otro destacamento deberá subir a la sierra mañana, desde Atoyac. Y nosotros, capitán.

—Que regresen al pueblo —insistió el capitán—. Quizás bajaron al pueblo y están escondidos.

—Lo tenemos ocupado. No están ahí. Pero sí andarán muy cerca, sin duda, capitán.

Se retiró unos pasos y lo siguieron el asistente y un oficial.

—Que interroguen al prisionero aquí mismo —dijo deteniéndose un momento y volviéndose a ver al sargento—, que recuerde si va Lucio Cabañas en ese grupo o no. Que recuerde a fuerza. Hagan lo que quieran con él. Pero que diga realmente cuándo salió y si estaba aquí Lucio.

—¿Ahora mismo, capitán?

—¡Claro que ahora mismo! ¡Quiero oír ya lo que dice este indio hijo de la chingada!

El campesino se detuvo. El ruido provenía de los arbustos cercanos al arroyo. Eran voces confundidas con el mugir de un animal. En el aire parecía percibir una atmósfera tensa, peligrosa, que no se debía tan sólo al calor del mediodía. Oyó otra vez que gritaban. Se encaminó hacia los arbustos, lentamente. Sintió la sombra de las armas, de los cafetales. La tierra estaba muy húmeda. Una hierba muy fina, mojada, cedía silenciosamente bajo sus huaraches. Tardó en verlos. Tardó en entender. Eran más de diez soldados, todos jóvenes. Una becerrita mugía bajo el peso con que la doblegaba el grupo. Varios de ellos estaban sin camisa. Dos de los soldados estaban sin pantalones. El soldado que estaba sujetando la cabeza oscura de la becerra gritó a los demás, como si los gritos se confundieran con la risa. El campesino trató de colocarse tras las grandes hojas de los platanales mojados por la lluvia reciente. En uno de los soldados sin pantalones alcanzó a distinguir, como un pequeño muñón oscuro, una pequeña rama oscura, el miembro erecto que se agitaba con los pasos y con el esfuerzo por sujetar parte del cuerpo de la becerra. Vio que el otro soldado sin pantalones metía ya el miembro oscuro en la hendidura rosada de la becerrita, tensas las piernas, levantados ligeramente los talones, apretadas y moviéndose nerviosamente las nalgas, extendidos los brazos sobre el cuerpo del animal que mugía.

Caminaron todo el día, faldeando la montaña y acercándose al camino que va de Atoyac a la Caña de Agua. Advirtieron numerosas huellas en brechas, en cafetales, en huertas copreras, en senderos. Incontables soldados, o los mismos durante varios días, habían recorrido los alrededores del campamento del que habían salido

Leoncio y Ricardo. Al anochecer, Lucio pensó que habían escapado de un cerco involuntariamente. Ahora el ejército los buscaba aquí, en la misma zona donde las sombras podían confundirse. No tardarían quizás en traer refuerzos, helicópteros, patrullas especiales. Debían saber que la Brigada se había convertido en varios comandos, en varios grupos, en muchos derroteros. Pero ahora lo buscarían a él. Ahora querrían acabarlo, usando a Leoncio.

Cinco meses antes había estado en estos poblados. El ejército podría ahora sofocar con más crueldad a la Caña de Agua, a Río Chiquito, al Mezcalito, a El Coco, a El Porvenir, a El Paraíso. Podía arrasar con cualquiera de los pueblos, con cualquier caserío. Y quizá sería vano permanecer, resistir en esos mismos sitios. Sin alimentos. Sin zapatos incluso. Sin la certeza de que los pueblos continuaran indemnes. Con el presentimiento de que todo dependería ahora de algo que ya no estaba en él, que ya no provenía de sus propias acciones, sino de su propia resistencia, de la decisión que tomara anticipadamente, en espera de una nueva fuerza. Fue equivocado creer que el gobierno defendería a todo precio la libertad de Figueroa. No fue así. El gobierno por sí mismo no puede defender a ninguna de sus partes, sino a su fuerza entera, a su fuerza misma. Le dolía sentir que ahora ellos mismos eran los sitiados por salvar a Figueroa, por conservarlo como una bola de fuego que les iba quemando las manos intensa, rápidamente. La muerte inmediata de Figueroa podía haber evitado el control de la sierra, la desaparición de poblados. Podía haber mantenido la movilidad combativa de la guerrilla. Podía matarlo ahora, pensaba. Podía atacar ahora, en lugar de esconder a un viejo enfermo y cobarde, en lugar de haber accedido a la insistencia del Partido Comunista por no matarlo.

———————

Al amanecer, Lucio sintió un dolor en la frente, profundo. Despertó sin recordar en qué momento había quedado dormido o deseado dormir. Con la sensación de que algo había quedado incompleto durante su sueño, o durante la noche. Quizás sofocado por la cercanía de la Costa Grande, del viento caliente que desde las huertas de palmeras parecía ascender hasta las estribaciones de la sierra de Atoyac. Deseó que lloviera, repentinamente. Miró el cielo de nubes, congestionado por un lento viento que no podía mover las inmensas nubes opacas, que no permitía que amaneciera con nitidez, con limpieza.

———————

Volvieron a caminar, tratando de alejarse de la alta sierra. Las huellas se sucedían abundantes, en todas direcciones. Al atardecer, muy cerca ya de las zonas copreras de la Costa Grande, comenzaron a escuchar un ruido en la tierra. Se apresuraron a cruzar un ancho camino que llevaba a Atoyac. Pero el ruido a veces regresaba, como un sordo rumor de piedras que rodaban. Entraron en una huerta coprera. Martín dijo que era la de los López. Súbitamente el ruido volvió. Un ruido que ahora fue claro. Un ruido de pisadas, de botas, de hombres. Un ruido de ejército. De muchos soldados que pisaban con firmeza, atravesando la huerta, camuflados, ensombrecidos como una plaga nocturna en la oscuridad del atardecer, del calor, de la lluvia próxima sofocando el aire caliente, invadiendo la tierra. Lucio intentó retroceder ante la sorpresa del encuentro. Tres soldados vieron primero al grupo de hombres que se replegaban entre las palmeras; los vieron moverse como sombras de animales que se ocultaban en los huecos de la noche. Un capitán gritó enseguida; el contingente seguía avanzando, sin entender la orden. Los soldados de avanzada vieron las flamas súbitas salir de entre las palmeras y sintieron el ruido de madera rota, las ráfagas de M-2, el fuego cerrado que les destrozaba los cuerpos. Otros soldados comenzaron a extenderse hacia el fondo del palmar, tratando de formar un cerco. Lucio se fue replegando despacio, sin dejar de disparar; otros se arrastraban con los codos, pecho a tierra. Luego la explosión vino de atrás; Lucio la distinguió por el corte que hizo en una palmera cercana. Siguieron retrocediendo por donde Martín habría caminado. Las descargas y explosiones de granadas aumentaban, con gritos de heridos. Otro destacamento ahora atacaba también. Minutos después Lucio siguió a César y a René, lejos ya de los cercos, de las tropas que se atacaban a sí mismas, emboscadas.

—Sí, es seguro. Tenemos todo controlado —se oyó la voz de Miguel Nazar por el teléfono, con interferencia.

—¿Quiere decir que está localizado?

—No, señor, aún no —respondió Miguel Nazar; su voz por el teléfono parecía perderse, alejarse en medio de un ruido metálico, de muchas alas de aves batiéndose en sordina—. Pero todo lo tenemos controlado.

—¿Con identificación? —insistió Fernando Gutiérrez Barrios.

—Tenemos todos los nombres ya. Incluso conocemos los planes que habían trazado para recuperar a los reos liberados.

—¿Qué contacto se confirmó?

La voz de Miguel Nazar pareció perderse, alejarse a un sitio remoto de viento, de lluvia, de ruidos metálicos. De pronto surgió clara, fuerte.

—Era la misma mujer —decía de nuevo—. La que se presentó con Campaña López y con los otros recluidos en la penitenciaría del estado. Les había proporcionado una carta aérea y un transportador para que desviaran el avión que los trasladaría a Talpa de Allende, a una pista que tenemos ya ocupada, y donde tendrían que descender con señales convenidas para reunirse con terroristas del mismo FRAP. Si descendían del avión con naturalidad, sin levantar los brazos, entenderían los de la tierra que habría peligro; en caso contrario, podrían acercarse a la nave. Todos sus contactos están ya controlados, por eso digo que es cuestión de horas que liberen o que nos entreguen al señor José Guadalupe Zuno. Puede asegurárselo así al presidente.

—Nos importa saberlo con toda certeza —replicó Gutiérrez Barrios.

—Por supuesto —contestó la voz de Miguel Nazar, alejándose de nuevo—. Continuamos con la búsqueda —dijo la voz, lejana—. Hemos cateado cerca de ochocientas casas en toda la ciudad. No tardaremos en dar con la que nos importa, si es que ellos no lo liberan antes. Y tenemos bajo control a familiares de absolutamente todos los que están involucrados con los terroristas del FRAP. Están copados. No hay manera de que resistan más el secuestro —agregó la voz todavía lejana, envuelta en ruidos metálicos, en el polvo de interferencia.

—Por favor —insistió la mujer en el cuartel de Atoyac—. Hace tres días lo trajeron. Se llama Julio Mesino Galicia. Tiene tres hijos. Lo trajeron acá.

El soldado negó otra vez, moviendo las manos.

—Aquí no está, señora —repitió.

La mujer vestía con un suéter remendado, viejo, de estambre rosa. En el sol de la mañana aún se sentía de pronto una ráfaga de viento fresco.

—Lo detuvieron hace tres días, el diez de octubre —repitió la mujer, con voz enronquecida por el miedo—. Fue a las doce del día, en su casa, en El Escorpión. El teniente de los soldados era Antonio Suárez, así me dijo que se llamaba. Y lo tuvieron en la escuela todo el día. Se lo llevaron a San Juan de las Flores y lo tuvieron ahí toda la noche, hasta que llegó un helicóptero en la mañana y se lo llevaron. Yo estuve con mi hijo en la noche. Le llevé su cena. Estuve junto a él mientras cenaba. Yo vi cuando lo subieron en un helicóptero. Me dijeron que lo traían para acá, a este cuartel.

—Aquí no tenemos a nadie que se llame así —repitió el soldado, cortante.

—Fue de la reserva rural en el ejido. Fue comandante ahí. Y también jefe de una sección rural. Ha sido de ustedes.

El soldado la escuchaba.

—Aquí no hay nadie —dijo.

—Está confirmado, general —insistió el oficial.

El general Eliseo Jiménez Ruiz volvió a revisar los documentos. El calor de la tarde era sofocante en el cuartel de Atoyac. El comandante del 27º batallón observaba también. El otro oficial carraspeó.

—¿Sobrevolaron las zonas? —preguntó el general Jiménez Ruiz, levantando la vista de los papeles, nervioso.

—Sobre todo este día —replicó el oficial.

—Tenemos ocupado el acceso a la carretera —intervino el comandante del batallón de Atoyac—. Tenemos destacamentos de Acapulco y de Petlala. También tenemos brigadas desde Cacalutla y Zacualpan hasta Coyuca de Benítez. No pueden escapar.

—¿Siguen aquí los detenidos? —preguntó el general.

—Dos de ellos ya no están —replicó el oficial—. Sólo queda uno de ellos, el más importante de los últimos. El que los guerrilleros llaman José.

—¿Quién informó que acamparon en El Molino?

—Ése mismo —respondió el oficial—. Venía enfermo de disentería.

—Ahora están en Las Pascuas, cerca de El Huicón. Hacia Zacualpan —intervino el comandante.

—Por estos guerrilleros sabemos —insistió el oficial— que de los veinticinco millones del rescate del senador, sólo han llegado a los que se encuentran en la sierra cuatrocientos mil pesos. El resto del dinero sería fácil rescatarlo.

—Ahora hay que copar a los que llevan a Figueroa.

—Como usted ordene —repuso el oficial.

—Pero se dividirán antes de llegar a la carretera —intervino de nuevo el comandante—. Los informes son muy claros en ese aspecto. Reducirán el grupo y liquidarán al senador sin más trámite. Si no actuamos ahora mismo, cada uno de ellos por separado será difícil de identificar.

El general Jiménez Ruiz se volvió a mirarlo, tenso.

—Se identifican ellos solos —repuso—. ¿Cuál de ellos es ahora delator? —preguntó al oficial.

—El mismo —repuso el oficial—. Estuvo un día en el retén de El Tejabán y de Zacualpan, de madrina. Pero nos dijo que sabía seguir huellas y nos guió por la sierra de El Quemado, hasta Las Pascuas, donde se hallan ahora. Pudimos haberlos cercado en El Molino,

315

pero el vuelo nocturno del helicóptero los hizo huir esa misma noche, a pesar de la lluvia que caía.

—Confirme la concentración de los grupos en el área de El Quemado —ordenó después el general Jiménez Ruiz—. Con campesinos, con madrinas, con planos, con lo que tengamos a la mano. Antes del amanecer quiero que todo esté confirmado.

El oficial miró su reloj.

—El general Cuenca Díaz quizá venga mañana —agregó el general Jiménez Ruiz.

—Dilo y te dejamos en paz.

El hombre pensó que sangraba por las piernas. Trató de imaginar cuántos días llevaba ahí. Dos. Quizás cuatro. Sentía algunas punzadas en la espalda, en su hombro derecho. No tenía sensación de las manos.

—Te podemos desatar para que andes libre por el cuartel. Sólo queremos que digas dónde está Lucio.

—Yo no estuve con Lucio —dijo en voz baja, respirando con dificultad; parecía estar hablando lejos de ahí, o para sí mismo, quieto, como un pedazo de algo no humano, con la cabeza vendada—. Sólo supe de él en Atoyac, cuando era maestro. En el monte nunca lo vi, no lo conozco. ¿Por qué no investigan? ¿O por qué no meten a ésos para que digan si estuve con ellos o no? Yo no sé nada de Lucio. No sé nada de esto.

El hombre movía la cabeza cubierta con la manta sucia, deshilada ya de los bordes. Se inclinó suavemente, como buscando relajar los brazos. Las muñecas del hombre estaban hinchadas y amoratadas; el cordón de cáñamo se ocultaba entre los pliegues de la carne inflamada

—Ya veo que no quieres salir vivo de aquí —dijo la voz, después de mucho tiempo—. Allá tú. Oye, Jarocho —llamó a un soldado alto y moreno, que estaba en camiseta—. Métanlo al tanque de agua electrizada, al azul.

Lo desamarraron de los pies. Luego lo elevaron entre varios, con las manos aún atadas a la espalda y la cara vendada. El hombre sintió un descanso cuando lo elevaron. Luego le pareció que la espalda y los hombros comenzaban a pesar, a desgajarse de él, a caer antes que él. Lo introdujeron lentamente en la pileta de agua. El hombre sintió que todo le cortaba la cabeza y el pecho con cuchillo, que su cuerpo se desintegraba como tierra que saltaba en pedazos. Por la boca, por la nariz, el agua entraba desgarrando la garganta, el paladar, la carne.

Los soldados lo elevaron otra vez. Luego volvieron a sumergirlo hasta el estómago. Después de unos segundos lo sacaron. La cara del hombre estaba llena de mocos, de sangre, de dolor. Volvieron a sumergir la cabeza, el cuello, el pecho, la cintura. Cuando lo elevaron la cabeza se movía como una bola mojada e inerte. La boca abierta estaba llena de baba y de agua. Un soldado lo golpeó con una tabla en el estómago para que vomitara. El cuerpo no parecía de carne y sangre, no parecía de algo vivo. No emitía ningún quejido, ningún sonido. Sólo la tabla al golpear contra el abdomen producía un ruido seco, sordo, grave, de vida, de fuerza. Un ruido rítmico que sostenía la vida.

Ramón avanzó hacia la brecha, hacia arriba del campamento. El grupo que se desprendería esa mañana estaba listo. Alcanzó a mirar al fondo, hacia la cañada del arroyo, en las murallas de piedra, el vapor del amanecer y de las fogatas del desayuno. El ruido pareció surgir entre los árboles, como un rumor que partiera de las ramas, de las lianas, del día. Alzó la vista hacia el cielo. El ruido del motor fue más vigoroso. Apareció de pronto, sobre las frondas. El helicóptero azul y blanco estaba suspendido muy abajo. Alcanzó a mirar que los tripulantes observaban con binoculares. Gritó a Samuel, que también observaba el aparato. El helicóptero se movió súbitamente, como si embistiera los árboles, la luz de la mañana, el sol que comenzaba a arder, a abrillantar la sierra.

—Los compañeros de vigilancia vieron pasar a un campesino —insistió Sabás—. No lo detuvieron.

—El problema no es el campesino —reclamó Ramón, que había regresado a la base del campamento.

—Pero nos vio —insistió Gregorio.

—Lo importante es que el ejército otra vez se halla cerca —respondió Ramón.

—Dividiéndonos así, se desconcertarán —replicó Sabás—. Sólo debemos avanzar cuatro kilómetros, hacia El Huicón —explicó.

Ramón guardó silencio. El grupo comenzaba a retirarse. Dos de las mujeres aún se despedían.

—¿Quién vio los resplandores de focos que se regaban por todas partes? —preguntó Ramón.

—Varios compañeros —contestó Sabás—. De los compañeros de guardia. Vieron los resplandores de focos como a la una de la mañana.

—¿Por qué no lo dijeron? —insistió Ramón, enérgico.

—No lo creyeron. Les pareció imposible a los responsables, porque está muy tupida la vegetación por esta parte del camino. Es imposible ver a más de dos metros de distancia —explicó señalando la maleza.

Febronio recibió en las manos el puñado de granos de maíz tostado.

—Es para usted —dijo Heraclio—. Pero cómaselos conmigo, porque no quiero que los regale a sus compañeros.

Febronio se llevó a la boca los granos. Enseguida oyó el grito. Luego la tierra se cimbró, con la explosión. Las ramas de los árboles comenzaron a caer, cortadas por tajos brutales, envueltos en disparos de Fal, de M-2, de bazucas. Volvió a escuchar que los soldados gritaban en lo alto de la cuesta, lejos, hacia la entrada del campamento. Heraclio había corrido con el M-1 en las manos, disparando hacia arriba de la pendiente, a unirse con los que respondían al fuego cruzado para romper el cerco.

Vio dos grandes piedras lisas. Las explosiones de obuses y granadas hacían saltar pedazos de troncos y ramas. Las ráfagas de metralletas rajaban árboles, desgajaban de cuajo pesadas ramas y lianas. Pascual Cabañas corría hacia las piedras pero vio a Rubén Figueroa inmóvil, empalidecido. Regresó por él y lo sujetó con fuerza del brazo izquierdo; estaba rígido, como en trance. Lo sacudió con violencia y Rubén Figueroa reaccionó y echó a correr hacia donde señalaba Pascual Cabañas. Cerca de ellos, a unos pasos, una ráfaga de Fal desgajó una rama de cayaco haciendo un ruido estrepitoso. Rubén Figueroa volvió a detenerse, empalidecido.

—¡Siga, ingeniero! —le gritó.

Rubén Figueroa continuaba tieso, pálido por el terror, sin lograr moverse. Pascual regresó por él y lo arrastró, lo derribó en el suelo y lo obligó a ocultarse bajo las piedras. Rubén Figueroa hacía ruido al respirar por la boca abierta, como si hubiera estado corriendo durante muchas horas.

—¿Dónde está el viejo?

Febronio miró por un instante los ojos agitados, tensos, de Sabás, que empuñaba el Fal con furia. Zacazonapan estaba mirando a Gloria Brito y a Luis Cabañas.

—¡No te hagas pendejo! —volvió a gritar Sabás, impaciente.

Sabás corrió hacia la maleza, hacia adelante. Febronio vio que Zacazonapan se inclinaba con el arma al pasar una red de lianas y luego pareció detenerse. Febronio escuchó varias ráfagas cercanas, de Fal. Vio que la cabeza de Sabás pareció moverse con fuerza, de lado, como si tratara de sacudirse una rama. Luego apareció el cuello cercenado, la cabeza lacia, rota como un tallo u otra rama, como las lianas. El cuerpo pareció temblar ensangrentado entre el lodo

y la hierba, junto al arma. Febronio sintió en ese momento una leví-
sima presión en el brazo izquierdo, como si alguien lo hubiera in-
tentado tocar o lo hubiera rozado; sangrando se apoyó a tiempo
contra el tronco de cayaco, donde Gloria lloraba; sintió el olor penetrante de la mujer asustada, el llanto nervioso.

—Cuidado —advirtió Luis Cabañas, tratando de cubrirse aún más
tras el tronco del árbol.

Febronio lo escuchó gemir; luego Luis Cabañas cayó rodando
por la pendiente, herido en el cuello.

––––––––––

Ramón distinguió el ruido del helicóptero que se elevaba por
sobre las explosiones de granadas y los disparos de Fal y de M-2.
El helicóptero se suspendió un momento al fondo del campamento,
quizá cerca del paredón de roca. Luego embistió hacia el sur, agitando las ramas de los árboles. Silvano volvió a soltar la ráfaga de
Fal y Ramón avanzó con los otros, disparando, extendiéndose en
abanico sobre la cuesta del campamento. Martha y Kalimán volvieron a proteger el avance hacia la cuesta y Silvano se desplazó con
Ramón, más arriba aún. Ramón escuchaba que los militares disparaban hacia abajo, lejos de lo que habían avanzado. El helicóptero
volvió a suspenderse casi sobre ellos. Miró el reflejo del sol en las
ventanillas, la ametralladora que soltaba ráfagas desde el aire, desde la luz.

––––––––––

Fue un silencio intenso, profundo, que pareció prolongarse desde las piedras en que se hallaban ocultos. Un silencio de amenaza, de
incertidumbre, inexplicable. Sabía que el rumor que comenzaba ahora a escucharse era de pasos, quizá del ejército desplazándose, de
muchos hombres moviéndose con cautela sobre la cuesta, entre las
lianas, pisando ramas desgajadas, troncos caídos.

—¡Dónde está Rubén Figueroa! ¡Identifíquese! —estalló una voz,
al fondo de la maleza.

Pascual Cabañas miró el rostro sucio, barbón, envejecido, de Rubén Figueroa. Lo contuvo un instante.

—Espérese a que griten de nuevo —susurró—. Esperemos un momento más —insistió.

––––––––––

Los soldados cubrían la cuesta, todos con uniformes camuflados,
empuñando los fales, y extendiéndose por la pendiente que había
servido de entrada al campamento. En los lugares donde habían estallado granadas y obuses de bazuca había troncos carbonizados

o ardiendo. Los soldados habían cerrado el cerco en la densa masa de ramas, árboles, altas matas. Mientras ocupaban el campamento, los cuerpos ensangrentados, mutilados, con la cabeza estallada o con el cuello cercenado, caídos entre las ramas, en el lodo, iban siendo vigilados por los soldados de retaguardia.

Al fondo, junto al paredón de roca, un sargento revisaba el nixtamal, los pedazos de tortillas y el atole que se proponían desayunar los guerrilleros cuando los sorprendió el ataque.

—¡Extiéndanse por toda el área! —gritó un oficial—. ¡A los heridos remátenlos! ¡Busquen a Lucio! —ordenó—. ¡Los muertos después! ¡Déjenlos!

El calor de la mañana iba aumentando con el sopor del aire, con la densa maleza, con el intenso olor a vegetación, a hierba, a ramas quemadas, a lodo, a numerosos cadáveres malvestidos desangrándose bajo el ruido de la sierra, de la mañana otra vez intensa, llena de ardillas voladoras, de pericos, de monos pequeños, de pájaros. Al fondo, junto a las rocas, alguien volvía a gritar, luego detonaban disparos, huecos, aislados.

—¡Por allá! ¡Cubran aquella zona! —gritó un teniente, señalando con el arma el recodo de un arroyo.

Durante dos días no lo sacaron del vapor y la fetidez. Había dormido oyendo voces, quejidos, estertores. Alguien le dio un sorbo de agua. Un soldado cubrió la cabeza del hombre con una bolsa de polietileno y la fijó con una liga al cuello. Otro soldado lo golpeó en el plexo. El hombre intentó respirar con la cabeza envuelta en la bolsa. Se estremeció, se convulsionó, asfixiado. Quedó inconsciente dos veces. Durante varios minutos destruyó tres bolsas con los dientes y lo cubrieron con nuevas. En el último desmayo quedó lacio, como una yerba seca, inmóvil. Después deseó que todo transcurriera así, en la oscuridad de la venda que lo sangraba, en los brazos y manos que ya no tenía, que ya no eran suyos, que no existían en ningún lugar de su sensación, de su recuerdo.

—No sé nada. No sé nada —musitó.

La muerte se parecía al olor de las botas de los soldados, al sudor acre de los cuerpos que se acercaban a él, al vaho caliente y ácido del aliento que estaba junto a él.

—Ya dejen que me muera, no sé nada —volvió a musitar.

Las descargas eléctricas estremecían, convulsionaban su cuerpo como una estopa atrapada en una llama. Iba deshojándose como una rama seca en un solo grito, en el suelo. Oía a la distancia voces que hablaban de Lucio, de qué soldados había matado. Y en la oscuridad caía en una capa más densa, menos fría, que no era sue-

ño, que no era inconciencia, porque en todo momento latía el dolor como un ser adormecido, como un sol oscuro que buscara recobrar su luz. Mientras tanto, veía la espesa niebla en una mañana que pugnaba por brotar. Y en esa niebla un toro detenido. Gritaba que arrearan las vacas, que las metieran en el potrero. Y luego veía otra vez al toro quieto, detenido en la niebla. Luego escuchaba el ruido del agua, cerca de la casa, la poza donde atrapaban camarones. Pero luego volvía a descender pesadamente sobre la oscuridad de la venda en su cara, con la fetidez del aire caliente, con los cuerpos que sacaban junto a él y que ya no regresaban, o que se libraban para siempre de esa soledad del dolor en que todo su cuerpo estaba ya adormecido, en que a veces flotaba en el aire, quedaba suspendido, sin ruido, sin movimiento, sólo el rumor de un sol que había atravesado ya los huesos y surcaba ahora la sangre como un pedazo de madera hundiéndose suavemente en el mar, en la oscuridad, en el dolor. Un perro comía una tortilla junto a él. Abría las fauces y devoraba con ansiedad la tortilla dura. Luego buscó más. Levantaba los ojos húmedos y grandes hacia él, hurgando en un rincón de la casa. Le dio una patada. El perro gimió de hambre, a la distancia, con una sutil dolencia que iba cayendo hasta él, hasta el hambre de muchos días que lo atormentaba, que flotaba en el aire oscuro de esa vida de la que no podía salir, que no sabía olvidar, desconocer.

Un soldado le aflojó las ataduras de las manos. Sintió como si una navaja recorriera una parte de su brazo. Colocaron esponjas en las ligaduras y lo desvistieron. Lo tendieron en una tabla y lo envolvieron con una manta. Lo sumergieron después en una gran tina de agua jabonosa. El hombre se agitaba, se contorsionaba en el agua. Cada dos minutos lo sacaban a vomitar sobre la misma tabla. Sentía la boca y la nariz llenas de espuma, de asfixia, de ardor. Tres veces perdió el conocimiento durante el interrogatorio. Cuando lo devolvieron, sólo oyó el rumor subterráneo que su respiración producía, como estertor, como ecos prolongados del dolor, de la asfixia, de la contracción involuntaria, pertinaz, de su abdomen, de sus piernas.

Los periodistas y camarógrafos inundaban las oficinas del general Cuenca Díaz, en la ciudad de México. Dos días antes habían liberado en Guadalajara a José Guadalupe Zuno. Ahora el general explicaba cómo había sitiado el ejército la sierra cercana a El Quemado.

—Tenemos instrucciones precisas del señor presidente de ir tras los gavilleros. Porque eso son, gavilleros —dijo el general Cuenca Díaz a los periodistas que lo escuchaban—. Y a pesar de haber liberado al senador Rubén Figueroa y a sus acompañantes, no estamos satisfechos, no. Porque lo estaremos solamente cuando limpiemos toda la sierra de esos bandidos.

El general guardó silencio un instante. Se ajustó las fuertes gafas y luego continuó, con un firme movimiento de su mano derecha.

—En torno de esto se está haciendo una leyenda —aclaró con tono despectivo—. Me dicen que hoy un periódico de París anuncia que todo el ejército mexicano tiene cincuenta mil efectivos y que veinte mil de ellos están persiguiendo a Cabañas y a sus cómplices por toda la sierra. Pero eso es mentira —dijo tratando de componer la voz—. Tenemos en Guerrero las tropas normales, o sea, tres batallones que atienden a la población civil y están en la sierra en campaña de acción social. Y les aseguro, o les aclaro, más bien, que la gente en Guerrero no teme al ejército, sino que siempre sale en su búsqueda, porque sabe que nosotros llevamos víveres y auxilios médicos. Es mentira que el ejército ataque a los poblados. Pero Lucio Cabañas aprovechó la confusión para huir. Abandonó a su gente, así es, señores. Huyó porque conoce muy bien la sierra, y especialmente el lugar donde fueron atacados. Yo estuve ordenando personalmente su persecución. Ya no tiene gente que lo siga, está acabado.

—¿Y los editores de la revista ¿Por qué? —preguntó uno de los periodistas.

—No sé de qué habla usted —contestó el general.

—Varios corresponsales extranjeros publicaron que la policía militar capturó ayer a los hermanos Menéndez y que se encuentran desaparecidos.

—No sé de qué me habla usted —insistió el general Cuenca Díaz—. Lo que le puedo decir es que la revista ¿Por qué? se ha propuesto confundir a sus lectores, injuriar a las instituciones públicas, insultar al gobierno y coludirse con los más bajos intereses económicos que medran a la sombra de los conflictos del estado de Guerrero.

—¿Entonces acepta usted que han sido aprehendidos por denuncias del senador Rubén Figueroa?

—Acepto que los redactores de esa revista pueden ser tratados como provocadores o delincuentes. Porque sólo eso pueden ser los que apoyen a los gavilleros de Lucio Cabañas y se burlen abiertamente del informe del presidente de la República ante el Congreso de la Unión.

—¿Entonces?

—Creo que ya le he contestado lo suficiente —atajó el general Cuenca Díaz, molesto.

—¿Pero entonces reconoce que se encuentran desaparecidos?

—Lo que puedo decirle es que espero que pronto aparezcan y que sean procesados como se merecen —replicó el general, cortante.

Subieron al hombre en el jeep que estaba con el motor encendido, frente a la puerta. Salieron del cuartel y tomaron la carretera hacia el norte. Después entraron en una brecha de terracería. Se detuvieron cerca de una pequeña barranca, al pie de una pendiente pedregosa. Arrojaron al hombre desde el jeep. Cayó sobre el camino, en la tierra, sin gritar. No se contrajo de dolor. Quedó quieto sobre las piedras, al pie del vehículo. Un soldado lo tomó de los cabellos. El hombre sangraba. Lo arrastraron hacia el muro que se elevaba junto a la brecha y trataron de ponerlo de pie. Sus piernas y sus pies parecían rotos, deformes; quedó apoyado así, contra el muro de tierra. Un soldado cortó con navaja el cordón de cáñamo y le dejó libres las manos hinchadas y amoratadas, que siguieron cruzadas atrás, en la espalda. El soldado las bajó al costado del hombre, pero volvieron solas tras la espalda. El hombre balbuceó que no sentía nada, que no tenía la culpa de sus brazos. Comenzó a emitir un quejido suave, inaudible, con la cabeza caída sobre el pecho envuelta en la venda ya sucia, ennegrecida, como un pedazo de basura colgando del muro de tierra.

—Ahora sólo dinos si anduviste en la guerrilla, nada más eso —le ordenó una voz—. Dime. Eso es todo lo que quiero saber ahora.

Momentos después contestó el hombre.

—No, yo no fui con la guerrilla —dijo con voz muy pequeña, muy sofocada.

El capitán se acercó más.

—Sólo quiero que respondas si anduviste con Lucio —volvió a ordenar—. Nada más eso.

El hombre estaba inmóvil, sin hablar. La cabeza sucia caída sobre el pecho parecía algo inerte.

—Yo tengo autoridad para soltarte o para ordenar a éstos que te fusilen. Te doy un rato para que lo pienses.

El hombre siguió apoyado contra el muro de tierra, inerme. Luego se contrajo uno de sus pies deformes y cayó al suelo, desmayado. Un soldado quiso levantarlo.

Parecía no sentir que estaba llorando. Un ruido ronco brotó de su garganta. Los brazos hinchados seguían a su espalda. El capitán sintió asco de verlo así, en la tierra, llorando, descalzo, con los pantalones en hilachos, sin camisa. Era un pedazo de tierra sucia, enferma, que olía a mierda y a orina.

—Yo nunca tuve que ver con nadie —repetía el hombre moviendo la cabeza de un lado a otro, ensangrentado, moviendo los pies como si pudiera caminar así, caído en la tierra—. Ni siquiera de pensamiento. *Ya no quiero seguir así. No sé nada. Que ya me maten, dígaselos usted.*

El cuerpo sucio se movía en el suelo, entre las piedras, hipando. El capitán se inclinó sobre esa masa agitada y puso la mano en lo que era un hombre, sudoroso como lodo. Luego desanudó la venda de la cabeza, mojada por el sudor y el llanto, y sintió cómo la manta cruda se iba desprendiendo de cabellos y de piel. Aparecieron los párpados, inflamados y blancuzcos. El hombre abrió los ojos un momento y vio la noche. Luego los cerró, porque dolían.

—Te creo. Por eso te quito la venda —dijo el capitán—. Y además te voy a perdonar la vida.

Ordenó a los soldados que subieran al hombre al jeep y luego tomó asiento a su lado. El hombre asentía, ligeramente. Las manos seguían atrás de su espalda, como cosas inertes. Traía la cabeza baja, con los ojos cerrados.

—Cuando lleguemos al cuartel te atenderá un doctor. Yo voy a ocuparme de que te curen. Sólo pasarás algunos días en el cuartel y te repondrás pronto —explicó el capitán—. ¿Te han dado de comer?

El hombre negó con la cabeza.

—¿No te dieron de comer nada en ese tiempo? ¡Qué cabrones! —exclamó el capitán haciendo un gesto de contrariedad y encendiendo un cigarrillo.

Rubén Figueroa se ajustó los gruesos aros negros de sus lentes. Guardaba silencio un instante, sin levantar la vista. Se hallaba otra vez en el Senado de la República, en la ciudad de México. Había hablado con voz suave, muy baja, como si el cansancio hubiera disminuido su fuerza, hubiera desprovisto de énfasis a su discurso.

—La gran lección de mi secuestro —continuó diciendo ante los senadores, con el mismo tono de voz, pero ahora más vigoroso— consiste en convencernos de que no hay más camino para el progreso de México que el de las instituciones, el estricto cumplimiento de las leyes, el acatamiento a la voluntad popular y el empleo de las formas democráticas que nuestras leyes consagran con toda amplitud. Estoy plenamente de acuerdo con la decisión de nuestro gobierno de hacer prevalecer el imperio de las instituciones y de la ley por encima de los individuos, porque antes que los hombres y por encima de ellos está la autoridad legítima del Estado, el orden público y la vida institucional de la nación. Les aseguro que si hubiera muerto en mi intento de hacer comprender a los apátridas de la sierra de Guerrero que el camino de la legalidad y la justicia está abierto para todos los mexicanos, mi sacrificio hubiera sido una ofrenda personal al ideal supremo de que México viva siempre al amparo de sus instituciones.

Demacrado, con el rostro anguloso aún más por los reflectores de periodistas y camarógrafos que registraban el discurso, Rubén Figueroa hizo una pausa breve, sin levantar la vista, como si sólo se hubiera demorado para respirar nuevamente, aunque no mostrara fatiga.

—Porque, señores senadores —continuó—, quien me secuestró es un extraviado mental, sediento de publicidad sensacionalista, envenenador de mentes jóvenes. Y comprobé que está ligado a traficantes de drogas y, lo principal, que detrás de un izquierdismo infantil y verbalista, es un instrumento de las fuerzas más regresivas. Sí, en la sierra encontré a un individuo de crueldad inaudita, sin el menor sentimiento de la solidaridad humana que tan engañosamente proclama; un sujeto falaz y cobarde que ha hecho de la simulación, la mentira y la calumnia su única arma; con graves perturbaciones físicas, psíquicas y psicológicas, que realiza una campaña de odio y rencor contra lo más limpio y positivo que tiene nuestra patria. Mis acompañantes y yo fuimos objeto de crueldad física y moral, de malos tratos y humillaciones, y sólo nos daban para comer sobras y mendrugos. ¡Qué distinta es la imagen de cortesía y generosidad que los terroristas y secuestradores quieren formarse!

Levantó la vista un momento, como si un ligero movimiento lo llevara a mirar al recinto del Senado, a los rostros conocidos, a las galerías ocupadas. Tosió suavemente. Bajó la vista hacia sus papeles.

—No estoy arrepentido de lo que hice. Estuve consciente de los riesgos que corría acudiendo a ese encuentro en la sierra. ¿Pero qué actividad pública no tiene riesgos en este mundo complejo y convulso en que vivimos? No alcancé mi objetivo. Pero en la dramática contingencia que sufrí se templó más mi ánimo.

—Nos alcanzamos a juntar entre el guamil ocho compañeros —dijo Moisés—. Porque iban Martha, Minerva, Rosario y Celia, y los compañeros éramos también cuatro. Íbamos salvando el cerco en la dirección del Posquilite, pero retrocedimos porque estaba copado de guachos por ese rumbo y tomamos hacia El Quemado para no correr otro riesgo y saber de otros compañeros cómo habían salido de la balacera en ese cerco que nunca pensamos tener en la vida. Y al rumbo nos encontramos con un campesino que había decidido alejarse; y como se unió con nosotros, Silvano le dio una pistola super con tres cargadores llenos de nueve cartuchos cada uno. Entonces nos informó que cerca se encontraba una casita con otros que también traían problemas con el gobierno y que por ahí nunca se metían los soldados y que podríamos ir allí. Y nos decidimos a ir y al llegar nos dio ropa porque en el camino la nuestra se fregó con el agua. Y al poco rato llegaron los otros de quienes nos había hablado antes. Y esos campesinos tenían a sus esposas pero al llegar nosotros las mandaron a la ciudad para que no fueran molestadas por el enemigo y para que así hiciéramos más fuerza y no nos derrotaran fácilmente. Les contamos cómo estuvo el fracaso del cerco de ese mismo día y así pasaron las horas y las mujeres salieron y entonces Ramón las ayudó con dinero para sus pasajes. Y como a las cinco de la tarde nos dijeron que fuéramos a cortar elotes que ya habían visto buenos y cuando llegamos al filo para empezar a cortar oímos varias ráfagas de Fal y de M-2 y enseguida tres explosiones de bombas y de morteros y nos bajamos enseguida pensando que los nuestros habrían sufrido otro encuentro con el enemigo. Cuando regresamos a la casa Ramón nos dijo que era necesario salirnos de ese lugar y buscar otro, para que vigiláramos qué posición traerían los soldados que venían. Pero en la noche unos compañeros ya tenían hambre y decidieron ir a preparar algo para comer y al llegar los cuatro a la milpa que se encontraba antes de la casa descubrieron resplandores de focos y decidieron no llegar y regresar hasta donde los esperábamos nosotros.

"Y empezamos a decidir quedarnos más tiempo —continuó diciendo en la noche, tratando de sacudir el cigarrillo que le ofrecían— cuando uno de los campesinos que siempre bajaba a vigilar su milpa descubrió el día once que el enemigo llegaba por esos rumbos. Ramón dijo que era necesario salirnos cuanto antes y avanzar hacia El Quemado. Salimos de ese lugar que llaman Los Toros y como a las cuatro de la tarde, cuando íbamos subiendo el cordón del filo de donde se divisan las casitas, oímos que los perros de los campesinos ladraban furiosos, y el que venía de guía nos dijo que serían los guachos que ya estaban llegando a las casas. Nos detuvimos para divisar el lugar y sí era verdad, porque estaban ya las casas bien cubiertas de sardos. Entonces avanzamos más rápido por la ruta que llevábamos y a las once de la noche hicimos el alto para dormir un poco. Y cuando amaneció el día doce seguimos avanzando hasta cerca de El Quemado y observamos las milpas para tener contacto con algunos compañeros conocidos, pero fue imposible porque los soldados vigilaban todo el pueblo y no dejaban salir a nadie y las milpas estaban abandonadas y la gente sin comida, porque no podían salir. Pero ellos exigían como bestias que les dieran de comer a como diera lugar y nosotros veíamos los reflejos de las fogatas que hacían ellos para comer. Permanecimos ahí tres días incomunicados y sólo comíamos elotes crudos. Entonces los seis compas campesinos decidieron regresar a sus terrenos conocidos y a sus trabajos el quince de septiembre, y uno de ellos dijo que le urgía vendernos su M-1 porque quería mandarle dinero a su familia, y le compramos el rifle ese día quince y ellos se fueron y volvimos a quedar los mismos ocho compañeros que seguíamos en la misma ruta.

Moisés guardó silencio. Trató de encender el cigarrillo. Tenía los ojos enfermos, con una infección que los hacía parecer como ojos de anciano. Tardó en aspirar el humo del cigarrillo, finalmente.

—Y pensamos que el día dieciséis —volvió a explicar —podríamos pasar la carretera de El Quemado porque los guachos iban a estar desfilando y no se quedarían en la sierra. Y eran las siete de la noche cuando Ramón nos dijo que nos preparáramos para atravesar el camino real que va al Cerro Prieto, pero comenzaron a pasar los guachos y tuvimos que esperar a que pasaran todos. Y como a las nueve de la noche ya no hubo nada y pasamos la carretera y dormimos en una falda que está antes del camino que va de El Quemado al Posquilite. Pero este otro camino lo cruzamos el día diecisiete y llegamos a los rumbos de Achotal y el Cucuyachi, en una milpa que se encontraba un poco alejada de los barrios. Y ahí pasamos la tarde y la noche y pudimos cocer varios elotes para llevárnoslos después. Entonces por la mañana vigilamos el barrio y logramos encontrar el contacto que deseábamos. Le pedimos informaciones de cómo estaban las cosas por esos rumbos y nos dijeron que estaban un poco mal porque no dejaban salir a nadie y que sólo ese día no se encontraban los soldados ahí, pero que ellos les decían que no quedaba ningún guerrillero, y que si hubiera quedado alguno ya no podría hacer nada contra ellos, porque en el cerco habían matado a veinticinco compañeros y que nos habían agarrado como venados en guamil. Pasaron las horas y preguntamos si nos podían ayudar con algo y uno de ellos nos dijo que podíamos pasar al otro lado del río y que en su milpa podríamos comer el maíz que quisiéramos. Y nos pasamos al lugar que nos indicó. Pero cuando nos pasamos a ese lugar, al cruzar el río oímos que los perros ladraban por distintos lugares. Y era que el enemigo estaba llegando al barrio del Cucuyachi. Entonces corrimos rápido para no ser descubiertos y seguimos por el camposanto, hacia el lado más alto, para que en caso de peligro saliéramos fácilmente. Y nos quedamos en la milpa del compañero esperando que nos indicaran o nos llevaran a un lugar seguro donde no pudiera descubrirnos la gente. Dormimos en la milpa del compa y al otro día nos movimos a otra milpa. Pero el compa de ahí no sabía que nos encontrábamos ya. Y como vio señas de que le habían cortado maíz, fue a dar parte al pueblo de que le habían robado maíz de su milpa. Pero el capitán le dijo que se fijara si había muchas huellas y que viera qué rumbo llevaban.

Moisés se quedó mirando a los campesinos; luego apagó su cigarillo, antes de continuar.

Lo bajaron del jeep entre dos soldados. Entraron en un lugar muy iluminado y pequeño. El hombre intentó comer un pedazo de pan, pero no pudo. Intentó beber un sorbo de leche y le sobrevino el vómito. Uno de los soldados le entregó una toalla mojada para que se limpiara.

—Prefiero dormir —dijo—. Quiero dormir.

Cuando lo acostaron, el hombre comenzó a sentir que giraba en el aire, sin cuerpo, una vez y otra, cada vez con más fuerza. Volvió el vómito. Un vómito en el vacío, un vómito que le hacía sentir que toda la vida quería salir atropelladamente de él, junto con la blandura de la almohada, con el sudor que comenzó a invadirlo mientras la acidez recorría su cuerpo. Vio a un doctor, sin camisa, y a dos hombres. Oyó que el de pelo lacio, alto, como de treinta años, era el capitán. Sintió la aguja que le penetraba la vena del brazo izquierdo. El suero comenzó a invadirlo y la calma a ascender en él como si se tratara de una quieta sombra que caía de un árbol muy grande, muy alto. Al despertar vio al doctor a su lado. Pero sobre todo vio la luz de la mañana. Sobre todo sintió en el cuerpo, a través de sus párpados hinchados, la luz como algo tangible, que volvía a estar junto a él, que seguía existiendo. Una nueva botella de suero le suministraron por la vena del otro brazo. Luego el doctor lo inyectó, le aplicó gotas en los ojos, le hizo tomar dos cápsulas y volvió a masajearlo.

—Ya no tienes fiebre —comentó después.

—Te estás salvando, Gervasio —le dijo el capitán, una noche, sentándose junto a él—. Ningún ex guerrillero te ha reconocido. Si sucede lo mismo con los que andan ahora en la sierra, quedarás libre.

El hombre estaba acostado y movía suavemente las manos, los dedos hinchados, con lentitud. El capitán había dejado horas antes una pistola cerca del camastro y un fusil M-1, con cargador grande y un puñado de tiros en una bolsa de tela. El hombre había mirado las armas mucho tiempo.

—También quiero proponerte algo —agregó—. Si entraras en el ejército yo podría ayudarte para que pronto ascendieras a sargento primero y pudieras ser mi ayudante personal.

El hombre permaneció callado, moviendo las manos, ejercitándolas en un movimiento imperceptible. Luego giró la cabeza y lo miró a los ojos.

—Lo voy a pensar, capitán —repuso.

—Es una oportunidad.

328

El hombre asintió con un ligero movimiento de cabeza.

—Pero primero quiero curarme. Ya que esté curado lo decidiré.

—¿Conoces estas armas? —dijo el capitán recogiendo su fusil M-1.
El hombre negó con la cabeza.

—Si fueras guerrillero me hubieras matado —comentó recogiendo también la pistola y los cartuchos.

Tres días después, al amanecer, lo trasladaron a un salón amplio. El hombre se sentó en el suelo, hacia el fondo. Había un poco más de diez prisioneros. Un campesino de San Luis, otro de El Mosquito, otro de San Mateo, otro de San Bernabé y de Tecpan. También dos soldados desertores. En la tarde entró un grupo de soldados acompañando a otro sin camisa, que hablaba en voz alta y que avanzó entre los prisioneros. Observó atentamente a todos. Cuando llegó ante el hombre se detuvo. El hombre levantó la vista y lo miró. Creyó reconocer a alguien.

—No vas a salir vivo de aquí —dijo el otro, con burla.

Varios campesinos jóvenes de Los Toronjos habían llegado al campamento. Conversaban con Rutilo y con René y Gabriel. Era una tregua que brotaba con dulzura, al acercarse a la sierra de Tecpan. Que brotaba con el mismo sabor del jugo de caña de azúcar que bebieron todos los días de la semana anterior, en el campamento de El Zapote. De la carne, del queso, de los cigarrillos que les llevaban del pariente de Chico Sánchez. Pero en la tregua brotaba la dulzura como una sola corriente de una vasta poza, de muchos ríos encontrados. En ese rumbo que se mezclaba con el día, con el ruido del campamento, con las voces lejanas de los campesinos, Lucio sentía también otra distancia: en la sombra del dolor profundo de la cabeza, en una parte profunda y secreta, con una sensación de abismo, de inmensidad, en el dolor que le presionaba la frente, las sienes, el fondo de los ojos. Y el rostro de la mujer que le informó, y la figura del mismo viejo que delató a Lázaro. Leoncio conduciendo al ejército a los campamentos de Caña de Agua, de Río Chiquito. Ahora quizás en retenes. Y Ricardo desaparecido. Y la Brigada dieciocho de mayo desaparecida, confundida con ellos. Pueblos quemados. Casas numerosas de campesinos quemadas por el ejército. Pueblos desocupados, evacuados, habitados ahora totalmente por más de veinte mil soldados que en la sierra de Atoyac se desplazaban por milpas, por ejidos, por cafetales, por arroyos, buscando campamentos, delatores, familias, armas. Buscando dar con él. Con ellos. Con todos los que ahora, en Los Toronjos, dejaban pasar la mañana en calma, limpiando las armas, reforzando mochilas, hamacas. Salvo la ropa, que se rompía, que se deshilaba. Que iba cayendo lentamente como una piel, como una herida que bañaba el sol, que sostenía la calma del sol, la firmeza del día. O quizá bajar a la Costa, regresar a Atoyac, buscar al grupo grande, pensaba. Retornar todos, cerciorarse personalmente de lo ocurrido con Figueroa, con el ejército, con los barrios cercados a El Quemado. Confirmar en cada barrio la fuerza que debía reunirse de nuevo, retener el dinero, convertirlo en armas, en una brigada más numerosa. O partir hacia la sierra de San Luis, aceptar la lucha ahí, donde Franti y Chelo trabajaban hacía meses, preparando este momento, insistente, hacia el extremo de la sierra. Y sin embargo, El Porvenir, San Vicente, Río Santiago, volvían una vez y otra hasta él; los caseríos retornaban como un grito que lo obligaba a conservar la misma sierra, los pueblos adonde la guerra subía como una corriente de luz, de sol, como una repetida sangre luminosa y fría por toda la sierra, que recorría su cuerpo, su pensamiento firme como la tierra, firme como la guerra en Atoyac, en Santiago, en El Paraíso. La guerra en El Paraíso, pensaba, tras el dolor, tras la luz.

—Acércala más, junto al escritorio. Sí, ahí está bien —ordenó a un ayudante—. ¿Tú eres Gervasio Iturio Barrientos?

El comandante del cuartel estaba comiendo un plato de enchiladas. Con el último bocado se puso de pie. Traía una guayabera gris. Era alto, gordo, rubio, viejo ya. Apartó unos papeles en su escritorio y luego volvió a sentarse.

—Has encubierto varias cosas y quiero que ahora me lo expliques.

El comandante se echó hacia atrás en su asiento, y siguió mirando al hombre.

—Ángel es tu cuñado y Rosa es Cristina, tu hermana —dijo después de un momento, con desprecio, como si explicara algo muy sencillo.

—A mi hermana no la conocía por ese nombre. Y de su esposo, sé que se llama Ramón —contestó el hombre, sorprendido, levantando la vista.

—¿Cuándo se fue tu hermana con Ángel?

—Yo no estaba en mi pueblo. Fue hace más de ocho meses. Y no volvió a la casa con mis papás a arreglar lo de mi hermana, porque no estuvimos de acuerdo.

—¿Qué edad tenía ella cuando se la llevó?

—Catorce años.

—¿Qué piensas?

—Que no estoy de acuerdo. Que no me parece que se roben a las hijas de los campesinos.

El coronel asintió con la cabeza.

—Así es Lucio. Es un hijo de la chingada.

Aumentaba el olor penetrante de la cebolla que se había quedado en el plato, cerca de ellos, donde las moscas zumbaban. El coronel se levantó de su escritorio. Se volvió a mirar al hombre en silencio. Por un momento permaneció inmóvil. Luego caminó.

—¿Quién te dio las cartas que le entregaste a Lucio y quién te dio las armas y los cartuchos que en esa ocasión le llevaste al campamento?

El hombre movía la cabeza asustado, gimiendo sin darse cuenta. El militar se acercó hacia él.

—El que te vio entregar todo eso y ofrecerte a traer comida de un pueblo te lo puede decir en tu propia cara. Pero ahora quiero que tú me aclares esto.

—Es mentira —repitió el hombre, moviendo la cabeza de un lado para otro—. Le dije ya lo de mi hermana, que es lo único que sé. Pero es mentira que yo fuera a un campamento. Yo estaba en Acapulco cuando se robaron a mi hermana. Yo no tengo nada que ver con Lucio.

El comandante regresó a su escritorio. Quedó callado, mirando al hombre. Luego se volvió hacia uno de los oficiales que estaban junto a él.

—Las fotografías —pidió.

El comandante recibió un voluminoso paquete de fotografías. Se acercó de nuevo al hombre.

—Observa bien estas fotografías. Quiero que me digas a quién conoces de los que aparecen aquí.

El hombre negó con la cabeza, después de mirar cada una de las fotos que le mostraban.

—No conozco a nadie.

—Ahora revisa éstas —dijo el coronel extrayendo de la bolsa derecha de su guayabera otra docena de fotografías.

El hombre señaló una de las fotos.

—Creo que son mis primas —dijo con cautela.

—¿Andan con Lucio?

—Fueron a trabajar a Acapulco. Sé que estaban allá.

—¿Tu hermana aparece en la foto?

—No. Las dos son mis primas.

—¿No es tu hermana ésta? —dijo señalando a la mujer más joven.

—No. Ella es mi prima.

El coronel volvió a sentarse en su escritorio.

—Al menos se aclaró esto. Pero todavía nos faltan cosas —dijo.

Era cerca de la una de la tarde. Lucio se encaminó hacia la carretera Acapulco-Zihuatanejo, escuchando el ruido de la tierra, el

331

rumor del aire en el camino, el peso del sol. Confirmó que César se hallaba en su puesto, de guardia. Luego se dirigió al extremo de las milpas, donde se hallaban los otros. A lo lejos parecía llegar el rumor de la carretera, ladridos de perros, cantos intensos y aleteos de chicurros, de cuervos. Pero una vaga tensión parecía persistir en el aire. Dos días antes habían pasado tropas cerca del camino, rumbo a la sierra. Ahora un campesino les había advertido de la movilización del ejército y la policía judicial en la ciudad de Tecpan. Repasaba mentalmente el recorrido por el que Martín los había llevado a este sitio. Pero desde Las Palmas Lucio había sentido peligro. Había temido permanecer ahí, fuera de la sierra de Atoyac, fuera de los poblados ya quemados, deshabitados, evacuados. Cavilaba también en los apoyos del pueblo de Achotla, en los campesinos Testigos de Jehová, en las alucinaciones febriles que atacaron a todos mientras permanecieron ahí. Lucio recordaba la fiebre y la obsesión por arrojarse sobre las piedras, por sentir que pisaba en el vacío, que gravitaba sobre su vida un negro sol, inmóvil. Recordaba la fuerza con que las quijadas se le trababan durante las noches, el sudor que le bañaba el pecho, la espalda, las piernas. El mareo al tratar de defecar, la angustia de sentir que cada paso era un recorrido de montañas, de desiertos, de ciudades vacías, de fatiga inexpresable. No era esta vez el río. Las lluvias interminables a la orilla del río Coyuca. No era contemplar la orilla, la otra orilla. El universo de lluvia y palmeras y el ruido inmenso de corrientes de aguas. Era otra espera. Una espera en otra corriente de aguas inmensas. En la corriente de nuevos pueblos, en la orilla de pueblos quietos. En espera de que hasta esta nueva orilla ascendiera la furia del acoso. La ruta de incendios, de tropas, de muerte.

Regresó al centro del campamento, donde habían encendido lumbre para preparar la comida. Los frijoles hervían ya, reblandecidos. La masa amarilla y caliente de dos tazas de nixtamal estaba lista para hacer las primeras tortillas. Lucio se acercó al vapor que ascendía de los frijoles. Entonces comenzó el ruido. Al principio parecía provenir de las delgadas ramas de la lumbre, del hervor mismo de la olla. Luego fue destacándose el helicóptero desde la carretera, desde la costa, y se aproximó, brillante por el sol de la una de la tarde.

—¡Apaguen el fuego! —ordenó Lucio—. ¡Rápido! ¡Apáguenlo!

El helicóptero sobrevolaba muy cerca del campamento. César llegó, nervioso.

—Vienen muchos soldados por la carretera, Lucio —dijo, agitado—. Vienen como a doscientos metros y comienzan a dispersarse por el cerro. Están subiendo.

—Vayan por los otros guardias —contestó Lucio—. Salgamos por arriba del cerro. Retiren todo el equipo.

Luego Lucio derramó en la tierra los frijoles calientes y la masa de nixtamal preparada.

—¡Cúbranse con ramas! —ordenó—. ¡Para pasar por el monte corten ramas! —apremió.

Cuando traspusieron el cerro, observaron desde lo alto con catalejos. Los soldados estaban llegando al campamento y el helicóptero volvía a sobrevolar al pie del cerro. Arturo y René habían escapado por otra ladera.

Poco antes del atardecer, Eusebio y Roberto bajaron al pueblo de Achotla a buscar contactos. Un campesino regresó con ellos, más tarde.

—Ayer pasaron más de ochocientos soldados por aquí, rumbo a Las Palmas —dijo el campesino—. Hay mucho movimiento desde hace días. Creo que quieren que desocupemos los pueblos. Han acusado a muchos y a veces los matan ahí mismo, en sus milpas, y luego queman sus casas. Saben que ustedes andan aquí y por eso están llegando más soldados. Es mejor que se cambien a otra parte del monte. A donde esté más tupido de matas y lejos del paso de campesinos. Yo los llevo ahora mismo.

—Necesitamos guías —intervino Martín.

El campesino se volvió a mirarlo. Lucio asintió con la cabeza.

—Pero vamos primero a ese lugar. Luego vemos lo que necesitemos de Tecpan —dijo.

Tres días después llegaron los guías que trajo el campesino de Achotla. También dinero e información sobre Arturo y René. Los campesinos del pueblo al que pertenecían los guías se hallaban cerca de la sierra de San Luis, y podrían incorporarse a la Brigada, porque el ejército había quemado todas las casas. Era aún de mañana. Lucio continuaba tenso por la humareda que Rutilo había provocado el día anterior al asar para sí mismo varios elotes con hojas y leña gruesa. "Mañana estarán los guachos aquí", dijo Lucio, molesto, "si es que no llegan esta misma noche". Porque durante esos días varios helicópteros y el ejército siguieron ocupando los poblados y caminos cercanos a Las Palmas y a Achotla. Debían alejarse de los pueblos que ocupaba el ejército cada vez más cerca de ellos. Leoncio conocía los campamentos de esta zona. Conocía muchos contactos en los pueblos cercanos. El ejército parecía estar cerca de todos, esperarlo incluso en los siguientes. Era el momento de no repetir lugares, de cambiar de nuevo el territorio de la lucha. Juan y Edí-Carlos habían salido a explorar el monte y las juntas de varios cerros, para determinar la ruta de salida. A uno de los guías le entregaron un rifle M-1 y al otro una pistola treinta y ocho super.

| Edí-Carlos y Juan ascendieron a una zona muy alta y observaron con catalejos todos los cerros. Vieron venir de Tecpan a un helicóptero que sobrevoló el Potrero de Carlos y luego recorrió la zona de Caña de Agua para desaparecer después rumbo a Atoyac. Toda la zona parecía quieta, sin movilización de tropas ni de campesinos. Al mediodía, con un sol potente, regresaron al campamento.

Comenzaba la marcha cuando escucharon un disparo de fusil abajo del arroyo, por el rumbo de Achotla. Luego ráfagas de Fal y explosiones de bazucas. Una explosión despedazó la copa del amate en que pasaban. Desde distintas direcciones destruían árboles, ramas, levantando tierra, polvo. El monte se cimbraba. Lucio insistió.

—Nada más con las armas y los morrales de balas. No corran —repitió—. Al paso, al paso. Agachados, palmas para arriba, por el arroyo.

Lucio dirigió la marcha por el costado del cerro hacia el arroyo, apoyándose con la mano izquierda en el suelo y sosteniendo con la derecha su M-2. La explosión de la granada arrojó a Alfredo contra unas piedras y a Juan lo obligó a rodar por una barranca, sin soltar el arma y oprimiendo contra su cuerpo la bolsa de balas. Gabriel perdió un huarache y su morral de municiones. Revisó el rifle y contó nerviosamente sólo veintiún tiros en su cargador. Rutilo avanzaba de prisa hacia él.

Cuatro helicópteros aparecieron sobrevolando el monte, brillantes, provistos de ametralladoras. Juan no distinguía a Lucio; todos habían quedado separados en varios grupos. Juan creyó que la intensidad repentina del ataque les permitiría, a los que habían quedado con él, desplazarse en ese momento con mayor rapidez, pues el ruido que hicieran no podría notarse ya. Una ráfaga detuvo de pronto a Guillermo, que cayó de espaldas, golpeándose contra un fuerte tronco; se irguió y corrió aterrado, solo. Juan oyó que el tiroteo se intensificaba en otra dirección y distinguió disparos cercanos, de soldados emboscados, a treinta metros. Sintió la boca seca. Se negó a seguir a la cabeza de la marcha. Pero nadie quiso sustituirlo. Momentos después Martín lo hizo y volvieron a avanzar hasta el final de la barranca. Cuando trataron de salir hacia el pleno monte, descargas cerradas se abatieron sobre ellos y rodaron de vuelta. Martín había disparado algunos tiros de su M-1 y quedó sentado, empalidecido, moviendo de un lado a otro la cabeza, sin escuchar a nadie.

Lucio reconoció la voz de Rutilo, sus gritos. Arriba, pero muy cerca, oyó otro desplazamiento de soldados. Seguía inmóvil, con una pierna lastimada bajo las espesas ramas, con el M-2 cruzado en el pecho, acompañado de Roberto y de los dos guías. Sentía la humedad de la tierra, la fría humedad contrastando con el aire caliente del mediodía. Lucio recordó lo que habían dejado en el campamento. Hamacas, ropas, mochilas, libros, la grabadora con las conversaciones de Figueroa. La frialdad de la tierra comenzaba a dolerle en los pies a través de los huaraches rotos. Varias espinas se le habían clavado en el pie derecho. Sentía que lentamente penetraban, se inflamaban. Por momentos los calambres lograban hacerlo temblar. Tenía ya las piernas totalmente entumecidas cuando oyó a los soldados aproximarse. Llegaban desde arriba, por la derecha. Pero ninguno podía mover el fusil hacia ellos, a menos de romper ramas, varas, de hacer ruido. Sólo Jaime, el guía, podía apuntar con la pistola sin embarazarse con las ramas en que se ocultaban. Le señaló que recorriera la pistola, pero que no disparara. Una de las voces de los soldados dijo que no era por ahí, que regresaran hacia arriba. Oyeron que uno de los soldados que cerraban el cerco pisaba muy cerca de ellos y luego se detenía.

———

Rutilo distinguió el lugar del que disparaban contra él. Escuchó gritos atrás, por donde había empezado el ataque. Se incorporó, disparando. Un soldado trató de huir. Mientras corría, Rutilo sintió que una rama caliente y delgada se le encajaba en el hombro. El otro soldado había disparado. Rutilo sintió el ruido de las costillas cuando descargó el primer golpe con la culata, luego el ruido seco de la cara y los dientes, después sintió que había gritado, que estaba gritando aún y que otros dos soldados se acercaban a él. Empuñó el arma del soldado muerto pero sintió que una pieza no podía moverla, que parecía enlodada. Pensó que iba a morir. Fue una idea fugaz. Apunto con el M-1. Olió la tierra, la hierba. Vio al soldado que aparecía detrás de un amate. Pensó de nuevo, fugazmente, que no podía correr.

———

No había ruido, ni voces distantes. Sólo se veían muchos casquillos de Fal y de M-2. César y Eusebio los alcanzaron. Juan encabezó el avance por las cañadas, hasta dejar atrás el cerro. Después, con catalejos, Eusebio y Martín observaron los montes cercanos. Todos tenían la garganta reseca, se les dificultaba incluso hablar. Se desviaron hacia Achotla. Cuando llegaron a los alrededores del pueblo caminaron por una barranca y luego ascendieron por otro monte. Distinguieron al pueblo ocupado por soldados. Durante horas permanecieron quietos, observando el movimiento militar. Hacia la tarde, varios helicópteros comenzaron a aterrizar y despegar, descargando contingentes de soldados, hasta el anochecer.

La partida de soldados atravesó el poblado de El Camarón. Uno de ellos señaló al fondo de la calle fría, neblinosa y los soldados avanzaron corriendo. Rodearon una casa, bajo las órdenes de un capitán. La mujer que se hallaba afuera miró a la partida de soldados cortar cartucho. Su hijo soltó el cuchillo con que estaba limpiando una enorme pieza de carne de becerro.

—¿Cómo te llamas? —preguntó el capitán al muchacho.

—Florentino Iturio.

—¿Cuántos años tienes? Te ves muy chamaco.

El muchacho pasaba la saliva con dificultad. Trató de volverse a mirar a su madre, antes de contestar.

—Tengo dieciocho años —dijo.

—¿Qué quieren? —interrumpió la mujer—. ¿Qué quieren con él?

—A ti te buscábamos —respondió el capitán—. Vendrás con nosotros, muchacho.

—¿Qué quieren? —repitió la mujer—. Soy la madre de él.

El capitán se volvió lentamente hacia la mujer, mirándola con calma. Luego vio las partes desnudas de la carne roja y blanca de la res que destazaban.

—¿Para qué es esta carne? —preguntó el militar.

—La vendemos —respondió la mujer—. Ayer sacrificamos este becerro y estamos empezando a vender la carne.

El capitán se acercó a los trozos enormes de carne. Tomó un pedazo de pulpa, cubierta de grasa blanca. Luego asintió con la cabeza, suavemente, con aprobación.

—No se preocupe —explicó el capitán—. Nos vamos a llevar a su hijo a San Juan de las Flores. Ahí vendrá un helicóptero por él y lo llevará al cuartel de Atoyac. No se preocupe.

—¿Qué quieren con él? —repitió la mujer, ya con voz angustiada.

El capitán hizo una señal a dos soldados, que se acercaron al muchacho, para hacerlo caminar.

—Pero también nos vamos a llevar esta carne —explicó el capitán a la mujer—. Se ve muy buena.

—Esta carne es para vender —contestó la mujer.

—No se preocupe por su hijo —repuso después de un momento, cuando los soldados escoltaban al muchacho por la calle—. No le hemos hecho nada, ¿ve usted? Nos acompañará al cuartel, solamente. Y esta carne también. Nos hace falta —agregó indicando a los soldados que restaban que empezaran a cargar la carne—. ¡Que venga el camión hasta acá! —gritó—. ¡Que venga por esta carne!

Desde el monte vieron al atardecer el pueblo de Las Palmas, quieto, vacías las calles, las casas. Ni soldados ni campesinos. Las parcelas por las que habían atravesado en los tres días anteriores, también parecían abandonadas. Juan sugirió no bajar a buscar contactos hasta que pudieran notar alguna señal de vida. El viento era frío ya. El cielo nublado dejaba sentir la inminencia de una tormenta. Eusebio percibió el primer ruido. Un helicóptero se aproximaba del lado de Tecpan, por Achotla. Se acercó al monte donde ellos observaban y fue descendiendo después entre los caseríos de las Palmas. Entonces alcanzaron a ver que salían de las casas grupos numerosos de soldados; de las bardas, de las casas más distantes del poblado, surgían soldados corriendo hacia el helicóptero. Descargaron bolsas y cajas, durante varios minutos; luego el helicóptero se elevó y se alejó por la misma ruta. Los soldados regresaron a las casas del pueblo. Todo pareció de nuevo deshabitado.

Permanecieron en el monte hasta la noche, cuando la lluvia cerrada, abundante, comenzó a caer. Entonces Juan encabezó la marcha hacia el camino de Las Palmas a la carretera. Cruzaron con cautela y se alejaron rápidamente de la zona. Horas después se detuvieron en la pendiente de un cerro donde había grandes piedras. Descansaron ahí. La lluvia continuaba cayendo, abundante. Se quitaron la ropa, empapada y lodosa. Se tendieron sobre las piedras para dormir, pero los hostigó la violencia del frío y de los zancudos que los picaban. Martín y César encontraron dos cuevas donde podrían guarecerse de la lluvia. Trasladaron las ropas empapadas y las armas hacia las cuevas. En una de ellas se introdujeron Juan y Martín; en otra, Edí-Carlos, César y Eusebio. Sentados y desnudos, trataron de dormir, pero las nubes furiosas de zancudos les seguían picando en todo el cuerpo.

Se levantó de la silla y pasó frente al capitán. Dos soldados se hicieron a un lado para dejarlo pasar. Cuando se cerró la puerta de la oficina el coronel se volvió molesto hacia el hombre. Se sentó en el escritorio. Estaba sudando. En los sobacos la guayabera estaba empapada. Puso las manos sobre el escritorio.

—Te acabas de salvar —le dijo—. Tienes suerte. Así que vete preparando. Sólo tendrás que recordar una cosa. Pero recuérdalo. Que aquí nadie tortura a nadie. Recuérdalo.

Había oscurecido ya. El hombre caminó con el capitán hasta la pista de helicópteros.

—Vamos a salir al centro de la ciudad —dijo—. Vamos a dar un paseo, para que te distraigas —explicó mientras ascendían a un jeep custodiado por cuatro soldados vestidos de civil.

El jeep avanzó por la orilla de la carretera, antes de doblar a la izquierda, hacia Atoyac. Al entrar en la colonia Sonora el capitán le señaló una casa, sin que el vehículo se detuviera.

—Ahí viven los padres de tu cuñado Ángel y enfrente sus tíos.

Recorrieron durante dos horas la ciudad y el capitán señaló casas y enumeró las familias que en ellas vivían, y los hijos, sobrinos o tíos comprometidos con Lucio. Cuando terminaron de recorrer la ciudad y regresaban al cuartel, se volvió hacia el hombre.

—Cuando salgas libre vas a vigilar todas estas casas que te he señalado. Tendrás una credencial de Agente Federal para entrar al cuartel cuando quieras y me darás toda la información que puedas. Te premiaremos siempre que nos lleves información buena. Te recompensaremos, ¿entiendes?

Cuando regresaron, el hombre vio que en la comandancia del cuartel estaban las luces encendidas.

Dos perros empezaron a ladrar junto a una barda de varas en el pueblo de La Caña. Oscurecía ya. A lo lejos ladraron otros perros. Una mujer se asomó a mirar. Vio afuera de la casa a un grupo de hombres con la ropa desgarrada, sin zapatos. Comenzó a cerrar la puerta de la casa. Uno de ellos habló. Tenía una voz delgada, de muchacho.

—Necesitamos comer, señora. ¿Podría regalarnos tortillas?

La mujer sintió miedo. Martín se acercó a Eusebio, para hablarle en voz baja. Un perro negro se les había incorporado; movía el rabo, sin ladrar. En la otra casa se asomó un hombre.

—Aquí no tenemos nada —contestó—. Pero los soldados están en Zintapala. ¡Váyanse pronto!

Había anochecido. Corrieron junto a una barda de piedras y doblaron hacia la derecha, para salir del pueblo por otro sitio. Pasaron por una casa que tenía la puerta abierta. Un hombre estaba cenando y vieron el plato de arroz y las tortillas calientes. La mujer se opuso a que entraran. En la mesa había una taza de café. César vio entonces que les entregaban dos bagazos de piloncillo.

—¡Los soldados nos pueden matar a todos! —gritaba la mujer dentro de la casa.

El calor inundó su garganta, su espalda. Oyó que Eusebio y Juan le gritaban y se sorprendió de estar ahí, dentro. Vio al hombre inmóvil, asustado. César dejó la taza de café sobre la mesa y salió corriendo tras los demás, que iban ya adelante, hacia el fondo de la calle.

—¿Quién lo envía? —preguntó.

—Inteligencia Militar, coronel.

—¿Quién precisamente de Inteligencia Militar?

El oficial negó con la cabeza.

—Debe ser el mismo teniente coronel, pero no lo sé. Lo hicieron llegar a los responsables de la seguridad personal del senador.

El coronel volvió a leer.

—*Se recomienda que por ningún motivo, razón o causa el senador e ingeniero Rubén Figueroa Figueroa se presente en gira política a Atoyac de Álvarez.*

—*Conocidos sujetos de "Bajos del Ejido" se reunieron en el "Kamuri" de Pie de la Cuesta, para afinar detalles sobre el asunto para que nada falle.*

—*El famoso "Negrito", con instrucciones de los "traidores" conocidos, ha logrado incrustar en el servicio de seguridad del senador a sus guardaespaldas de confianza; uno el principal, es compadre del "Negro" y es el mismo que tiene bajo las órdenes de importante camionero, que se dice muy amigo del senador, a un grupo de gatilleros que eliminan.*

—*Se recomienda que el senador envíe un representante o en su defecto deje pendiente la visita para cuando menos se piense.*

—*No se vaya a cometer la imprudencia de viajar en avioneta.*

—*Todos están pendientes de cualquier movimiento desconocido.*

—*En el complot figura gente del gobierno.*

—*Ojalá que esto logre resolverse oportunamente y al conocerles o descubrírseles pueda abortar y lograrse la visita del senador.*

—*Déjese desapercibida por el momento la visita en gira política a San Jerónimo y Coyuca de Benítez, por el mismo motivo.*

El coronel levantó la vista. El oficial lo miraba, esperando instrucciones.

—¿Qué gente del gobierno? —preguntó—. Que Inteligencia Militar nos informe aquí, en Atoyac. Es una orden.

Era noche. Había mucha gente en las calles.

—*Dígale al doctor que lo busca Pedro —dijo cuando la mujer abrió la puerta.*

A los pocos minutos regresó la mujer y lo hizo pasar.

—*¿Vienes solo? —preguntó el doctor.*

Caminaron por un corredor y tomaron asiento en dos sillas de palma. El doctor había abierto una pequeña ventana.

—¿Cuándo te dejaron salir?

—Hace tres días.

—¿Te preguntaron por mí? ¿No tienen mi nombre?

—No, pero hay mucho riesgo, porque varios compañeros se han pasado al ejército. Uno dijo que yo había llevado cartas al campamento.

La mujer entró con dos vasos de agua, que dejó sobre una mesa. Luego salió. El doctor echó el cuerpo hacia adelante.

—¿Fue Leoncio?

El hombre asintió moviendo la cabeza.

—Yo negué lo de las cartas en la comandancia del cuartel, por eso volvió a verme. "En ese campamento nos regalaste unos huaraches a mí y a Jesús. No puedes negar esto porque es la verdad", me insistió, enojado. "Además Lucio no pudo retener a Figueroa, no puede ganar. No teníamos zapatos, ni dinero, andábamos solamente huyendo como animales del monte", me reclamó. "Pero no todos pensamos que cuando nos arresten lo que hay que hacer es pasarse al gobierno", le dije. "Porque yo lucho no nada más por mí mismo, como tú, sino por todo lo que mi familia ha vivido, por todo lo que le ha faltado a mi familia desde antes que yo naciera, o de que mi padre naciera. Por eso no me importa lo que tú quieras hacer, Santiago, pues ya saben que ustedes mienten mucho para tener beneficios. Y yo podría declarar que estuve en la emboscada de Monte Alegre y que tú mataste al oficial que pedía agua. Porque no me importa que me maten, pero a ti sí te importa."

El doctor tenía el vaso de agua en las manos. Dio un sorbo más. El hombre había cesado de hablar. Tenía los ojos pequeños, como si fuera otro. Como si fuera un enfermo de mucho tiempo.

—Hace días recibí un mensaje de Lucio —comentó el doctor—. Para que estuvieras listo mañana, el día quince, más arriba de Santo Tomás, en El Corral, a las cuatro de la tarde.

El hombre movió las manos suavemente, como en señal de disculpa.

El doctor terminó de beber su vaso de agua.

—Pasa al consultorio, Gervasio, déjame saber cómo has quedado. Así no servirías para nada.

Le señaló la camilla para sentarse. Tomó su estetoscopio mientras el hombre se quitaba la camisa. El hombre sintió que ahora sí podía enfermarse, que ahora sí podía sentirse débil. El doctor frotó el estetoscopio en su mano, antes de inclinarse sobre la espalda desnuda del hombre.

Ministros de gabinete, senadores, diputados, agregados militares en México, oficiales del ejército mexicano, resistían el viento helado envolviéndose en grandes abrigos. El eco de los cañonazos de salva se fue perdiendo en los cerros de los antiguos ejidos de Tlalpan, donde se distinguían ahora los cordones militares. A lo lejos llegaba el sonido sofocado de la carretera. Aún no eran las ocho de la mañana y la ciudad de México se hundía inmensa, dilatada, en la neblina. El presidente de la República llegó con una gruesa chamarra amarilla, de piel, aborregada. El general Cuenca Díaz avanzó hacia los micrófonos colocados en un podium cercano a las sillas de los asistentes; alto, robusto, con el cabello recientemente cortado, el general resistió el viento helado con su traje militar verde olivo, sobrio, firme. Cerca de ahí, se distinguía una carpa de lona que cobijaba una hilera de mesas donde se serviría el desayuno para los invitados, poco después, a la iniciación de trabajos de construcción del nuevo edificio del Colegio Militar. La tierra suelta a veces se elevaba por el viento frío, bajo las mesas. El general comenzó a hablar.

—Jamás el nombre del Heroico Colegio Militar ha servido de bandera de divisionistas —afirmó lentamente, pero con firmeza—. Jamás ha sido escudo ni engañoso artificio para romper la unidad nacional. Tampoco estandarte de traidores. Quienes manchan su nombre, merecen nuestro mayor desprecio.

Cerca de ahí, en las sillas colocadas bajo el toldo, el presidente Echeverría escuchaba atento. El viento helado seguía agitando los abrigos de los políticos que lo acompañaban. Cuenca Díaz se ajustó las gafas, antes de continuar.

—Los militares de México surgen del pueblo mismo —siguió diciendo sin prestar atención al viento que agitaba los papeles de su discurso—. Por ello todos los militares son fieles servidores del gobierno constituido. Poseedores, señor presidente, señores todos, poseedores de una lealtad a toda prueba —dijo levantando la vista—. De una lealtad que no necesita polémicas, pues la lealtad es cumplimiento que exigen las normas de la fidelidad y del honor. No aceptamos una lealtad razonada, no —dijo levantando de nuevo la vista hacia donde se hallaban sentados los políticos y militares en hileras de sillas plegables, sobre la tierra—, pues la lealtad es única, sin análisis, es un todo que comprende las más altas virtudes civiles y militares. Todos los egresados del Colegio Militar a lo largo de ciento cincuenta años han sido y son leales por estar dispuestos a sacrificarse por defender nuestra bandera, por preservar y guardar lo que juramos proteger, lo que se nos ha entregado en custodia. Eso es lo que significa la palabra lealtad, una palabra que encierra un pensamiento que no admite discusión.

Sofocados por el viento frío, por el polvoriento llano circundado por los cerros, bajo un sol que no alcanzaba aún a calentar suficientemente, los aplausos se escucharon distantes, como si el viento mismo alejara por los cerros las voces y el ruido de las sillas que se movían.

—Han estado en el caso los elementos de la Policía Judicial Federal y del Distrito, don Fernando. Pero tenemos la información completa. Es una escalada.

—Sí, diga —contestó con voz ronca, tosiendo; maquinalmente buscó su reloj; pasaban apenas de las cinco de la mañana—. ¡Cómo! —interrumpió—. Explíquese, no le oigo bien.

—Que han estallado varias bombas durante las últimas horas en varias partes de la ciudad, don Fernando. Cargas de dinamita. Con mechas. Los detonantes eran de ácido sulfúrico. En Plaza Universidad estalló la primera a las dos de la mañana, en Sanborn's, y la otra dos horas después, en Sears. Se encontraron volantes de grupos terroristas, sin firmas, pero posiblemente provenientes de la Liga Comunista 23 de septiembre. Y estallaron dos bombas más; una en Plaza Satélite, en el Banco de Comercio y Telas Junco, y otra en Ciudad Netzahualcóyotl, en el edificio del Fideicomiso para la regularización de la tenencia de la tierra.

—¿Hay detenidos?

—Aún no, don Fernando. Pero es grave la situación.

—Dígame, pronto.

—Acaba de explotar otra bomba aquí, en la ciudad de México, hace diez minutos, en el Banco del Atlántico de Avenida Chapultepec y Tolsá.

—¡Pero hay elementos suficientes para identificar a los grupos que pueden planear estas acciones! —volvió a interrumpir.

—La Policía Judicial Federal insiste en elementos de la Liga comunista, por varios prófugos.

—¿No hay conexiones?

—Están confirmados otros nueve atentados dinamiteros en las ciudades de Guadalajara y de Oaxaca. Los dos primeros atentados en Guadalajara ocurrieron en oficinas de periódicos locales, por la noche; los cuatro últimos ocurrieron entre las doce de la noche y hace algunos momentos en las puertas de la Procuraduría de Justicia del Estado, en el edificio del PRI regional, frente a las puertas de un cuartel y en las oficinas de la CTM de Jalisco. Nadie se ha adjudicado los atentados, pero posiblemente se trata de los miembros dispersos del FRAP. Se tienen filiaciones de los presuntos culpables.

—Llame a Nazar Haro y dígale que me vea en la oficina en media hora.

—En cuanto a Oaxaca, las bombas explotaron también en edificios públicos, en el primer cuadro de la ciudad, don Fernando.

—Llame a Nazar enseguida —repitió—. Los veré en mi oficina.

—No, aquí no hay detenidos por terrorismo, señores —repuso el Procurador General de la República en el salón de recepciones del Palacio Nacional, cuando había terminado el desfile del 20 de noviembre—. El terrorismo es un delito concreto y sólo hemos detenido a delincuentes por asaltos y secuestros, que es diferente.

—¿Esos detenidos tienen nexos con organismos como la CIA? —preguntó otro de los periodistas.

Pedro Ojeda Paullada negó con la cabeza y las manos.

—Los consignados recientemente no tienen nexos con organismos internacionales. Son delincuentes que simplemente creían posible perturbar el orden social. Pero resulta claro que el orden que vive el país es muy superior a cualquier atentado de delincuentes comunes.

—¿Pero los bombazos del domingo pasado no reflejan una organización peligrosa para la sociedad mexicana?

Pedro Ojeda Paullada se sonrió.

—No se puede hablar de magnitud ni de capacidad de maniobra de estos delincuentes —dijo en tono alegre—. Es muy fácil lograr el estallido de un petardo. Todos de niños lo hemos hecho. No requiere mayor capacidad "logística" —se rió—. Y hacerlo estallar frente a un cristal no representa peligro alguno para la población.

—¿Entonces los atentados dinamiteros no están relacionados con la aprehensión reciente de los cómplices de Lucio Cabañas? —preguntó el mismo periodista.

El procurador cambió el tono de voz, restándole importancia a la pregunta.

—Hemos consignado a varios delincuentes, sí, así es —dijo con desgano—. Pero la relación que tuvieron con Lucio Cabañas y los hombres que delinquen con él en la sierra de Guerrero fue sólo una relación circunstancial. No podemos establecer relaciones de causa a efecto en estos casos, sino sólo investigar lo que se pueda probar, lo que realmente se pueda demostrar como verdadero o no. Nada más eso. Lo demás es falso; son cuentos, historias, sólo imaginaciones.

Los militares se rieron en voz alta y dirigieron la mirada hacia el viejo general.

343

—Anda, Rafael, promételo y brindemos con este espléndido jerez —insistió.

—Es más, yo pago otra ronda si lo promete —dijo el general Martínez, sentado al otro extremo de la mesa.

—Bueno, si lo cambian a Buchanan's, estoy dispuesto a pensarlo.

Las carcajadas sonaron nuevamente en el comedor privado del Casino Militar de Chapultepec. Dos meseros se hallaban distribuyendo nuevos platitos con anchoas y sirviendo una espesa sopa de ajo y huevo.

—Deben perdonarme, insisto, es que ya estoy viejo, eso es todo, y siempre voy echando a perder las comidas.

—Entonces, Rafael —intervino el general Tapia, al momento de acercarse el resto de la fuente de camarones al ajillo— eres el elemento más peligroso en la Escuela Superior de Guerra. Si tus locuras llegan a ser libros de texto de nuestros cadetes, no sobreviviremos a la primera generación de graduados.

—Pero ya prometió que no hará nada por interferir con el general Cuenca Díaz en contra de nuestras operaciones en Guerrero —replicó el general Hernández, en la cabecera de la mesa.

—Miren, señores —dijo sonriente el general Escárcega, levantando una mano en señal de silencio después de haber probado varias generosas cucharadas de sopa—. Yo hablo así, primero, porque estamos solamente nosotros. Por ejemplo, Miguel, somos amigos desde que nos bajamos de Chihuahua con el coronel Aldaco, ¿te acuerdas?, para hacernos obregonistas. Obregonistas fuimos, sí. Y después, con el general Amaro, pues me atrajo mucho la organización nueva del ejército. Desde ahí creo que me nació la idea de ser lo que ahora soy. O lo que estoy a punto de dejar de ser, pues, porque ya estoy muy viejo y no tardo en dejar en paz a este mundo. En fin, todos nos conocemos desde hace muchos años y nos ha tocado luchar juntos, sí. Es por la ocasión de estar aquí, entre ustedes.

—Pero tiene razón Rafael —dijo el general Tapia, brillantes sus ojos verdes por el regocijo y manchado el bigote después del último bocado de camarones—. Cuando le toca a uno estar en la burocracia de la Secretaría de Defensa ve por fuerza más ángulos. Quizás perdemos la acción real o inmediata, pero tenemos otra visión más amplia del ejército.

—Estoy de acuerdo —intervino el coronel Domínguez, que comía lentamente sentado a la derecha del general Escárcega—. Es formidable la dimensión que hemos logrado. Y no se frenará, por supuesto. Somos la única fuerza real de México.

—Por eso podemos confundirnos —interrumpió el viejo general Escárcega—. Por eso mismo podemos confundir el ejército con México y llegar a creer que México sólo somos nosotros, o lo que nosotros hacemos. Que no hay más fuerza posible en México que la nuestra. Y a eso voy. La función primordial del ejército es fortalecer la seguridad de un país. O la paz del país, digamos. Y esa seguridad se busca aun al precio de la guerra. Pero a veces buscando esa paz podríamos sofocar al pueblo mismo, conseguirla al precio de luchar contra el pueblo mismo. Y en ese sentido yo decía que quizas Lucio no es como otros radicales y asaltabancos comunes. O sea, la Liga 23 de septiembre es la delincuencia de un grupo con ideas comunistas, pero la de Lucio bien podría ser la lucha de pueblos, la lucha del pueblo real y no de exaltados y radicales, ¿me explico?

—Y difícil caso para el ejército ahora, que está arrasando en esta lucha con poblados y con cafetales, porque no sería posible sofocar a Lucio de otra manera —terció el coronel Domínguez.

—No estamos arrasando —replicó el coronel De la Selva—, estamos cercando poblados y patrullando zonas muy precisas en que sabemos que se encuentran los grupos guerrilleros.

—No, coronel —interrumpió el general Miguel Hernández, sonriente—. No niegue nada ahora. Quizás ellos tienen informes que usted mismo no conoce. Así son de peligrosos los burócratas —agregó, riéndose en voz alta.

Trajeron las fuentes de carnes y pusieron en la mesa platones de guarniciones en mantequilla.

—Muy buena idea, general Hernández. ¡También filete a la Wellington! —exclamó el general Tapia mirando con fruición los cortes que el jefe de meseros aplicaba, primero en la carne hojaldrada, después en un lomo de cerdo con ciruelas.

El coronel Domínguez se inclinó sobre la mesa, tratando de hacerse oír.

—Después de Waterloo el filete Wellington lleva paté francés. Antes llevaba sólo jamón de York —dijo y se rió él solo.

—Rafael, tenemos vino de la Rioja, ¿qué dices?

—Prefiero otro. Si hubiera vino de Navarra, mejor.

—Vamos, Rafael, no exageres.

—Bueno, si no hubiera en Rioja un gran Reserva de Viña Pomal o un Viña Ardanza, entonces decidamos por un simple Chateauneuf du Pape, Miguel.

—Lo que digo, estos militares que se van a estudiar a Europa regresan incorregibles.

—¿Y por qué no un San Emilión de Baja California? —terció el general Guillermo Martínez.

—¡Ah, no! En ese caso aquí el maestro masón es el que conoce todo lo de Baja California —dijo el general Hernández—. Que Francisco hable y él decida.

El general Tapia comenzaba a servirse varias rodajas de lomo de cerdo.

—Francisco, te hablan, ¿qué opinas? —insistió ahora el general Martínez.

—Yo opino como Rafael —contestó después del primer bocado—. Si es de España, un vino de Navarra, porque el mejor vino español no hay aquí, que son los Vega Sicilia. O un borgoña viejo. Recuerdo que tenían aquí algunas cajas de un borgoña viejo.

—¿Y qué le ven de malo a este Siglo? —repuso el general Hernández, mostrando la botella cubierta de malla.

—Mira —interrumpió el viejo general, que estaba con sus anteojos puestos revisando las botellas que mostraba el mesero—. Aquí hay un Viña Monty 62. Vámonos con éste. Y tienen tres botellas de la misma cosecha. Que sea Rioja, pues, para que no se desfalque la Secretaría.

—Y yo que pensaba que el mejor vino era el de Coahuila —exclamó el coronel Domínguez.

—¡Que le traigan una botella de Noblejo y que el coronel beba de ese vino! —festejó el general Escárcega, mientras untaba abundante mantequilla en una pieza de pan.

—Pero yo también soy valiente y quiero exponerme al que usted escogió —repuso.

El general Escárcega tomó la primera copa de vino y brindó a la mesa. Luego engulló un enorme pedazo de carne hojaldrada y dudó un instante en tomar un bocado de setas cocidas en mantequilla o de coliflor gratinada.

—Bueno, yo no estoy de acuerdo en un aspecto de la comparación del general Escárcega —dijo el coronel De la Selva dirigiéndose a toda la mesa—. La Liga Comunista no es un enemigo desde el punto militar. En realidad es un problema menor, por eso no intervenimos con las medidas policiacas que se adoptan contra ellos y contra otros grupos parecidos, aunque se trate de la Federal de Seguridad, por supuesto. Pero con Lucio Cabañas estamos ante un caso diferente, que sí requiere de una posición distinta del ejército en su totalidad, como decisión política regional, pues, pero de dimensión nacional.

—Sí —dijo el viejo general, levantando suavemente su copa de vino, para beber—. El gobierno militar en lugar del civil.

—Perdóneme que insista —replicó el coronel—, pero no un gobierno militar, sino una ocupación militar que exige un estado de sitio riguroso, un estado de alerta.

—No se preocupe, le aseguro —repuso otra vez el general, con calma—. Yo entiendo lo que usted dice. Pero también le señalo aquello que pueden opinar el mismo presidente de la República y, por supuesto, funcionarios civiles desde Gobernación hasta Hacienda. Por vez primera, en el México moderno, hay una total ocupación militar de una región del país. No es fácil entenderlo para muchos. Ni para el ejército mismo. Es una experiencia histórica, sí. Se trata de que estamos controlando un estado entero del país, militarmente, por vez primera. Pero fíjese. Controlando militarmente a una región del país. Nosotros podemos decir que luchamos contra un puñado de muchachos o de indios o de comunistas, pero lo cierto es que estamos controlando pueblos enteros, municipios, ciudades, montañas, comunicaciones, todo. Por eso puede caber la duda de si estamos sofocando y luchando contra el pueblo mismo o solo, como le gusta decir al presidente de la República, contra problemas provocados en México por la CIA.

—Así es, Rafael —sentenció el general Hernández—. Por un lado, Estados Unidos provoca con la CIA este problema en México; por otro, el ejército norteamericano ayuda al ejército mexicano a luchar contra ese problema.

—¿Curioso, verdad? —se sonrió el coronel Domínguez, disponiéndose a comer la última porción de su plato.

—¿Curioso? ¿Le parece curioso? —dijo el general Escárcega—. ¿No sabe usted que la mano derecha de Estados Unidos puede estar matándolo con un cuchillo sin que la mano izquierda de Estados Unidos sepa que debía matarlo a usted con una pistola?

—En todo caso, el ejército norteamericano es más comprensible que la CIA —replicó el general Tapia—. Siempre lo ha sido. La CIA es una especie de Medusa que puede tener un tentáculo en Bucareli, otro en Tesorería de la Federación y otro en la esquina más próxima. El ejército, en cambio, nos envía de asesores a los puertorriqueños y envía a Vietnam sus fuerzas chicanas y negras. Ahí cuidan muy bien sus contingentes sajones.

—Pero nos estamos saliendo del tema, señores, y mientras tanto, ya no veo más filete a la Wellington por aquí. Alguien se lo ha llevado, o, lo que es peor, ¡se lo ha comido!

—¡Pero si estamos esperando desde hace rato los postres! —repuso el coronel Domínguez al momento en que los meseros llegaban a cambiar manteles para ofrecer las bandejas de dulces.

—A mi edad ya no puedo comer eso —intervino el general Escárcega.

—Chongos zamoranos para mí —pidió al extremo de la mesa el general Hernández.

—¿Una manzana cocida, general Escárcega? Una fruta hervida con un poco de canela y de azúcar no le haría daño.

—Lo que le hace daño es no comer —dijo el general Tapia—. Que coma unos chongos zamoranos o al menos un dulce de higo y nuez, de Parras, para ver si cambia su punto de vista.

—¿Café y coñac para todos?

—Yo prefiero seguir con whisky. Whisky solo. Buchanan's, sin hielo ni agua —dijo el viejo general—. Los enfermos sólo podemos beber whisky.

—¿Está usted enfermo, mi general? —preguntó el coronel Domínguez—. Se ve usted estupendo. No parece enfermo.

—¡Cómo es posible que no se dé cuenta de las exageraciones de Rafael! Está más sano que cualquiera. ¡Nos va a enterrar a todos!

—Bien, si insisten —dijo sonriendo el general Escárcega—, comeré ese pastel de coco que nadie quiso.

—Bueno, ahora que entramos a los postres —pidió el general Hernández—, debemos concretar la conversación, porque si no, después del coñac esto será la debacle. ¿No estás de acuerdo conmigo, pancho? Porque parece que Rafael sólo te hace caso a ti. Ya pienso que incluso sea de tus masones y todavía no lo sepamos nosotros.

—Mi padre fue masón, pero yo lo sigo pensando —interrumpió el general Escárcega, disponiéndose a comer su pastel.

—Estoy de acuerdo en que hablemos con más orden sobre el asunto —contestó el general Tapia—. El coronel De la Selva se regresará a Guerrero pasado mañana y se llevará una idea equivocada de nuestra opinión.

—¡Pero era una comida de amigos, no una reunión de trabajo! —exclamó el coronel Domínguez.

—Si se refieren a mi opinión, les diré que se trata sólo de una reflexión sobre el caso, de un análisis incompleto que me impide tener ya una opinión definitiva.

—El que no tengas una opinión definitiva es lo que nos preocupa —atajó el general Hernández—. Es tu forma de disentir o de rebatirnos.

—De acuerdo —dijo el general Tapia, dando un sorbo a su copa de cognac.

—Podemos concentrar el problema en diferentes fases de su proceso —dijo el general Hernández tomando uno de los habanos que el jefe de meseros ofrecía a la mesa—. Me interesa lo que dices de la ocupación militar de Guerrero. Eso por un lado. Pero también lo que se piensa en la oficina de la Presidencia sobre la CIA. Y por supuesto, el tema central, el de Lucio Cabañas. ¿Les parece bien, señores? ¿Les parecen suficientes los temas a tratar?

—No estoy de acuerdo. Se reducen mucho los enfoques así. Creo preferible concentrarnos en Lucio, nada más —apuntó el general Martínez.

—Pero no se trata de un panel, señores, ni de una sesión de Estado Mayor, por Dios. Sólo queremos escuchar las opiniones de Rafael. Queremos escuchar al maestro. Al intelectual militar.

—Aun así creo que todos podemos discutir con él sobre puntos más abiertos, ¿no creen los demás?

El general Tapia se rió. Dio un sorbo a su taza de café y luego habló suavemente, con los ojos brillantes por la sonrisa.

—Pero, ¿a quién le importan las opiniones de Rafael? ¿Ustedes creen que el general Cuenca Díaz lo oye? El confesor de Hermenegildo no es él. ¿O tú crees que sí, Memo?

—Viniendo este escepticismo del Banco Militar, me abstengo de responder —contestó el general Martínez.

—Lo advertí, señores. Dije que cuando llegara el coñac esto sería la debacle. Ya es imposible sostener una conversación coherente con hombres tan borrachos y tan orgullosos.

—¡Pero si eres tú el que va en su segundo coñac!

Los meseros retiraban las bandejas vacías y uno de ellos ofrecía más café en la mesa.

—Debo reconocer que me interesa el tema. Sí, lo confieso —dijo el general Escárcega quitándose los lentes de armazón de carey y envolviéndolos en su pañuelo blanco para limpiar los cristales; carraspeó y luego volvió a colocarse los anteojos—. Es un caso muy interesante éste de Lucio Cabañas.

—¿Interesante? ¡Vamos, Rafael, pero qué cordial estás con ese cabrón asesino!

El general Escárcega levantó una de sus grandes y gordas manos morenas pidiendo paciencia.

—Reconozcamos algo, Memo —volvió a explicar—. Y para usted, coronel De la Selva, esto es importante. Nunca, en todas las guerrillas de América Latina, y en esto incluyo a la cubana, por supuesto, nunca se dieron hechos de armas con tropas regulares como las que afrontamos con Lucio. Las emboscadas de Río Santiago y de Yerba Santita son fuera de toda proporción, señores. No representan, claro, un riesgo para el ejército. No estamos hablando de un contingente armado que pudiera vencer en combate regular a un batallón, por supuesto. Pero desde el punto de vista de las soluciones que Lucio Cabañas ha adoptado en diversas circunstancias, me parece su caso importante, o interesante, como dije cuando le molestó la expresión a Memo. Pero ése es el término que me conviene para describirlo. Se ha desenvuelto militarmente bien dentro de sus posibilidades. Y lo fundamental del caso es el apoyo concertado con los pueblos de la sierra. Ahí es donde creo que reside la cuestión central. No se trata de un puñado de hombres alzados en armas que se desplazan de un sitio a otro independientes y aislados, como las otras agrupaciones terroristas, no. Se trata de una guerrilla que los pueblos de la región apoyan, sostienen, ocultan. Poseen una red a través de muchos pueblos de la región. Por esto nuestra respuesta como ejército no puede reducirse a una lucha contra la guerrilla ni a un rastreo de los grupos armados, sino al control de toda la zona, porque es una guerra contra todo lo que en la región apoya a esos hombres armados, ¿me entienden? El enemigo está también en todos los pueblos y no sólo en ese puñado de hombres. Por eso es necesario el control militar de la zona que con toda razón logró Hermenegildo, y es justamente lo que en el fondo teme el gobierno civil, incluyendo al presidente Echeverría. Yo les decía por eso que se trata de enfrentar al pueblo mismo.

—No al pueblo, Rafael —intervino el general Martínez retirándose momentáneamente el habano de la boca—. Estamos acabando a los bandoleros agazapados en los pueblos, que es distinto.

—Para el caso es lo mismo, Memo, porque sin la ocupación militar no acabaríamos con ningún bandolero.

—No es lo mismo —volvió a interrupir—, porque la identificación de grupos rebeldes no equivale a un control de seguridad militar en una zona de guerra.

—Mira, Memo, el pelotón que entra en un pueblo no sabe aún en qué casa, en qué momento o cuántos hombres se han vinculado con la guerrilla. Deben sitiar y actuar como si todo el pueblo fuera cómplice de Lucio. Por eso se requiere de un control efectivo de la zona. Porque además no podríamos localizar toda la red clandestina de apoyo en los pueblos si dejamos la investigación, los interrogatorios, las detenciones y las medidas de cualquier clase a las autoridades civiles, a una legislación regular en tiempo de paz. Por eso tenemos el control total de la región, señores, porque no puede resolverse de otra manera. Y solamente una fuerza como el ejército puede tomar una decisión así, no el presidente de la República ni el gabinete civil, porque a ellos les aterra la imagen política de la decisión. Y para nosotros se trata de una responsabilidad orgánica. Nuestra esencia es reestablecer la paz, sólo eso. Y no lo vamos a hacer a medias tintas ni con vanidades de políticos, sino con responsabilidad militar. Por eso Hermenegildo se comportó con firmeza. El ejército no teme asumir su responsabilidad total, intrínseca. Por eso tenemos toda la zona bajo un control militar real, bajo un gobierno militar, señores. Y en nuestros días, se trata de algo excepcional en México.

—Ya me está volviendo la confianza en ti, viejo discutidor —dijo el general Martínez.

—Pero es un elogio, ¿no? Es así, ¿verdad? —preguntó el coronel Domínguez.

—¡Pero no he terminado! —exclamó el general Escárcega, después de dar un sorbo generoso a su vaso de Buchanan's—. Esperen, espera, Memo.

El general Hernández se rió en voz alta, entre las carcajadas de los demás. Dio una profunda aspirada a su habano y arrojó lentamente el humo azulado al centro de la mesa.

—Y aquí está el problema que planteo. Ya lo habíamos comentado, Pancho, ¿recuerdas? Tenemos el control militar de la zona porque, de hecho, la guerra es contra *esa* zona. Y desde ese punto de vista cabe la posibilidad de que estemos atacando una lucha del pueblo y no sofocando un alzamiento contra el pueblo, ¿me explico, señores? Porque no es la primera vez que un ejército regular trata de acabar ahí con grupos armados. No me refiero a las resistencias guerrilleras del siglo pasado, de la Reforma o de la Independencia, no. Pienso en que toda la zona fue en este siglo zapatista. Las guerrillas zapatistas se fortalecieron no sólo en Morelos, en Cuautla, sino en Guerrero, en esa misma región de Lucio. Y recordemos que el zapatismo nunca desarrolló una fuerza militar regular, poderosa, como el villismo. ¿Recuerdas que hace años hablamos de esto, Memo? ¿Estamos de acuerdo todos, no? El zapatismo siempre fue militarmente una especie de ficción. Se escondía en los pueblos, se mimetizaba, se arrojaba de pronto en algún punto y luego desaparecía. Fue sobre todo una fuerza de guerrilla, no de ejército regular. Y las tropas disciplinadas de Victoriano Huerta tuvieron que abrirse paso, como decimos hoy, a través de aldeas estratégicas, arrasando poblaciones, zonas enteras, para desactivar todos los canales de suministro de alimentos, de armas, de información a los grupos guerrilleros. Es decir, la historia se repite y peligrosamente extiende trampas a la vida de los ejércitos, ¿no les parece?

—¿No se los dije? —intervino el general Hernández—. Rafael es capaz de agotar los recursos de paciencia del varón más santo. Ahora resulta que Lucio Cabañas es un héroe. Un Zapata redivivo. ¡El colmo!

—Es muy peligroso confundir a Lucio con un héroe, general —apuntó con firmeza el coronel De la Selva.

El general Tapia permanecía quieto, mirando de hito en hito la expresión de los hombres sentados a la mesa. Se apoyó con los codos en la silla y echó el cuerpo hacia adelante, para hablar.

—El error es lo peligroso, coronel —dijo con voz suave y tranquila—. Todos nosotros estamos de acuerdo en que el ejército actúa conforme a su deber y su sentido esencial. Pero Rafael se está refiriendo a la importancia de la decisión actual del ejército. Debemos aceptar que el pueblo, o al menos un sector del pueblo, está detrás de Lucio, que apoya su lucha. Que sean narcotraficantes, robavacas o no, eso no importa. Lo que debe quedarnos claro es que parte del pueblo está apoyando su lucha y que es pueblo. Y esto es lo que algunos políticos se resisten a aceptar. Por eso temen las medidas militares. Hacia esto vas ¿no es así, Rafael?

El general Escárcega asintió con un lento movimiento de cabeza. Tenía los labios apretados y húmedos, reteniendo un trago.

—Por eso lo temen, Pancho, así es —repuso al fin, girando en la mano suavemente el vaso de cristal donde se agitaba un residuo de whisky—. Temen reconocer que es un alzamiento popular, que son pueblos enteros apoyando a Lucio. Nosotros sabemos que el ejército en el pasado ultimó a las guerrillas zapatistas con una estrategia muy parecida a la que ahora estamos siguiendo. El destino de los ejércitos siempre colinda con los territorios más disputados de la historia, con los terrenos más difíciles. Por eso un militar requiere claridad y fuerza para que no se desmorone como el político que no se arriesga en las armas y que no se arriesga en la imagen que quiere proyectar en la historia. Para un ejército la historia no puede ser una aventura del espíritu o la vanidad de figurar de un modo o de otro. El ejército se realiza militarmente, o no sirve para la historia ni para las fotografías de calendarios. Por eso el presidente de la República tiene reservas en aceptar lo que nosotros; el licenciado Echeverría no quiere aceptar públicamente que se trata de un alzamiento que apoyan los pueblos y prefiere creer que es la CIA la que anda trepada en la sierra con Lucio.

—No estoy de acuerdo con usted, general —interrumpió el general De la Selva—. Yo no puedo aceptar que el pueblo esté con Lucio. De ninguna manera. Se trata de un grupo de rebeldes que han amenazado la zona, que han causado terror y que cuentan con un grupo muy bien distribuido en la sierra de Atoyac que sirve a sus propósitos. Los pueblos comienzan a delatarlos. Nos hubiera sido imposible cercarlos como lo hemos hecho ahora si los pueblos, o mejor, si el pueblo mismo no los estuviera delatando.

El general Escárcega se sonrió y movió de un lado a otro la cabeza. Se pasó una mano entre el abundante pelo blanco y ensortijado.

—Me parece bien que usted piense eso, coronel —comenzó a responder, inclinando la cabeza ligeramente—. Sobre todo porque así puede cumplir mejor con su responsabilidad. Pero no nacimos ayer y sabemos por qué empiezan los pueblos a delatar a movimientos como éste. Lo saben también los asesores norteamericanos que están en Atoyac. Y los especialistas en interrogatorios que tenemos en el Campo Militar número uno y en Atoyac. Sé que el caso está a punto de terminar, que no podrá resistir más tiempo Lucio Cabañas. Pero hay accidentes, coronel, accidentes de la razón, o de la teoría. A ésos me refiero ahora. Yo no estoy diciendo que Lucio sea un héroe. Pero sí afirmo que la lucha de un pueblo es un accidente, o puede ser un accidente para un Estado, para un gobierno que se niegue a creer que él mismo no es la razón del pueblo. Es una trampa de la historia. El enemigo es sólo enemigo para un ejército, coronel. Pero en la historia es algo más: invasor, defensor, héroe, alguien que destruye o defiende. En *esa* lucha estamos con las manos atadas. Los pueblos pueden tener razón o no, pero son el pueblo que debemos sofocar, controlar como lo estamos haciendo. Ni más ni menos que como lo estamos haciendo, coronel. Pero el presidente Echeverría se encuentra también maniatado ante el plano popular de Cabañas. Y sabemos que no solamente en los pueblos cuenta Lucio con apoyo, sino en México, en Veracruz, en Durango, en Michoacán. Y que si bien tendrá lazos con los grupos comunistas de las ciudades, no tiene en realidad nada en común con ellos de fondo, porque esos grupos carecen de masas populares. Y si queremos buscar nexos con algún país, hay que buscarlos con la Unión Soviética, no por la CIA. Sabemos qué ocurrió con el presidente en su viaje a Rusia ¿no es así? Le advirtió a Brejnev que rompería relaciones diplomáticas con la URSS si volvía a entrenar militarmente a otro grupo de muchachos mexicanos. Y expulsó a dos diplomáticos soviéticos por indeseables. ¿Cómo, entonces, conciliar esa actitud con la insistencia teórica de que la CIA está ocasionando todo movimiento armado? Yo no digo que la CIA sea una congregación de hermanas de la caridad. Son unos hijos de la chingada, por supuesto. El presidente Díaz Ordaz recibió de pie en su despacho al embajador norteamericano para reclamarle la intervención de la CIA en los disturbios estudiantiles de 1968. Pero aquí, en el caso de la sierra de Guerrero, estamos ante circunstancias distintas.

—Los bandoleros pueden aliarse con quien sea, general —interrumpió de nuevo el coronel De la Selva—. Yo no aseguraría que con la inteligencia norteamericana, pero eso no los descalifica como delincuentes y asesinos. Me sorprende que usted los defienda, general.

—A mí no me sorprende atravesar por un terreno que ya no es lo militar, coronel —repuso con rapidez; se ajustó los anteojos con una mano y echó el cuerpo hacia adelante—. Los héroes son un accidente, le dije. Nadie se imaginó que Zapata, pues viene más al caso, era el héroe y no el coronel Guajardo. Para él y para el general Pablo González, Zapata era un bandolero, un robavacas, un indio asesino. Quizás era eso para todos en ese momento, ¿por qué no? Huerta ignoró que fusilando a Madero no salvaba a México, sino que perdía la guerra. Es un capricho del destino o de la vida que los militares no podamos decidir esos valores en la guerra misma, aunque triunfemos en ella. Lucio puede significar varios valores a la vez, pero nosotros no. Por lo menos no nos compete ahora dedicarnos a especular con eso. Pero si usted, coronel, no sabe que estamos corriendo el riesgo político, entonces no podrá entender incluso la importancia de la ocupación militar de Guerrero. Ni la importancia del nuevo Colegio Militar en Tlalpan. Usted hace bien en cumplir militarmente en Atoyac. Porque el destino del militar es muy singular. Es un heroísmo anónimo, un heroísmo a veces religioso, si me permite que use esta palabra. El militar tiene que asumir con valor, con decisión, su papel decisivo en cada momento. A veces le toca ser invasor y represor. Vencer o perder, vivir o morir, no son las únicas alternativas. Se escapan de nuestro control. Un hombre que sea incapaz de asumir su papel, a riesgo de todo, no puede ser militar. Se necesita mucho valor para actuar contra esos fantasmas metafísicos que algunos políticos y curas tanto temen. Por eso creo que el ejército es íntegro. Porque debe ser capaz de matar y de vencer a héroes y a traidores. Enfrentar a Dios y al Diablo. Y eso sí es una decisión cuyo sentido usted parece no entender aún, coronel.

El coronel De la Selva se volvió a mirar intensamente a los generales Hernández y Tapia. Tenía apoyada su mano derecha sobre la mesa. Acababan de dejar una taza humeante de café ante el coronel Domínguez. El general Escárcega tomó el último sorbo de su vaso de Buchanan's.

—La sobremesa ha sido larga, señores —comentó el general Hernández—. Claro que no esperábamos menos de Rafael. Necesitábamos ya una conversación así. El trabajo burocrático nos absorbe mucho. Pocas oportunidades tenemos de reunirnos sin prisa, para hablar, para escucharlo.

—Seguramente que Rafael se quejará de nosotros —comentó el general Tapia—. Habló tanto que no pudo beber en calma.

—¡Eso! —exclamó el general, entre el estallido de risas en la mesa—. Yo sabía que alguna mala jugada se ocultaba detrás de todo esto. ¡Miguel quería ahorrarse los tragos que yo podía beber! ¡Qué digo, que yo debo beber!

El general Hernández hizo una señal al mesero para que sirviera whisky en el vaso del general Escárcega.

—Que sea doble —dijo el general Tapia—. Sírvale doble —insistió.

—¡Eso, Pancho! Así es. Tienes la boca llena de bondad. No como yo, que canso hasta a mi sombra diciendo si Sóstenes Rocha fue héroe por tomar la Ciudadela o si Bernardo Reyes debió ser mejor o qué sé yo, que Ignacio Zaragoza fue nuestro militar perfecto. En sentido personal me interesan estas cosas. Porque soy lo que soy. Militar viejo. En realidad no recuerdo ya qué es ver el mundo sin ser militar. Ya no sé qué cosa es el mundo fuera del ejército. Tú, Pancho, brinda conmigo. Tú, Miguel, por ser nuestro anfitrión. Y tú, Memo, también ahora que puedo brindar sin estar discutiendo. Salud, señores, salud.

El viejo general sudaba. Sus ojos cafés ardían con alegría y con nerviosismo. Apuró un largo trago de su vaso. El mesero revisaba la cuenta de la comida con el general Hernández.

—Yo debo retirarme —dijo el general Martínez poniéndose de pie—. Lamento dejar esta mesa tan cordial y tan controvertida, pero llevo de retraso más de treinta minutos —explicó avanzando hacia el general Hernández, para despedirse de mano; luego lo hizo con cada uno de los militares de la mesa y salió del comedor privado.

—Debo retirarme yo también —explicó el coronel De la Selva, poniéndose de pie—. Y disculparme de mi poco tacto en seguir una conversación que me llega muy de cerca. Reconozco que he sido apresurado en mis reacciones, general Escárcega. Y créame que siento una gran admiración por usted.

El viejo general lo miró con sus ojos llenos de malicia.

—Usted no tiene de qué disculparse. Estas discusiones no son asuntos militares. Son accidentes de la inteligencia, coronel. Y usted da pasos firmes, sin vacilaciones. No pierda su tiempo con los militares viejos. Nos gusta hablar, como a todos los viejos.

El coronel rodeó la mesa para acercarse al general, que le extendió la mano sonriente, sin ponerse de pie.

—Yo me voy con usted, coronel —dijo el general Hernández—. Voy ya también con cierto retraso.

—Vaya, ahora sí que esto es una desbandada —exclamó risueño el general Tapia—. ¿Tú también te vas, Miguel?

—Así es —repitió el general Hernández—. Debo pasar todavía a mi despacho. Mañana tengo reunión de Consejo y debo revisar aún varios documentos.

—La administración es una batalla perdida de antemano —exclamó el general Escárcega, moviendo la cabeza enérgicamente.

—Yo lo acompañaré, no se preocupen —dijo el general Tapia, de pie, despidiéndose de los militares que se retiraban.

Cuando quedaron solos en la mesa, el general Escárcega bajó la vista y quedó callado. Sacó su pañuelo blanco y se quitó los anteojos para limpiarlos. Luego se pasó el pañuelo por la frente. Volvió a colocarse los anteojos. Sus dos enormes y gordas manos quedaron sobre el mantel, como personas. Empezó a hablar, sin levantar la vista.

—Estaba pensando justamente en eso, Pancho —dijo.

El general Tapia asintió, sonriendo.

—¿En eso, Rafael?

—Sí, en lo que dije de no saber ya qué es el mundo sin ser militar.

—¿Crees tú que podrías verlo de otra manera?

—No me preocupa ya que haya algo más. Algo que yo no alcance a distinguir. Lo que no vemos es algo así como Dios o lo que no existe.

—No hay manera de saber si lo que no vemos puede ser algo, Rafael.

—Sí; es el accidente con que tropezamos en cualquier momento. Con que tropieza la razón, Pancho.

—La razón no tropieza con el accidente, lo evita. El accidente es una excepción.

—¿Y a todos los masones les gusta jugar así, con los sueños?

El general Tapia sonrió, antes de contestar.

—Cada quien debe cumplir con un destino —le dijo suavemente—. El tuyo ha sido el militar. Aunque la vejez te ha hecho más contemplativo que guerrero.

—Pero lo contemplativo en mí es explicar la guerra, comprender al ejército.

—La razón se nos escapa, Rafael. Sólo queda lo que sentimos.

—No, Pancho. La razón la tenemos como ejército. Cuando nos destruyan, será el momento en que la hayamos perdido.

—Esto es lo que debió haber escuchado el coronel De la Selva.

—No, Pancho, no —replicó negando con la cabeza—. No entiende que el ejército es algo más que su fuerza en Guerrero. No entiende que Hermenegildo es un inicio en la próxima evolución del ejército. Es el primer general de cuatro estrellas que ha sido preparado, que ha surgido del saber, no sólo de la fuerza. A él le importa la inteligencia en el ejército. Sabe que hay destinos más importantes en México.

El general Tapia aceptó con un movimiento de cabeza.

Se pusieron de pie. Uno de los meseros les abrió la puerta de cristal del comedor privado y entraron al salón del Casino Militar. Caminaron lentamente sobre el parquet que en ese momento limpiaban los mozos. Salieron por la puerta principal. La frescura de la tarde los recibió afuera, entre los árboles de Chapultepec. Un ruido de pájaros inundaba el aire, parecía estremecer las copas de los árboles. El cielo estaba ya enrojecido por el atardecer. El viejo general levantó la vista hacia el cielo, hacia las nubes enrojecidas; una ligera oscilación de su cuerpo y de su cabeza dejaba adivinar la embriaguez que comenzaba a inundarlo. Se pasó una de las manos sobre la cabellera abundante y blanquísima. El general Tapia se ajustó su fino sombrero de fieltro. Caminaron hacia el estacionamiento. A lo lejos veían, enrojecida por el crepúsculo, hermosa quizás, la avenida del Paseo de la Reforma, colmada de automóviles ruidosos, con las luces ya encendidas. Se detuvieron al llegar al estacionamiento. El soldado que cuidaba la zona los observaba de soslayo. Del automóvil del general Tapia descendió el conductor y abrió la portezuela trasera. El general hizo una seña con la mano, para que esperara.

—No terminaste ¿verdad, Rafael? —dijo con voz cálida el general Tapia.

El general Escárcega asintió lentamente y carraspeó. Luego se quedó callado, como si pensara en otras cosas lejanas, que no se referían a lo que él estaba diciendo en ese instante. Parecía estar en otro sitio. O recordar algo. Luego levantó la vista y se volvió hacia el general Tapia.

—Tenemos que hacerlo, por supuesto. Y no puede escapar del ejército. Eso lo sabemos muy bien. Pero se trata del pueblo, Pancho.

Se volvió a mirar a lo lejos, hacia el Paseo de la Reforma. Estaba ya oscureciendo. Respiraba con la boca ligeramente entreabierta. Quedó callado un momento, como si estuviera a punto de reconocer algo, a alguien. Echó a caminar, lentamente, al lado de su amigo. El conductor los esperaba ya en el automóvil verde olivo, con las portezuelas abiertas.

IX

2 de diciembre de 1974

Lucio despertó escuchando el rumor del viento. Un rumor profundo, extenso, que parecía concentrarse en la cañada, en las piedras, en la abundante maleza. Aún no amanecía. Pero un suave estremecimiento de aves comenzaba a sentirse desde la oscuridad de los árboles, como proviniendo de un lejanísimo eco de la tierra que poco a poco trataba de unir las cosas, de convocar a la luz, a la inmensa oscuridad que parecía darse cuenta del alba. Lucio miró hacia la cabaña. Luego trató de mirar el cielo, la azulada extensión oscura que trataba lentamente de iluminarse. Un gorjeo dulcísimo y breve alcanzó a escuchar del lado del arroyo; era el gorjeo de un pequeño pájaro de esa zona, el papichocho. Pensó en levantarse, pero permaneció recostado un momento más. Recordó de pronto la ciudad de Tixtla, cuando estuvo ahí, hacía muchos años. Recordó el anillo de Serafín, el esposo de su madre, que cambió para llegar a Tixtla y estudiar la primaria. Vendía paletas heladas por las calles calurosas, durante el día. Después, en la noche, llegaba al pequeño hotel a trabajar de velador. Pensó en el señor Taide Valle, el dueño. Sintió que era algo extraño ya, que Tixtla era algo que el viento no tocaba, que no alcanzaba a envolver en su rumor, en su limpieza, como una oleada de paz, como si ascendiera una oleada de tranquilidad. Quizás El Cayaco sí. Quizás el viento sonaba también en El Cayaco, igualando la oscuridad de El Otatal con la oscuridad de aquellas palmeras. Era otra vez la prisa del río, la fuerza de la prisa que en el mundo se siente llamando, buscando a alguien como una frontera ajena, una sombra detrás de la luz, que espera el paso del río, o del viento mismo, o de las miradas que no pueden verla, que en el desconcierto que provoca desconocen el universo que frena, o que en ella se detiene, como buscando convertirse en su sombra misma, en la huella misma que será.

Cerró los ojos. Pensó en Atoyac, en El Porvenir, en El Paraíso. Pensó en Isabel, en su boca tersa, caliente. Ahora, su hija con Isabel tendría un mes y medio. La prisa volvió. Había vuelto a dormir, sin darse cuenta. Abrió los ojos. Lentamente pugnaba la luz por aclarar el aire. La prisa estaba de nuevo, invadiéndolo, oprimiéndole como el hambre, como si sujetara la respiración a un ritmo más difícil. Se volvió a mirar hacia el bejucal. Muchos pájaros gorjeaban ya entre los árboles, entre las parotillas, entre los cacahuananches. Oía el aleteo de los cuervos y los tordos, quizás el vuelo de algún otro pájaro. Miró su reloj; bajo el aire aún oscuro, como al fondo de cenizas, distinguió las manecillas. Pasaban ya de las cinco de la mañana. Volvió a sentir deseos de incorporarse y una tensión mezclada con la prisa, con la ansiedad, con un tenue dolor.

Se incorporó. Se ajustó el morral de ixtle donde cargaba las balas y caminó sujetando el M-2 con la mano izquierda. Sentía que la oscuridad iba cediendo, como hilos oscuros que se fueran desprendiendo, apartando del aire, desbaratándose a su paso. Se detuvo en lo alto de la pendiente, junto al tronco de un jubero. A través de los árboles lechosos, de los blancos y delgados troncos de los algodoncillos, veía al fondo, entre parotas y huajuruscos, la silueta de la cabaña, quieta, silenciosa. Se ajustó la gruesa chamarra verde, aborregada, cubriéndose el cuello. Sujetó en la mano izquierda el M-2 y con la derecha su miembro. El olor acre de la orina caliente ascendió hasta él. En todos los árboles comenzaba a escucharse el aleteo de pájaros, el movimiento de ardillas, el profundo deslumbramiento del amanecer. Pensó en José Isabel Ramos. A esa hora debía acercarse con los hombres que prometió traer, armados ya. Pensó en el dinero que le había dado ayer por la tarde, cuando insistió en bajar al poblado y que ellos permanecieran en El Otatal. Lucio tosió. El frío del amanecer parecía más intenso.

—Aquí está el parte, mi general —dijo el militar entregando el documento al general Cuenca Díaz, en la ciudad de México.

El general tomó los papeles, sentado ante su escritorio. Eran las tres de la tarde.

—¿Hicieron los cambios?

El militar asintió con un movimiento de cabeza.

—Incluimos el parte modificado de Los Corales, de acuerdo con sus instrucciones. Y de El Otatal suprimimos la mención del sobreviviente capturado.

El general se dispuso a leer los papeles:

"La Secretaría de la Defensa Nacional informa que el día de hoy, alrededor de las 9 horas, en la región El Otatal, municipio de Tecpan de Galeana, estado de Guerrero, a unos veinte kilómetros al noroeste de esta última población, tropas de la XXVII Zona Militar, con sede en Acapulco, tuvieron un encuentro con el grupo delictivo del secuestrador y asaltante Lucio Cabañas Barrientos, en el que éste resultó muerto en compañía de otros diez maleantes que lo acompañaban.

"Lucio Cabañas Barrientos era buscado desde hace varios meses por las autoridades policiacas federales y locales, por la comisión de numerosos delitos, entre ellos varios homicidios, secuestros y asaltos a mano armada. Escondido en la sierra de Guerrero, se había ligado para cometer sus hechos criminales a los grupos más negativos de la región, como caciques, agiotistas, talabosques y traficantes de drogas, a los que brindaba protección.

"La persecución de Cabañas se acentuó a raíz del secuestro del senador Rubén Figueroa, a quien el Ejército rescató el 8 de septiembre último. Hace dos días, en el monte de Los Corales, en la misma región del estado de Guerrero, elementos del Instituto armado habían sostenido con la banda de Cabañas otro encuentro, en donde resultaron muertos 17 maleantes y se recogieron gran cantidad de armas y municiones, aunque Cabañas había huido. La persecución culminó el día de hoy en la región de El Otatal, con los resultados descritos.

"En los diversos encuentros, resultaron muertos dos elementos de tropa y cinco heridos.

"Las autoridades competentes han procedido a dar fe de la identidad del cadáver de Lucio Cabañas Barrientos y de sus acompañantes."

—Así —dijo el general Cuenca Díaz— Envíenlo así.

———————————

—Ya son las seis de la mañana, Lucio —dijo el campesino que había cumplido la guardia de la noche, descendiendo por la pendiente de algodoncillos.

Lucio bebía un sorbo de agua de los guajes colgados en los árboles. Luego lo miró asintiendo con la cabeza. El campesino tenía los ojos enrojecidos, lastimados.

—Anacleto ya despertó —agregó el campesino—. Lo noté cuando pasé junto a él.

—Ayer los cercó el ejército —aceptó Lucio—. Todavía siente cerca a los soldados.

El campesino permanecía inmóvil, frente a Lucio, sin hablar.

—¿Observaste algo? ¿Viste luces por el monte?

El campesino negó moviendo la cabeza.

—Sólo hizo mucho ruido —repuso—. Como si la cañada fuera más grande y el ruido se oyera más fuerte.

El cielo violáceo parecía tornarse más profundo, crecer en el día, en el espacio de las nubes, de la luz. Sobre las rocas, sobre el bejucal, entre el murcielaguillo, la maleza, las lianas, los árboles altos y robustos, volaban los rojos y grandes chicurros, los tordos, las urracas, gorjeando poderosamente, como si desde la tierra misma se elevara la fuerza que despertaba, que se unía a los pájaros, a los zopilotes que en lo alto planeaban lentos hacia el descenso de la sierra. Lucio distinguió de pronto a Anacleto. Los estaba mirando desde el bejucal, acostado aún. El campesino siguió la mirada de Lucio.

—Despierta a todos —le dijo.

Lucio bebió otro sorbo de agua. Dejó el bule colgado en el árbol de algodoncillo. Vio su reloj. Pasaban de las seis de la mañana. Se volvió a mirar hacia el arroyo, luego hacia el cerro del que caía el arroyo. Una prisa volvía a elevarse dentro de él, en su aliento, con el mismo profundo poder con que todo sonaba entre los árboles, en el cerro, hacia el arroyo. Arturo y René aparecieron por la cabaña. Roberto ascendía con Pablo desde la pequeña cuesta cubierta por los troncos blanquecinos de los algodoncillos, junto al bejucal por donde bajaba Anacleto Ramos. Arturo llegaba con los cabellos sucios de tierra, levantados en la sien izquierda.

—Tú y Pablo limpien las armas —le dijo Lucio—. Luego que lo hagan Jaime y René. Quiero que Pablo y tú suban por aquel cerro —dijo señalando el cerro cargado de maleza que ascendía sobre el arroyo—. Por donde está el pozo. Que monten guardia. Por ahí saldremos.

Anacleto Ramos lo estaba mirando.

—¿Podemos conseguir algún desayuno? —preguntó Lucio.

—Podemos buscar —contestó Anacleto.

—¿Dónde? —insistió.

Anacleto Ramos permaneció callado.

—Conozco algunas familias por aquí —explicó.

—Cuando terminen, vayan con él a buscar desayuno —dijo Lucio a Pablo y Arturo.

Anacleto se movió. Trató de seguir detrás de Lucio, pero se contuvo.

—Es mejor que yo vaya solo —advirtió, levantando la voz como si Lucio se hallara muy lejos; luego echó a caminar detrás de Lucio, con prisa—. Hay muchos soldados todavía por estos lugares —agregó.

—Por eso mismo —respondió Lucio.

Anacleto trepaba la pequeña cuesta hacia el arroyo. Arturo y Pablo desarmaban ya sus fusiles. Lucio se detuvo en la pendiente.

Detrás de él se extendían numerosos árboles, lianas, el ruido grave del arroyo que corría al fondo. Sostenía el fusil ahora en la mano derecha, junto al costado.

—A mí me conocen en La Mesa, y aquí, y en El Guayabillo —explicó Anacleto—. Si vinieran otros conmigo, tendrían sospechas. Yo puedo demostrar que vivo por aquí. Ellos no.

Sin responder, Lucio se inclinó ligeramente para pasar entre las lianas que pendían de los árboles.

Los Corales, 18 de noviembre de 1974

Lo había estado mirando. Era delgado, muy bajo de estatura. Tenía la ropa sucia, deshilada. Traía viejas heridas en el pie derecho. Las manos eran huesudas y fuertes. José Isabel Ramos lo miraba en silencio. Veía su cara común, sin bigote, como de indio. Había venido por sorpresa, sin avisar. Con el puñado de hombres armados que permanecían atrás, mientras saludaba.

—¿Son todos? —volvía a preguntar Anacleto.

—Somos varios grupos —contestó Lucio—. El grupo mayor se encuentra caminando por Atoyac, hacia acá.

José Isabel Ramos revisó con la mirada las bolsas de ixtle que todos cargaban en los hombros. En cada una de ellas traían balas. Cien, quizás, o doscientas. Lucio repetía que había más hombres en otros campamentos.

—Pero no podemos salir de aquí, de nuestras tierras.

—La guerra no se hace en un solo lugar —replicó Lucio.

—Pero aquí han matado ya a nuestra gente —insistió José Isabel.

—Se trata de una lucha para todo el país, no sólo para El Guayabillal o La Remonta. Ni siquiera para nosotros —agregó Lucio—. Tenemos que desplazarnos como convenga a la guerra. Tenemos ahora dinero para armar a mucho pueblo y extender más la Brigada. Ustedes querían vernos para eso, ¿no es así?

—Queríamos saber si contábamos con ayuda de ustedes —apuntó Anacleto Ramos.

José Isabel miró nuevamente a los hombres. Eran ocho. Uno de ellos muy joven, moreno, con el pelo muy rizado.

—Pero esa ayuda ahora la necesitan ustedes —interrumpió José Isabel, con desgano.

Lucio sonrió, moviendo la cabeza. El sol era agobiante. Cerca de ellos se elevaban varios huajuruscos, altos y verdes, donde revoloteaban muchos pájaros.

—Desde hace dos años nuestro partido ha hecho labor en esta zona, por Los Pirules, por Pitales, por La Remonta, por Los Corales, por la sierra de San Luis. Porque no se trata sólo de cuidar con las armas unas parcelas, sino entrenarse para luchar con las armas y con apoyo de los pueblos campesinos. Somos una organización.

José Isabel Ramos guardó silencio. Luego sintió que Lucio lo miraba. Se volvió hacia él y sintió una luz en la mirada de Lucio. Una pequeña luz, nítida. De peligro. O de inteligencia. Era un hombre de baja estatura, común. No como lo había imaginado. Se sintió incómodo. Anacleto explicaba, confusamente, que necesitaban ayuda contra los ataques del ejército. Contra el control de los pueblos.

—Debemos organizar apoyos e información entre todos los pueblos —repitió Lucio—. No es solamente escapar del ejército y ya, sino disciplina para organizar a los campesinos.

—¿Y quiénes se quedan aquí? —preguntó Anacleto Ramos.

—Con el tiempo iremos armando a más gente, hasta convertirnos en un gran ejército, pero ahora debe ser así —contestó Lucio—. El dinero que obtuvimos por Figueroa escasamente nos durará para mantenernos este año. Porque tenemos que ayudar a las familias de esta misma gente que anda con las armas en la mano. Tenemos que comprar radios transmisores, municiones, armas nuevas. Y mandar contactos a otros grupos revolucionarios de otras repúblicas. Y mandar armas a Veracruz, a Tamaulipas, a Chihuahua. Se tiene que gastar.

José Isabel Ramos trataba de entender lo que había detrás de las palabras, lo que creía percibir detrás.

—¿Tienen relaciones con narcotraficantes, o están limpios de eso? —preguntó Lucio, de improviso.

José Isabel vio que al fondo, junto a Pablo, avanzaban tres de sus hombres.

Lucio llegó a la orilla de la corriente. Sintió la frialdad de la tierra húmeda y de las piedras. Metió las manos en el agua del arroyo. Estaba fría y limpia. Las lianas abundantes y los árboles oscurecían la corriente. Brincó en las peñas del arroyo; dejó el M-2 sobre la más grande y se inclinó otra vez. De pronto recordó la voz tranquila, apacible, del Doc. Recordó el eclipse que hacía mucho tiempo pasaron juntos en la sierra de Atoyac. Hacía cuatro años, o cinco, no recordaba bien. El Doc se había vuelto a mirar hacia el monte; entonces la sombra cayó, como un peso inmenso y lento sobre el mundo. El silencio se extendió en la sierra y empezaron a sonar los grillos, un viento nocturno que se levantaba desde todas las cosas. Sintieron frío. Sintieron la noche. El sol seguía cubierto por la mancha negra, a punto de desaparecer de esa oscuridad súbita. Luego, por el lado de la cañada, por el norte, hubo un nuevo amanecer vertiginoso, de loros, de torcazas, de pájaros carpinteros, de ardillas, de ramas crujiendo y cayendo como si despuntara apenas el día. Lucio se puso de pie, en la roca. Contempló el paso rápido del agua, la corriente que rodeaba las peñas, que se precipitaba envolviéndose en su propio sonido.

Levantó la vista. Tras los bejucos y los árboles distinguió a Pablo y a Arturo. Avanzaban lejos, hacia la otra orilla. Lucio alcanzó a oír la risa de Pablo, apagada por el ruido de la corriente. Tomó su M-2 y la bolsa de ixtle con las balas. Pensó fugazmente en la emboscada del arroyo de Los Corales. Pensó en Chelo, en Ricardo. Muertos en ese arroyo. Dos días antes. Sintió una punzada en la cabeza; como un vacío ajeno, que no era suyo. Salió del arroyo. Sintió en la cuesta una repentina fuerza que quizás le había dado el contacto con el agua helada. Parecía la corriente de otro río de luz, de días, en una orilla más lejana que la distancia del mundo tras el río Coyuca. Era un paraíso intacto que desde los pueblos se iba escapando como la respiración, como las corrientes de los arroyos y los ríos, como una lluvia, una imborrable lluvia sobre todas las cosas, sobre la luz, cubriendo la sierra y más allá, a los que murieron en la sierra, en los pueblos, en los ejidos; todos los campesinos que recibieron esta guerra, uno a uno, arrojados vivos desde los helicópteros por soldados que los oyen, que se ríen, que los oyen gemir roncamente como animales lanzados al vacío, sobre el mar, sobre la sierra, atravesando como una lluvia de vida desgarrada; la lluvia de crueldad de los ejércitos, la crueldad que no ha usado él mismo contra los soldados, contra los delatores, contra Figueroa mismo que ahora engañaba a todos con historias falsas sobre la Brigada. Era una furia, una nueva sangre que lo impelía a regresar a Atoyac. Algo muy profundo, allá, a lo lejos de sí mismo, gritaba por dentro como un sol, arrancaba la voz de lo que tiene que hacer, lo que cumplía en él una conciencia mayor que su propia vida o su carne, que sus propios padres antes que él, como si luchara con la misma llama del grito que lo acosa, al que tiende para fundirse en él como otra semilla del sol, como una respiración brevísima del sol que grita, que quema.

Cuartel Militar de Atoyac, 30 de noviembre de 1974

—*Lo capturamos en la carretera —explicó el oficial.*
—*Se reunió con ellos antier entre Los Corales y Pitales —agregó el coronel Cassani Mariña—. Traía contactos desde Acapulco.*

El general Eliseo Jiménez Ramos continuaba molesto.

—Los efectivos que los emboscaron en Los Corales desconocían el número real de rebeldes con que se enfrentaban, mi general —intervino el oficial—. Según el hombre que capturamos, se trataba sólo de once rebeldes. Ése era el total.

—¿No tenían cercada toda el área?

Otro de los oficiales intervino.

—Teníamos informes del campesino que los vio durante la mañana —comenzó a explicar—. Nos confirmó el lugar donde acampaban y que habían llevado alimentos para más de quince hombres, mi general. Pero sólo pudimos desplazar hacia ese sitio dos comandos entrenados, que llegaron tarde.

—No entiendo.

—O sea —volvió a explicar el mismo oficial—, que en cuanto salieron los dos campesinos que nos trajeron la información, los gavilleros se retiraron y hubo que rastrearlos. El uso de helicópteros los hubiera advertido, general. Pero tardaron sólo dos horas en alcanzarlos y preparar el cerco, junto a un arroyo que baja hacia Los Corales. Había mucha maleza; era una zona sin desbrozar. Por eso creyeron que debían cercar hacia la parte del arroyo en donde distinguieron a varios hombres bañándose. Cuando atacaron por ese sitio no encontraron resistencia; eliminaron a los que se hallaban desnudos, lejos de sus armas. Los otros efectivos que venían por la parte de arriba, para cerrar el cerco, bajaron de prisa porque abajo les gritaban que ya habían terminado con todos. Ahí fueron sorprendidos, porque en la parte alta del arroyo, en un cerro, estaban ocultos los otros guerrilleros, y al pasar hacia abajo los acribillaron por la espalda, general. Los que se hallaban abajo, en el arroyo, no pudieron responder porque no tenían visibilidad ni de los que disparaban ni del comando que estaba siendo atacado. Murieron quince soldados y tres guerrilleros.

—¿Y los heridos?

—Fueron cinco, de los rezagados —intervino el coronel Cassani—. De los que tomaron contacto con los guerrilleros cuando ya se retiraban, después del cerco.

—Pero ya sabemos ahora que sólo siete hombres acompañan a Lucio Cabañas —intervino el mismo oficial—. Porque el gavillero capturado confesó que eran once hombres, contando a Lucio. Después de este encuentro en Los Corales sólo quedan ocho, entonces.

—¿Cuáles son las rutas que tienen previstas?

—Es una área muy extensa, general —replicó el coronel Cassani.

—Creemos que intentarán regresar a Atoyac, pero siguiendo una ruta más al norte —intervino el anterior oficial.

—¿Y si regresan otra vez por Los Pirules?

—Sí, mi general.

—¿Y si regresan a Los Pirules? —insistió.

—Perdone, general, pero eso ocurrió hace más de tres semanas.

—¡Hace más de tres semanas mataron a sus hombres! —estalló el general Jiménez Ruiz—. ¡Los mataron en Los Pirules! En la emboscada que usted mismo dispuso. Con las delaciones del mismo pueblo. ¡Y usted me presentó diez bajas! Y la mayoría a causa de las ametralladoras de los propios helicópteros que usted pidió. ¡Y ahora tiene usted más de quince bajas en Los Corales! Y durante estas semanas no logró hacer contacto con esos asesinos. Quiero saber qué es lo que se propone, porque mis órdenes son claras. O traigo aquí a Gómez Ruiz para que se haga cargo de todo o me explica en este momento lo que ocurre con usted.

—Podemos coparlos, general —apoyó otro oficial—. Podemos concentrar todas las fuerzas entre Los Corales y La Remonta y empezar a cortarles cualquier retirada. No será difícil encontrar a ocho hombres si controlamos los pueblos de la zona —insistió.

—¿Y los Ramos? —atajó el general—. ¿Quién ha estado tratando con los Ramos? ¿Quién es el responsable del trato con esos mariguaneros?

—Yo, mi general —dijo un mayor.

—¿Y qué hace usted aquí? —reclamó, irritado.

—Nunca acudió Lucio, mi general —repuso el militar con firmeza—. Sólo acudieron a la sierra de San Luis rebeldes subalternos, que tampoco estaban en contacto con Lucio. La policía militar confió en uno de esos guerrilleros. Cuando se contó con pruebas de que estaba accediendo a capturar a Lucio con doblez, se le liquidó de inmediato. Y perdóneme que le recuerde que por los Ramos supimos que Lucio se encontraba cerca de Los Corales tratando de reclutar campesinos de esta sierra de Tecpan.

—¡Quiero que busquen a esos mariguaneros ahora mismo! —ordenó el general—. Es la zona que ellos conocen, que ellos controlan.

—Lucio desconfió de ellos —dijo el oficial—. No permitió que lo visitaran los Ramos. Él se presentó de sorpresa con ellos y en la tarde se retiró. Fue después de la emboscada de Los Pirules, mi general.

—¡No me importa cuántos mariguanales recorran ahora! —exclamó el general—. ¡Quiero que los atrapen y que escarmienten los Ramos! Recorran La Remonta, La Mesa, El Otatal, El Guayabillo, todo, y detengan a los familiares de ese par de ladrones. Que ellos localicen a Lucio Cabañas. Que lo encuentren con todos los campesinos coludidos con ellos. Que ellos lo entreguen. Que ellos se encarguen de entregarlo. Que cumplan ahora mismo. O nos entregan a Lucio Cabañas o desaparecen sus familias. ¿Entienden?

Todos los militares guardaban silencio. El general Jiménez Ruiz caminaba alrededor del escritorio. Traía la camisa sudada por la espalda y los sobacos.

—¡Denles veinticuatro horas de plazo! —gritó.

Lucio se sentó en una piedra para revisar su arma. Era M-2, pero le había retirado ya el mecanismo de ráfaga. Junto a él se hallaban los dos campesinos. Anacleto Ramos también había bajado al arroyo. De pronto hubo una profunda paz, un instante breve, pero que sintió muy dilatado, muy extenso. Levantó la vista hacia la izquierda, hacia la sierra. El sol se elevaba ya como una bola de oro, como un ojo enorme y deslumbrante, que gritara su luz, que fulgurara, con las nubes blanquísimas, sobre la azulada sierra de Tecpan. Vio, a lo lejos, la amplitud del vacío de la tierra que se extendía bajo El Otatal. Vio los troncos delgados y blancuzcos de los algodoncillos, acumulándose como arbolillos viejos, antiquísimos, secos, por la larga pendiente que desembocaba en un pequeño potrero. Sintió hambre. Se volvió a mirar hacia el arroyo. Entre la oscuridad de la falda del monte distinguió apenas los cuerpos moviéndose de Roberto y de Anacleto.

Pensó en el campamento de Achotla. En la comida que los campesinos llevaron durante varias semanas, la caña dulce. Podrían retornar por Achotla o por Las Palmas. Esperar en el campamento donde estuvieron cuando el último ciclón azotó la Costa Grande. Y ahí buscar contacto hacia Atoyac. O hacia El Mezcalito, o Río Chiquito, si el ejército hubiera desocupado los poblados. O quizás ascender más al norte, hacia El Paraíso. O El Cacao. Hacia El Paraíso, quizás. El Paraíso o San Vicente de Benítez. Habrán quedado contactos en varios lugares con Ramón, con Heraclio, con Jorge. O acercarse a los campamentos mientras estableciera contacto con David. Era necesario convertir el dinero en armas, en una coordinación más sólida con los grupos de las ciudades. Debía ser la respuesta ahora, a partir del retorno a Atoyac. Pensó en el campamento de La Patacua, donde prepararon la primera emboscada del arroyo de Las Piñas. Luego se trasladaron al cerro de Los Jicotes, próximo a Tres Pasos, y después a Río Santiago, cerca del lugar mismo de la emboscada. Luego se desplazaron a Las Trincheras, al arroyo de Ixtla. A otros campamentos. Lucio pensó en ellos como si no se tratara de lugares lejanos, sino de algo íntimo, como una persona. El Cerro del Zanate, el cerro Cabeza de Perro, el del Plan de Molinos, el del Plateado. Eran ahora como una certeza del camino que había que retomar, que debían ocupar ahora como en un regreso definitivo, como en una conciencia de volver a lo que tenía que hacer, a lo que sabía profundamente que faltaba por hacer.

Lucio ajustó el cargador del arma. Luego se incorporó. Sintió prisa, hambre. El viento volvía a sonar en El Otatal como si presionara sobre la tierra, sobre las rocas, como si fuera el movimiento de un animal ciego atrapado en la cañada, en el monte, entre los árboles y la maleza. Pasaban ya de las siete de la mañana. José Isabel Ramos aún no llegaba. Arturo se acercó. Anacleto venía caminando con Roberto. Lucio lo miró en silencio. Pensó que Anacleto estaba asustado. O con prisa, también. Se volvió hacia Arturo.

—Necesitamos dos guardias —explicó—. Una hacia allá —dijo señalando en dirección de la cabaña—, por el filo del monte. Y otra allá, hacia el pozo, para proteger nuestra salida.

Arturo asintió, sin moverse.

—¿No crees que tu hermano traiga comida? —preguntó Lucio.

Anacleto tardó en responder.

—Más tarde será difícil conseguir comida —dijo Anacleto.

—No quiero más retraso —agregó Lucio—. Está bien.

Anacleto dudó un instante; luego reaccionó. Miró a Lucio y a Arturo. Se separó del grupo y comenzó a bajar entre los árboles de algodoncillo. Lo vieron tropezar con una piedra, muy cerca de la cabaña. Luego siguió caminando, con prisa, hacia la otra pendiente del monte.

Acapulco, 16 de junio de 1976

—*También tu hijo llevaba cartas de un lado a otro.*

—*¡Pero él no lo sabía, mi comandante! Le aseguro que él no lo podía saber.*

La mañana era calurosa. El sol pegaba de lleno sobre la oficina de la policía judicial del estado. El comandante lo miró mucho rato: era un hombre moreno, alto, con una camisa blanca.

—*Te aseguro que sólo tenemos a los cabañistas que quedan por ahí, a salto de mata, como animales escondidos. El gobernador está limpiando al estado de toda esa basura humana, ¿no entiendes?*

—*¡Pero mi hijo tiene nueve años!*

El comandante asintió despacio, moviendo la cabeza.

—*Se valieron de muchos niños, así es.*

—*¡Le aseguro que mi chamaco ni habrá sabido de qué se trataba!*

—*Al tigre hay que matarlo chiquito, porque cuando crece no se puede.*

—*Yo nunca le he dado vuelta a las órdenes, ni a los peligros* —repuso el hombre—. *Mire, mi comandante* —agregó levantándose la camisa para mostrar cicatrices en el abdomen.

El comandante lo atajó, negando con las manos.

—*Tú no eres de esta corporación. Eso dificulta las cosas. Tú eres un policía preventivo, no judicial, ¿no ves claro?*

El hombre permaneció callado, de pie. El abundante sudor le perlaba la frente, la nariz, la boca. Entraron en la oficina dos agentes. Se alejó unos pasos, hacia una de las paredes. Uno de los agentes marcó después el teléfono y pasó la llamada al comandante. Entró otro que traía un parche blanco en el ojo izquierdo. Con el ojo sano se volvió a mirar, girando todo el rostro, hacia el hombre, sin saludar. Luego consultó a los otros sobre algunos vehículos capturados; uno de los dos agentes salió con él. Cuando abrían la puerta, el comandante los detuvo, todavía con el teléfono en la mano.

—¿Tenemos todavía aquí a aquel niño, el que llevaba las cartas? —preguntó.

El agente asintió moviendo la cabeza.

—Está en el galerón, mi comandante.

—Quiero que se lo entreguen —dijo señalando al hombre—. Es de la policía preventiva. Pero que hablen aquí mismo —agregó—. Que no haya duda de quién le entregó las cartas. Que se comprueben informaciones y se le tomen las generales.

—¿Ahora? —preguntó el agente.

El comandante insistió, moviendo la cabeza.

—Vete con ellos —le ordenó al hombre.

En el patio posterior no había árboles. El sol caía a plomo, quemando la tierra, las bardas de ladrillos. Se dirigieron hacia un terraplén. Ahí se hallaban estacionados muchos vehículos.

—Espérame aquí —dijo el agente judicial—. No me tardo.

El agente siguió caminando junto al otro para rodear el terraplén y llegar hasta los vehículos estacionados. Ambos se perdieron entre dos camionetas blancas. El hombre sacó un paliacate rojo para limpiarse el sudor. Vio en el muro varias hendiduras, como respiraderos angostos donde apenas podría pasar una mano. Cuando se acercó, creyó primero que se trataba del ruido del sol, del calor que ardía en su cabeza, en la tierra. Luego escuchó el rumor animal, que provenía del suelo, por debajo de la tierra. Un rumor de animales descompuestos, un rumor que debía provenir del fondo del terraplén, del sótano inundado en la fetidez que exhalaban las hendiduras. Por el respiradero más cercano vio las sombras. Sombras confusas, humanas. Se acercó. No había alcanzado a sorprenderse. Un dolor mezclado con el miedo le presionaba ya el plexo, el estómago. Empezó a respirar con la boca abierta. Sentía tras las hendiduras el olor, la humedad caliente de cosas en descomposición. Se retiró por donde el terreno ascendía. Varios agentes atravesaban en grupos hacia los vehículos. Enfrente, junto a una puerta de madera, hacían guardia. Vio aparecer a los dos agentes. El que traía el parche blanco en el ojo se rió en voz alta y caminó hacia el fondo del patio, a donde se hallaban las oficinas. El otro agente se dirigió hacia

él. El hombre se volvió a mirar hacia los respiraderos. El agente lo
observó.

—Ahí está lo que queda de los guerrilleros —le dijo señalando
las hendiduras del sótano—. Ahí se pudren.

Echaron a caminar otra vez y se detuvieron ante la escolta de
una puerta de madera.

—Vengo por el niño —ordenó—. El de Las Cruces.

Abrieron la puerta. Detrás había campesinos de pie, innumera-
bles, sin espacio para sentarse. Una oleada de aire fétido, picante,
llegaba desde el calor del encierro de la multitud acusada de caba-
ñista, apelmazada, confusa. El agente comenzó a impacientarse y
miró la hora en su reloj. Luego saco un cigarrillo; cuando lo encen-
día, el hombre miró en la mano derecha del agente un gran anillo
blanco.

—Pero los dos hermanos han salido —insistió René.

—En una hora nos iremos —atajó Lucio—. Le di dinero a José Isabel para apoyar a los hombres que vendrían con él —agregó—. Para
que tuviera confianza.

Arturo se movió. Miró hacia la pendiente de algodoncillos por donde había bajado apresuradamente Anacleto Ramos.

—Opino lo mismo —dijo.

—Están acorralados —insistió Lucio—. Les han matado gente, los
han perseguido. Pero ahora comprobaremos la verdad de los que nos
acompañen, porque conocerán la disciplina de nuestra Brigada, el orden en que deben hacerse las cosas, avanzar entre los cercos militares
y establecer contacto con los pueblos. Será una preparación para ellos.

Lucio movió una mano en el aire, con calma, como si apartara suavemente en el aire una idea.

—Que Pablo se aposte junto al filo del monte —agregó—, después
de los algodoncillos. Desde ahí se divisa muy bien el camino de acceso.
Sobre todo que vigile si hay movimiento de helicópteros o de tropas.
Y Arturo allá, hacia arriba, rumbo al pozo. Por ahí saldremos.

—¿Y la comida que dejamos en la cueva de abajo, en la ruta que
seguimos después de la emboscada del arroyo? —volvió a preguntar
Arturo.

Lucio se volvió a mirar hacia la cabaña vacía. Pensó que los dueños no habían aparecido, que eran también familia de los Ramos.

—Tenemos que esperar a dos compañeros más. A dos campesinos
de esta zona —dijo Lucio, poniéndose de pie—. El campesino que nos
trajo ayer comida, y al que siguieron los hermanos Ramos, me advirtió
que vendrían. Son de confianza. Gente que reclutaron Ricardo y Chelo
en la sierra de San Luis. Gente que estuvo con Óscar también.

—¿Los conoces?

Lucio se ajustó el morral de ixtle contra el costado.

—Interróguenlos sobre Chelo y Ricardo, que los describan, para identificarlos. Llegando ellos nos podemos ir. Y con ellos decidiremos si dejamos contacto para que nos siga la gente de Anacleto y de Chabelo. Porque ellos traen información.

—¿Y de la comida que está en la cueva? —insistió Arturo.

—Creo que ahí será útil —replicó Lucio—. Será útil ahí por ahora.

Ciudad de México, 16 de julio de 1974

Cruzó corriendo bajo la lluvia. Entró en el Parque de los Venados, más inmenso aún por la noche. Se dijo que debía empezar por algún sitio preciso, buscar con cierto método. O regresar por unas botas de hule, para moverse entre lodo, hierba mojada. Empezó a caminar por la orilla norte. Se introdujo entre los árboles, caminando entre charcos, entre bancas solitarias, por las ondulaciones del parque. Su linterna alumbraba poco entre la lluvia.

"Hay un comunicado de la Brigada Campesina de Ajusticiamiento en una botella vacía en el Parque de los Venados," dijo la voz en el teléfono de la revista ¿Por qué?

—¡Hernán! —gritó Roger cuando la secretaria le informó de la llamada—. ¡Hernán, pero ya! ¡Tienes que irte antes de que se adelante la policía judicial! ¡Es un comunicado de Lucio! ¡Pero ya, carajo! ¿No oyes?

Bajo los árboles del parque la lluvia era distinta. Eran dos lluvias cayendo sobre él, a las nueve de la noche. Una la que cubría las calles, la ciudad, el parque; otra la que tamizaban las copas de los árboles. "No voy a encontrarlo", se dijo. La lluvia parecía amainar por momentos. Quizás penetraba en zonas de árboles más frondosos y por eso amenguaba. Sentía ya cansancio. Malhumor. Ira. Estaba empapado. No le importaba ya caminar en los charcos. Los zapatos, los pantalones, estaban ya con una capa de lodo. No sentía la diferencia entre el terreno firme y el lodoso. Y además sentía sudor. Un calor por dentro que lo mojaba no con el agua de la lluvia, sino por dentro. Era sudor. Sentía calor, en el frío de la lluvia.

A lo lejos vio dos figuras que se internaban en el parque desde la calle Popocatépetl. "Son policías", pensó. Más desesperadamente agitó la linterna, cuya luz había disminuido. Se detuvo. No traía arma. Tampoco dinero. De pronto se dio cuenta de que los hombres corrían hacia la avenida División del Norte. Pensó que no se trataba de la policía. Volvieron a correr y a detenerse después, quizá donde

372

la lluvia se suavizaba por la frondosidad de los árboles. Finalmente empezaron a salir del parque. La luz de la linterna se había extinguido. Estaba a la mitad del parque. Pensó sentarse en una banca a descansar. Maquinalmente miró a su alrededor. Sólo vio el vidrio. El vidrio sucio, lleno de papel. Sus pies resbalaban dentro de los zapatos mismos. Era como caminar entre el agua misma, como ir naufragando a cada paso. Por vez primera, mientras avanzaba hacia esa botella, sintió que los zapatos pesaban, que los calcetines llenos de lodo pesaban. Que incluso había estornudado ya varias veces, que tenía frío, que su ropa ya no serviría. Cuando se inclinó a recoger la botella sintió, renovadamente, como si otra vez fuera el niño inclinándose sobre la tierra de Mérida en que había llovido, sintió el olor de la tierra, el olor del parque, el olor de la lluvia en el parque. Un olor no solamente de tierra, sino también de basura, también de ciudad, de hombres, de huellas humanas.

En la cabaña, a solas, Lucio revisó guajes vacíos, colgados en el pórtico. Les quitó con la mano el polvo que se les había adherido en la superficie lisa y los colocó en la baranda. Se encaminó después hacia la hamaca y se sentó en ella, despacio, sintiendo la difusa corriente de dolor que lo amenazaba desde el centro de la cabeza. Cerró los ojos. La corriente de dolor parecía detenerse a veces, o extenderse como el viento que volvía a escuchar, concentrado, atrapado en El Otatal. Sintió que era muy distante, lejanísimo ya, todo lo que con ese dolor había vivido. Recordó la camioneta Dina incendiada en el camino enlodado, envuelta en llamas, y a los soldados heridos que la miraban, como cosas, como piedras oscuras. Pensó en Yerba Santita. En la Caña de Agua. Trató de recordar al jaramillista que lo hospedó en la ciudad de México, hacía dos años; que lo acompañó conduciendo un pequeño automóvil hasta Durango, Michoacán, Hidalgo. Recordó la gorra de piel que le regalaron, la grabadora. Esa gorra tersa, caliente. La había usado en la asamblea con los otros grupos armados. Pero ahora estaba preso ya, en México. Álvaro le había informado. Álvaro, también desaparecido, la misma noche, al llegar a la carretera. Desaparecidos cada día, en las carreteras, en las ciudades. Como si un viento oscuro fuera arrebatando a todos los hombres, niños, mujeres, que hubieran estado con la Brigada. Como si fuera quedando una estela de tierra que el ejército siguiera desde hacía muchos años, seis, siete años, más, desde Mexcaltepec o Durango. No solamente desde Atoyac, desde aquella mañana de mayo que ahora otra vez regresaba.

Movió la cabeza hacia la izquierda, apoyándola contra la hamaca. Sintió descanso. Sintió que el dolor trataba de alejarse, que parecía alejarse con un movimiento tenue. Se abrió la gruesa chamarra verde. Recordó a Cedeño, la pequeña plaza del pueblo, la prisa por salir. No había sido la única matanza del gobernador Abarca Alarcón, no. En agosto, en Acapulco, en la reunión de copreros, muchos policías y soldados vestidos de civil y con la contraseña de una caña de azúcar en la mano, comenzaron a disparar sobre los campesinos. Más de treinta copreros fueron muertos, apenas meses después de las muertes en Atoyac. Era el rumor de toda la sangre, de toda la muerte en la sierra, en la Costa Grande, lo que sonaba con tanto furor en El Otatal, en el rumor que sentía con la prisa por salir, por terminar. Se incorporó, miró el reloj. Pasaban ya de las ocho de la mañana. Miró a René subir por la pendiente de algodoncillos.

—Está confirmado, Lucio —dijo René, agitado—. Los campesinos que contactó Fidencio aseguran que los Ramos tratan de traicionarnos desde hace mucho tiempo. Que ellos mataron a Óscar.

—¿Dónde están? —preguntó Lucio.

—Con Pablo y Roberto.

—Que vengan —ordenó—. Todos. Que vengan todos.

Lucio sintió la ligera presión en la boca del estómago. Recogió del pórtico de la cabaña los guajes vacíos y empezó a subir la pequeña pendiente que llevaba al arroyo. Miró hacia arriba, hacia el monte. Vio al fondo, lejos, por la cuesta de algodoncillos, al grupo de hombres que subían. Junto a René y Roberto venían los dos campesinos. Uno era viejo, de cincuenta años quizás. Lucio esperó a que llegaran.

—Traigan los bules para agua —ordenó cuando pasaban cerca de la cabaña.

Pablo se detuvo y avanzó hacia los árboles donde colgaban los guajes; los tomó y siguió después tras el grupo.

Piloncillos, 23 de mayo de 1975

Un rumor creciente de soldados, de botas militares, de gritos, de niños que lloraban, se extendía en el poblado, por todas las casas, junto a la cancha de basquetbol donde los muchachos habían suspendido el partido.

—*¡Sabemos quiénes son! ¡Sabemos que aquí en Piloncillos hay sobrevivientes de Lucio Cabañas!* —*gritaba un capitán*—. *¡Quiero que los entreguen!*

El atardecer era intenso. El cielo parecía más abierto, marcado por la luz rosada que desde el oriente se extendía a lo largo del mundo. A veces una ráfaga de viento anticipaba el frío de la noche.

—¡Apártense todos de la cancha! —gritó el capitán después de varios minutos—. ¡Los otros! —corrigió—. ¡Todos los demás! ¡Que salgan todos de la cancha! ¡Menos los que jugaban, los que estaban jugando!

Varias mujeres comenzaron a llorar, a tratar de interponerse entre los muchachos. El sol que comenzaba a ponerse alargaba la sombra de los cuerpos, de los árboles, de las casas. Los soldados apartaron a las mujeres y a los hombres a golpes, a culatazos, formando un cordón cerrado junto a la cancha. Dos de los muchachos trataron de pasar en medio de los soldados. Uno cayó sangrando de la cara, lacio, con la espalda desnuda, sin camisa. Los soldados dispararon. Los cuerpos comenzaron a caer bajo las ráfagas, destrozados de los brazos, de los cuellos, de las piernas. Tres niños intentaron correr hacia los árboles que se hallaban del lado opuesto. Varias ráfagas de Fal les destrozaron la espalda y los cuellos. La pelota de basquetbol saltó también, hecha pedazos. Uno de los muchachos trataba de levantar la cabeza, abriendo la boca con desesperación; tenía destrozado un brazo y por el vientre escurría la sangre oscura, densa, hasta los huaraches quietos, sucios.

———————

—Nosotros éramos de la gente de Anacleto Ramos —insistió el campesino más viejo—. Nos tocó recibir al compañero Óscar, primero. Y luego ya estuvimos con Chelo y Franti, en la sierra de San Luis.

René se acercó a Lucio.

—Ellos mataron a Óscar —repitió el más viejo.

René tomó los guajes vacíos que Lucio le extendía.

—Óscar supo de los planes de los Ramos con el ejército. Cuando Óscar trató de regresar a Atoyac, ellos lo entregaron. Lo cazaron, pues, antes de Los Corales.

—¿Cuánta gente tienen aquí? —apremió Lucio.

—Toda esta región está ocupada por gente de ellos —dijo el otro campesino—. Los dueños de aquí mismo, de esa cabaña —dijo señalando la cabaña donde había estado Lucio hacía unos momentos—, también son gente de Cleto y de Chabelo. Nadie que se acerque por estos lugares puede esconderse de ellos. Estamos seguros de que a ustedes los tienen vigilados. Controlados, pues. Por eso venimos, para ayudarlos a salir de aquí.

—¿Pasamos por los alimentos? —preguntó Arturo.

—Con el. agua es suficiente —contestó Lucio—. Con el agua que tenemos podremos salir.

—Al atardecer llegaremos a algunos caseríos —dijo el campesino joven.

—Es mejor que bajemos por allá —dijo el campesino viejo, señalando el monte por el lado de los algodoncillos—. Aquel otro monte está muy alto y muy tupido de lianas. Si lo subimos no habremos avanzado mucho. Bajemos por allá, y luego nos vamos por el filo de El Otatal, será más rápido.

Lucio se llevó la mano a la frente. Luego asintió.

Acapulco, 7 de septiembre de 1976

La camioneta oscura se apartó de la carretera. Descendió por el acotamiento y luego entró en la brecha lodosa. Había llovido mucho. Ahora, en la noche, el cielo seguía nublado y la oscuridad era muy densa. El conductor miraba el reflejo de las luces del vehículo en los charcos de la brecha. Por las ventanillas abiertas llegaba el aroma de las playas de Copacabana, de los ejidos. El conductor trató de buscar entre la oscuridad las luces del hotel Princess, el más cercano de Acapulco a los ejidos costeros de Copacabana.

—¿Más adelante? —preguntó.

—Sí, más adelante. Sigue hasta los otros pozos, a los de allá —dijo el teniente, señalando hacia la izquierda, al fondo de la oscuridad.

La camioneta se dirigió hacia la izquierda. Entre la maleza, entre los palmares, a veces se distinguían las luces parpadeantes de chozas de campesinos. El teniente miró su reloj; pasaban ya varios minutos de las doce de la noche. En el asiento trasero carraspeó otro hombre: había despertado.

—¿Ya llegamos? —preguntó con voz ronca, tosiendo.

—¿En cuál de los pozos? —preguntó el que manejaba, frenando suavemente el vehículo.

El teniente tardó en responder

—En aquél —dijo después, señalando el que se hallaba junto a un jacal ruinoso.

El conductor echó a andar la camioneta de nuevo, evadiendo los hoyancos provocados por las lluvias. Cerca del jacal detuvo la camioneta; luego maniobró en reversa para acercarse al pozo. Frenó. Apagó la luces. Luego el motor. La oscuridad de la noche aumentó y surgió de pronto el ruido de la maleza, de los palmares. Distante, pero nítido, llegaba el rumor del mar. El teniente se bajó del vehículo y caminó hacia el pozo. Un ruido intenso de insectos llenaba la noche. Regresó al vehículo cuando los dos agentes abrían las portezuelas traseras. Había varios bultos quietos. Trataron de moverlos. Un pedazo de tela se desgarró. Era una camisa.

—Tómenlo de los brazos o de las piernas —aconsejó el teniente, detrás, observando.

Lo sacaron. El teniente vio cómo lo arrojaban al pozo y después los agentes regresaban a la camioneta. Sacaron a otro. Era un muchacho, quizás de veinte años. Aún tenía en los pies un huarache.

—Creo que éste está vivo, mi teniente —dijo el hombre que había estado dormido, cuando regresaban por cuarta vez a la camioneta.

El teniente de la policía judicial se acercó. Miró el cuerpo. Era de un hombre que no llegaba a los cuarenta años. Estaba descalzo, con el pantalón roto. Parecía respirar lentamente, produciendo un leve ruido, como de algo no humano, de insecto.

—No importa —dijo.

—¿Lo rematamos, mi teniente?

De regreso, en la carretera, vieron primero las grandes luces del hotel Princess. Podían distinguir las piscinas, los oscuros contornos de la playa en que las olas extendían blancos trazos sucesivos de espuma. Al descender por la cuesta vieron la bahía de Acapulco, las luces de la ciudad, la Costera iluminada como un río de oro, como una ruta del Paraíso. Antes de entrar en la ciudad, aún en la carretera, el agente que conducía carraspeó. Bajando la cuesta había desaparecido momentáneamente la ciudad. El teniente venía fumando. Aspiró profundamente su cigarrillo. Traía los botones superiores de la guayabera blanca desabotonados. No se volvió a mirar al conductor; mantenía fija la vista en la carretera, en espera de que surgieran otra vez las luces de Acapulco.

—Ningún ex guerrillero va a quedar vivo —dijo después.

Entraron a la Costera. Las luces potentes se sucedían a lo largo de la zona hotelera. Varios turistas caminaban por las aceras, en grupos. Al pasar por el hotel Elcano el conductor disminuyó la velocidad.

—Es la escolta de seguridad del gobernador, ¿no, mi teniente? —preguntó.

En el estacionamiento del hotel Elcano se distinguían varios vehículos. Sentía cansancio. Dudó un momento. Era la quinta vez en la semana que hacían traslados a Copacabana.

—Sí, ahí está el gobernador Figueroa, en el hotel —dijo después de mirar su reloj—. Vamos —ordenó.

Lucio creyó primero que se trataba de un aviso de amigos, de una contraseña. Luego escuchó otro disparo, y después una ráfaga, pero distantes, como si no se ubicaran con facilidad, con nitidez, o provinieran de un eco profundo, disperso y subterráneo como el viento que volvía a sonar en la cañada, tras ellos, confundiéndose con el ruido del arroyo, como si todo formara parte de una inmensa caracola de ecos. Lucio se volvió hacia el arroyo. Luego miró hacia el monte. Ráfagas de Fal y de M-2 comenzaron a desprenderse desde lo alto del monte. Cerca de la cabaña estalló una bomba. Otra explosión saltó junto a los algodoncillos. Otra más junto al bejucal. Lucio pensó que atacaban con bazucas. Corrió, disparando hacia la maleza del monte, desde donde venían las ráfagas más certeras. Llegó al centro de lianas y rocas, a pocos pasos del arroyo. Roberto y Pablo corrieron hacia abajo, hacia la cabaña; Arturo y René siguieron de cerca a Lucio. Los demás fueron extendiéndose en abanico. Uno de los campesinos recién llegados, el más joven, había sido alcanzado por una ráfaga. Con las piernas destrozadas trataba de arrastrarse tras los demás, con una pistola veintidós en la mano derecha.

Los soldados comenzaron a aparecer entre los árboles; era un movimiento animal, o de piedras derrumbándose, rodando por la pendiente. Caían con la cintura ensangrentada, abierta. Lucio escuchó entonces los motores. Eran helicópteros. Miró hacia el arroyo. Aún no estaba ocupado por soldados. La carga provenía de arriba del monte y desde el sur de la cabaña. Posiblemente la parte más débil del cerco era el arroyo inmediato. Lo señaló a René y a Arturo, para iniciar la retirada por ese sitio. El ruido del arroyo podría ser útil, también. Se volvió hacia atrás, pero una explosión arrojó a Arturo hacia el fondo. Lucio vio las rayas enrojecidas de la sangre, como una repentina raya entre el salto de la tierra, de ramas, de lianas. El brazo izquierdo de Arturo era ya una masa informe, empequeñecida como un pedazo de lodo, la carne sucia, mutilada. Más arriba, ocultos entre bejucales y lianas, los campesinos de San Luis disparaban sobre los otros soldados que aparecían. Lucio disparó sobre los que trataban de acercarse al arroyo. Otro grupo comenzó a atacar desde la cabaña. Eran cuatro soldados. Dos de ellos cayeron, antes de apostarse. Los otros dos avanzaron hacia René, que volvió a disparar. Uno de los soldados era oficial. Alcanzó a disparar cerca de René, pero la ráfaga de Lucio le hizo estallar el cuello y la cabeza, a tajos. Los helicópteros producían un fuerte viento que agitaba los árboles, las lianas. Lucio se volvió a mirar el arroyo. De pronto lo vio distinto, lejos quizás, o extraño, como si no fuera ya el mismo sitio. Oyó a René, detrás de él. Se volvió rápidamente: un soldado se había aproximado. Lucio avanzó unos pasos y se detuvo ante una roca grande, lisa, que podía ofrecer resistencia desde el lado del arroyo. Disparó desde ahí, nuevamente, hacia el monte, donde distinguió a más soldados tratando de avanzar. Dejó de escuchar las ráfagas que provenían desde los bejucales. Se volvió a mirar hacia la izquierda y ordenó a uno de los campesinos de Pitales que se resguardara tras las piedras. Otro estaba herido bajo la maleza, cerca de una hondonada. Lucio sintió entonces una punzada, muy aguda, en la espalda. Trató de acercarse a la peña, pero creyó hacerlo con mucha rapidez, porque se golpeó contra la punta de la roca lisa, grande, ovalada. Apretó las quijadas, con fuerza, como si pudiera retirar con la fuerza de la boca, de sus dientes, de su frente sobre la peña, la tierra misma, el aire, el arroyo que volvía a sentir igual, muy cerca otra vez. Oyó que Arturo gemía con un sonido ronco, animal, desesperado. Quiso volverse a ayudarlo, pero algo extraño le impedía incorporarse, levantar el brazo, el costado donde seguía ardiendo un grito, una furia de tierra. Luego estalló en su cuerpo una segunda punzada. Sintió que su gruesa chamarra se iba empapando. Algo más caía sobre él, no estaba seguro, pero intentó gritar cuando oyó otra vez a René, muy cerca. Trató de disparar, como si aún fuera empezando a salir de la muchedumbre y sintiera el calor de ese mayo en la espalda, en la furia, mirando su mano, su brazo, su cuerpo inclinado sobre la peña, con su arma aún caliente, en medio de los gritos de los soldados, de las ráfagas que continuaban destruyendo árboles, ramas, levantando el polvo; un sudor que quemaba su cuerpo, su pecho, su cabeza, sobre el ruido del arroyo cercano, ahora más fuerte. De pronto sintió su cuerpo distinto, no con dolor; como si por vez primera entendiera que ahí estaba su cuerpo con él, atento, esperando algo; innegable, profundamente verdadero. Y junto a su cuerpo, como si viera a su cuerpo aún esperando, vio que las manos de su cuerpo tocaban la roca tratando de apoyarse en ella, y tuvo otra sensación, le pareció entender esa roca, esa tierra del mundo, ese pedazo de sangre blanca, cubierta de tierra, de hojas, blanda y concreta para entender la vida que se acerca a la nuestra, a la de todos los que seguían gritando, de pie, armados, en muchos ejidos, en muchos pueblos, en muchos cuerpos con la espalda rota, con sus huesos estallados. Sintió otro golpe en la garganta. Era un dolor como la oscuridad que doblegaba las rocas, que perforaba la luz, como el cristal que caía suave y brutalmente con el reventar del agua cuando se estrellaba contra los peñascos o cae precipitada, libre, con toda su agua, hasta su propio cuerpo que al fondo vuelve a fluir en su cauce, estrellándose sobre sí misma, rompiéndose el agua con un estallido sin dolor, de espuma arrojada un instante a la cúspide del aire, de la luz. Era el grito que quemaba, un sol que desde su sangre quería arder, como si su llama fuera hacia la oscuridad que todo fuego tiene en su raíz, en su base, en su tallo intratable, ubicuo, inasible. Caía con su cabeza caliente sobre la peña limpia que parecía ascender hacia él como una mano dura, de tierra, pero que no mostraba dureza, que no sentía como piedra. Y le parecía caer una vez sobre ella, y luego otra, sobre el mismo sitio, en la misma única caída parecía estar cayendo una vez y otra, como un destino que se imponía, ahí, cerrando el camino, el día, la misma lucha que brotaba del grito que ardía en su boca, en su espalda, en su pecho; el mismo grito que era otro sol que le quemaba la boca, la saliva; la sangre que sentía brotar como todo lo que tenía que hacer, lo que faltaba por hacer; una prisa gritando con el mismo calor, negándose a caer con el mismo ardor, negándose a caer con el mismo ojo incólume de soles que trataban de brotar desde sus manos apoyadas en la tierra, en la roca, gritando por hacerlo, gritando que falta mucho por hacer, por hacer, por hacer, por hacer

ESTA EDICIÓN DE 5 000 EJEMPLARES SE TERMINÓ
DE IMPRIMIR EL 19 DE DICIEMBRE DE 1991 EN LOS
TALLERES DE LITOGRÁFICA INGRAMEX, S.A.
CENTENO 162, COL. GRANJAS ESMERALDA
09810 MÉXICO, D.F.